國樂

일러두기

1 — 이 산문집의 원문은 저자의 수정修正과 가필을 거쳤다.

2 — 원문에서 한자로만 표기되었던 부분에는 음을 달았으며,
의미 소통에 문제가 없는 부분은 한글로 바꾸었다.

3 — 본문 중의 •표는 독자들의 작품 이해를 돕기 위해
편집자가 가려 뽑아 일일이 그 내용을 찾거나 번역하여
책 끝에 부기附記한 '편집자 주 1' 이다.

4 — 이 책 중 저자가 번역을 달지 않은 한시나 한문 문장은
독자의 이해를 돕기 위하여 대략적인 번역 및 뜻풀이를 붙여
'편집자 주 2' 로 책 끝에 부기附記하였다.
저자는 병중病中이라서 편집자가 이 일을 했다.
만약 번역 및 뜻풀이에 오역이나 오독이 있다면
그것은 편집자의 책임이다.

김구용 문학 전집

6

산문집

솔

東鶴洞天에
나를 모르는
돌 얽나 있었던가
물 소리야

乙丑 舊正 試毫

우리는 마음으로
미가시니
굿칠 줄칠이
이시랴。

옛시조 한수를 쓰다
맑고 칠칠이 넓은 여름 가구용

丙子 端午節

魚孝善

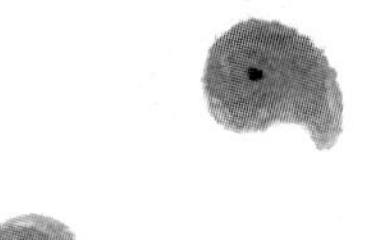

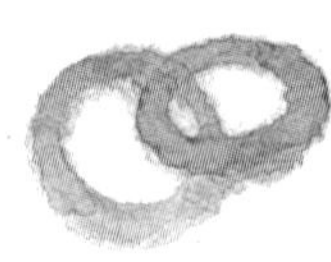

1. 보성고보 1학년 시절. 1937년.

2. 금강산 표훈사 최원허崔圓虛 스님, 열 살 때의 필자, 원허 스님 조카인 최태호(아동문학가). 1931년.

3. 묵默 형과 함께. 1938년.

1

2

3

4

4. 계룡산 동학사 미타암에서. 스님들과 함께. 1950년대 초.

5. 금강산 마하연 선원禪院에서. 가운데 주장柱杖을 잡고 있는 이가 필자. 오른쪽으로 한 사람 건너가 설석우薛石友 조실 노스님. 1937년.

5

1

2

1. 미타암 주지 이인정李仁貞 노장老丈과 동학사 식구들. 1950년대.

2. 금강산 비로봉에서. 어머니와 안내인과 함께. 1938년.

3. 1960년대 중반 어느 봄날 가족 사진. 부인 구경옥具京玉 여사, 왼쪽부터 장남 원동源東, 둘째 유동裕東, 큰딸 수련秀蓮과 함께.

4. 1970년대 초 부인과 함께.

3

4

1

2

3

4

1. 월탄 선생 추모비 제막식에서. 1982년.

2. 가운데 손소희 여사, 뒤쪽으로 월탄 박종화, 그 옆이 필자, 오른쪽 서 있는 이가 김동리. 1970년대.

3. 성균관대학교 교수 정년 퇴임식장에서. 왼쪽부터 이우성李佑成, 필자, 이가원李家源.

4. 1950년대 말 위문차 문인들의 군부대 방문.
   앞줄 오른쪽 끝부터 천상병, 김동리, 왼쪽 끝에 황순원, 김혜숙, 박기원. 뒷줄 왼쪽에서 네번째가 곽종원, 한 사람 건너 윤병로, 한 사람 건너 오영수, 김윤성 그리고 필자.

沈默으로 什

山하는 詩

永遠히 向

白華 紀念

丘庸

因緣 인연

수필——인연

예술론 —— 시 · 서 · 화에 대하여

문학 연구

한시——염화미소

수필——인연

바다와 여인

바다를 하나의 생명으로 볼 수 있다.

그러면 바다는 하나의 나체로서 나타난다.

저 광대하고 심원한 바다는 구슬 같은 일적一滴으로 시작되어 어디서나 일적이 될 수 있는 순수한 합성체로서, 무거운 감벽색紺碧色 바탕과, 꺼지고 일어나며 일어나고 꺼지는 하얀 거품과, 변함 없는 수평선과, 호흡하는 파도와, 무수한 어족, 조개 등 자라나는 해초를 상념의 발현처럼 내포하기도 한다.

생명의 바다와 한 여인의 육체가 서로 대하였다고 생각해보라.

이런 대조는 하나의 관념을 우리에게 부여할 것이다.

자고로 '바다와 여인' 에 대한 신화가 생기고 예술이 이루어지고 창조는 성취되었던 것이다.

나는 한 폭의 그림을 회상할 수 있다.

그것은 오랜 지난날의 일이어서 그 그림의 제목도 작자도 생각에 떠오르지 않는다.

그러나 그 그림의 색채와 구성과 효력은 지금도 눈앞에 완연하다.

거친 해풍에 병들어버린 돛단배였다.

그 돛단배를 빨아 삼키려는 바다가 하얀 파도를 품으며 그림 전폭의 3분지 2를 차지하고 있었다.

또한 배의 속도를 나타내는 퍼덕이는 돛폭 위에 우중충한 하늘이 급각도로 기울어져 있었다.

여러분은 내가 다시, 그 그림에서 무엇을 보았으리라고 생각하는가.

연록빛으로 일어나는 약간의 투명한 기복과 검푸른 바탕이 서로 엉클어지고 휩쓸린 바다에 아름다운 꽃처럼 흩어진 인어들이 풍만한 유방을 드러내놓고 발가숭이 알몸을 요염히 뒤흔들며 있었다. 병든 돛단배에서 눈마다 불을 켜고 인어들을 굽어보는 어부들을 향하여 죽음은 손짓하고 있다.

충혈된 어부들의 눈은 그대로 불덩어리가 되어 타오른다.

머리와 수염이 자라날 대로 자라난 오랜 시일의 해상 생활, 거친 해풍에 적동색으로 변한 체력, 몸과 마음이 자지러지는 듯한 향수, 미칠 듯 그리운 여자의 모습, 그러면서 오랫동안 여인의 육체에 굶주린 그들의 눈은 탐람貪婪한 이빠디라고도 할 수 있었다. 동시에 그것은 완전히 자성을 상실하여버린 표정이었다.

그러나 보라!

이 아름다운 인어들의 후방, 즉 질주하는 돛단배의 전방에 시커먼 암초가 명부冥府의 사자로서 나타나 있지 아니한가.

이 그림도 결국 '바다와 여인'에 대한 하나의 이미지라 할 수 있다.

다음 안데르센의 동화에 나타나는 바닷속 공주는 도합 몇 명이었던지, 그것 역시 읽은 지 하 오래되어 기억나지 않는다. 그러나 그 동화는 워낙 유명한 만큼 바닷속 아름다운 신비가 사실 이상으로 예술화된 그의 신필神筆에 대하여 군소리를 늘어놓을 필요는 없다.

다못 바다 밑에서 해면을 향하여 모든 위험을 무릅쓰고 솟아오르는 아름다운 공주와, 마침내 사랑을 지상에 발견하였다는 것과, 마침내 육체가 바닷물로 변하고 말았다는 슬픈 공주의 이야기만으로 충분할 것이다.

이것 또한 '바다와 여인'에 대한 상념을 구상화한 좋은 일례라 하겠다.

그러나 이런 것들이란 다 찬란한 과거의 유성流星이었으며 현대에 있어서는 하나의 운석隕石에 지나지 못한다.

바다로 창이 나 있는 방에서 매춘부가 헝클어진 머리를 수습 못하고 망연히 바다를 내다본다.

맵시 있게 수영복을 입은 여인이 사장에 발딱 누워 하늘에 뜬 구름을 보며 파도소리를 들으며 백주의 황금몽을 꾼다.

폐肺를 앓는 여인이 바닷빛보다 진한 각혈을 하며 유리창 너머에 내리는 백설을 통하여 겨울 바다를 응시하고 있다.

밤중이었다. 여인이 바다에 투신하였다. 그 여인이 늙은인지 젊은인지도 알 수 없으며, 그와 마찬가지로 자살한 원인도 생활에선지 실연에선지 아는 이가 없다.

현대인들은 다못 이러한 사실을 부정하지 못하며, 아무런 충격도 받지 못하는 데에 스스로의 운명이 있는지 모른다.

현대는 삼단 논법도 극적 구성도 없다. 현실에만 매달리지 않을 수 없는 불행에서 허덕인다. 오늘날에 있어서는 전후 맥락의 단절에 의하여서만 여기다 제목으로 내세운 '바다와 여인'도 명료해진다.

그러나 다못 모든 것에서 벗어난 인간 그대로의 전라全裸한 여인이 지금 불변 불멸의 바다에서 헤엄치며 있다고 생각해보라.

그것은 결코 인어가 아니다.

자연과 육체—즉 지구가 존속하는 한—이 현재만의 '바다와 여인'으로도 그것은 아름다운 생명의 상징일 것이다.

1955

인간의 성당聖堂

'인간은 소우주小宇宙다.' 이런 의미의 말을 한 것은 셰익스피어가 아니었던가 기억된다.

약학 대학 현관 의자에 앉아 강의 시간이 끝나기를 기다리는데 막연히 인간은 소우주라고 한 말이 생각났다.

나는 시간이 끝나면 만나야 할 사람을 기다리는 데 지쳤다기보다 갑자기 시간이라도 정지된 듯한 정침靜寢과 가끔 고요한 동작과 조용한 음성으로 대화하며 출입하는 학생들과 그곳이 약학 대학이란 선입관에선지 어디고 무색 무취한 약품들이 스스로의 약리藥理를 내포하고 있을 것만 같다는 분위기에 휩쓸려 이런 생각이 떠올랐는지도 모른다.

조금 전까지 사람을 만나러 온 용건으로 가득하던 생각이 자아에의 주시注視로 일변하자 갑자기 미지에 대한 신비로움이 일종의 종교적 엄숙을 느끼게까지 하였다. 의사인 한스 카로사•는 어떠한 감상에 깃들여 원고지에다 그의 문학 작품을 썼을까.

6 · 25 사변 전 어느 눈 내리던 날 지인知人을 문병하러 성모 병원

에 갔을 때 복도를 지나며 우연히 유리창 속으로 어느 병실을 보았던 광경이 눈앞에 나타난다.

깨끗한 침대 위엔 저것이 인간인가 싶도록 짐승보다 더럽고 가엾은 거지 아이가 꼼짝 않고 누워 있었다.

한 흑의黑衣의 수녀가 선 채로 머리를 숙이고 묵주를 돌리며 기도를 올리는 중이었다.

과학과 종교는 상반하는 것이 아닌 듯하다. 종교와 과학은 인간에 의하여 비로소 상통하는 것이 아닐까.

종교는 미지에 대한 정신적 탐구며 과학은 신비에 대한 물질적 탐구에 지나지 않을 뿐이다.

파란 셔츠를 입고 그 소년이 수부受付에 앉아 있다. 실내에서 뵈지 않는 시계가 11시를 치는 소리에 문득 나는 좌우를 돌아보았다.

정문에서 들어오던 남녀 학생들이 웃으면서 서로 헤어져 남학생만이 나의 앞을 지나가기에 강의가 끝나려면 아직도 멀었느냐고 물었더니 좀더 기다려야 할 것이라며 가버렸다.

두 번 다시 나는 언제고 간에 그 학생과 만나게 될 것이라고 무슨 숙명처럼 느껴졌다.

사람은 누구나 약을 필요로 할 때가 오는 것이며 우리들은 싫건 좋건 간에 저러한 약학도에게 자기를 맡기고 신세를 져야 할 때가 오는 까닭이다.

나는 새로이 죽은 사람들이 기억났다. 어렸을 때 꽃같이 다채로운 상여를 보고 수일간 밥도 못 먹고 메스꺼웠던, 그 상여를 타고 간 아버지와 고모 장사 후에 이르렀으므로 뮟봉꾼으로 나를 대한 유모乳母, 피란지에서 거의 거적에 말려 나가다시피 한 어머니, 장의차에 실려

홍제원弘齊院으로 간 친우親友 임상순任相淳. 지난날 그들의 모습이 눈앞에 삼삼하나 나는 의사처럼, 약제사처럼 마음에 동요가 일어나지는 않았다.

한 번 이 세상에 태어나면 반드시 한 번은 이 세상을 떠나는 것이다. 아무리 약학이 발달된다 할지라도 이 사실을 뒤집을 수는 없을 것이며 만일 생자불멸生者不滅이 실현한다면 약학은 도리어 인류의 파멸일 것이다. 그러나 불가능에 대한 최대의 반항, 현실에 대한 최선의 추구야말로 신과 겨룰 수 있는 인간의 위대성이라 아니할 수 없다.

동물에서 식물에서 금석金石에서 우리가 볼 수 있는 모든 자연으로부터 약품은 이루어진다고 한다.

이 은혜를 감사하며 그 감사의 심정이 자기 아닌 모든 사람들의 병고를 근심하는 마음이 되어 면학勉學하고 연구하고 노력하는 모습이야말로 20세기의 새로운 종교라 할 것이다.

갑자기 정적과 나의 생각을 뒤흔들어버리는 종소리가 요란스레 일어났다.

나는 의자에서 일어났다. 그리고 경건한 마음으로 머리를 쓰다듬고 양복 바지의 먼지를 털었다.

교실에서 복도로 나오는 학생들 사이를 비키며 나의 용무를 위한 사람을 만나기 위하여 인간의 성당을 천천히 걸어갔다.

1955

화접송花蝶頌

여성을 칭송하되 남자의 입장을 잊는다면, 그것은 도리어 여자에 대한 실례라 하겠다. 왜냐하면 그런 것이란 하늘도 땅도 없는 곳에 핀 꽃을 공상하는 것과 같은 까닭이다.

성전환性轉換이 보도되는 오늘날에 있어서 남성은 여성이 될 수 없고 여성은 남성이 될 수 없다고 믿었던 과거의 철칙도 허물어졌다.

그러나 인간의 미래가 영원하다면, 우리는, 그 미래를 장담할 수 있는 것이 하나쯤은 있어도 좋을 줄로 생각한다. 여성과 남성이 엄연한 차이로 어우러지는, 즉 상반된 조화를 잃는다면, 모든 변화는 없어지고 따라서 묘한 이치는 멈추고 생성은 끝나고 지구는 하늘의 달처럼 죽음의 장소에 불과하리라는 것이다.

물론 남존여비를 버리고 남녀동등을 부르짖게 된 것은 당연하고도 좋은 일이다. 그러나 이러한 사조思潮의 변화는 결국 인간이 만든 법이라든가, 또는 환경, 풍속, 습관에서 오는 것일 뿐 인간성, 즉 이성간理性間에 있어서는 일찍이 퇴보도 진보도 없었으며 과거도 현재도 미래도 언제나 한결같다고 한다면, 이런 말을 한다 하여 사람들은 쉽사리 완고하고 무식한 소견이라 규정하진 않을 것이다.

자고로 우리 나라 속담에 다음과 같은 말이 있다.

'베개 위 송사訴事 이기는 장사 없다.'

즉 잠자리 속에서 여자가 속삭이는 말을, 결국 그르다고 생각하거나 또는 들어주지 않는 남성은 없다는 뜻이다.

'여자 앞엔 영웅 군자도 없다.'

'그 사람됨을 논하되 호색好色하는 걸로써 평하지 말라.'

이상 예거例擧한 과거 동양의 말을 듣기 싫다고 하는 현대 여성이 있다면, 그네는 남성의 칭송을 받을 자격도 없는 목석木石일 것이다.

완고가 형식으로, 형식이 부패를 결말하였다고 외치고 있으나, 위에 인용한 바와 같이 조선 5백 년의 남성들도 오늘날과 마찬가지로 여인을 극구 칭송한 것만은 사실이다.

비단 조선만이리요. 동서고금의 역사도 그렇거니와, 한갓 일개 가정의 일일지라도, 한 사건의 요인要因에는 여자의 힘이 내재되어 있다는 걸 이해 못한다면 그야말로 수박 겉 핥기라 하겠다.

언제고 C씨는 여자 말이 나기만 하면

"여자는 드런 거야. 비린내가 나지. 여우야, 여우."

하고 수상스러우리만큼 멸시하는 게 일쑤였다.

"그런 소리 마시오. 당신 어머님까지 욕먹겠소."

하고 쏘아주고 싶은 의분을(?) 느끼지 않는 바 아니나, 나는 C씨가 애처가인 까닭에 저런 소리를 하겠지, 이렇게 선의로 해석할 수도 있었으므로, 대답 대신 웃기만 하였다.

나는 여성에 관한 일에서 받은 교훈을 적다고 생각지 않는다.

어떤 분은 언젠가 일부러 좀 들어보란 듯이 여러 사람이 있는 중에서, 나를 곁에 두고 이런 말을 하였다.

"인생을 알아야 인격이 나타나지요. 결혼을 안 하면 암만 나이 먹어도 치기稚氣를 못 면하지요."

나는 그 말을 옳거니 생각하였다.

내가 시골 있었을 때 일이다.

그 무렵 앞집에 살던 처녀는, 그해 들면서부터 눈허리가 시도록 화장이 야단스러웠다. 마침 그 처녀가 대문 앞을 지나가는데

"형님 저 처녀 어떻수."

나보다 먼저 결혼한 동생이 총각인 형에게 묻는 소리였다.

"여자란 어디고 수수한 게 천연스런 데가 있어야지, 저렇게 까바질르고 댕겨서야 쓰겠니."

그저 무심히 나오는 대로 대답하였다.

"형님은 아직도 멀었소. 여자가 조만 나이면 저러고 댕길 수 있다는 것쯤 이해 못하고서야 되겠소."

나는 지금도 가끔 동생이 하던 말을 생각할 적마다 쓴웃음을 금할 수 없다.

작년인지 금년인지 기억할 수 없으나 언젠가 B씨와 함께 저녁 거리를 걷던 참이었다. B씨가

"홍! 몇 해 지나면 죄다 벗게 될려누."

문득 개탄조로 유심스레 앞을 보며 하는 말이었다. 나는 바로 앞에 가는 여인의 뒷모습을 보고야 그 뜻을 알 수 있었다.

겨드랑이까지 내다뵈는 팔, 무릎 위까지 나타난 스커트를 입은 여인의 상반신은 그나마 조끼만도 못한 옷을 입고 있었다. 그러고도 유방 이외의 속살까지 비교적 완연하게 드러나 있었던 것이다. 어느새

나는 B씨에게

"나비를 부르는 꽃이로군."

하고 그 노출증露出症을 변호하고 있었다.

의대생이 한번은 나에게 이런 말을 들려준 일도 있었다.

"의학을 해본 사람이라야 신비와 경이驚異를 느끼게 됩니다. 여자들이 겨울에도 옷을 되도록 간단하게 입는 걸 보면 모양 내려 저러는 게로구나 하고 생각하시겠지요. 그런데 그건 그렇게 간단한 게 아니고 실로 묘합니다. 여자는 남자보다 추위를 덜 타게 되어 있습니다. 해부를 해보면 여자의 피부 밑은 지방脂肪으로 가득합니다. 그래서 여자는 추위에도 맵시 있게 살을 내놓을 수 있고, 물을 길을 수도, 빨래할 수도 있고, 또 그 지방이 남자를 유혹하는 고운 탄력과 부드러운 촉감도 줍니다."

우리가 이런 말을 들을 때 느낄 수 있는 것은 오히려 상식 정도의 문제에서 깨닫게 되는 것이 많다는 것이다.

어떻든 누구나 알다시피 이성간에서 소위 사랑이란 싹트게 되어 있다. 여성의 지나친 감정을 멸시하는 남자도 있으나, 어머니로서의 그 감정은 성스럽도록 크나큰 자애가 된다. 또 남자는 지나치게 자기 주견主見대로 고집을 피우지만, 여자는 순종에서 참다운 행복을 느낄 수도 있다. 여자와 남자는 결코 같지 않으며 같을 수도 없다는 데서, 인간은 각자의 임무를 수행할 수 있다. 서로 존경하고 소중히 아껴주는 것이 남녀 동등권인데도 불구하고 무슨 반항처럼 중성中性이 되어버린 여성을 볼 때면 따분하지 않을 수 없다.

그러나 꽃과 나비는 과거처럼 미래도 역시 현재처럼 서로의 미美로서 긴밀한 영위를 하고 있다. 누구나 이러한 스스로의 분신을 업신여기도록, 신비와 경이에 둔감하지는 않을 것이다.

그러므로 언제나 어디서나 여인을 칭송하지 않는 남성은 없다.

1956

후배에게

보내주신 편지와 고료 감사합니다. 혹한 중에 광화문 우체국까지 가서 수고하여주신 데 대하여 도리어 미안함을 금할 수 없습니다.

선배는 언제나 뒤에 오는 분에게 두려움과 선망羨望을 동시에 느끼는 법입니다.

끊임없는 정진精進으로 공부 많이 하시기 바랍니다.

권權, 정鄭, 이李, 임林 제씨와 김金양은 다 하향下鄕하셨는지요.

나는 이곳 산간에 온 후 별로 대고大故는 없으나 오히려 서울이 그리울 지경입니다.

내버려두어도 세월은 흐르겠지요.

우리가 무엇을 남길 수 있느냐는 것도 모든 시간만이 증명하여주겠지요.

2월 되어 학기 시작되면 상면하겠습니다.

엄동 중 건강에 조심하시기 바라며 기차其次 불비각필不備閣筆합니다.

병신丙申 12월 25일 김구용

○○○ 아정雅正

1956

고향 재방기再訪記

문득 여행하고 싶다는 충동을 느낄 때의 심정이 어떤 것인가 설명할 필요도 없다.

특히 영롱한 가을에 여행을 생각는 것은 인생을 생각는 것과 흡사하다. 여행은 나를 유혹한다. 그러나 나그네는 언제고 쓰라린 법이다. 그것을 충분히 알면서도 출발하지 않고는 못 배긴다. 그러나 수목樹木 없는 강산의 어디에서 우리는 자연으로부터 위로받을 수 있을까. 물론 고향이 없는 건 아니나 그립다기보다는 걱정과 근심이 많은 곳이다. 결국 여행은 동경에 멈추고 사람은 뜻대로 안 되는 생활 속에서 단풍처럼 권태에 물든다. 드디어 이러한 동경이 때를 만나 보다 먼 고향에의 향수로서 실현하였다. 내가 지난날 관계하였던 학교의 수학여행에 끼여 여학생들과 함께 경주 땅을 밟게 된 것은 거의 가을도 끝날 무렵이었다.

와가주동瓦家朱棟의 박물관을 찾는 것은 처음이 아니다. 부서진 불보살의 석상들이 지난날 놓여 있던 그 위치에 있었으므로 더욱 반가웠다. 풍마우세風磨雨洗로 다시 청태靑苔가 생명하는 연대蓮台를 만지며 그간 잘 있었더냐고 염하여본다. 또 그립던 사람을 만나러 들어가듯 도리어 마음을 진정하고 가까이 가는 나의 발자국소리에도 이미 금관은 두근거리는 유방처럼 가늘게 진동하였고, 동시에 더욱 곡옥曲玉으로 선려鮮麗한 표정을 지으면서 나를 반가이 영접한다. 순간 전신의 피가 일시에 승화함을 느끼지 않을 수 없었다. 그러나 내가 이번 여행에 있어 목적한 두 가지 소원 중 그 하나부터 말해야겠다. 그것은 아득하기 천여 년 전 신라의 생명을 초혼招魂하여 나의 정신을 도야陶冶코자 함이었다. 나는 '에밀레종' 앞에 순례자와 같은 심정으로서 있었다. 나는 이제 12만 근斤의 거종巨鍾에 부각浮刻된 향로를 받들고 있는 비천飛天상을 응시하고 있는 것이 아니라 이미 이 작가가 경주傾注한 3대 30년간의 심혈心血로 목을 축이고 있었다. 그의 결정結晶을 내 뇌실腦室에다 밝히고 나는 어떻게 하면 시로써 이 위대성을 육체화할 것이며 둔탁한 자신을 높이 끌어올릴 수 있느냐에 대한 신중과 정열로 황홀경에 취하였다. 종이 무언無言으로 절망하는 나의 일격一擊에 의하여 천년 전 영혼은 지금 바로 내 앞에 나타나려는 자세를 하고 있다. 그 음향은 벽해碧海의 파도처럼 일어나 내 전신의 피에 서운瑞雲처럼 스밀 것이고 다시 저 무한을 완전히 포함함으로써 침묵할 것이다.

나는 안내자를 통하여 박물관 직원에게 이 거룩한 초혼을 엄수嚴修하고자 간청하였다. 그러나 일언지하에 거절당하였고 초지初志를 관철할 수 없었다. 법에 의하여 종을 치지 못하도록 엄금되어 있다는 것이었다.

법이란 때에 따라 이해의 방해물로서 나타나는 수가 빈번하다. 종이 원하며 내가 절망하는 초혼을 언제고 성취할 때는 올 것이다. 황혼이 관내館內에다 그늘을 드리우고 여학생들의 히히덕거리는 소리가 들린다. 나는 박물관 후면에서 홀로 꿈을 찾고 있었다. 와편瓦片이라도 좋다. 조그만 불상의 파편이라도 줍게 된다면 얼마나 기쁘랴. 그러나 여기저기 뒹굴고 있는 엄청나게 큰 토기土器를 맥없이 보며 부서진 토기 조각 한 개를 소중히 양복 봉창에다 간직하였을 따름이었다.

피로를 풀려 저녁 식사 때 경주 법주法酒를 마시면서 여관 주인에게 별 기대도 않고 장난삼아 물었다.

"혹 신라 때 기와나 또는 그 당시 유물 같은 걸 파는 데가 있습니까."

"네, 있습니다. 석빙고石氷庫 앞에서 파는데 대부분이 기왓장이지요. 간혹 밭에서 나오는 게 있지만 좋은 건 보기 힘듭니다."

나는 부지중에 술잔을 놓았다. 가능하리라고 믿었던 에밀레종 소리는 들을 수 없었고 십중 팔구 구할 수 없으리라 단념하였던 신라 때 기왓장이 있다는 것이다. 나는 하룻밤 기차 속에서 잠 못 자고 시달린 피곤도 잊고 방마다 들려오는 여학생들의 노랫소리마저 갑자기 꺼져버리는 듯한 긴장을 느꼈다.

그 이튿날은 새파란 하늘이 칼날처럼 추웠다. 석빙고에 가까워질수록 바람이 몹시 불었다. 단 하나 있는 판잣집 가게로 들어서니 불안도 더하였다. 그러나 사람의 욕심이란 한이 없다. 늘어놓인 와전瓦磚과 토기들을 보았으나 그 중에서도 이채로운 것은 없었고 걱정하던 만큼 고가高價는 아니었다. 문자나 금수문禽獸紋이 있으면 월등 비싼데 기와도 기와 나름이어서 어느 정도로 완전하냐 파손되었냐에 따라서 가격에 차가 있다고 한다. 여학생이 한 기와의 가격을 묻자 주인은 연꽃잎이 몇 개인가를 헤아리기에 그 까닭을 질문하였더니 연대를 고증할 수 있다면서 종시 꽃잎 개수와 종류에 관하여는 비밀을 지키는 것이었다. 나는 누이동생의 선택에 의하여 기와 두 개를 7백 원에 샀다. 비교적 파손이 적으면서도 문紋이 복잡한 것을 서운연화문瑞雲蓮花紋이라 명명하였고 마멸이 심한 조각 기와를 보화문寶貨紋이라 명명하였다.

나는 이제 붓을 잠시 멈추고 벽에 걸려 있는 두 개의 신라 때 기와를 쳐다보지 않을 수 없다. 우아하면서도 단정함을 잃지 않고, 신뢰감을 주면서도 치밀하게 조화된 단 두 개의 기와가 이 방내房內에 끼치는 분위기를 표현할 수 없다. 그것은 아부도 매혹도 미태媚態도 아닌 미소며 선善이며 안정이다.

이것은 어찌한 이유일까 하고 나는 오랫동안 생각하기를 즐기었다. 이리하여 신라의 사람은 상품으로서 이 기와를 만든 것이 아니며 하나의 예술로서 이루어놓았다는 걸 배웠다.

인간 본성에서 발로된 기품, 그리고 깊은 사랑에서 이루어진 정성의 형상이 아니고 무엇일까.

이리하여 천고千古에 변하지 않았고 앞으로 만고萬古에 변하지 않을 두 개의 보물을 얻은 셈이다.

지난번 보지 못하였던 석탈해 왕릉昔脫解王陵, 백율사지白栗寺址, 김유신 능라정金庾信綾羅井까지 두루 구경하고 그날 초저녁에 다시 트럭을 탔다.

경주 읍내를 떠나 불국사佛國寺로 향하면서 종시 학생들과 행동을 같이 해야 하므로 이 고향에 내가 존경하는 김범부金凡父• 선생, 유치환柳致環• 선생이 계시건만 찾아뵙지 못하고 떠남을 못내 안타까워하였다.

1956

밤비는 봄을 알려주고

'밤비는 구름의 층계를 뛰어내려 우리에게 봄을 알려주고 모든 것이 생명을 찾았을 때 달빛은 구름 사이로 지상의 행복을 빌어주었다.'

이는 금년 2월에 젊은 나이로 애석하게 작고한 박인환朴寅煥• 씨의 「구름」이란 시의 일절이다.

봄은 누구에도 차별 없이 나타난다. 그러나 모든 이론의 성性이 붕괴하면서부터 일어난 현대의 혼란에 있어서는 인간마다 봄도 다르다.

나는 박인환 씨와 마지막 만났던 것을 기억하고 있다. 그날 나는 다방에서 미지의 묘령 여성으로부터 인사를 받고 당황했었다. 직접 본인으로부터 졸업생이란 걸 듣고야 화병에 꽃이 꽂혀 있는 다방에서 반갑다는 미소를 지었다.

바로 이때 박인환 씨가 들어왔던 것이다.

"내게 책 달랬지요. 꼭 드리려 하면서도 돈이 없어 책을 못 찾고 있어요. 오늘은 드릴게."

씨는 술 냄새를 풍기며 이렇게 말하고 옆집 사무실로 들어가더니 『선시집選詩集』을 나에게 주었다. 이리하여 그 『박인환 선시집』은 지금 내 귀중한 서적의 하나로서 소장되어 있다.

그날 거리로 나오자 씨는 다시 술 냄새를 풍기며 말하였다.

"오늘이 이상李箱*이가 동경에서 죽은 날이오. 고인을 알던 사람들끼리 모여 저기서 술을 마시다가 나왔는데 지금 또 가봐야겠소."

간혹 거리에서 만날 때마다 취하지 아니한 씨를 본 일은 별로 없었다. 결코 과음은 좋은 일이라 할 수야 없지만 나는 그날의 씨를 이해할 수 있을 것만 같았다. 모든 혼란의 원인은 부정과 긍정을 분별할 수 없는 데 있었다.

"책을 사서 봐야 할 텐데 받게 되어 고맙소."

하였더니 씨는 다정스레 말하는 것이었다.

"가끔 이리로 좀 나오슈. 공연히 서로 인연에 얽매여 가까워지지 못하거던. 우리 젊은 사람들이 만나면 서로 얼마든지 통할 수 있지 않소."

"우리가 문학하는 사람이라면 누구나 서로 사랑하겠지요."

하고 나는 진정으로 대답하였다.

이것이 고故박인환 씨와의 마지막 대면이었다.

'일상이 그러한 것과 같이 주검은 친우親友와도 같이 다정스러웠다.'

이는 씨의 「미스터 모某의 생生과 사死」란 시의 일절이다.

사死는 '평화의 정원' 이라고도 한다.

그러나 씨의 장례식 날 모여든 그 많은 사람들의 눈엔 눈물이 떠올랐다. 훈훈한 봄날이건만 씨의 앞날을 기대하며 아끼던 친우들은 그의 죽음을 슬퍼하지 않을 수 없었다.

씨의 떠나감을 전송하려 보도에 늘어선 사람들이 하 많았으므로 일반 행인들은 웬 사람들이 무슨 일로 이렇게 모여 섰나 하고 의아스레 쳐다보며 지나들 갔다.

물론 그들 중엔 애인을 만나러 가는 사람이 있을 것이다.

이해 관계로 가슴을 죄며 급히 가는 사람이 있을 것이다.

그러나 이 다채로운 의상과 새 양복으로 맵시 있게 꾸민 행인들 중에 참으로 행복한 사람이 몇이나 있을까.

행복은 구하는 데 있지 않을지도 모른다. 그러나 이 봄을 기뻐할 수 있는 사람의 수가 적다면 불행한 일인 것도 사실이다.

봄은 왔건만 시인 박인환은 떠나고, 행복의 의의를 찾아야 할 남은 사람들은 다시 혼란 속에서 눈물도 마른다.

'저무는 전원田園! 시인이 죽고 괴로운 세월은 어데론지 떠났다.'

이것 역시 씨의 「전원」이란 시의 일절이다.

나는 오후에 만나야 할 사람이 있었으므로 씨의 장지葬地인 망우리忘憂里까지 가지 못하였다.

기대하던 친우는 근심을 잊는 마을에서 영원이 되고 우리들은 잡무에 얽매여 제각기 흩어졌다. 심지어 살기 위한 것이라면 만일 부정不正을 범하였을지라도 죄 될 것은 없다고까지 생각되었다.

씨를 망우리에 매장한 그날 밤도 봄비가 내렸다. 밤 전차의 유리창에도 봄비가 승객들의 영상을 두드렸다. 그것은 이미 이 세상을 떠난 씨의 시—즉 비 내리면 떠난 친구의 목소리가 강물보다도 내 귀에 서늘하게 들린다—는 구절을 생각케 하였다.

4월 24일은 작년에 작고한 소설가 임상순 씨의 소상小祥이다. 밤비는 우리에게 봄을 알려주고 있다. 나는 작고한 임상순, 박인환 양씨兩氏를 생각한다. 누구나 살아야 한다는 것은 무엇보다도 엄숙한 우리의 의무라 하고 싶다.

1956

녹음綠陰 아래서

도시에서는 가게에 나오는 야채 또는 과실에 의하여 겨우 계절을 느끼는 것이 고작이다. 이런 점으로 미루어볼 때 나는 비교적 자연의 혜택을 받는 편이라 하겠다. 내가 강사로 나가는 학교가 마침 교외에 있으므로 버스 속에서 모 심는 풍경을 볼 수 있었고 촌역村驛 근처의 밭에 옥수수는 얼마나 자랐고 호박 덩굴이 어느 정도로 퍼졌다는 걸 봄으로써 평화스런 감흥에 젖을 때도 있는 까닭이다. 매년 나는 여름이 되면 자연으로 돌아갈 수 있다는 향수로 가슴이 충만하여진다. 손꼽아 기다리는 방학이 되면 나는 녹음 짙은 산방으로 갈 수 있는 까닭이다. 나는 앞으로 월여月餘 동안 녹음 아래서 무엇을 할 것인가에 대하여 이미 계획을 세우며 과거의 경험과 새로운 기대 사이를 소요逍遙하고 있다. 지금 생각으론 만목 녹음滿目綠陰 속 깨끗한 방에서 『옥루몽玉樓夢』 마지막 권 역주譯註를 끝마칠 것과 계곡의 물소릴 들으며 천천히 시 한 편을 만들 것과 시원한 창변窓邊에 누워 꼭 두 권의 서적만 읽을 계획이다. 그러나 자연의 영위營爲는 춘하추동을 어기는 일 없이 표현하며 은혜를 베풀고 있으나 특히 인간에 있어서 계획이란 뜻대로 안 된다는 것부터 대오大悟하지 않으면 안 된다. 그러므로 나는 지금 계획하고 있는 것이 녹음 아래서 이루어지리라고 확신하진 않는다. 나는 자연과 같은 성과를 노리기보다는 우선 가능한 한 충실해야겠다고 생각할 따름이다. 가사 성하산중盛夏山中에서 역주도, 시작詩作도, 독서도 않고 월여간月餘間을 경과한 후 돌아온다 할지라도 그때에 후회하지 않는다면 나는 녹음 아래서 많은 것을 배우고 많은 힘을 얻었다 할 것이다. 고시古詩에 백운白雲이 재천在天하니 산릉山陵이 자출自出이란 구句가 있다. 도시에서 방학을 기다리고 있건만 이미 바다보다 푸르고 아름다운 녹음의 심도深度가 나를 부르며 있는 것이다.

1956

무대를 잃은 음악

한 국가가 외국에 대하여 자랑할 수 있는 것은 그 나라의 문화다. 문화 정도에 대한 판단은 국경을 넘어서까지 인간의 경애심을 일으키는 까닭이다.

영국에서 셰익스피어 작품을 상연하는 극장은 관객 부족으로 인하여 수지가 맞지 않는다고 한다. 그러나 배우들은 국가 원조에 의하여 의식衣食을 해결하고 그들의 예도藝道에 정진하며 있다는 것이다.

일본의 카부키는 그 민족의 존경을 받고 있는 까닭에 그들의 자랑이 되어 있다.

이러한 예를 듣고 볼 때 우리는 거듭 내성內省하지 않을 수 없다. 우리 민족 고유의 예술은 오늘날에 있어 세계 음악사에 참가할 수 있는 특색을 이루고 있다.

맘보가 제 아무리 오늘날에 유행할지라도 그 가치를 높이 평가한다든가 베토벤을 무시하려는 자는 없을 것이다.

옛말에 10년이 지나면 산천도 변한다고 한다. 우리 나라 국악원國樂院엔 오랜 역사와 전통을 가진 민족 음악을 계승하여 10년 이상 수십 년에 이르기까지, 그리고 앞으로 여생을 바치지 않을 수 없는 그만큼 우리가 신뢰하고 존경할 수 있는 예술가들이 있다는 것을 누구나 긍정할 것이다.

나는 작년 겨울에 수강료 천 환圜을 내고 창극唱劇 「춘향전春香傳」의 한 토막을 배우러 다닌 일이 있었다.

사교춤을 배우러 다니는 분들이 거개 젊은 사람들인 데 비하여 우리의 음악에 대하여 모여든 분들은 거개가 40세 이상이었고 불과 20명 미만에 지나지 않았다. 선생은 싫은 빛 없이 몇 번이고 거듭거듭 노래하였다. 사람들은 선생의 노래를 들을 때마다 격절 찬탄擊節讚嘆하였고 자기 소리가 뜻대로 되지 않는 것을 안타까워하며 부끄러워하였다.

단지 천 환을 내고 사계斯界의 대가大家로부터 2주일 동안이나 초보자들이 노래를 배운다는 것만 하여도 이 나라 국민이라면 부끄러운 줄 알아야 할 것이다.

동시에 비록 몇 명 되지 않을지라도 시조, 단가, 민요, 가야금, 단소, 무용을 배우러 다니는 분들을 고맙게 생각하지 않을 수 없었다.

저 수십 년의 경력을 가진 대가들은 교만할 만큼 빈번한 극장의 교섭을 거절해야 할 것이다. 대가는 국악의 권위를 위하여 자기 이해에 냉담할 것이다. 그러나 대가가 국악만을 전문으로 하는 국가 시설의 극장 무대에 나타났을 때 관객은 언제나 초만원 속에서 성의와 냉담을 아울러 가지고 신중히 들으며 비평하며 우리 나라 고유 음악의 진가를 완상翫賞할 수 있음으로써 스스로를 의의 있게 해야 할 것이다.

그런데 오늘날 현상은 어떠한가! 수십 년 외곬수로 정진한 대가들은 밤낮 없이 제자 아닌 손님 수명을 앞에 놓고 목청을 쓰며 빈한貧寒과 곤궁에서 시들고 있다. 각고정마刻苦精磨한 결정結晶의 보배로운 목소리를 녹음기처럼 제공하고 있다.

물론 나의 단문短聞한 탓이겠지만 해방 이래 레코드 판이 적지 않게 나왔으나 아직 우리 나라 고유 음악이 취입되었다는 것을 듣지 못하였다. 이러한 고귀한 예술이 특수 계급의 주흥酒興을 돕는 데서 해방되어 민중과 함께 즐기도록 지향되어야 할 것은 두말 할 것도 없다.

다방에선 재즈, 왈츠, 탱고 아니면 맘보, 「글루미 선데이」 같은 것이 빙빙 돌며 손님들을 자극하려 날치고 있다.

오히려 왜정 때 우리는 단가短歌 또는 가야금 병창倂唱, 창극 등 많은 레코드 판을 가질 수 있었다.

지난날 사형舍兄 집에 일인日人의 회사에서 취입된 「심청전沈淸傳」 한 벌이 있었는데 6 · 25에 없어졌다는 걸 알았을 때 내 자신이 큰 보물을 잃은 듯하였다.

정정렬丁貞烈*, 이동백李東伯*, 이화중선李花中仙* 이러한 당대 일류의 예술가들은 국내에서 민족 예술을 지켰고 마침내 조국 해방도 보지 못하고 세상을 떠났다. 그러나 그들의 예술은 죽지 않고 그들이 남겨놓은 레코드에 녹음되어 있건만 이제 우리는 듣고 싶어도 들을 수 없을 만큼 희귀한 것이 되어버렸다.

지난번에 「춘향전」이 미국 모회사의 재녹음으로 판매된다는 광고를 본 일이 있다. 물론 살 수 있기는커녕 축음기도 없는 자세로되 가격이 궁금하였을 정도였다. 그 후 신문 보도에 의하면 말썽이 생겼다 하나 어떻든 우리 나라에 그러한 귀중한 예술이 하나라도 더 보급되어야 할 것이다. 언젠가 나는 이웃집에서 트는 「춘향전」 레코드 소리를 들은 일이 있었다.

이미 세상을 떠난 예술가들의 목소리는 나를 감개무량케 하였다.

그 사람들의 예술이 나를 도취시켰던 것이다. 더구나 정정렬 같은 분은 자기 소리에 절망한 나머지 자살을 기도한 일이 있었다고 하지 않는가.

세계 음악사에 유일무이의 특색 있는 저다지도 인간성을 발현한 우리의 고유 예술이 왜 이다지도 불우한 것일까. 거듭 생각지 않을 수 없다. 영화 「카루소」가 들어오자 구경 간 사람은 나 아는 사람만으로도 적지 않았다. 외국에서 교향악단이 왔을 때도 그러하였다. 그런데 우리 국악은 소조 적막蕭條寂寞하다. 참다운 판단을 내릴 만큼 냉정한 기반에 서 있지 못하다는 것은 허영과 가식에 불과한 것이다. 그리고 정당한 생각이 전체에 반영되지 못할 때 국가가 힘써야 할 것은 물론이다. 국악 계열의 예술을 대하면 화씨和氏•가 옥玉을 품고 혈읍血泣하였다는 옛이야기가 생각나는 것은 어찌한 까닭일까.

1956

고병古甁에 핀 회상

청징淸澄한 가을은 인생을 생각케 한다는 말이 있다. 이곳 학문의 상아탑에 서면 도시가 부감俯瞰된다. 모순의 파도에 부침浮沈하는 생명의 갈등이 이다지도 고요히 조망되는 위치가 또 있을까. 높이 앉은 석조 건축의 웅자雄姿와 단청의 고색도 창연하고 단엄端嚴한 동양 건물로 이루어진 이곳은 너와 나에게 있어서도 일찍이 의의 깊은 곳이었다. 너와 나는 이상스레도 동서 양양兩洋의 역사가 하나의 인류 문화를 꽃피우고자 교류 진통하는 전야前夜의 폭풍우 속에서 만나 유서 깊은 이곳에서 서로 스스로의 광명을 찾고자 하였던 것이다.

우리들이 우리 나라의 유명한 학자와 문예가들을 본 것도 이곳에서였다. 그분들의 음용音容에 접하고 강의를 들은 것도 이미 지난날의 일이다. 우리들이 입학하였던 그 이듬해에 6 · 25 사변이 일어났으니까 그것은 이미 7년 전 일이며 너와 나의 동문 수학도 불과 1년 사이였다.

그 7년 동안에 이 나라 전국민이 몇 번씩 생사의 경계선에서 방황하였다는 것은 후세의 역사가 증명할 것이다. 죽기 아니면 살기였다. 어쩌다 죽었는지 어쩌다 살아났는지 이 문제 앞엔 지성知性도, 학문도, 과학도, 무능하였다. 20세기 후반기의 인간으로선 참으로 믿지 못할 처참한 신화며 불가해한 비극이었다. 이리하여 너는 전사戰死하였고 지금 나는 너와 함께 배우던 모교에서 백묵을 들게 되었다.

그 당시 학우들은 "세민世珉이를(너의 본명은 내 선고先考의 휘諱와 글자까지 같았으므로 너는 나를 위하여 아호雅號로 행세했었다) 찾으려면 구용丘庸을 찾고 구용을 찾으려면 세민이를 찾으면 된다"고까지 하였다.

석조 건축장에도 뒷산에도 비천당丕闡堂에도 어디에도 우리들의 발이 밟지 않은 곳은 없었고 그럴 때마다 너와 나는 빛 있는 곳에 그림자 있듯 함께 있었다.

교지校誌에 투고했던 내 시가 선배로부터 거절당하였을 때 미남자인 너는 몹시 분개했다.

제삼자가 볼 때엔 우스울 만큼 너와 나의 우정은 상식을 넘고 있었다.

그렇다 하여 우리들은 랭보•와 베를렌느•같이 광란狂亂하지도 않았고, 오스카 와일드•나 장 즈네•처럼 남색자男色者였던가 하면 그렇지도 않았다. 다만 우리는 약간씩 자기 불행을 과장하였고 스스로의 고독을 지나치게 중시함으로써 서로 통하였던 것이다.

우리는 은행나무 밑을 거닐기도 하고 매화의 암향暗香을 맡으며 또는 잔디밭에 앉아 기와등에서 지저귀는 참새를 바라보며 릴케•니 엘뤼아르니 파운드•니 스펜더•니 하고 시를 논했다.

물론 유치한 정열이었으나 회상은 이다지도 완미完美하도록 나를 공허케 하고 있다. 그러므로 지금도 나는 학교에 올 적마다 너를 본다.

그런데 내가 보는 이곳 안계眼界엔 유명幽明을 달리 하였을망정 지난날의 네 용자容姿를 어디서고 볼 수 있건만 네 곁에 있어야 할 내 자신이 보이지 않음은 참으로 안타깝다. 나는 너를 볼 수 있을 뿐 네 곁에 있을 수 없는 현세現世의 생존자란 걸 깨닫고 눈물을 닦으며 내가 왜 이리 심약한가 하고 웃을 때도 있다. 학문도, 예술도, 결국은 인간을 위한 그 근본에 있어 서로 같다는 가치를 인정받아야 할 것이다.

정치도, 경제도, 문학도, 과학도, 구극究極은 인간의 복지를 위하는 까닭에 학자나 예술가가 다같이 탐구하고 연마하는 데 다름없다. 내가 너를 생각하듯 너도 나를 생각할 수 있는가. 나는 너를 전쟁이 뺏아간 장래의 천재며 누구나 기대할 수 있을 앞날의 위대한 시인이었으리라고 생각한다. 나는 너를 생각하면 여러 가지 부끄럼에 얼굴을 붉히지 않을 수 없다. 나는 가르치기보다 지금도 배우려 모교에 나온다고 할 수밖에 없다. 사색하는 사람, 공부하는 사람, 창작하는 사람은 어디 가건 무엇에서고 배울 것이다.

모든 현실이 또한 서적이로되 나는 주일週日에 몇 시간이나마 모교에서 배울 수 있는 기회를 감사한다. 지난날의 우리들처럼 등록금에 쩔쩔매는 학생들과 우수한 천질天質과 고가의 노력과 확호確乎한 신념에 몰입하는 학생들과 참으로 배우는 바 크기 까닭이다. 지난날에 우리들을 훈도薰陶하여주신 많은 스승님들이 지금도 건재하시다.

그간 귀중한 저서를 내신 스승님들도 있고 길이 후세에 전할 글을 많이 발표하시는 스승님도 있고, 모두 뒷사람에게 지지 않으시려 연구에 골몰하고 계시다.

스승을 따라가기는 미약하고 후인後人에게 지지 않기도 지난하게 되었다. 감당할 수 없는 짐은 무거운데 나는 너를 잃고 홀로 끝없는 도

정을 가며 있다. 인생이 40을 바라보는 나이면 세파도 거의 반을 건넌 셈이다.

생경生硬한 시기를 지나 인생이 무르익을수록 그제부터 소업所業은 더욱 활발해야 할 텐데 너를 잃은 나는 성아자붕우成我者朋友란 말을 입버릇처럼 뇌까릴 때마다 애달프기 그지없다. 이제 나는 앞으로 모교에서 많은 문예가들이 배출하여 그들이 너의 한을 풀어주고 나의 기쁨이 되어주길 바라는 도리밖에 없다. 나는 너에게 모교 출신의 문단인 소식을 알리고자 한다. 좀체 말이 없던 시인 정운삼鄭雲三 씨는 부산서 피란 중에 자살하였다.

너도 나와 다름없이 자살을 과대하게 또는 과소하게도 평가 않을 것이다. 그 당시의 내 일기를 뒤져보면 '오늘 술집에서 씨가 자살하였다는 소문을 듣다. 나는 지난번 씨를 만났을 때 유난히 붉던 씨의 코가 자꾸 생각났다. 나는 이러한 심리 현상을 알 수 없다' 라고 적혀 있다. 6 · 25 사변 전 『문예文藝』에 「허생전許先生」이 추천되었던 소설가 권선근權善根 씨는 부산서 환도한 후 마지막 추천을 마치고 지금 충남 대학에 나가며 창작에 정진하는 중이다. 다음 시인 박양균朴陽均 씨는 우리가 부산 피란 때 『문예』에 추천을 마치고 시집 『두고 온 지표地標』를 내놓자 자못 높이 평가되었다.

씨는 지금 경북 대학에 나가며 역시 시작詩作에 정진하고 있다. 상기上記한 동창들, 즉 정운삼 씨는 세상을 떠나고 권선근, 박양균 양씨兩氏는 내가 소중히 아끼는 친구로 죄다 지방에 있으므로 좀체 만날 기회조차 없으니 이런 의미로도 나는 박복한 사람인 것만 같다. 내가 모교의 품을 떠난 후 문단엔 성대 출신이 나타나질 않았으니 이는 그 후 동지가 없었던 것이 아니고 전란을 겪는 동안 젊은 사람들의 사고력은 더욱 냉철하고 치밀해졌으므로 새로운 포부 아래 꾸준히 공부하고 있었던 까닭이었다. 그 증거론 작금 양년兩年 동안에 모교 재학생으로서 우수한 사람들이 차츰 두각을 나타내기 시작하였다는 것이다.

내가 아는 범위만 하여도 윤병로尹柄魯*의 평론이, 권태웅權泰雄, 정인영鄭麟永의 소설이 각각 『현대 문학現代文學』지에 1회씩 추천문을 통과하였다. 인간과 업적은 그 사람이 관 속에 들어간 후라야만 평가되는 것이니 나 같은 사람이 여기서 함부로 용탁容啄하기보다는 붕정만리鵬程萬里에 오른 그들 자신의 노력과 성실이 더 중요할 것이다. 그러나 나는 그들이 준수한 용상龍象임을 믿어 의심하지 않는다. 뿐만 아니라 세계 문화에 공헌할 천재와 위인이 이곳에서 배출할 것도 믿어 의심하지 않는다. 나는 네가 있었더라면 하고 생각할 때마다 느끼는 고독을 누누이 말하였다. 그러므로 나는 너에 대한 애석한 맘을 이런 학도들로부터 위로받을 수밖에 없다.

네가 재학 시대 때 『주간 서울』에다 발표한 시를 나는 지금 갖고 있지 않으므로 여기서 고요히 낭송하여 보지 못함을 못내 유감으로 생각한다. 다못 지금 내 방엔 너의 유품遺品으로서 수권의 책이 있다. 그중 발레리 저 『말라르메 논의論議』는 네가 나한테 2백 원을 꿔서 산 것이다. 몹시 싼값으로 샀다고 그토록 기뻐했었는데 지금 내가 수장收藏하고 있다는 건 믿을 수 없는 사실이라 하겠다.

또 너의 유품으로서 잊지 못할 책이 내게 있다. 그것은 테니슨의 『인 메모리엄』이다. 나는 이 책만은 앞으로도 읽지 않을 것이다. 솔직히 말하자면 친우의 죽음을 노래한 테니슨의 시를 읽을 수 있을 만큼 나는 감상적일 수도 없다. 그러나 네가 내게 남겨준 것은 다음의 사실이다.

육군 대학 통역 장교로서 너는 미군과 함께 지프 차를 타고 일선一線을 달리다가 지뢰 폭파로 세상을 떠났다는 그것뿐이다. 너의 사인死因은 모든 전사戰士와 마찬가지로 전 인류가 당면한 문제에 내포되어 있는 중대한 것이며, 우리들의 문학은 이 기막힌 20세기를 냉담히 구명하며 무한한 인간의 가능성을 예술로써 작품화해야 할 일이다. 그러나 네가 못하고 내가 뜻만 두고 이루지 못한다 할지라도 비관할 것은 없다. 다른 인력人力에 생명을 빼앗기도록 너는 너의 인력을 다하였다. 걸작은 나의 원하는 바 아니다. 내가 너에게 주저없이 찬사를 바칠 수 있듯 나도 후인으로부터 '그는 힘껏 하였다'는 다만 이 한마디의 칭송을 받고 싶다.

벗이여 일월이 서로 숨바꼭질하고 여하히 세계가 각박해질지라도 이 학문의 전당만은 그 웅자雄姿를 변하지 않을 것이다.

학문과 예술의 자유는 동시에 인간의 존엄인 까닭이다. 이러한 자유가 있는 한 학도는 끊이지 않을 것이고 언제나 역사는 몰락하지 않을 것이다. 가끔 그러하듯 지금 나는 너에 대한 회상으로 가득하다. 나는 이미 많은 애환哀歡에 때묻은 고병古甁과 같다는 생각이 든다. 그래서 스스로 회상을 꽃피우려 이 글을 썼다. 이런 글이 어찌 끝이 될 수 있으랴. 앞으로 여가 있으면 너에 대한 글을 좀더 쓸 생각이다.

1956

고향

내가 고모부께서 별세하였다는 전보를 받고 고향 천릿길을 향하여 떠난 것은 가을이었다. 고향이라고는 하지만 그곳에서 어머니가 나를 잉태하셨을 뿐 타관에서 출생한 나는 부모의 고향에 수차 간 일밖에 없었으므로 그다지 정들 만큼 추억 깊은 곳도 아니었다. 그럼에도 불구하고 9년 만에 조상의 고향으로, 더구나 고모부의 부고를 받고 갔던 만큼 나는 끝없는 길과 함께 백운 같은 심정을 느꼈다. 고모부는 우리와 함께 거의 반평생을 타향살이 하다가 작년에 병드사 아들네의 권고에 의하여 그 옛날 버리고 떠났던 고향으로 보람 없이 갔던 것이다.

이제 나는 나를 생육하여준 부모도, 나를 특히 사랑하여준 유모도, 고모도, 마지막으로 고모부와도 이 세상에서 이별한 셈이다. 어찌 고아의 마음이 편할 수 있으리오. 더구나 가는 곳마다 빈곤하고 착하디착한 농촌 풍경이 만목에 스며들지 않는가.

기차에서 하룻밤을 새우고 아침 9시에 다시 자동차를 타고 그야말로 산 넘고 물 건너 오후 4시경에야 머나먼 고향에 당도하자 나는 우선 종형 집으로 갔었다.

지난날 잘살던 때의 산정山亭 와가瓦家는 지난날과 다름없는 외형이었으나 모두가 소조蕭條해뵈는 뜰 가운데 주황빛 감만이 계절을 잊지 않고 열려 있었다. 우리가 타향살이 할 때 고모부께서 감이 열리면 해마다 식구도 맛보기 전에 반드시 먼저 나에게 따주셨던 꼭 그와 같은 감이었다. 백모도 전보다 늙으셨고 애티 나던 종질녀도 이미 결혼하여 근친覲親 와 있었으니, 반갑기도 하였으나 나는 세월의 빠름을 새삼 느끼지 않을 수 없었다.

저녁 식사를 마치자 나는 종형과 함께 30분쯤 걸리는 황혼의 시골길을 걸어 양자 간 고모부의 아들 집으로 문상하였다.

작년 여름 학교 방학 때 충청도에서 타향살이 하시던 고모부를 뵈옵고 이제 고향에 와서 혼백을 대하니 누구라 인생의 무상을 애달프다 않을 수 있으리오. 듣건대 병중에도 내 말을 여러 번 하셨다 하며 더구나 장례를 바로 전날에 모셨다고 하지 않는가.

이미 음용音容을 대할 수 없는지라 눈물을 거두고 빈소에서 나오니 뜰엔 귀여운 강아지들이 애틋하게도 어미 개 품속에서 졸고 있는 것이 보였다. 밤 깊은 후 상주에게 내일 다시 오마 약속하고 종형과 함께 회중 전등을 비치며 그 옛날 고모가 가마 타고 시집갔던 길, 어머니가 시집왔던 길, 그 무렵엔 도깨비가 많이 나타났었다는 무인지경 촌길을 다시 30분 가량 걸어 산정山亭으로 돌아와 피곤을 풀었다. 이튿날 나는 빨리 간다고 갔으나 아침 상식이 끝난 후였으므로 상주들과 시골 사는 아우와 함께 고모부의 산소로 가던 도중 내가 왔다는 기별을 받고 버스로 올라오던 고종 사촌 누이 내외를 만나 동행하였으니 모두가 반갑고 슬프기만 하였다. 우리는 물레방아 도는 개울물 따라 오곡 익는 논밭 길을 걸어 한산한 촌락을 끼고 산골로 올라갔다. 모든 것이 나에게는 생후 처음 보는 풍경이었다. 가을 산은 적막한데 분묘 앞에 지곡止哭하자 움직이는 건 구름이요 들리나니 새소리뿐이었다.

그 누구라 자기의 장지葬地를 안 사람이 있었으리오.

고모부의 명복을 빌고 우리는 석양 무렵 각기 헤어졌다.

나는 아우와 마침 이살이란 곳으로 출가하신 고모의 아들이 왔기에 함께 마을로 올라와 지금은 옛집도 없어지고 남이 집을 짓고 살지만 그 옛날 아버지 어머니가 사셨던 곳 바로 옆 기와집으로 백부를 뵈오러 갔었다. 뒤와 좌우는 대숲인데 크낙한 고가는 쓸쓸하기만 하였고 칠순이신 백부는 조촐한 방에서 석유 등잔을 밝히고 잘 뵈지도 않는 수폭의 서화書畵와 마주앉아 계시었다.

"이번에 네 고모부도 네 고모 죽은 지 8년 만에 죽었다. 내가 사남매인데 네 에미도 죽었고 네 고모도 죽었고 이젠 나와 이살이로 출가한 네 고모만이 남았다. 그러나 나도 앞날이 얼마 남지 않았을 것이다."

이렇게 내게 말하시고 백발이 성성한 백부는 긴 담뱃대를 빨며 눈을 감았다 떴다 하신다. 지나온 70년을 회고하는 오늘날 백부의 가슴엔 만감萬感이 교차할 것이다. 백부는 아는 사람도 많이 죽었고 시대도 변했고 인심도 달라졌다고 생각하실 것이다.

그러나 우리에겐 변하지 아니한 것도 많다. 조국은 남북이 양단되어 아직도 기구한 운명에 놓여 있으며, 예나 이제나 우리 나라 농촌은 극빈에서 벗어나지 못하고 있으며, 아직도 반상班常 관념이 은연중 남아 있는 형편이다.

여생이 얼마 남지 아니한 백부를 뵈오니 나도 슬프기만 하였다. 잠시나마 고향에 와서 보고 듣는 것이 어찌하여 모두 상심거리뿐인고.

백부께 하직하고 고가를 나오니 고향 산천은 어둠에 싸여 분별할 수 도 없었다.

밤길을 더듬어 종형이 있는 산정으로 올라가며 고향은 언제나 이 깊은 수심에서 벗어날 수 있을까 하고 생각하였다.

나는 내일이면 서울로 돌아가야 하므로 한 많은 세상을 떠난 고모부를 생각하며 다뭇 그 자손에게 행복 있기를 빌었을 뿐이다.

1956

일순에서 영원으로

도시의 사람으로서 자연을 심방尋訪한다는 것은 확실히 기쁜 일이다. 단 하루의 소풍일지라도 그것은 뜻 있는 일이다. 녹음綠陰은 우리에게 위로와 안식을 준다. 비록 애인과 함께 녹음 밑에 이르렀을지라도 자연의 힘에 의하여 모든 일들을 망각하지 않는다면 참다운 희열을 느끼기 어렵다.

달리는 차창 밖으로 연신 나타나며 지나가는 채전菜田을 내다보던 여인이 "참 평화롭군요" 하고 말하였다.

그는 "평화로운 것은 푸른 잎들 뿐이라" 고 하였다. 그리고 "절량 농촌絶糧農村은 신문 보도에도 관심을 두지 않을 거라" 고 하였다. "동정同情까지가 그들에겐 잔혹할지 모른다" 고 하였다. "아름다운 것은 인간 이외의 자연이라" 고 하였다.

보리밭 사이를 지나 긴 둑을 넘어섰을 때 그들은 먼 보랏빛 산들과 명사明沙를 따라 흐르는 강 위에 하얀 포장布帳을 친 배들이 유유히 떠 있는 풍경을 보았다.

이번엔 남자가 이마의 땀을 씻으며 "참 좋군! 일순에서 영원을 느길 수 있는 안정이 있다"고 하였다. 여자는 말없이 강변에 높이 서 있는 포플러나무의 대열을 쳐다보며 산들바람처럼 미소하였다.

이윽고 그들은 강 건너 녹음을 찾고자 배를 타고 강을 건넜다.

청정한 사찰寺刹을 에워싼 숲 속의 뻐꾸기 울음에 경내境內의 적막이 한결 부각되었다.

71세의 노과老果* 선생이 현판을 휘호揮毫한 판전板殿 뒷등성 송림松林 사이로 젊은 남녀는 사라졌다.

그들은 첫번째 왕릉과 두번째 왕릉을 지나 세번째 왕릉에 이르렀다.

녹음으로 성장盛裝한 자연 앞엔 역사도 무색하였다.

다못 녹음은 자기 품속에 앉아 있는 남녀를 위하여 그 뜻을 밝히는 듯하였다. 젊은 남녀들은 시원한 나무 그늘에 자리잡고 녹음의 호흡으로써 속삭이었다.

도시는 그들의 애정을 각성케 하였다. 이제 녹음이 그들을 축복하였다. 주홍빛 주둥이 흑감색黑紺色 새가 장송長松 위 둥지 밖에 그림처럼 앉아 있었다.

해가 약간 서편으로 기울 무렵에야 그들은 시내로 돌아갔다. 그들은 도시에서 괴로울 때마다 생각할 것이다. 인간의 좋은 협조자인 자연의 우정과 녹음의 뜻을, 즉 그 위안을, 기쁨을 생각하게 될 것이다. 그리고 그것은 간혹 그들의 힘이 될지도 모른다.

1956

고독 예찬
—꿈은 이론으로 눈물은 반항으로

사람들은 고독과 감상感傷을 혼동하기 쉽다. 그러나 아무리 하늘과 바다는 한 빛깔일지라도 수평선으로 한계를 지을 수 있듯 고독과 감상은 엄밀히 구별되어야 한다.

젖가슴이 부풀어 오를 무렵의 소녀는 말하자면 새장 안의 카나리아가 죽었다든가 또는 선생에게 꾸중을 들은 날의 밤 달이라든가 남자동생이 소녀의 아끼는 물건을 더럽혔다든가 이런 조그만 일에도 몹시 마음을 상한다.

그런 만큼 소녀는 시장이나 가게에 가서 오랫동안 원하던 의복이나 수繡 실이나 하다못해 양말 한 켤레를 사게만 되어도 놀랄 정도로 기뻐한다.

감상은 그리움에 대한 선善의 작용이다. 공상空想은 항상 아름답다. 언제든 활짝 필 수 있기 위한 안타까움인 것이다.

본능에 눈뜬 소녀가 목표도 없이 유리창 밖을 내다본다. 비는 우울한 하늘에서 내려와 창을 두드린다. 그러면 싸늘한 겨울 풍경 앞에 떠오른 소녀의 아름다운 공상에 눈물 같은 빗방울이 돋으며 흐르는 것이다. 그러나 이것은 고독이 아니라 감상이다.

고독은 감상과 비슷한 듯하면서도 아주 다르다.

왜냐하면 고독한 사람에게 있어 감상은 항상 먼 지난날의 푸른 고향인 까닭이다. 그러기에 고독한 사람들은 돌아갈 수 없는 먼 고향의 소년 시절을 미소로써 회고한다.

그는 많이 속아왔고 뜻대로 되지 않는 세상을 어느 정도만큼 걸어온 까닭이다.

그래서 아름다운 꿈은 이론으로 눈물은 반항으로 바뀐다. 그러나 과실果實로 비한다면 심각한 체하는 것은 아직 떫은 때다.

그는, 세상은 인간은 이런 것이다 하고 아는 체하던 것을 버린다. 이리하여 그의 가슴에 찬란한 괴로움이 자리잡힌다.

그때부터 그는 모든 허영에서 떠난다. 비로소 어떤 의미를 생각케 되는 것이다.

그러므로 인생은 삼십을 넘어야 겨우 고독의 문에 들어갈까 말까다. 고독의 성문城門으로 들어서면 거기에 술집이 있다.

많은 고독한 사람들이 서로 술을 권하며 즐겨 마신다. 험한 세상의 물결에 시달린 사람들이 빈대떡을 뜯으며 김치 쪽을 씹으며 취하는 것은 모든 복잡한 일을 잊기 위한 것이다. 그 대신 그들은 거짓말을 않는다. 그러므로 진정眞情과 함께 취증醉症은 더욱 심해진다.

남에 대한 실례마저 잊고 취한 사람들은 발가벗으며 인간성을 부르짖는다.

그들은 고독에 들어온 신입생이다. 그래서 술집은 수라장이 되는 수도 있다.

내가 잘 아는 어느 문인文人도 분명 고독한 사람이었다. 그는 인생을 반쯤 지났건만 가족도 집도 없다.

그는 하루 세 번씩 값싼 우동 집, 해장국 집에서 요기할 때마다 한잔씩 술을 마신다. 그는 망한 부잣집의 자손이었다.

왜냐하면 눈은 높고 수입收入은 적은 그는 친구의 물음에 다음과 같이 대답하는 것이었다.

"왜 결혼 않느냐고? 내가 결혼하고 싶은 여자는 나를 싫다고 하지. 내가 싫은 여자만이 나와 결혼하겠다지. 그러니 될 리가 있나. 하지만 애정을 계산하고 있는 내 자신이 유치하다는 것쯤 모르는 바 아닐세."

확실히 현대는 결혼하기 어려운 시대다. 늙은 총각보다 과년한 처녀들은 고독보다 근심에 시든다. 그러나 그 문인은 '고독하지 않다'고 하였다. 그리고 '고독은 나의 평화라' 고 하였다.

그는 다음과 같이 말하였다.

"고독엔 자유가 있다. 이론보다 무서운 힘으로써 그것은 모든 것을 사랑할 수 있는 빛을 발한다. 하늘에 떠 있는 구름을 고독하다고 할지 모르나 그러나 구름은 고독하지 않다."

방탕아는 밤 골목을 지나다가 어느 집 영창에 비쳐진 고독한 사람의 그림자를 보자 비웃고 지나갔다.

그 그림자는 고독하게 보일지도 모른다.

그러나 그 정신은 짙푸른 잎 속에서 달빛을 받고 완숙完熟한 열매처럼 드리워져 침묵에 귀기울이며 있는 것이다.

진실로 고독한 사람이 서로 만난다면 그들의 사랑은 축복받을 것이다. 기대라든가 공상이라든가 추측이란 언제나 현실에서 배반당하는 까닭이다.

남을 사랑하지 않는 자는 더욱 남으로부터 사랑받기를 바란다. 인생은 누구나 피할 수 없는 이 고독에서만 참된 것을 생각하게 되고 힘을 얻는다.

부부의 정은 늙을수록 짙어진다는 것도 이런 의미일 것이다.

그러기에 고독은 우울하다든가 비관한다는 것과 다르다.

만일 인생에서 고독의 가치를 없애버린다면 역사상의 모든 위인은 그 이름부터 달라졌을 것이다.

모든 부문의 예술, 오래오래 전하여질, 그리고 후세後世의 사람들에게 크나큰 영향을 끼칠 작품의 힘은 그만큼 위대하다.

간단히 예를 들어 말할지라도 두보杜甫의 시, 베토벤의 음악, 반 고호의 회화, 석굴암의 조각, 이런 위대한 힘이 어디서 창조되었는가를 알아야 할 것이다. 진실로 고독에서 세계의 예술이 탄생되었다.

자기에게 만족하는 인간, 즉 고독을 모르는 사람에게 우리는 기대를 둘 수 없다.

스스로를 선전宣傳하며 자신을 유지하려고 덤비는 예술가는 정치와 수단과 모략에 정열을 기울이는 자신에서 가끔 패배의 조종弔鍾을 들을 것이다.

고독은 슬프지 않다. 20대 과부로 외동아들의 어머니로 수절守節한 여인이 어린 아들의 성장을 보지 못하고 병들어 병원에서 임종한다고 생각해보라. 물론 그 여인은 많은 슬픔을 겪었을 것이다.

그러나 마지막 유언은 슬픔만이 아닐 것이다. '어머니는 너의 행복을 빌며 눈을 감는다' 는 것이 진정일 것이다.

눈물이 넘쳐흐를지라도 어린 아들의 손을 쥐고 굳어버린 그 입 모습에 영원의 미소를 남긴다.

그것은 알 수 없는 자연의 힘에도 굴하지 않는 성녀聖女의 미소다.

거룩한 한 송이의 꽃처럼 진실로 아름다운 것이다.

석가나 공자나 예수나 소크라테스나 그들이 인류의 존경을 받는 이유를 생각해보라.

별것이 아니다. 이 4대 성인聖人은 각자의 진리를 위하여 아무도 견뎌내지 못할 그 고독의 구극究極을 견뎌낸 데 불과할 뿐이다.

지난날 우리 나라 많은 독립 지사들도 조국과 민족을 위하여 가장 견디기 어려운 고독을 견뎌왔던 것이다.

일생을 희생하고도 조국 통일을 보지 못하고 푸른 봉분 밑에 누워 있는 그분들을 생각할 때 우리는 저절로 머리가 숙여진다.

고독은 우울하지 않다. 노인과 어린이는 가장 친한 친구일 수 있다. 현대에 있어 많은 지식은 그만큼 행복만을 우리에게 제공하지 않는다. 누구나 양심적이 아닌 데 대한 불평과 불만으로 더욱 혼란을 일으키고 있다.

물론 오늘날 인간은 다른 사람의 잘못을 크게 꾸짖고 책망할 만큼 자기 자신에서 옳음을 찾지 못할 것이다. 그러나 그들은 어딘지 착하고 고독한 까닭에 자기의 잘못을 반성하기보다 다른 사람의 잘못에 대하여 분개하기도 하고 비난하기도 하고 반항하기도 한다.

현대인의 고독이란 가장 복잡한 성질의 것이다. 다만 먹고 살기 위하여 짐승보다 못한 인간이 되어버린 자신을 돌아본다.

이러한 고독 이상 가혹한 것이 있을 수 있을까.

체포되지도 않고 숨어 다니는 살인범의 고독은 무섭다. 형무소에서 죄수의 고독은 뉘우침일 수 있다. 그러나 이런 것은 설명하기 위한 인유引喩일 뿐 진정한 고독일 수 없다.

진정한 고독엔 슬픔과 우울과 고통과 후회도 없다. 참다운 고독은 평화로 뻗은 길을 발견하게 한다. 다만 자기만이 자기의 믿음을 향하여 홀로 갈 수밖에 없는, 그리고 가고 있는 능력을 발휘한다.

거기엔 지난날의 살인에 대한 뉘우침도 자기를 비웃는 세상에 대한 두려움도 불안도 어떠한 금력金力과 여색女色에도 침묵과 미소로 대하며 그는 다만 홀로 믿음을 향하여 일할 뿐이다. 몽상과 허영에 날뛴다면 그러한 청춘 남녀는 참다운 상대를 찾기보다 평생 지울 수 없는 비참한 운명을 이루고야 말 것이다. 이웃집 어린것이 골목에서 울고 있거든 그 어린것을 안아주는 처녀야말로 고급 향수보다 향기롭고 고급 의복과 보석으로 치장한 것보다 아름답다. 고독은 그 처녀로 하여금 남을 위로하고 남을 사랑하는 데에 기쁨을 갖도록 하는 까닭이다.

이와 마찬가지로 진실로 고독을 아는 남성이라야 그 아내를 사랑할 수 있다. 즉 고독이 없는 곳에 선善은 나타날 수 없다. 달리는 기차 안에서 밀짚모자를 쓰고 삼베 동강바지를 입은 농부가 바가지 짝을 끼고 있는 아내에게 호박잎에 싸가지고 온 점심밥을 더 먹으라 권한다.

이 세상에 고독하지 아니한 사람은 없다. 그러기에 지상은 모두 착한 사람들뿐이다. 성자聖者의 머리에 씌워진 가시관은 고독의 승리로서 길이 빛나고 있다. 그 이마에 흐르는 건 피가 아니다. 그것은 빛이다.

1956

일요일

일요일은 휴식할 수 있는 날이기보다 아무런 구속 없이 맘대로 하루를 보낼 수 있다는 자유에 매력을 느낀다. 아침부터 강한 햇빛이 발 너머 단조한 뜰을 비추고 있었다. 일요일을 낮잠으로 보내기는 미안한 일이다. 힘드는 원고를 쓰기보다 읽고 싶은 책을 보는 것이 편하기도 하고 여러 가지 보람도 있을 성싶었다. 불란서 현역 작가의 소설을 두서너 장 읽었을 때다. 내가 하숙하고 있는 벽 하나 사이의 옆방에서 젊은 여자들의 웃음소리가 자지러지게 일어났다.

"응, 그래 2등 했대! 미스 코리아 응모에 단 두 사람이 나왔는데 그 중에서 2등 한 미인이래."

물론 사실은 아닐 것이고, 자기네들이 잘 알고 있는 그 누구를 풍자하는 것일 게다. 단 두 사람 중에서 2등 하였다는 것은 묘한 착상이며 표현이다. 나도 책을 읽다 말고 빙그레 웃으며 귀를 기울였다. 여자 대학에 다니는 주인집 딸의 동무들이 일요일이라 친구에게 놀러온 모양이었다. 싱싱한 그러면서도 약간 쏘는 듯한 그런 과일 같은 음성이 다시 들리어온다.

"얘! 그 사내 말이야! 여간 신경질이 아니래. 글쎄 걸핏하면 미닫이 밖으로 뭐고 간에 막 집어던진다는구나."

"그렇고야 어떻게 같이 살 수 있겠니. 경순이도 불쌍하지."

시집간 고등학교 시절의 동창이 화제에 오른 모양이었다.

"원, 천만에! 경순이 얘기를 들어볼라치면 집어 팽개쳐도 꼭 깨어지지 않을 수저니, 넥타이니, 빗자루, 걸레 같은 것만 골라 던진다는구나."

"하하하……"

모두 허리를 잡고 웃는 모양이었다. 나도 벽 하나를 사이에 두고 빙그레 웃었다. 그 다음 말은 잘 들리지도 않았고 웃음소리도 일어나지 않았다. 나는 다시 책을 읽기 시작하였다. 이 불란서 현역 작가의 소설은 생각하는 점으로나 문장으로나 사건을 처리해 나가는 솜씨로나 매우 나의 흥미를 일으켰다. 그런데 이번엔

"뭘 하나."

하고 발 밖에서 난데없는 소리가 났다. 한 동네에 사는 소설가 R형이었다. 그는 들어서며 대뜸 나의 읽고 있는 소설 책을 홱 뺏어버리더니

"금년 여름엔 대천 해수욕장 안 가려는가."

하고 묻는다.

"무슨 팔자에 그런 여유가……"

나의 대답이 끝나기도 전에 R형은 전부터 나와 약속이라도 있었던 듯이

"뭘 그래, 사람이 앞뒤만 따지면 쓰나. 한번 툭 터놓고 바람도 쐬어야지. 이번은 같이 가세. 여비도 얼마 안 들 거야. 금년쯤은 여자들도 해수욕복 장만할 것 없이 반창고 몇 조각으로 해결할 걸세. 그러니 우

리 남자들도 새로 장만할 것 없겠지."

나는 R형의 독설을 막으려는데 이미 늦었다. 이쪽 방에서 한 말을 벽 너머 방에서 듣고 있었던지 여대생들의 킬킬거리는 웃음소리가 들리어왔다. 나는 친구가 왔으니 책만 보고 있을 수 없을 바에야 외출이나 할까 하고

"좌우간 다방에나 가세."

하고 R형을 데리고 한길로 나갔다. R형은 순순히 골목으로 따라 나오며 싱글싱글 웃더니

"내 일부러 들으라구 그랬지. 들어오며 보니까, 주인방 섬돌에 하이힐이 여러 켤레 놓여 있데. 하 웃는 소리가 야단스럽기에 자네 방에 들어서며부터 연극을 했지."

하고 유쾌히 웃었다. 찬 것을 마시니 여름 다방은 수족관처럼 한산하였다. 나는 읽다가 나온 불란서 소설을 잊지 못하고 생각하였다. R형은 마지막 얼음 조각까지 삼키더니 바쁘다며 일어섰다. 나는 다시 돌아가 소설을 읽을 생각으로

"그럼 다음에 만나세."

하고 그냥 앉은 채로 헤어졌다. 나는 친구와 헤어지게 된 것을 의외의 다행으로 생각하였다. 내가 도로 하숙방으로 돌아가 소설을 읽고자 다방을 나오려는데, 사회적으로 이름도 높고 연세도 60을 넘으신 S선생과 만났다. 나는 S선생과 만나게 된 것을 기뻐하지 않았다. 그럼에도 불구하고

"이런 문 밖 시골 다방에 나오시다니 웬일이십니까."

하고 인사를 여쭈었다.

"참 잘 만났소. 바쁘지 않으면 나하고 이야기나 좀 합시다."

선생의 말을 어길 수 없어 본의는 아니건만 다시 의자에 앉지 않을 수 없었다.

"착한 사람이란 어떤 인물이며 또 어떤 사람을 고약한 놈이라 생각하오."

그러나 나는 그 불란서 소설의 문장을 생각하고 있었다.

"모르겠습니다."

선생은 나의 속도 모르고 즉시 설명을 꺼낸다.

"내가 일제 때 감옥살이를 하며 느낀 걸 이야기하겠소. 평소에 얌전하고 어른에게 공손하고 일에 충실한 청년을 훌륭하다고들 하지만 일단 곤경에 빠지면 그런 사람일수록 자기 이익만 차리려 들고 생쥐처럼 약기만 할 뿐 도무지 쓸모가 없습디다. 그런가 하면 도리어 평소 때 어른 앞에서 술 담배를 마구 하고 말씨도 나쁘고 도무지 버르장머리 없게 굴던 놈일수록 일단 역경에 부딪치자 제 이불을 내게 덮어도 주고 담배꽁초라도 생기면 나눠 피우고 왜놈 간수 앞에서도 비굴하지 않고 어디까지나 자기의 확고한 신념을 지킵디다. 그러기에 저 사람은 착하다느니 저놈은 고약하다느니 하고 함부로 사람을 규정하면 못 쓰오."

선생은 별일도 없고 한가한지 끊임없이 그러한 실례를 들었다. 이윽고 12시를 알리는 사이렌이 울렸다. 내가 음식점으로 S선생을 모시고 가서 냉면을 대접하고 하숙방으로 돌아왔을 때는 이미 3시가 가까웠다. 옆방 여자 대학생들의 대화나 또는 소설가 R형의 기지機智나 또는 S선생의 말이 소설 읽는 것보다 재미없다든가 또는 무의미하다는 건 아니다. 일요일을 노는 날이라든가, 또는 휴식의 날이라고 생각한다면 모르겠지만 일주일에 하루나마 누구에도 구속받지 않고 내 맘대로 지낼 수 있다고 믿었던 그 자유마저 이루어지지 않고 보니 서글프기만 하였다. 나뭇잎 하나 꼼짝 않는 무덥고도 고요한 오후였다. 다시 불란서 현대 작가의 소설을 읽기 시작했으나 이번은 수면睡眠이 나의 눈을 덮어버렸다. 어떻든 일요일마저 뜻대로 보낼 수 없다는 것은 확실히 피곤한 일이다.

1956

어느 날의 경회루

동경에서 열린 국제 펜클럽 대회에 모였던 외국 문인들 중에서 10여 명이 우리 나라 대표들의 안내로 입경入京하였다. 그 이튿날 오후 5시부터 그들과의 '문인 간친회懇親會'를 경회루慶會樓에서 개최한다는 문교부의 초대장을 우리 나라 문인들은 받았다.

이렇게 많은 외국 작가들이 한꺼번에 우리 나라에 오기는 처음일 것이다. 경회루에서 그들을 맞이한다는 것은 참으로 경회慶會로운 일이었다.

오후 6시 지나 중앙청 건물 밑을 지나 음악당 옆 경회루 입구로 향하던 나는 잠시 울적하였다. 6 · 25 사변 때 화염 지옥으로 화하였던, 즉 일인日人의 손으로 세워진 거대한 석조 건물은 지금 서편 하늘을 가리듯 무거운 그림자를 잔디밭까지 드리운 채 창마다 거멓게 타버린 내부를 엿보이고 있었다. 이러한 중앙 박물관을 본 외국 작가들로부터 동정을 받기는 싫었다. 나는 그들이 이 건물을 보고 인류에 대한 어떤 각성을 하였다면 그들의 이번 여정에 큰 보람일 수 있으리라고 생각하였다.

그러나 평소 경회루는 일반 사람에게 개방되어 있지 않은 장소이므로 기울어진 햇빛을 받고 윤나는 수목과 잔디밭 사이 길을 걸어 좌우로 늘어서 있는 풍마우세風磨雨洗의 석탑들을 보며 지났을 때 점점 우리 나라에 대한 기쁨을 느꼈다.

왜냐하면 지상의 평화와 인간 본능의 연연戀戀한 애수哀愁와 심신을 홍겹게 하는 우리 나라 고전 음악이 갈수록 가까이 들려왔던 까닭이다. 마침내 연못 위로 솟은 화란주동畵欄朱棟의 경회루를 오래간만에 보았을 때 내 자신이 오랫동안 머나먼 외국에 있다가 자애로운 고국의 품속으로 돌아온 것 같았다.

나는 외국 문인들이 저 안에서 지금까지 몽상조차 못하였던 신뢰와 묘한 음향과 안정에 싸여 일순에 바다 만리 저편의 본국을 생각기보다 인간의 본성에 대하여 어떤 향수를 참지 못하리라고 생각하였다. 나는 누樓 내로 들어서기 전에 경회루를 등지고 서 있는 육순이 넘으신 국문학자 노교수께 인사하였다.

누 내는 승무僧舞가 한창이었다. 그 주변에 외국 작가들은 춤을 보고 음악을 듣기 위하여 둘러앉아 있었다. 그 외는 모두 우리 나라 작가, 시인, 평론가, 언론인, 교수, 관리 들이었다.

참으로 좋은 분위기였다. 어떤 정치적인 사교도, 계책도, 수단도, 주장도, 자아 선전도 없었다고 생각하고 싶다. 서로 친소親疎 따라 거닐기도 하고 음식을 먹고 컵을 권하기도 하고 또는 모여 앉아 자유로이 담소하고 있었다.

고대 의상을 입은 소녀 둘이 사죽絲竹 소리에 맞춰 춤을 추었다. 늙은 외국 문인은 수첩에다 끊임없이 무엇을 기입하고 있었다. 외국 여류 문인들은 박수하며 연신 "앵콜"을 외쳤다. 그리고 어떤 외국 작가는 두 소녀에게 인사를 청하였다. 누 내는 국경도, 모색毛色의 차별도 있을 수 없었다. 진실로 생각하며 진실로 창조하는 사람들이 서로 모였을 뿐이었다. 그것은 언어의 장벽도 문제 되지 않았다.

모시 두루마기를 입고 우리 나라 일류 시인은 자기의 눈과 어느 외국 문인의 푸른 눈을 손으로 번갈아 가리키며

"우리는 서로 눈으로 서로의 마음을 이야기할 수 있다."

고 하였다.

그 외국 문인은 알아듣지 못하면서도 기쁨과 반가운 표정으로 무어라 친밀히 대답하였다. 이것이야말로 근본적인 마음의 회화라 할 것이다.

미국 여류 시인이 나와서 인사의 말을 하였다. 상하로 흑의黑衣를 입고 검은 지팡이를 짚은 미국 여류 시인은 표정으로나 의미로나 지나치게 사교적인 동작을 보여주었다.

거개 그러하였지만 불란서 작가의 복장도 검소 질박하였고 통역을 통하여 들은 그의 인사말은 의외로 무난하였다.

나는 인도네시아, 태국 등 되도록이면 불행한 약소 민족 문인의 말을 듣고 싶었으나 미국 여류 시인과 불란서 작가의 말만 들었을 뿐이다.

이윽고 검무劍舞가 시작되었다. 춤과 음악은 저편 근정전勤政殿 기와 지붕의 돈중敦重하되 탁하지 아니한 모습, 주朱빛 후면의 위엄과 은근한 구성構成에 젖어들었다. 구름도 경회루의 추녀 위를 지나면 상서祥瑞를 상징하고 연못에 그림자 진 석축石築은 우아한 정서情緖로 어리었다.

다시 이도령과 춘향의 쌍무雙舞와 노래가 고유의 율려律呂에 따라 전개되었다. 지금 외국 문인들은 제각기 이곳에서 듣고 보며 무엇을

파악할 것인가. 그들이 과연 우리 한국의 예술을 이해할 수 있을까. 비록 비대중적이며 비생산적이라고 비평할 수야 있겠지만 깊은 문화의 예지叡智와 교巧하지 않되 여실히 발로된 높은 의미를 깨달을 수 있을지 궁금하였다.

우리가 서양의 문학에 대하여 주의를 게을리 않듯 그들도 오히려 동양에서 많은 배움을 얻을 것이다. 우리가 서양을 이해하는 데 비한다면 그들의 우리 동양에 대한 지식이야말로 자못 빈약한 것이다.

그 불란서 작가는 인사할 때 다음과 같이 말하였다.

"나는 아직 한국의 작품을 읽은 것이 없습니다."

물론 언어의 장벽에 의하여 읽고 싶어도 읽지 못한다는 것은 안타까운 일이다.

이것은 나 개인의 소이所以겠지만

"나는 우리 나라에 와주신 여러분의 작품을 읽지 못하였습니다."

하고 말할 수도 있을 것이다.

그들이 우리 나라의 문학 작품을 읽지 못했다는 거나 내가 우리 나라에까지 온 그분들의 작품을 못 읽었다는 것은 서로 유감된 일이다. 또한 지금 현상으로 어쩔 수 없는 일들이다. 동시에 일인日人의 번역도 없느니 만큼 읽지 못하였다는 것만으로 그분들을 과소 평가하려는 것은 결코 아니다. 누구나 모르는 것을 함부로 규정한다든가 단정할 수는 없는 까닭이다.

나는 외국 문인들이 앉아 있는 그 뒤에 서서 「춘향전」의 춤과 노래를 듣고 보며 우리 나라 문학 작품들을 곰곰이 생각하였다.

여기 모인 외국 문인들이 우리 나라의 문학 작품들을 읽었다면 우리는 그들의 소감을 경청할 것이다.

나는 비로소 우리 나라 문학 작품의 위치에 대하여 어떤 생각을 하였다. 나는

'만일 그들이 우리 나라의 문학을 읽었다면 그리고 그들이 우리에게 말한다면 그리고 우리의 문학 작품이 혹은 과대하게 또는 과소하게 평가된다면, 우리는 그들의 말에 관심을 두지 않을 것이다.'

하고 생각하였다. 이런 생각은 충분한 이유가 있다.

즉 한국 문학은 그 어떠한 외국 작가도 모방할 수 없는 우리대로의 특색과 특질을 갖고 있다는 점이다. 이러한 특질만이 우리의 위치며 세계 문화에 공헌할 수 있는 근본인 까닭이다.

그들의 과학 문명을 자랑하고 있다. 그러나 우리는 현실에 비추어 그것을 비판할 수 있다. 그것은 신을 우상화하고 전능한 걸로 봄으로써 인간의 개성을 구가하고 있으나 그들의 결과는 항상 이념을 배반하고 있다. 우리는 지상의 자유와 인간의 개성에서 자아의 신을 보고 있다. 그들은 내일의 침몰을 모르고 만족에 허덕일지 모르나 우리는 지금 명일의 평화를 위하여 가장 심각한 고민을 하고 있다.

만일 2차 대전 후 홍모 벽안紅毛碧眼의 여러 가지 세력들이 우리 나라를 간섭하지 않고 유린하지 않았더라면, 우리는 비록 가난하나마 그들의 선망羨望을 일으켰을 만큼 평화로운 국토를 성취하기에 많은 진전을 보았을 것이다.

「춘향전」의 춤과 노래가 끝났다. 외국 문인들은 모두 박수하였다. 나는 그들이 우리 나라의 고유 문화와 실정에 세밀한 관찰과 깊은 주의력을 기울임으로써 위대한 인류애에 눈뜨는 계기가 이루어지기를 기대하였다.

이러한 의미에서 그들에게 기대를 갖듯 우리는 한국의 문학을 위하

여 노력과 사색을 멈추지 않아야 할 것이다.

경회루는 스스로의 그림자를 거두었다. 해는 인왕산仁旺山 너머로 기울고 박모薄暮의 안식을 폈다. 외국 문인들은 버스가 움직이자 오늘 음악과 무용으로 수고한 저편 버스의 예술가들에게 다정한 손들을 흔들며 떠났다.

나는 나의 가난한 셋방에 대하여 무한한 애정을 느꼈다. 세계의 모든 작가, 시인, 평론가들은 모두 방 속에서 종이와 만년필만으로 그들의 작품을 만들고 있다. 방이 비좁다든가 책상이 없어 밥상에다 올려놓고 집필한다든가 시간이 넉넉지 못하고 항상 경제에 쪼들려 쓰는데 집중할 수 없다든가 이런 것은 나의 작품을 위한 승화 작용일 수 있을망정 창조를 저지하지 않는다.

우리는 다시 내부가 무섭게 타버린 중앙청 건물 앞을 걸었다. 순경이 마침 게양대로부터 국기를 내리는 중이었다.

우리 나라의 비극은 세계의 고뇌를 상징하고 있다. 우리는 슬퍼하기보다 이 상징을 작품화하여 세계 문화에 이바지할 책임부터 느껴야 한다고 생각하였다.

1956

척신기隻身記

결혼 청첩장을 받을 때마다, 나 자신이 결혼하는 것 이상으로 그 신랑 신부들에 대하여 일종의 기쁨을 느낀다. 그들이 앞으로 많은 세상의 고난을 겪어가는 동안에 참다운 인생의 가치를 발견하여주기를 축복하는 것이다.

만일 결혼하여서는 안 될 절간의 승려라든가 또는 벽 너머 수녀였다면 나는 이미 법복法服을 입고서 음탕한 행위에 몸을 망쳤거나 하속下俗하여 하다못해 색주가色酒家하고라도 벌써 부부 생활을 하였으리라고 생각한다. 아무도 나에게 대하여 "여자를 가까이 말라"고 한 사람은 없었다. 나는 언제나 자유였다. 그것은 남들이 원하지 않는 나만의 자유였다.

누가 "당신은 결혼할 생각이 없는 것이다" 하고 말한다면 나는 "그런 결심을 한 일은 없다"고 대답할 것이다. 나는 처녀나 총각들보다도 이 세상의 모든 유자 유손有子有孫한 늙은 어머니들과 아버지들을 인간으로서 존경한다. 그것은 어린아이들을 사랑하기 때문이다.

흔한 연애도 않고 저녁이면 다방에서 남자 친구들과 우정만 즐기고 결혼하려 초조히 굴지도 않는 나를 친구들은 비웃을지 모른다. 물론 나를 인형이나 기계로써 비유할 것은 아니로되 좋건 싫건 간에 정상적인 인간이 되어야 한다고 자신을 타이르며 살아왔다.

젊은 남녀들은 '운명' 이란 말을 마치 잡신雜神들린 무당에 관한 미신처럼 생각한다. 그러나 옛날의 '운명' 이란 말과 오늘날의 '부조리不條理' 란 말은 뜻대로 안 되는 인생에 있어서의 동의이어同意異語이다.

결국 도박은 화투 짝 한 장에서 결정 난다. 즉 행위는 결과를 가져온다. 결과는 짐작이라든가 추측이라든가 그런 예상을 배신하는 경우가 더 많다. 묘妙는 거기에 있다. 그러나 어른들의 충고를 비웃던 처녀가 결혼에 실패한 후 관상 사주쟁이 집에 드나들며 '운명' 이니 '팔자' 니 하며 탄식한다면 그것은 칭찬할 만한 인생의 태도라 할 수 없을 것이다.

나의 과거는 '부조리' 라든가 '운명' 이라기보다 노력의 결정結晶이며 미래에 자기 정신을 꽃피게 할 거름[肥料]이기를 바라고 있다.

해방 후만 할지라도 6 · 25 사변, 1 · 4 후퇴, 부산 피난, 폐허廢墟에의 환도還都와 그 여독旅毒으로 젊은 남녀들은 이 외의 여러 가지 희비극도 있었겠지만 마침내 본의本意와 배치背馳되어 혼기婚期를 많이 잃었을 것이다. 우리는 일제 때부터 전쟁 속에서 귀중한 청춘을 상실하였다.

그러나 누구든 무엇이고 낙이 있어야 살게 마련이다. 누가 지성至誠을 자위적 위선이라고 할지라도 그것은 나에게 있어 사활死活을 결정할 만큼 중대하고도 필요한 것이었다. 소질도 재주도 없으면서 나는 오랜 세월 동안 문학에 정성을 바치었다. 어떻든 이 세상에서 나에게 완전히 자유를 허락한 것은 하얀 원고지뿐이었다.

무엇을 쓰건 추호도 간섭 않고 냉혹하리만큼 사정私情마저 없는 원고지는 어느 여인 이상으로 내 마음을 이끌어주었다.

나는 오늘날까지 다섯 번이나 결혼하려 했건만 왜 한 번도 이루어지지 않았는지 잘 알 수 없다.

내가 대답할 수 있는 것은 뜻하였던 혼사婚事가 상대방의 거절에 의하여 이루어지지 않았을 때마다 한 번도 섭섭했다든가 미련을 느낀 일이 없었다는 것뿐이다.

내가 원래 아직 우리 나라의 연애 결혼이란 걸 덜 익은 감[柿] 정도로 좋아하지 않는 까닭에 피차 중매에 의하여 진행하다가 바로 좌절되었던 까닭인지도 모른다.

불행하게도 나는 젊은 남녀들의 연애를 많이 구경했으나 그럴 때마다 안정감 없는 발들이 높은 곳에서 줄 타는 걸 보는 것만 같아 위태롭고 두렵다는 생각을 금할 수 없었다. 그래서 오히려 '연애와 결혼은 다르다' 는 말을 드디어 수긍하게 쯤 되었다.

내가 좀 더 교양 있고 참다운 예의를 알게 되면 반드시 결혼을 전제하고 연애를 해볼 생각이다. 연애가 좋다 나쁘다는 것이 아니다. 즉 그 당사자와 당사자의 자격이 문제인 것이다.

난생 첨으로 내 누이동생의 학교 동창과 결혼하려 매파媒婆를 보낸 일이 있었다. 그러나 복사꽃 필 무렵이었는데 상대방의 집은 응하질 않았다. 그러나 그것은 퇴색한 필름처럼 사변 전의 일이다.

두번째로 모씨 부부의 주선에 의하여 나는 검소 질박해 보이는 여성과 혼담이 있었다. 환도 후의 일이다.

그녀는 나에게 "영세를 받겠느냐" 고 물었다. 나는 "불교지만 영세를 받겠다"고 하였고 "모든 역사상의 성현聖賢들을 존경한다"고 하였고 "오늘날에 있어 자기가 좋아하는 이외의 타종교他宗教를 비방한다면 우스운 이야기가 아니겠느냐"고 대답하였다.

"일요일마다 성당에 가시겠어요" 하고 그녀는 물었다.

"한 쌍의 부부가 열심히 성당엘 다녀도 서로 싸우기만 한다면 하느님은 슬퍼할 것이라"고 하였고, "비록 서로의 종교는 간섭 않을지라도 서로 의좋게 산다면 사대 성인들이 다 기뻐할 것이라"고 나는 대답하였다.

추운 겨울날 약속한 성당에 갔으나 그녀는 오질 않았다. "종교 관계상 결혼 못하겠다"는 그녀의 편지를 받은 것은 바로 그날 저녁이었다.

신은 자기만을 믿지 않는다 하여 인간을 사랑하려는 인간에게 너는 마귀라고 하지야 않을 것이다.

나는 그녀의 태도를 진정한 예수의 가르침이라고 생각할 순 없었다. 내 수입이 넉넉지 못한 관계로 거절한 것이라면 차라리 잘 이해할 수 있을 것 같았다.

세번째도 역시 모씨 부부의 중매로 혼담이 있었다. 어느 일요일날, 얌전스레 옥색 비녀를 꽂고 모시 옷을 입은 똥똥한 부인이 다방으로 나를 찾아왔었다. 색시의 자당慈堂이었다.

나는 이미 수일 전에 결혼하겠다는 뜻을 그 집에 알렸던 것이다. 그날이야 하필 궂은비가 내리어서 나는 맨발에 고무신을 신고 나일론 셔츠 바람으로 명동 거리 다방에 앉아 있었다.

색시 자당이 나를 보고 간 결과는 퇴짜로 결말 되었다. 나는 그녀에게 편지를 보냈다.

아무 날 몇 시에 아무 다방으로 나와줄 수 없겠느냐, 나오기 싫다면 나의 사진을 돌려보내주면 그날 그 다방에 나가지 않을 것이며 따라서 시간 낭비도 되지 않을 것이라고 썼다. 일주일 동안 아무런 답장도 없었다.

덕분에 나는 교외 모 다방에서 꼬박 세 시간 동안 오지 않는 그녀를 기다리며 골탕을 먹었다.

내게 부모가 안 계셔서 이런 모욕을 당하는구나 하고 생각하였다.

나에게 있어 '결혼' 은 인간의 '의무' 로서 문제되었다. 그만큼 나는 독신자의 자유를 사랑하였다.

예술이나 학문을 위하여 결혼 않는 사람은 없었다. 예술이 그 사람에게만 처자妻子 이상의 역할을 하였다는 것뿐이다.

좌우간 결혼하기로 하자! 이것이 네번째의 결심이었다. 3년 전 일이다. 그래서 직접 교제하며 결혼하려고 한 일이 한 번 있었다.

상대와 교제한 지 얼마 안 되어 서로의 성격이 빙탄간氷炭間이란 걸 알았다. 나는 쓴웃음을 웃고 나의 '자유' 에 더욱 신뢰를 느끼기까지 하였다.

다섯번째는 모 부인의 소개로 맞선을 보았다. 나는 그 여성과 결혼하기로 작정하였다.

그런데 상대방이 미국 유학을 간다는 뜻으로 거절해왔었다. 그녀도 나의 사진을 돌려주지 않았다. 아마 어디고 함부로 뒀다가 쓰레기통이나 아궁이에 집어넣었기에 돌려주지 못하는 것이 아닐까. 이것은 불쾌하다기보다도 여성의 인격을 의심케 한다.

나는 그녀들과 결혼이 안 된 것을 다행하다고 생각한다.

결혼에 성의가 없는 것으로 나를 오해하는 친구도 있는 모양이지만 다섯 번이나 각오한 일이 있었으나 그럴 때마다 결국 이루어지지 않왔으니 이만하면 여성을 무시하지 않았다고 변명할 수 있을 것이다. 지금까지 직접 간접으로 혼담이 없는 바 아니었으나 상기上記한 다섯 번을 제외하고는 다 내 쪽에서 거절하였다.

나는 나를 거절한 네 명의 여자와 그 부모들을 현명하다고 생각한다. 동시에 보잘것없는 나 같은 사람과 살겠다고 청혼請婚하여준 여성들과 그 부모님들에 대하여 죄송함을 금할 수 없다.

양편이 서로 '싫다'는 합의를 본 일도 두 번 있었다. 그때는 참으로 감사하였다.

나를 결혼시키려고 여러 가지 수고해주신 은사恩師, 선배, 선생, 동지 제우諸友들에게 나는 감사함을 잊을 수 없다.

"김형은 뭣이 잘났다구 고르는 거야."

시인 K씨가 나에게 말하였다.

나는 인생의 아름다운 풍경 앞에 엄숙해진 심정으로 미소하였다. 내게 딸이 있다면 나 같은 사람에게 딸을 주진 않을 것이다.

이것은 진정이다. 그러나 싫으면 못하는 것도 사실이다. 나에게 있어 '결혼'은 미지未知의 운명運命이다.

대개 첫번째 혼담에서 척척 이루어지지 않는가. 내가 일제 때처럼 지금도 부잣집 아들이라든지 또는 부모께서 구존俱存하사, 혹 세도勢道를 잡고 계신다든지 그렇지 않으면 하다못해 내가 집이라도 가졌고 직위職位가 높고 수입이라도 많다면 설마 다섯 번까지 거절을 당하지는 않았으리라고 믿는다.

여성 편에서 경제 문제를 중시하는 것은 마땅한 일이다.

그렇다고 갖은 수단으로 여성을 유혹한다거나 싫다는 걸 부진부진 따라다니며 애걸할 마음은 애초부터 성격상 타고나질 못하였다.

연애하다가 남녀가 함께 자살하였다는 이야길 듣거나 그런 기사記事를 보거나 「천국에 맺은 사랑」 같은 영화를 보면 차라리 그럴 수 있는 그들을 부러워하리만큼 냉정해지는 나로선 연애와 인연이 멀다.

보잘것없는 나 같은 사람이 훌륭한 여자를 모셔와 함께 불행하느니보다 나 혼자 '자유' 로운 맛에 취하고 싶다.

김치 된장보다 양식洋食의 영양 가치를 따지고 현대적인 체하는 사람도 '노라' 나 '보봐리 부인' 이나 '카르멘' 같은 여성과 결혼하려는 남자는 별로 없을 것이다.

아직도 겉으로 말하는 서구 문명에 대한 이해와는 딴판으로 대부분의 남성들은 신사임당神師任堂이나 고려 청자기 같은 아담성雅淡性이나 춘향이나 조선 백자처럼 질박하고 덕 있는 여성을 아내로 원하고 있지 않을까.

그러나 어느 시대고 간에 이론이 전부일 수 없다.

도리어 부조리 그 자체에서 진리는 계시되고 있다.

그러므로 "여하한 결혼도 안 하는 것보다는 하는 것이 좋다" 는 건 사실이다. 요새도 흔히 말하지만 "사람은 서로 살게 마련이다" 는 것은 결혼 전의 불안과 결혼 후의 안정을 체험한 많은 사람들의 이구동성異口同聲이었다.

나는 총각인 시인 R씨에게 "방 속에서 수영水泳을 배우려 하니 될게 뭐요. 좌우간 눈 딱 감고 우선 잡읍시오. 그래야만 결혼이란 무엇인가를 알게 됩니다" 하고 설법했다가 곁에 있던 친구들로부터 놀림을 받았다.

그것은 R씨에게 말하였지만 기실은 내 자신에게 말한 것이었다.

그 후 어느 날 R씨는 "시키는 대로 눈 딱 감고 잡았노라" 고 나에게 말하였다. 마침내 R씨는 약혼하였다.

비방을 가르쳐준 사람은 실행을 못하는데 배운 사람이 효과를 나타내었던 것이다.

결국 서둘러 아는 것은 차라리 모르는 것보다 못한 셈이다.

내 방에 사진이 한 장 붙어 있다. 그것은 풍경도 미녀도 정물도 아니다.

시장에서 옥수수를 파는 부인네가 광주리를 앞에 놓고 갓난아기에게 젖을 먹이는 모습이다.

나는 라파엘이 그린 성聖 마돈나와 어린 기독基督보다도 이 사진에서 나를 순화純化시킬 수 있었다.

귀여운 갓난아기에게 젖을 먹이는 그 가난한 부인의 눈은 나를 낳아주시고 길러주신 어머님의 노고를 상징하고, 무아 무념無我無念하신 백의관음白衣觀音의 성스러운 자비의 광명으로 보이기도 하였다.

어린것은 바로 생명 그것이다. 그것은 우리의 희망이며 미래며 소원이다.

뒤에 오는 생명을 행복하게 하는 것이 우리의 희망이며 그들을 잘 자라나게 하는 것이 우리의 미래이며 그들에게 이 지상을 아름답게 건설하여달라는 것이 우리의 소원이기 때문이다.

자녀들에 대하여 성녀聖女 아닌 여인은 없다.

나는 세상을 떠나신 어머님을 존경한다.

독신자의 개인적 자유보다도 결혼한 인간의 의무와 고생이 무엇인가를 알아야만 비로소 참다운 문학을 쓸 수 있지 않을까.

나는 간혹 이런 생각을 하는 때도 없지 않아 있다.

나는 지난날처럼 그리고 오늘날처럼 앞으로도 결혼할 기회를 기다릴 것이다.

기다려도 그러한 기회가 이루어지지 않는다면 나는 지난날과 오늘날처럼 후회하거나 탄식하지 않을 것이다.

자유는 고독보다 크며 가치는 고생보다 빛나는 까닭이다.

초조할 것도 단념할 것도 없다. 나는 나의 미래를 향하여 정중히 걸어가야 한다.

1956

탱자

요즘 웬일인지 언제나 다름없이 번잡한 도시의 하루하루를 지내면서도 간혹 자기 자신을 돌아보는 때가 있다. 낙엽의 가을이 아무도 막을 수 없는 이 세월의 흐름을 더 한층 우리에게 알려주는 까닭인지도 모른다. 꽃도 잎도 져버린 뜰에 앙상한 가지들이 소조蕭條하다. 인생은 기쁨보다도 어떤 소삼蕭森한 데서 도리어 지각知覺하게 되는 성싶다.

그래 그런지 나는 요즘 직장에서나 또는 거리에서도 문득 고향의 탱자나무들을 생각한다. 돌담 너머로 보이는 탱자나무 울타리, 또는 연당蓮塘 위 채소밭 가상두리로 늘어선 탱자나무들이 눈앞에 선연鮮然하다. 웬일일까. 가시 돋은 검푸른 가지들 속에서 홀로 황금빛 탱자들만이 그윽한 향기를 머금고 우중충한 하늘과 거친 산과 가난한 풍경과 겨루며 있을 것인 까닭이다.

비로소 봄여름의 호화로운 화초들이 우리가 생각하던 바처럼 그렇게 높은 미美와 격格 있는 깊이를 갖지 못하였다는 것도 알 수 있을 것이다.

좀더 우리는 외부에 끄달리기보다는 자기를 알아야 할 것만 같다. 인간을 알기 위하여 자기의 지식만을 신봉하지 말 것, 자기가 제일이란 생각을 어떻게 해서라도 버려야만 할 것 같다.

찾지 않는 곳에 본질이 나타나고 자기를 부정하는 데에서 깨달을 바 많다는 걸 안 이상에야 노력하지 않을 수 없다. 봄여름보다도 더 화려한 도시의 물질 풍경을 무시하란 뜻은 아니다. 깊은, 다가오는 겨울처럼 거칠고 어둡고 춥고 우울하고 배고프고 아니꼽고 창피한 주위 환경에 있을지라도 항상 저 황금빛 탱자처럼 홀로라도 좋으니 더욱 생기生氣 있고 향기로워야 하지 않을까.

나는 요즘 침실인 동시 식당인 동시 서재인 나의 가난한 단칸방에서 글을 쓰다가도 간혹 싸늘한 하늘 아래 빛나고 있을 탱자를 생각한다. 책상에 탱자가 몇 개 놓인다면 탱자에서 나는 많은 의미와 기쁨을 얻을 것만 같다. 가난을 즐기는 것이 아니라 가난에 굴하지 않고 역경에 기진할 것이 아니라 소생해야만 되기 까닭이다.

글을 쓰거나 글을 읽는 것도 그러할 것이다. 기교가 도리어 시 정신을 감소한다든가 미숙한 정열이 고집으로 끝나서야 안 될 일이다.

그래 그런지 요즘은 번잡한 도시에서도 간혹 자기 자신을 돌아보는 때가 있다.

그럴 때마다 내 싸늘한 고향집 울타리에서 홀로 빛나며 향기를 머금고 있을 그 수많은 탱자가 눈앞에 선연히 오른다.

1957

우스운 이야기

하나에 하나를 보태면 둘이 된다는 것은 어디까지나 산술이다. 현대는 이론과 상반되는 여러 가지 양상을 보여준다. 그 일례로서 우스운 이야길 하나 할까 한다.

졸역拙譯『옥루몽玉樓夢』은 주註까지 합쳐서 한 권에 평균 2백 자 원고지 1천3백 매 가량씩 들어갔다. 1년에 한 권씩 제1권, 제2권, 제3권이 출간된 후의 일이다. 나는 오래간만에 고향에 갔었다. 어른들과 친지들은 "넌 옥루몽 번역으로 부자가 됐다며" 하는 것이 인사였다. 나는 달마다 방세도 제때에 잘 못 내는 나의 서울 생활을 생각하며 웃지 않을 수 없었다.

1년마다 책가冊價의 1할, 3천 부의 인세가 들어온 건 사실이다. 그러나 제3권 3천 부가 간행되었을 때 제1권 천 부의 재판도 있었으나 돈을 받지 못하였다. 못 받은 것이 아니라 받을 것이 없었던 것이다. 방학이면 급료도 없는 학교 강사로 일주일에 몇 시간씩 다니다 보니 생활에 쪼들려 출판사로부터 미리 갖다 쓴 까닭에 적자는 장차 출간될 제4권까지 침범하였던 것이다. 나는 아쉬울 때마다 책도 나오기 전에 돈을 돌려주는 출판사가 고맙기 비할 바 없었다.

그러니까 작년과 금년의 일이다. 출판사는 교과서 바람에 단행본을 단념한 모양이었다. 그러나 나는 작년에 제4권이 나오질 못했으나 제5권까지 원고를 일단 마치었다. 그래서 그 후 책도 나오기 전에 미리 당겨 쓰는 금액만 다달이 늘어갔다.

그러던 것이 4권의 원고가 끝난 지 2년 만에, 5권의 원고가 끝난 지 1년여 만에 제4, 제5 양권兩卷이 불과 일주일을 사이 두고 이번 세모歲暮에 쏟아져 나왔다. 다른 물가에 의하여 책가도 올랐다. 나는 즉시 종전의 부수대로 제4, 제5, 양권의 6천 부에 대한 1할 인세를 계산하였다. 그리고 그간 미리 당겨 쓴 금액을 그 속에서 제하였다. 그리고도 20만여 환을 받을 것이 있다는 걸 알았을 때 참으로 기뻤다. 그 결과는 어떠하였던가. 기쁨은 오래 지속되지 않았다. 출판사에 갔더니 제4권은 2천부 제5권은 천5백 부만 찍었다는 것이었다. "도무지 책이 팔리지 않아 종전대로 매권에 3천 부씩 찍을 수 없습니다" 하고 출판사는 말하였다. 요즘 출판계의 시세가 형편없는 모양이다. 선배, 친지에게 증정할 것 수십 권을 사고 나니 받을 돈은 불과 2만여 환이었다. 세상이 그 동안 어느 정도로 진보하였는가를 알 수 있었다. 불과 몇 년 사이에 전 같으면 하불실下不失 6천 부를 찍을 것이 3천5백 부로 하강하였다. 믿었던 20만여 환은 백일몽이었고 2만여 환의 가혹한 현실로 변하였다. 나는 나의 노력의 보수를 따져보고 스스로 웃었다. 2천5백여 매의 원고를 쓰고 2년 동안에 그간 미리 당겨 쓴 20만 환의 보수를 받은 셈이다. 그러면 원고지 한 장이 몇 푼씩 계산되었는가. 백 환 꼴도 못 된 셈이다. 앞으로 판이 거듭할 때마다 인세를 받겠지만 그나마 아득한 일이다. 지난날 고향 사람들이 나에게 "부자가 됐다며" 하던 말을 생각하고 나는 웃었다. 어떻든 제4, 제5권이 한꺼번에 나오고 보니 내게 무슨 큰돈이나 생긴 줄 알고 치하하는 친지들이 있다. 나는 어느덧 그런 친지들에게 대답 없는 미소를 하게 되었다. 성명도 밝히지 않으신 이 대작의 원작자를 생각한다든지 또는 비록 졸역拙譯이나마 내 손에서 이루어진 『옥루몽』 전5권 6천여 매 역주의 책들을 생각할 때 다만 죄송스러우면서도 웬일인지 기쁘기 때문이었다.

1957

사랑의 계절

나이 들수록 계절에 대한 느낌도 변한다.

어렸을 때는 콩나물이 싫었는데 언제부터인지 맛이 있다든가, 또는 작년까지 좋아하던 상추쌈이 금년 들어서 입에 맞지 않는다든가, 이렇게 식성이 변하듯 자신도 변하는 것이다.

옛사람들은 녹음방초승화시綠陰芳草勝花時라 하였다. 가로수가 빛깔이 점점 무르녹고 있다.

지난 4월부터 시내 모 학교에 시간을 얻게 되어 일주일에 3일간은 삼선교에서 안국동까지 버스를 타고 다니게 되었다. 그곳은 서울에서도 가장 내 마음에 드는 거리[街]이다.

전차가 없고 나무가 있고 고궁古宮이 있고 또 현대 건물이 알맞게 조화된 풍경들이다. 푸르른 나뭇잎이 피곤한 눈을 즐겁게 해준다. 더구나 창경원 앞을 지나면 여인과 어린이들의 아름다운 옷차림이 세상의 모든 꽃을 일시에 피워놓은 것 같았다.

언제부터 그런 변화가 왔는지 알 수 없으나 여자보다도 어린이들에 대하여 더욱 애정을 느끼게 된 내 자신을 쓰게 웃었다.

양편 담 위로 나뭇잎들이 미소하는데 돌다리 밑으로 걸어오는 젊은 남녀의 조용한 걸음걸이도 유정해보였다.

수일 후 결혼식을 올리게 된 K씨가 하루는 다방에서 나에게 말하였다.

"결혼 않고 혼자 사는 게 더 좋을 것 같군요."

나는 자신 있게 대답하였다.

"그건 기분이지요. 결혼한다는 것과 혼자 산다는 것과 비교할 때 우리는 어느 쪽에 더 많은 이유를 발견하게 될까요."

돈화문은 비원의 입구며 그것은 하나의 역사인 동시 이미 사라진 인간들의 자취다. 자동차들이 유유히 지나다니는 이 광장에서 먼 미래에 어떤 사람이 나와 같은 감회를 느낄지도 모른다.

늦은 봄과 첫 여름은 더욱 우리의 사랑을 눈뜨게 하여준다. 젊은 여자는 누구나 다 국악원의 음률音律과 같은 고운 마음씨를 간직하고 있을 것이다.

그러기에 날마다 운현궁 앞에 결혼하는 한 쌍 남녀의 이름이 즐비하니 붙어 있다. 나는 알지도 못하는 그들에게 축복하기를 잊지 않는다.

결혼은 세상에 대한 임무任務며 인간의 사명使命인 만큼 그 누구나 다 신랑과 신부를 축복하며 그들의 행복을 원하는 것이다.

교통 순경은 식장에서 나온 자동차를 통과시키기 위하여 잠시 신호를 변경할 수도 있을 것이다.

안국동 로터리에 서면 중앙청 건물의 머리가 푸른 가로수들이 줄지어 넘어간 고갯길 위로 보인다. 어느 나라고 간에 정부는 그 민족의 모든 가정을 행복하게 하려 일하고 노력하는 곳이다.

1957

함께 과실果實을 딸 때까지

어둠에서 태양은 떠올랐다. 행동은 현실의 벽 앞에서 저항하려는 빛이 되었다.

언제나 오늘도 그의 쓰디쓴 얼굴이 거울에 나타난다. 그만큼 거울엔 차별이 없다. 그는 다못 그의 각흑閣黑을 그곳에서 발견하였을 뿐이다.

언제나 도시의 일월성신은 외로웠다. 수지收支 계산에 바쁜 사람들로부터 한 그루의 수목이라든가 풍성한 녹엽綠葉들도 버림을 받고 있다.

이론마저 우그러드는 방향이 있다. 그 회전 속에서 헤어나지 못하는 마음이 있다. 그러기에 역시 인간도 하나의 자연이었다.

그는 지리멸렬하는 풍경이 내다보이는 창 앞에서도 환상을 그리었다. 그것은 인간이 자기 자신을 생각하는 것이며 동시에 그것은 본능에 대한 향수이기도 하였다. 기다림에 지친 그는 창에서 시선을 옮겼다. 한적한 다방에서 그는 담수어淡水魚의 호흡으로 자신을 유지하며 현재를 계속하였다.

그는 여자가 붉은 반점의 양장을 하고 하늘빛 일산日傘을 들고서 나타나리라 믿었다.

그들은 10시까지 만나 광릉光陵으로 놀러갈 약속이었던 것이다. 그런데 시계가 10시 50분을 가리켰으나 여자는 오지 않았다. 두 시침時針이 50분을 경과하는 동안의 거리距離가 그의 초조한 심도深度를 이루었다. 그러나 한 방울의 피도 볼 수 없는 안타까움으로부터 그는 비로소 강렬한 기쁨을 느끼기 시작하였다.

그는 '괴로움이 수반하지 않는다면 아무도 사랑을 찬미하지 않을 것이다' 고 생각하였던 것이다.

그에게 있어 이 불안의 심도는 빛의 반영으로 나타났다. 그는 다시금 그 여자에 대한 자기의 애정을 측정할 수도 있었다. 즉 그는 자신에서 아름다운 분노의 꽃을 발견하였던 것이다.

"물론 그 여자는 늦게 온 이유와 변명을 가지고 나타나겠지. 나는 다음과 같이 말하기로 하자. 기다리는 쪽과 오는 편과의 어느 것을 택하겠소?"

그리고 그는 여자가 다음과 같이 대답해주었으면 하고 생각하였다.

"어느 쪽이든 서로 같다고 생각해요."

저편 의자에도 반나체의 여자가 얼마 전부터 앉아 있었다. 그 위로 높이 걸려 있는 전기 시계는 다시 11시 15분을 넘고 있다. 그는 자기 자신이 기다림에 기형화奇形化하는 것을 느꼈다.

이때 자랑스레 귀걸이까지 달고 있는 저편 반나체가 미소하였다. 중년 신사가 들어왔던 것이다. 중년 신사는 반나체의 쾌활한 웃음에 흡수되듯 앞으로 가서 앉았다. 그는 그들의 대화하는 표정을 관찰하며 기다림에 시달리지 않고자 하였다. 물론 중년 신사와 노출증 환자의 음성은 들리지 않았다.

카운터에서 신록新綠의 그림자를 비친 수면에 부드러이 흐르는 하얀 조각배처럼 음악이 시작되었다. 그는 그들의 즐거운 표정의 내부에 반드시 근심으로 멍든 심연이 입을 벌리고 있으리라 생각하였다.

다시 얼마의 시간이 지났다. 그가 기다리던 여자는 그의 예상과 달리 나일론 박감색薄紺色 바탕에 백설白雪의 점이 분분한 동강 치마를 입고 다방으로 들어왔다.

지금까지 그 여자와 만난 예로 본다면 그 차림은 시내에서 만날 때의 의상이었고 교외로 나갈 때의 복장은 아니었다.

여자는 왔으나 목을 숙이고 늦게 온 이유도 말하지 않았다. 그 침묵은 배암과 장난치는 천사를 생각케 하였다.

역정보다도 반가움이 앞섰으나 그는 11시 30분을 알리는 팔목 시계를 여자에게 보여주었을 뿐이다. 이러한 그의 태도는 약속 시간으로부터 한 시간 30분이 지났다는 무언의 힐난과 끝까지 기다렸다는 자랑을 은연중에 표시하고 있었다.

그제야 여자는 얼굴을 붉히며 조그만 목소리로 말하였다.

"곧 집으로 돌아가야겠어요."

이 의외의 말에 그는 늦게 온 이유를 따지기보다 당황스레 되물었다.

"왜?"

"제게 금족령禁足令이 내렸어요. 우리가 함께 다니는 걸 아버지께서 보셨대요."

"당신과 결혼하겠다는 나의 뜻을 아버지께 전하러 오늘 G선생이 댁으로 갈 것이오. 그러니 결국 큰일 될 거야 없지."

"잘 알고 있어요. 아버지가 G선생과 만나신다면 이렇게 나올 순 없었을 거야요. 그리고 그렇게 되었다면 도리어 다행이지요. 그러나 아버지는 오늘 바쁜 일이 있으시다며 외출하셨어요. 그래서 늦었지만 겨우 나오게 된 거야요."

그는 말없이 머리만 끄덕이었다. 서로 침묵만 계속하였다. 일은 공교롭게도 그들의 예상 밖으로 진전하였다. 우연한 데서 시작된 사태가 시간 약속을 뒤집었던 것이다.

저편 전기 시계 밑 의자에서 재미나게 속삭이던 중년 신사와 반나체는 경박한 걸음걸이로 다방을 나갔다.

그들이 나가는 바람에 열리었던 문이 다시 그의 눈앞으로 밀려와 이윽고 벽처럼 움직이지 않았다. 창 밖에서 착란錯亂한 밀도密度를 더하는 십자가十字街가 미래未來를 모르고 있다.

그는 푸른 가로수 사이로 중년 신사와 반나체를 태운 고급 차가 복잡한 십자가를 횡단하여 그의 시계視界에서 사라지는 것을 묵묵히 내다보았다.

"저들은 결혼할까."

"처자妻子가 있을 거야요. 마흔다섯은 되어 뵈는데요."

"그들은 지금 어디로 갔을까."

"……"

그의 우울한 얼굴이 미소하며

"그 사람들은 우리보다 더 많은 걱정을 가지고 있겠지. 그래도 그 사람들은 퍽 유쾌해 뵈더군."

하고 말하였다.

희망은 반드시 뜻대로 되지 않을지라도 희망이 있는 한 기쁠 것이다. 그와 마찬가지로 사랑은 괴로울지라도 항상 행복처럼 아름다웠다. 그는 '사랑의 미美는 일종의 괴로움에 의하여 밝혀지는 태양이다' 고 생각하였다.

그는 여자가 차의 마지막 일적一滴을 마시기까지 기다린 후 일어섰다. 여자도 유순히 그의 뒤를 따라 나갔다.

유리문과 창으로 스며든 일광日光은 다방 내부를 점점 침투하고 있다. 시간을 잃은 약속이었으나 그것은 고뇌로써 밝혀진 태양이었다.

그러한 뜻을 표현하듯 음악은 그들이 나간 후로 그치지 않았다.

1957

돈가스와 가을과 바이올린

방학도 끝났으나 나는 시간 강사였으므로 아직 S여고에 나가지 않았던 만큼 어느 날 오후 다방에서 신문을 읽고 있었다. 그 신문에서 나는 S여고 이름으로 검은 선 내에 들어 있는 함이영咸二榮 선생의 부고를 보았다.

어느 분일까? S여고에 나간 지 불과 몇 개월 안 되지만 그뿐만 아니라 항상 모든 일에 등한한 내 자신에 대하여 어떤 반성 같은 것을 느끼었다. 나로서는 필시 알 만한 분일 텐데 세상을 떠나신 분의 성명을 보고도 모르니 자못 죄송스러울 수밖에 없었다. 늦게야 S여고에 근무하는 시인 K씨가 다방에 나왔기에 "돌아가셨다는 함선생님이 누구시지요" 하고 물었다. "그 작곡하시는 음악 선생님을 모르십니까." 이 대답은 나에게 있어 너무나 의외였다. 이리하여 바로 방학 전의 지난 일이 일시에 회상되었다.

내가 지난 봄 S여고에 나가게 된 지 얼마 후 그분이 작곡가란 것을 들어 알았고 쉽사리 친해졌던 만큼 새삼스레 성명을 묻기도 실례일 것 같아 그 후 그냥 '선생님' 으로 부르며 지내왔던 것이다. 그날 나는 내 수업 시간을 마치자 직원실에서 쉬고 있었다.

저편에서 함선생은 조그만 외국제 약병을 앞에 놓고 영어과 선생님이 새겨주는 주의서注意書를 신중히 듣고 있었다. 어딘지 외롭도록 선해 보이고 살집도 좋으신 분이 무슨 약을 잡수시나 하고 나는 가볍게 생각하였다. 그 후 어느 날 나는 나가서 점심 식사를 하러 현관으로 갔더니 함선생이 신을 신는 중이었다.

"점심 잡수러 가십니까?"

"네."

함선생은

"싸고 맛있고 많이 주는 음식점을 소개해드릴 테니 같이 갑시다."

고 말하였다.

나는 이 말에 구미를 느꼈으나 현금을 넉넉히 갖고 있지 못하였으므로 "내일 가겠다" 고 대답하였다. 함선생은 "그런 걱정 말라" 며 나를 데리고 중앙청이 바라보이는 큰길을 횡단하여 어느 음식점으로 들어갔다. 과연 2백 환짜리 돈가스가 번화가의 3백50환짜리보다 못지 않게 훌륭하였다. 그것은 내게 있어 콜럼버스의 미주 대륙 발견과 비길 만한 일이었다. 그날 함선생은 식사를 하며

"김선생의 시는 딱딱해서 작곡하기 어렵겠더군요. 적당한 것 있거든 한번 보여주십시오."

하기에

"부끄럽습니다. 생각뿐이지 어디 시가 되어줍니까."

하고 송구스러이 대답하였다. 그 이튿날이라고 생각된다. 나는 그 음식점에 가서 함선생께 점심 대접을 하고 같이 다방에 들리었다.

"건강해 뵈시는데 언젠가 가지고 계시던 약은 무엇입니까?"

하고 물었다.

"혈압이 높습니다. 그래 술도 끊고 홍차를 마신답니다."

함선생은 이렇게 대답하며

"김선생도 결혼하셔야지요."

하며 도리어 나를 걱정해주었다.

이제 생각하니 그것이 함선생과의 마지막이었다. 그 후 방학 동안 산속에 가서 있다가 서울로 올라온 나는 장차 일주일에 몇 번씩 함선생과 그 음식점에서 식사할 것을 기쁘게 생각하였다. '한 달 만에 만나게 되니 이번은 내가 점심 대접을 해야겠다' 고 생각하였던 것이다.

그런데 아직 만나기도 전에 함선생의 부고를 신문에서 볼 줄이야 누가 알았으랴.

S여고에 나간 어느 날 나는 세상을 떠난 함선생을 생각하며 점심 시간에 시인 K씨와 함께 그 음식점으로 갔다. 우리는 그 맛나고 많고 값싼 2백 환짜리 돈가스를 먹으며 고인에 관하여 이야기하였다. 함선생의 장례에 갔었다는 K씨가 나에게 이런 이야길 들려주었다.

"함선생은 딸 여섯에 아들이 하납니다. 부인의 말씀에 의하면 그날 이발하고 피아노 배우러 온 학생을 지도까지 하였는데 갑자기 혈압 관계로 세상을 떠나셨다더군요. 큰딸이 지금 우리 학교에 다니는데 우등생입니다. 영결식 때 그 딸이 떠나는 아버지의 관 앞에서 바이올린을 연주하였습니다."

음식점에서 나오니 하늘은 더욱 높고 푸르렀다. 북악北岳이 새삼 가까워 보이었다.

"가을이구나. 추석도 몇 날 안 남았구나."

하고 나는 속으로 중얼거렸다. 가난한 이 나라에서 예술을 하다가 일생을 마친 작곡가 함이영 선생을 생각하였다.

'좀더 세월이 흐른 후 언제고 조용히 함선생의 딸에게 간청하여 그 아버지의 남기신 곡을 바이올린으로 들어보기로 하자. 아니 먼먼 훗날 즉 함선생의 딸이 울지 않고 바이올린으로 아버지의 곡을 연주할 수 있을 만큼 행복할 때까지 기다리는 게 더 좋을 것이다' 하고 다시 생각하였다.

1957

5월의 표정

5월은 아카시아꽃 향기를 생각케 한다.

녹엽綠葉은 아름다운 표정을 하고 있다.

그것은 천년 전이나 만년 후나 언제나 다름없는 현상일 것이다. 우리는 황폐한 마음을 통하여 5월의 자연을 본다.

속살이 들여다보이는 여인들 의상엔 비애와 환멸과 비밀이 있다. 그것은 낭비처럼 건강하지 못하다. 5월의 자연은 미美를 구성한다. 도시의 미는 자연에 대해서 맹목이다. 우리 가정엔 한 송이의 꽃도 없다. 고갈枯渴한 생활에서 허식虛飾이 범람한다. 다만 빈곤한 예술인이 자연에 손색 않는 미를 찾고자 신처럼 창조하고 있다. 그들의 신념은 그들의 얼굴에 나타난다. 5월달 예술인의 표정은 어떠한 것일까.

그것은 창가의 항아리, 그것은 안면顔面, 그것은 두 눈의 꽃, 그러나 이것은 분방奔放하는 몽환이 아니다. 하나의 형성이며 모색이며 체험에서 구명究明으로 전위하는 모상模相이다. 하나의 의지며 행복에의 과정인 것이다. 5월은 의미한다. 즉 생명이 스스로의 모습을 상징하는 것이다.

1957

암흑과 벽

나의 지금까지의 생활은 기적이라고 할 수밖에 없다. 앞으로 어떻게 생계를 세워야 할 것인가 생각하면 언제고 그러하듯 막연한 암흑과 벽이 나타난다. 그러나 근심할 것은 없다. 나는 앞날의 생계를 과도히 생각 않기로 하고 있다. 빈궁할지라도 자족하는 수밖에 없다. 가능성이 없는데도 불구하고 고민한다는 것은 몸에도 해롭거니와 그렇지 않으면 탈선 행위까지 일으키고야 만다. 요는 놀지 말 것, 그리고 기다린다는 것뿐이다.

우리는 빈한貧寒한 사람을 볼 때마다 여러 가지 감회를 느낄 수 있을 것이다. 신문 파는 아이들이나 또는 떡 함지를 이고 집집마다 팔러 다니는 부인婦人을 볼 때면 하루에도 몇 번씩 낭비는 죄악이란 생각이 반사적으로 일어난다. 이런 생각은 사치하는 사람들에 대한 나의 질투라기보다 내 자신에 대한 반성이라 하겠다.

고급 복장을 하고 양담배를 피우는 사람이 생활고를 말하는 것을 우리는 흔히 듣게 된다. 그런 소릴 들을 때마다 나는 그들이 절약한다면 좀더 잘 살아갈 수 있으리라고 속으로 중얼거리며 선망과 고독을 느낀다.

우리는 다행히도 아직 굶어죽었다는 사람과 발가벗고 다니는 사람을 본 일이 없다. 그러므로 생활난에 못 견디어 자살하였다는 사람을 동정할 수 없다. 그런 데다 비한다면 도리어 부유한 가정 부인이 고민하는 것을 볼 수도 있다. 남성들은 생활에 여유 있을수록 외도하기 첩경인 까닭이다.

어떻든 원망을 듣지 않는 부자와 존경을 받는 빈자貧者가 되기란 둘 다 지난至難한 일이다. 그런 만큼 한 사람의 생활은 그 사람의 인격과 교양을 나타낸다.

나는 항상 '백양白羊' 대신 '탑塔'을 피우기로 하고 '버스' 대신 '전차'를 타리라 생각하면서도 아직껏 실행 못하고 있다. 부자가 되기 위해서 이런 생각을 하는 건 아니다. 다못 낭비는 죄악이며 절약은 미덕이란 생각이 드는 까닭이다.

옛날처럼 선비는 가난해야만 된다는 것이 아니다. 어떻게 된 셈인지 오늘날도 선비가 되려면 빈궁을 각오하지 않을 수 없게 되었다는 것뿐이다.

1957

탄생*

* 편집자 주 : W.밀러 '인간 가족 전' 에서 해산의 순간을 찍은 사진을 감상하고 쓴 글이다.

내가 본 사진은 우리 나라에서 보기 드문 편이다. 누구나 알고 있는 일, 더구나 어느 시대에서도 인간이 알고 있었던 일, 그런 일일수록 유의하지 않는 경우가 많다.

우리들은 회화 이외에도 사진전에서 흔히 여인의 나체를 보게 된다. 그것 역시 누구나 다 아는 것을 취급한 것이다. 그러나 그런 것일수록 예술적 성과를 얻기는 어렵고 자극성刺戟性에 떨어지기가 첩경이다. 누가 보든 그 사진에서 누구나 잘 아는 까닭에 오히려 무관심하였던 생명 자체에 대하여 다시 유의하게 될 것이다. 그리고 도시의 기계 문명에 마비된 현대인이 잃어버린 자아를 돌아볼 수 있는 좋은 영양도 될 것이다.

이 해산의 장면은 엄숙한 신비를 보여주듯 일종의 처절한 박력에 넘쳐 있다. 그리고 생명의 존귀함을 새삼 느끼게 하는가 하면 어느덧 모든 생명에 대한 따뜻한 친근함까지 퍼진다.

사진은 이를 강조하듯 의사의 표정과 굵직한 탯줄과 양수羊水의 광택까지도 효과 있게 노출되어서 들리지 않는 산모의 신음마저 거룩하도록 느끼게 하고 있다.

산아産兒가 우는 생명의 첫 소리, 그 찌푸린 얼굴에 이르러서는 누구나 동정의 눈물을 흘리며 반가운 팔을 벌리지 않을 수 없었다. 산아가 이 지상에 이르러 외치는 저 소리에 어떠한 의미가 있을까. 그것은 어느 나라의 언어도 아니다. 너나 할 것 없이 석가도 걸인도 기독基督도 집정자執政者도 죄수도 과학자도 누구나가 다 애초에 외쳤던 솔직한 소리요 그 말씀이다. 그렇기에 저 산아는 아직 국경을 모르는 빈욕貧慾과 살의를 모르는 순수한 인간 바로 그것이다. 지상의 아들이며 이 세상을 상징하는 사랑이다. 이제야 우리들의 일상 경험으로 미루어보아 어린이들을 위하여 근심할 때는 온 것 같다. 즉 우리가 어린이들에게 남겨야 할 유산遺産과 그들에게 바라야 할 기대는 너무나 거리가 있다는 것이다. 이것은 확실히 쓰라린 일이다. 언젠가 내가 파고다 공원에서 보고 들은 일이었다. 나무 그늘에서 가난한 몸차림의 사주 관상가가 자동차 운전사라는 사람을 앞에 놓고 관평觀評 중이었다.

"틀림없이 아들 다섯 형제에 딸 둘은 두겠소."

이 말을 듣자 운전사는 쓰디쓴 웃음을 웃었다.

"딸 셋밖에 없소."

"그러나 아들 5형제는 분명 둘 것이오."

"이젠 그만 낳기로 했지요."

이번엔 관상가가 웃으며

"어디 그게 그렇게 뜻대로 됩니까."

하고 말하였다.

"여편네를 병원으로 데리고 가서 두 번이나 애를 긁어냈지요. 여러 식구에 굶느니보다 사는 사람이나 살아야지요."

어디서 오는 건지 우리를 믿고 찾아오는, 신기스럽기에 반가워야 할 귀여운 생명을 무참하게도 밟아버리는 일이 흔한 것 같다. 이것은 틀림없는 지상의 비극이 아닐 수 없다. 해산의 사진을 보는 동안 나는 여러 가지 생각을 하였다. 그러므로 생명의 첫 소리가 죽음의 마지막 신음에 끝날 때까지 "너에게 행복 있으라!" 고 염원하지 않을 수 없었다.

1957

봄을 맞기 위하여

노인이 복사꽃 같기도 하고 벚꽃 같기도 한 눈부시도록 만발한 꽃가지를 들고 거리를 걷는다.

"어느새 저렇게 폈을까?"

그 꽃과 노인을 보자 사람의 마음이란 야릇한 것이어서 갑자기 내 외투의 중량重量을 느꼈다.

"저건 종이로 만든 꽃이야."

하고 소설가 P씨가 말하였다.

그제야 나는 잎 하나 없는 조화造花를 들고 가는 노인이 낡은 국방색 외투를 입고 있다는 것을 유의해 보았다.

졸업식에서 받은 것인지 양장한 여인이 꽃다발을 들고 자동차를 기다리는 모습도 청신하다. 춥지 않으나 심한 바람에 길 가는 아낙네의 약간 오른 옷섶이라든가 나부끼는 머리카락에서 정서가 풍긴다.

이런 훈훈한 풍정風情의 반면에는 슬픔도 인생을 배양하는 비료처럼 마련되기 일쑤다.

행복할 때 앞날을 걱정하며 불행할 때 마음을 편안히 가져야 한다.

어떻든 우리는 봄을 신중히 영접함으로써 봄 자체를 음미할 수 있을 것이다.

그러나 신자가 신을 믿음으로써 다른 사람들이 이해할 수 없는 기쁨을 느끼듯 또 과학자가 대자연의 신비에서 경이를 느낄 수 있듯 우리는 봄의 무궁한 조화 앞에 무관심하여도 안 된다.

요즘 쌀쌀한 바깥 기운에 비하여 다방 속 화병에는 여러 가지 꽃이 피었고 노니는 금붕어들도 어딘가 유유하다.

점점 사교술이 능숙해서 언뜻 보아서는 잘 눈치도 챌 수 없지만 우리는 간혹 다방에서 두 남녀를 중심하고 앉은 사람들에서나마 그들이 지금 서로 선을 보고 있다는 것을 짐작하는 때도 있다. 멀지 아니한 봄을 앞두고 다방에서 남녀가 서로 선을 본다는 것은 이맘때 있을 수 있는 아름다움이다. 그래 그런지 봄은 결혼을 상징하는 것 같기도 하다.

그렇다고 해서 소원은 반드시 봄에 이루어지는 것도 아니다. 다만 새로운 관계를 맺을 수 있는 가능이 있는가 하면 실패도 많다. 비록 남의 집 귀여운 아동들일망정 그 어린것들이 다 중학교 입학 시험에 합격되기를 누구나 바라며 원할 것이다.

그러나 아무리 원할지라도 그 어린것들이 다 입학할 수 없는 데 봄의 일면이 있다. 책점, 양복집 등 학교 입학과 관계되는 모든 상점은 때를 당하여 한몫 보려고 준비한다. 그러나 시험 치기 전은 부모가 몸이 달아 병이 날 지경이고 시험에 떨어지면 어른보다 아이가 병이 나는 일이 해마다 되풀이되고 있는 것도 사실이다.

어떻든 봄이 가까워올수록 남녀노소 할 것 없이 누구나 앞날을 위하여 준비하고 대결하게 마련이다.

1958

인공 위성 밑에서
—희망과 공포의 엄습

신비가 다할 때까지 과학은 그 사명을 가질 것이다.

그러나 미지가 있기에 과학은 스스로 중대한 의미를 영원히 나타내고 있다.

지금 인공 위성이 지구를 돈다는 것은 적어도 오늘날에 있어서 우리에게 두 가지 느낌을 준다.

즉 희망과 공포가 동시에 우리를 엄습하였다는 사실이다.

전혀 상반한 양극에 끼여 있는 인간이 지금 인공 위성을 주목하고 있다.

침묵으로써 미래를 기다리고 있다. 장차 꿈이 실현될 것인지 또는 죽음이 모든 것을 뺏을지 아직 아무도 이를 판단 못한다.

이제야 신에게 매달리기보다 먼저 인공 위성을 성취한 인류는 스스로의 책임과 존엄을 잃지 않도록 해야 할 것이다.

누가 죽음을 원하랴. 그리고 또 누가 이상적인 꿈의 실현을 마다하랴. 우리는 인공 위성 밑에서 침묵하고 있다. 이 침묵은 무엇을 의미하는 것일까. 다만 지구의 멸망이 없기를 그리고 앞으로 인류의 위대한 행복이 있기를 갈구하는 기도인 것이다.

1958

문병기問病記

E씨가 직장에 안 나오는 지도 오래 되었다. 씨는 이 무덥고 기나긴 여름을 병상에 누워 있는 것이다.

어느 일요일날 나는 징그럽도록 우거진 녹음 사이 이곳저곳에서 종시 침묵하고 있는 대학 병원으로 씨를 찾아갔다.

묘하게 열도 없이 타는 듯한 벽돌 건물을 대하였을 때 나는 일전에 읽은 신문 기사를 연상하였다. 그 보도는 돈 3만 환을 덜 냈다 하여 수일이 지나도록 시체를 유가족에게 내어주지 않고 있는 어느 지방 병원의 처사에 관한 비난이었다.

언젠가 모某씨는 다음과 같은 말을 하였다.

"뭐든 무리만은 말아야겠더군요. 결국 탈이 나니까요."

이것은 상식이다. 그러나 대부분의 사람들은 무리를 하고 있다. 체력에 비해 과로하지 않고는 생활을 유지할 수 없다.

내가 아는 모 화가는 위장병으로 죽만 먹고 산다. 그러면서도 그는 매일 출동한다. 사회니 국가를 위하여, 또는 인간으로서의 의무를 위하여, 교육을 위하여, 이런 따위의 말은 이미 그들에게 있어 바라볼 수도 없는 사치품인 것이다.

그가 천직天職을 위하여 전력을 다할지라도 일단 병들면 누가 그를 치료해주며 위안해줄 것인가. 가족을 살리기 위하여 대부분의 호주戶主들은 자신의 생명을 존중한다. 그리고 대부분의 호주들은 가족들의 생명을 위하여 기름땀을 흘리며 현증眩症 속에서 불길한 예감을 느끼며 영양 부족의 육체에 반응되는 고통을 참으며 무리한 과로를 한다. 그러한 결과는 어떠한가. 그는 많은 가족들을 위하여 도리어 없어서는 안 될 자기의 생명을 좀먹이고 있는 것이다. 우리는 발각되지 아니한 스스로의 부정不正을 행복으로 자축하게끔 되었다.

E씨는 병상에서 일어나지도 못하며 몇 번씩이나 되풀이하였다.

"학생들에게 미안합니다. 더구나 타교他校에서 온 지 얼마 되지도 않았고 훨씬 일도 수월해졌는데 이 지경이 됐으니 학교에 미안합니다."

나는 서슴지 않고 거짓말을 되풀이할 수밖에 없었다.

"조금도 그런 걱정일랑 맙시오."

그러나 학교에선 E씨의 후임을 물색할 작정이었다. 학교로서도 고충이 있었다. 한 선생의 병환으로 그 많은 학생들의 수업을 무한히 방임할 순 없는 노릇이었다. 많은 학생이 더 소중한가, 한 선생의 병이 더 대단한가. 그 수효의 위치에서 따진다면 비교도 안 되지만 귀중성의 각도에서 본다면 두 가지가 다 동등한 것이다. 괴로운 문제이다.

의사는 E씨의 복막염腹膜炎 치료 결과가 매우 좋다고 하였다. 그런데 E씨는 나에게 이런 말을 하였다.

"내가 입원하기 전에 이 병원에 있었던 환자는 시체로 나갔답니다."

"어느 가정이고 간에 사람이 죽어나가지 아니한 집이 있답디까."

"아니지요. 그런 의미가 아니지요. 오늘도 옆 방에서 또 죽었어요. 별게 아니더군요. 새벽에 외마디 소릴 한 번 지르더니 그만이더군요. 별게 아니더군요."

하고 E씨는 쓸쓸히 미소하였다.

나는 E씨의 기분을 전환시키고자 나중엔 어느 날 밤 종삼鍾三에 갔던 일을 이야기하였다. 웃으면서도 한시 속히 씨를 병고에서 구해야 한다고 생각하였다.

작년 여름 때 일이었다. 나는 지방에 갔다가 오랫동안 만나지 못했던 서울 친구를 뜻밖에 만났다.

"서울선 오래도록 못 만나고 시골서 만나다니…… 그래 그간 어째 통 볼 수가 없었담."

"말 말게. 죽다가 살아났네. 지난 겨울에 맹장염으로 병원엘 가지 않았겠나. 하필이면 급성이지. 차라리 죽는 게 나을 정도로 고통이 심하데 그려. 천지도 캄캄해지는 판인데 의사가 뭐랬는 줄 아나. 돈 안 가지고 오면 수술은 않기로 되어 있다고 하데. 우리네 살림에 무슨 저금이 있겠나. 우리 집 에펜네가 미치다시피 울고불고 의사에게 매달려 애원했으나 소용 있어야지."

"원, 저런…… 그래…… 어떻게 했나."

"결국 어떻게 겨우 어려운 빚돈을 내어 살아났지. 물론 내 천명이 긴 까닭이겠지. 그러나 다 우리 집 내무 장관의 덕분이었어…… 하하하……"

고요한 병실에 그때 그 친구의 말소리가 소생하였다. E씨는 자는지 또는 무얼 걱정하는지 눈을 감고 있다.

나는 동료들을 생각하였다. 수일 전에 그 과의 선생님들은 모여서 상의하였던 것이다. 선생들은 용이하지 아니한 문제를 앞에 놓고 토의하였다. 아무도 그 괴로움을 설명하는 사람은 없었다. 말 없는 가운데 누구보다도 선생들 자신이 이 일을 서로 잘 이해하고 있었던 것이다. 학생들을 위하여선 새로 선생을 구해야 한다. 생명의 지존함을 생각할 때 E씨를 버릴 순 없다. 그러나 선생들은 만장일치의 합의에 이르렀다.

즉 E씨가 완쾌할 때까지 E씨의 시간을 선생들이 서로 나눠 맡아가지고 수업하자는 것이었다.

나는 그 말을 듣고 집으로 돌아오던 날 혼잡한 전차 속에서 무슨 시구詩句를 외우듯 중얼거렸다.

그것은 E씨를 동정하는 동시에 그만큼 그들 자신을 동정한 것이라고.

나는 눈을 감고 있는 E씨를 물끄레 바라보았다. 사람이면 내일 일을 누가 알랴. 병상에 누워 있는 E씨가 바로 내 자신인 것도 같고 내 모든 친지들의 모습으로 바뀌어 보이기도 하여 견딜 수 없었다.

E씨의 이번 발병은 그가 지난날 타교他校에 있었을 때 체질에 비해 과로하였던 탓이었다. E씨의 시간을 나눠 맡은 선생들도 앞으로 과로하는 것이다. 그러나 사람의 체력엔 한도가 있다. 누구를 위하여 무엇을 위하여 이런 무모한 짓을 그는 하지 않으면 안 되었던가. 그리고 이러한 위험한 짓이 언제까지 현실일 수 있는가.

나는 병상에 햇빛이 들지 않도록 유리창의 커튼을 펴며 새파랗고 심오한 하늘에서 지글지글 끓는 태양을 보았다.

어느덧 E씨는 코를 골기 시작하였다. 그 코 고는 소리는 건강 회복으로 진행하는 그의 기관 소리로 들려왔다.

나는 문 있는 쪽으로 걸어 나가다가 감미롭게 잠든 E씨를 한번 돌아보고 다시 학생들이 갖다 꽂았다는 화병의 꽃에게 기도하였다.

'친구의 시간을 나눠 맡으며까지 과로하는 선생님들의 아름다운 마음이 보답되도록 병든 친구를 한시바삐 완쾌케 하소서. 모든 불행을 미연에 막을 수 있도록 이 나라 겨레들의 아름다운 마음에 앞길을 여소서.'

나는 병원을 나와서야 그것은 꽃에게 한 것이 아니고 스스로 내 자신에 대한 내부의 소리였다는 것을 알았다.

1958

쓰지는 않고 보관만

서양 문인文人들의 전집全集을 보면 으레 서간집書簡集이 들어 있다. 비단 외국만이 아니다. 우리 나라 옛 명현名賢들의 문집文集에도 특히 편지가 중요한 몫으로서 수록되어 있다.

나는 내게 온 편지면 겉봉을 손으로 뜯지 않고 절수나 글씨 획 하나라도 상하지 않게 가위로 자른다. 편지를 보내신 분이 나 때문에 소비했을 시간과 비용과 수고에 대하여 미안하고 고마운 정을 느끼는 까닭이다.

그래서 초대장이나 원고 청탁서나 부득이한 용건에 관한 서신 외에 소중히 보관하고 있는 편지가 많다.

비록 내게 하신 편지는 아니지만, 나는 아버지의 편지를 많이 보관하고 있다. 그 중에 아버지께서 큰 자부子婦에게 보내신 편지가 있는데 젊은 새댁이라면 누구에게나 한 번 읽기를 권하고 싶도록, 그것은 자상하고도 간곡한 내용의 것이다. 우리 형제들에게 하신 지난날의 편지를 읽을 때마다 나는 세상을 떠나신 아버지의 교훈을 듣는 듯 다시 뵈옵는 듯하여 숙여진 머리를 들 수 없다. 어머님이 처녀 시절에 쓰셨다는 책이 한 권의 필적으로 내게 보관되어 있다. 그러나 그 대신 어머님의 편지는 많지 못하다. "특히 붓으로 편지를 써서 보내주시면 평생 잘 보관하겠습니다" 고 청을 올렸더니 그 답장으로 보내주신 어머님의 자애 깊으신 편지는 지금도 나에게 있어 보물이나 진배없다. 그것은 공교롭게도 어머님의 마지막 필적이 되었기 때문이다. 특히 아버지 편지는 고리짝에 붙은 것을 물칠하여 뜯어낸 것도 있어 단간 영묵斷簡零墨과 알아보기 어려운 것도 수통 있다. 부모님의 서찰을 비단으로 표구表具하여 첩帖을 만들고자 항상 생각은 하면서도 아직 시골서 올려오지도 못하고 있는 형편이다.

이 이외 보관하고 있는 것 중에서 귀중한 것은 문단文壇 제씨의 편지이다. 편지를 올리면 바쁘신 중에도 즉시 답장을 주시는 분은 박종화朴鍾和• 선생이시다. 암만 편지를 해도 답장이 없기론 작품에만 골몰하는 김동리金東里• 선생이 제일인가 한다. 그래서 내게 월탄 선생의 편지 두 통이 깨끗이 간직되어 있다. 전라도 태지苔紙로 만들어진 봉투와 붉은 괘선罫線을 널찍하게 지른 한지韓紙는 윤나는 먹빛에 의하여 한층 격格을 높이고 있다. 더구나 주옥珠玉 같은 글씨로 이루어진 문면文面은 향훈香薰을 토하는 듯, 한갓 편지라기보다도 그윽한 예술품이란 느낌을 준다. 조연현趙演鉉• 선생도 즉시 답장을 주는 편으로서 비록 간단하나마 깊이 있는 내용의 편지가 내게 몇 통 있다. 부산에 있다가 한동안 다시 산속에 가 있었을 때 내게 보내주신 김형식金亨湜, 김말봉金末峰• 선생과 오영수吳永壽•, 홍윤선洪允善, 서근배徐槿培, 이형기李炯基•, 천상병千祥炳• 제씨의 편지는 얼마나 나를 반갑게 해주었는지 모른다. 방학 때 시골서 받은 것으론 이종환李鍾桓, 김우종金宇鍾, 김종원金鍾元 제씨의 편지가 있다. 서울에 있기 때문에 필요하면 곧 서로 만날 수 있으니 만큼, 그 후로 문인들의 편지를 받은 일도 없으려니와 시골 있는 문인에겐 내가 편지를 할 줄 모르므로 자연 서신이 올 리도 없다. 그래 지금 내게 있는 문단 분들의 편지는 20여 통에 불과하지만 그러나 다 훌륭한 서간書簡들이다.

좀 이상할지 모르나 가지고 있는 많은 편지 중에 내가 쓴 편지도 두 통 있다. 그것은 기억할 수조차 없는 먼 옛날의 것이다. 내가 아홉 살 때 어머니에게 보낸 편지인 것이다. 암만 보아도 그것이 나 아닌 어떤 아이의 편지 같아 부지중에 스스로 미소를 짓게 한다.

친형제간에서 받은 편지와 그 외의 편지도 많지만 그 대신 나는 편지를 안 쓰는 것이 아니라 못 쓰는 편이다. 제주도에 가 있는 김종원 씨로부터 간곡한 원고 청탁의 편지를 세 번이나 받았건만 아직 답장을 못 내고 있다. 보낼 만한 원고가 없어서 그런가. 그것만도 아닌 것 같다. 답장을 써야겠다고 생각할 때마다 늘 고통을 느끼면서도 냉큼 그 편지란 걸 못 쓰고 고통을 지우지 못하며 있는 주제이다. 누구보다 편지를 안 쓰면서 받은 편지만은 그 누구보다 잘 보관한다는 것은 웬 일일까.

요즘 연달아 발행된 '율곡栗谷', '서애西厓', '퇴계退溪' 전서全書 속에 편지가 차지하고 있는 분량과 내용을 보고 여러 가지 느낌을 받았다. 그러나 아무래도 내겐 그런 편지를 쓸 만한 소질이 없나 보다.

1958

애정

몹시 추운 겨울밤이었다. 진열장 속의 전등이라든가 헤드라이트라든가 또는 네온은 불이라기보다 무슨 얼어붙은 빛의 결정체 같았다. 다방에서 나온 H씨와 K씨와 R씨는 각기 집으로 돌아가려 함께 버스 정거장께로 걷고 있었다. 그들은 비록 직장은 다르나 다 시를 쓰는 사람들이었다. 그들은 예술가들이 저녁이면 모여드는 단골 다방에서 하루의 피곤을 풀고 이맘때면 집으로 돌아가는 것이었다. 밤 거리의 공기는 맑았다. 바람도 없었다. 면도칼처럼 추위가 어떻게 날카롭던지 오고 가는 사람들 중에서도 종아리를 내놓고 하이힐을 신고 유유히 걷고 있는 젊은 여자와 지나칠 때면 그런 걸 보는 편이 미안할 지경이었다.

"여성은 추위를 참을 줄 알아야 숙녀가 될 수 있고 남성은 더위를 잘 참아야 신사가 될 수 있답니다."

H씨의 말이었다.

"딴은 그렇겠군요."

하고 K씨가 대꾸하였다. R씨는 H씨의 말을 재미있다는 듯이 동시에 그러한 신사 숙녀라면 비웃겠다는 것인지 소리 없는 웃음을 웃었다. 그러나 이미 그들은 버스 정거장을 지나고 있었다. 버스 정거장을 지나왔다는 걸 알면서도 그들은 누구 하나 그것을 말하려 않았다. "날이 춥고 속은 출출한데 대포를 꼭 한 잔씩만 하고 헤어집시다" 하는 말이 그들의 입 안에서 돌고 있건만 말을 못하고 서로 누군가가 먼저 말해주기를 기다리며 묵묵히 걷는 것이었다. 그들이 술을 마실 때면 으레 "술은 끊어야 한다"는 둥 "나는 끊을 자신이 없다"는 둥 "난 마시는 양量을 점차로 줄이고 있다"는 둥 서로 금주禁酒를 예찬하며 권하였다. 그러나 마실 대로 다 마시고 만족할 대로 취한 후라야만 헤어지는 것이 예사였다.

다음 버스 정거장까지 왔을 때였다. 마침내 H씨가 "한잔 할까" 하고 서두를 내었다. K씨와 R씨는 "그럴까, 내게 돈은 있는데" 하고 선뜻 찬동하였다. 그들은 아무런 변명도 술 생각도 말하는 법 없이 마치 신부들이 성당으로 들어가듯, 묵묵히 중국집 2층으로 올라갔다. 독한 빼주가 가난과 피로와 고독에 식은 몸들을 데워주었다. 세 사람은 점점 취하자 자기의 세계를 전개시켰다. 그것은 서로 공통점을 가진 애정이 주제로 나타났다.

결혼 후 한 번도 다른 여자와 관계한 일이 없다는 H씨가 먼저 얘기를 시작하였다.

"지금은 그만두었습니다만 전에 다방에 있었던 미스 C란 레지 아시지요. 그 여자와 요즘 두어 번 극장에 간 일이 있었지요."

K씨와 R씨는 의외란 듯이 이러고 말하는 H군자君子를 일제히 쳐다보았다.

"바람났구려."

"글쎄 들어봅시오. 참 얌전한 여자 아닙니까. 어딘지 착하고 별빛처럼 가냘프고 구김살 하나 없어 뵈는 그 순수함 속에 어딘지 불행이 그늘져 있는 것 같은……"

"야단났구려. 그래 연애는 않으면서 순진한 여자들 병들기 알맞은 소리만 하는구려. 거 못씁니다. 죄악이지요."

하고 R씨가 대꾸하였다.

"아닙니다. 전부터 알던 여자를 우연히 만났으니 그 후 왜 다방에 나오던 걸 그만두었나 궁금해지는 것도 인정이지요."

"글쎄 그 인정이란 게 탈이라니까."

하고 K씨가 웃었다.

"좀 내 얘길 들어봅시오. 그 여자 말이 아버진 없고 어머닌 늙고 동생들은 어리고 다섯 식구가 먹고 살려니 다방에만 나갈 수 없었다고 하더군요. 그래 지금 뭘 하느냐고 묻지 않았겠습니까. 그랬더니 화류계로 나갈 수밖에 그 외는 아무 방도도 없다고 하더군요. 참 기막힌 말이 아닙니까. 낮엔 우리 나라 고전 노래와 춤을 배우면서 밤이면 요릿집에 나간다고 합디다."

R씨는 애처가로 유명한 H씨의 말을 가로막으며

"그럼 얘기는 다 됐군요. 화대花代는 얼마나 줬습니까."

하고 물었다. H씨는 온화한 미소를 풂으며

"내 얘긴 그런 게 아니지요."

그러자 K씨가

"글쎄 그런 게 아니래두."

하고 H씨의 말을 흉내내는 바람에 R씨도 따라 웃었다. 그 웃음은 보살菩薩처럼 착한 H씨의 말이 거짓 아님을 증명한 것이었다.

"왜 착하고 죄 없는 사람이 불행해야 합니까. 기막힌 일이에요. 참 안됐더군요."

K씨와 R씨는 H씨의 진정으로 하는 말에 묵묵하였다. 그들은 세상에 대한 동정과 탄식들을 하였다.

이번에 K씨가 술을 보기 좋게 한잔 마시더니 침울해졌다. 방안은 각기 어떤 회상에 잠긴 듯 잠시 조용하였다.

"난 우리 여편네 손만 사랑하고 있어."

하고 취기 도는 큰 눈을 홉뜨는 K씨에서 새삼 의지력 같은 것이 번득이었다.

"우리 앞에서 부인 손이 매우 아름답다는 자랑인가."

하고 R씨는 딱딱한 분위기를 좀 부드럽히려 우스갯소릴하였다. K씨는 머리를 절레절레 흔들며

"아니야. 우리처럼 고생한 사람도 드물 거야."

하고 잡채 안주를 집었다. K씨는 UN군 후퇴 때 단신單身으로 이북인 고향을 떠나 남하南下하였다. 즉시 그의 뒤를 따라 부인이 어린걸 데리고 사선死線을 넘어왔다. 그 후 그들은 많은 고생을 하였다. H씨나 R씨도 K씨로부터 직접 여러 가지 고생한 얘길 여러 번 들은 일이 있어서 잘 알고 있었다.

"부산서 환도할 때 비용이 부족해서 아내의 금반지를 팔았댔어. 내가 결혼할 때 사준 반지였지. 아내가 굶어도 내놓지 않겠다던 반지였지. 이제 난 직장도 있고 후생 주택이나마 장만했으니 전보다야 살게 됐지 않나. 그래 꼭 전 것과 같은 금반지를 하나 샀네. 그것이 아내의 손구락에 들어가질 않네그려. 어떻게 고생을 많이 했던지 지난날의 아내 손이 아니란 말이야. 손톱은 쪼개지고 손구락은 부지깽이 같고

살결은 터서…… 눈물이 나데그려. 나는 보기 흉한 아내의 손을 보면 애정을 느끼네. 요즘은 그 손을 만지며 우리 여편네만 사랑하며 살지."

H씨는 또 "참 기막힌 얘기로군요" 하고 연신 감동하였다. R씨도 말없이 머리를 끄덕이었다. 이러고 보니 자연 이번은 R씨도 뭐고 한마디해야 할 차례처럼 되어버렸다. 더구나 H씨가 R씨의 잔에 술을 한 잔 따라주는 폼이 '자 오늘 밤은 우리 얘기나 하나씩 합시다' 며 재촉하는 것 같았다. 그러나 R씨는 술 대신 담배를 한 대 붙여 물고 한숨 비슷이 연기를 품었다. R씨는 셋방살이 10여 년에 가정 재미를 모르는 사람이었다.

"내가 들어 있는 사글세 셋방 주인댁의 개가 새끼를 세 마리 낳았어. 낮이면 미장원에 나가버리는 과부댁이 집주인인데 개집을 마련해주질 않는다네. 그렇다고 주제넘게 주인도 안 지어주는 개집을 내가 만들어줄 수도 없는 노릇이고…… 하필이면 20년 만의 첫 추위라는 며칠 전에 개가 털이 까만 놈 두 마리와 노란 놈 한 마리를 부엌 물동이 옆에서 해산했단 말이야. 가보니까 어미 개는 가엾게도 추릿한 몰골로 동정해달라는 듯 힐끔힐끔 나를 쳐다보며 내 손을 핥지 않겠소. 그런데 주먹만한 새끼 세 마리는 눈도 뜨지 못하고 추워서 발발 떨며 울기만 합디다. 그래 나는 그날 강아지 세 마리를 내 방으로 안고 왔었지요. 그런데 어미 개가 몇 번씩 내 방문 밖에 와서 귀를 기울이다간 갑디다. 강아지들이 배가 고팠는지 아랫목에서 울기 시작했습니다. 언제 달려왔는지 어미 개가 마루에까지 올라와 바깥에서 내 방문을 긁으며 끙끙 앓더군요. 방문을 열었더니 체면상 들어오진 못하고 애원하는 눈초리로 나와 강아지를 번갈아 보며 끙끙 앓으며 연신 한 짝

발을 들더군요. 걸레로 발바닥을 닦아줬더니 개는 나는 듯이 방으로 들어와 새끼에게 젖을 물리더군요. 요샌 밤에만 강아지를 방으로 안고 와서 어한禦寒을 시키고 이튿날 아침에 내다줍니다. 이렇게 추운 밤이니 빨리 들어가서 강아지를 방에 옮겨놔야겠군요. 나는 강아지를 볼 때마다 '가사 어떤 사람이 나를 미워할지라도 나만은 그 어떤 생명도 미워해서는 안 된다' 고 이런 생각을 하게 되더군요."

H씨는 "그 강아지를 한 마리 살 수 없겠느냐" 하였고 K씨는 "그럴 거야" 하고 남은 술을 R씨에게 권하였다.

얼근히 취해서 중국집을 나온 세 사람은 추운 줄을 몰랐다. 거리의 사람들은 모두 급한 걸음걸이였다. 세 사람은 도시의 밤하늘을 쳐다보았다. 그들은 말을 않았으나 '참으로 아름다운 광채' 라고 생각하였다. 버스 정거장에 이르자 K씨가 "내일부터 술을 끊어볼까" 하고 말하였다. H씨는 크게 웃기만 하였다. R씨가 "거 좋은 말인데" 하고 따라 웃었다. 그들은 내일 저녁에 다시 다방에서 만나기로 하고 각기 버스를 타고 헤어졌다.

1958

집필 여담

그는 방에서나 직장에서나 거리에서나 다방에서나 시에 대하여 또는 시에 관하여 부단히 생각하기를 게을리하지 않았다. 그것은 무엇을 탐구한다기보다 주위로부터 오랜 습관에 의하여 생리화한 것이었다.

차륜에 치여 죽는 개를 보았다든지 밤 유리창에 비쳐진 실내의 깊이에 외부의 전등불들이 떠오르는 것을 동시에 바라볼 때 느껴지는 감도感度라든지 어떻든 슬픈 일이거나 기쁜 일이거나 간에 모든 것은 그에게 있어 일단 시로서 생각해지는 것이었다. 이러한 사람은 임종 때에도 스스로의 죽음까지를 시로 체험하고 명확히 하려 할지도 모른다.

예술가는 자기도 모르는 사이에 점점 그의 세계를 전개한다. 그 세계를 만일 그 예술가의 숙명이라고 한다면 이 이상 혐오해야 할 일은 없을 것이다.

그는 한 번도 시를 쓴다는 것을 후회한 일은 없다. 그러나 앞으로 자녀들에게 또는 친지에게 또는 학생들에게 문학뿐만 아니라 모든 예술이란 것을 권하진 않을 것이다.

왜냐하면 특히 시엔 허다한 위험이 심연의 입을 벌리고 있기 때문이다. 그 위험과 심연은 원래부터 우리 주위에 이루어져 있다기보다는 도리어 그들 자신에 의하여 만들어지는 편이다. 그러므로 거개가 그곳에 투신投身하여 마침내 운명적으로 화석化石하고야 만다.

그는 자기의 걸어온 길을 돌아보는 때도 있다. 그의 걸어온 길은 화염의 협곡에 걸려 있는 줄[網]처럼 현증眩症 나는 것이었다. 지금 방속에서 집필하고 있는 그가 만일 20대의 문학 청년으로 되돌아갈 수 있다면 다시 시를 쓰려고 덤벼들 수 있을까. 적어도 지난날처럼 무성한 청운靑雲만 바라보며 맹목적 정열로써 위험한 외줄에 성큼 발을 내딛지는 못할 것이다.

가치 있는 입지를 얻지 못한 정열이란 대단하면 대단할수록 위험성도 심하여진다. 행인지 불행인지 그것이 그를 맹목케 한다. 그는 시인이 되겠다고 부르짖는다. 그러면 곧 시란 것이 이루어지느냐 하면 그렇지도 않다. 그의 의욕은 단념하지 않는 한 더욱 충천衝天한다. 그러나 그 의욕은 작품에 눈곱만큼도 하등의 효과를 반영하지 않는다.

이 세상에 자기의 재능을 절망하지 않았던 작가가 몇이나 있었을까. 노력에서 단련되지 아니한 예술가가 몇이나 있을까. 그는 노력만으로 무능한 자기의 참상을 위로하였다. 이처럼 가혹하고도 불쌍한 일은 없을 것이다. '나는 나의 최선을 다하였다.' 그렇대서 그의 작품 가치와 얼마만한 관계가 있단 말인가. 한 편의 시를 쓰는데 오랜 시일의 노력을 경주傾注하는 것은 물론 좋은 일이며 필요한 일이다. 그렇대서 나의 것보다 제작 시일이 짧은 작품은 다 나의 작품보다 태작駄作이라고 할 이유야 없다.

예술 하는 사람으로서 자기의 작품을 부정할 수 있는 힘보다 큰 것은 없다. 또 자기의 작품에 만족하는 예술가만큼 어리석고도 행복한 사람은 없을 것이다. 또 스스로의 무능을 자인하는 예술가의 그것보다 더 큰 허탈은 없을 것이다. 그것은 위험하고도 견딜 수 없는 일이었다. 그 방황이 그의 생리가 되어버렸는지도 모른다. 참으로 만족할 수 있는 작품만 쓸 수 있다면 그는 청계천변 다리 밑에서 거적을 깔고 살아도 좋다고 생각했었다. 물론 이것은 아직도 승화하진 못한 정열의 과장이었다. 그것은 빈곤에서 벗어날 자격도 소질도 없는 그러한 자신을 염오厭惡하고 반영하는 것과 같은 정도의 것이었다.

그러면 만족할 수 있는 작품이란 어떤 것인가. 그는 막연하기만 하였다. 결국 있는 그대로를 버리고 다른 무슨 천국이라도 있을 리는 만무였다. 그렇다고 진보 없는 정지에 만족할 수도 없는 노릇이었다. 그는 다만 머릿속에 명료하게 떠오른 것이 어찌하여 작품으로 정확히 표현되지 않느냐는 데 대하여 침묵을 요하였다.

숙련된 어부가 되려면 그 일생의 몇 분지 일을 허비해야 하는가. 물빛과 천기天氣를 보고도 현재에서 미지의 결말을 알려면 그의 인생이 얼마나 지나야 하는가. 그는 이렇게 생각했었다. 그러나 어부가 나이 먹을수록 흥미를 갖게 된 것은 의외의 것이었다. 그의 관심은 포획량보다도 거기 그 자체로 쏠려갔다.

어느덧 그의 생각은 저 고기들이 어떻게 하면 저 그물 속에서 벗어날 수 있을까에 있었다. 어느 날 그는 정오의 바다에 배를 띄웠다. 그러나 그는 안타깝기 시작하였다. 참으로 고기들은 우매하였다. 고기들은 목전에 보이는 그물을 정면으로 뚫고 나가려 헛된 노력만 되풀이하는 것이었다. 그는 아름다운 물빛을 통하여 그물에 걸린 그 많은 고기를 보고도 기뻐지지 않았다.

그의 생각은 한 마리의 고기로서 목전의 그물이 보이지 않을 때까지 위로 위로 떠오르는 데 있었다. 그리고 보면 탈출은 실로 간단한 일이었다. 쉽사리 그물의 테두리에서 벗어날 수 있다. 그의 생각은 자유자재히 벽옥빛 물 속을 노닐며 옥獄 속을 들여다보듯 바깥에서 그물 속의 몸부림치는 고기들에게 속삭이었다. "위로! 위로! 떠오르라!" 고. 그러나 입에서 말은 나오지 않았다. 그러면서도 그의 손은 안타까운 심정과 반대로 고기들이 득실거리는 그물을 말아 올리는 것이었다. 어부는 석양빛을 돛 폭에 가득 품고 아득한 항구로 사라져갔다.

그는 펜을 놓고 드러누워 천장을 쳐다보았다. 그는 휴식이 시작詩作에 있어 얼마나 필요한 것인가를 잘 알고 있었다. 더럽고 복잡한 천정지天井紙의 문紋이 그물처럼 그의 얼굴을 덮었다. 시를 생각는 그도 그물에 걸린 고기나 다를 바 없었다. 시에 대한 막연한 기분과 정열이란 그만큼 무섭기만 하였다. 막연한 기분과 정열을 시라고 착각한다면 원고지의 칸살도 고기에 대한 그물과 같은 것이다. 어디까지나 막연한 기분과 정열로써 시는 이루어지지 않는다. 다만 노력에 비한 탈출의 가능성보다도 도리어 시에 사로잡혀 먹히고 만다. 누구나 예술이 지극히 위험한 길이란 걸 알고자 한다면 많은 시일을 요하지 않을 것이다.

그는 시를 쓰기 시작한 이후의 과거를 돌아볼 때 공간에 가설架設된 외줄을 밟고 화염의 협곡을 지나온 것과 같은 현증을 다시 느끼는 것이다. 그는 이곳까지 무사히 오게 된 것을 기적이라고 믿기보다는 우연이라 생각하고 있다. 그는 눈이 멀어서 몰라 그럴 뿐이지 아직도 그 무서운 공간의 줄을 밟고 걷는 중인지 모른다.

극도의 냉담冷淡과 근기根氣를 잃는다면 시인은 언제 수천 길의 절벽 밑으로 떨어질지 모른다.

속보速步에 자랑을 느낄 것인가. 그러면 언제 돌이킬 수 없는 과오에 몰입하여 패배자의 운명으로 화석할지 모른다.

무능한 지보遲步는 나아갈 수도 물러설 수도 없는 파탄과 동시에 모든 의의를 잃게 된다.

그러므로 여하히 기계처럼 정밀히 계산된 정확한 언어로도 시만은 정의할 수 없다. 누가 그에게 '시는 무엇이냐' 고 묻는다면 그는 서슴지 않고 '모른다' 고 대답할 것이다. 어떤 사람이 묻기를 '모르면서 어떻게 시를 쓰느냐' 고 한다면 그는 '만일 시란 것이 무엇인지 알 수 있다면 자기는 시를 쓸 의욕마저 갖지 않을 것이라' 고 대답할 것이다. 그는 왜 이렇게 대답하지 않을 수 없을까. 그는 그물에서 벗어나려 그물과 정면 충돌하고 있는 고기를 보는 어부의 눈이 있기 때문이다. 그의 정신의 고기는 시라는 개념에 사로잡히지 않고자 위로 위로 떠오르는 것이었다.

그가 시를 쓰는 원동력은 시를 정의하지 않는 데 있었다. 이것을 환언換言하면 시는 무엇으로도 정의할 수 없는 것이기에 그는 시에 대하여 불멸의 매력을 느끼었다.

한 편의 시가 끝난 지 오랜 후까지도 권태와 불신과 회의에서 벗어나지 못하는 때도 있다. 그러나 그는 시기를 기다리지 않고 붓을 든다. 쓰고 싶은 의욕이 상실되었다는 것을 무슨 절망인 것처럼 중대시하지 않기 때문이다. 중대시하지 않기 때문에 의욕의 상실까지가 그의 시에 있어서 불가결한 요소로 사용되고 있다.

모르고 않는 것과 알고도 않는 것과는 엄연히 다르다. 석가釋迦만큼 모든 심리 상태를 실지悉知하고 설법說法한 사람은 없다. 악마를 가장 잘 안 것은 야소耶蘇였다. 그러나 전자前者는 진리를 알려주었고 후자後者는 성인聖人이었다.

물론 현대는 모든 심리 상태나 선악에 대한 규정도 옛날처럼 그렇게 간단히 처리할 수 없으리만큼 복잡다단하다. '평화와 자유를 위하여 싸워야 한다'는 말을 옛사람들이 듣는다면 그것이 무슨 의미인지 어리둥절할 것이다. 현대의 지구는 심각히 변모하였다. 이러한 것이 올바른 발전인지, 갈수록 돌이킬 수 없는 과오인지는 두고 봐야 알 일이지만 현대인은 누구나 벗어날 수 없는 반문의 초점에 입각하고 있다.

'일체를 거부하지 않으며 일체를 긍정하지 않는 그 무엇이 있을 것이다. 그 무엇이란 것을 정신精神이라도 좋고 물질이라도 좋고 영원이라도 좋다. 그 무엇을 모든 것에서 파악하여 나의 시로 표현하지 않으면 안 된다.'

그러므로 그는 자기의 시가 앞으로 어떻게 달라질 것이라든가 또는 어떻게 써야겠다든가를 항상 준연峻然히 물리치고 있다. 그는 언제나 변하는 사물과 함께 변하는 자기에서 가사 그 이유의 참[眞]을 잡았다 할지라도 다시 그것을 표현하기까지에 그의 일생이 실패의 누적일지 모른다는 것을 각오하였다. 이것이 그가 시를 쓰는 마음인 것이다. 그는 시야말로 자기가 쓰고 싶도록 가장 지난至難한 총체總體의 핵심이란 것을 알고 있다.

1959

천년의 하늘
—서정주 선생에게

오래 전부터 선생에 대한 것을 꼭 한 번 쓰고자 생각해왔습니다. 그만큼 선생은 나에게 있어 주목의 대상이었습니다. 지난해 나는 모 잡지사로부터 선생의 '신라 정신新羅精神'을 논하라는 청탁까지 받았습니다. 그러한 기회마저 있었건만 수일 동안 다시 생각던 끝에 왜 결국 쓰지 못하였을까요.

나는 비평가들이 간단히 논평해버릴 수 있는 작품이라든가 또 그렇게 논평될 수밖에 없는 작품이란 것을 그다지 좋아하지 않습니다. 나는 결국 여러 가지 점에 있어 선생을 이러니 저러니 하고 함부로 규정지을 수 없었을 뿐입니다. 이것이 내가 선생을 존경하는 단 하나의 이유입니다.

선생은 일조일석에 오늘을 이루지 않았습니다. 『화사집花蛇集』에서 볼 수 있는 원한怨恨과 광기狂氣는 그 젊었을 때의 선생 환경과 망국 시대와의 유기적 발생으로서 많은 공감을 받았습니다. 그러나 젊은 선생의 앞날을 생각할 때 시비는 고사하고 그것은 도리어 염려해야 할 성질의 것이었습니다. 위대한 시인은 결코 요절한 천재라든가 혜성적 귀재라든가 하는 그런 지칭의 의미일 수 없습니다.

선생이 항상 위기에서 구출된 것은 결코 보들레르나 베를렌느•나 랭보도 될 수 없는 동양인의 피를 가졌기 때문이었습니다. 선생은 「국화 옆에서」에 이르러 값싼 천재의 자폭自暴을 면하였습니다. 이 나라의 해방처럼 「귀촉도歸蜀道」는 선생에게 있어서도 절벽絶壁 직전에서 돌아서게 된 기적이었습니다. 「석굴암石窟庵 관세음觀世音의 노래」에서 선생은 이미 전도前道에 대한 것을 우리에게 보여주었습니다. 이 기적은 자제력과 인고의 혈투로서 냉각된 신천지에 대한 여명이었습니다. 그러나 위대성은 하루 아침에 결실할 수도, 그렇게 되는 것도 아닙니다. 선생의 시 정신을 탁마해주고 보다 빛나게 한 시련은 항상 계속할 것으로 그 후도 너무나 가혹하였고 또 무서운 것이었습니다.

6 · 25 사변 때 선생은 독약을 가슴에 품고 있었다지요. 선생도 다른 모든 사람과 마찬가지로 동포가 제일 무서웠을 것입니다. 그것은 참으로 어처구니없었던 일입니다. 후세 자손들에게 얼굴도 들 수 없으리만큼 기막혔던 지난 일입니다. 미증유의 참극 앞에서 선생은 마침내 정신 이상을 일으켰습니다. 우리는 한때 선생께서 폐인이 되는 줄로 알았습니다. 정신 이상에서 선생은 마침내 굴하지 않고 다시 염병을 치른 후 건강처럼 더욱 생생하니 퍼져 나갔습니다. 선생은 빈곤과 절망에서 소생한 시인입니다. 한 사람의 시인을 성취시키기에 하늘은 이다지도 가혹한 암흑闇黑과 열을 아끼지 않았습니다. 극복이란 죽음에서 소생한다는 뜻입니다. 나는 선생을 부러워합니다. 나도 이 끝없는 나의 고민과 나의 굴욕과 나의 비양심을 흐르는 시간의 불에 달구어 마침내 정신을 빛나는 보물로 성취시킬 수 있을지요. 나는 동

시대에 태어나 선생을 직접 보고 여러 가지로 말할 수 있었다는 데 대하여 자랑을 느낍니다. 선생은 세월이 흘러갈수록 높은 존재로서 명료해질 것입니다. 오늘날 우리가 과거의 고전 작품을 현대 작품보다 새롭지 않다는 이유로 망각할 수 없듯이…… 나도 허다한 나라를 다 제쳐놓고 동양에서도 특히 이 나라에 태어난 것을 요행이라고 생각합니다. 이 땅엔 성인도 시인도 날 수 있는 가장 필요한 제반 조건이 갖추어져 있기 때문입니다. 그렇건만 나는 시를 쓴다는 것이 두려워졌습니다. 선생의 『신라초新羅抄』가 출판된다니 참 반갑습니다. 그러나 나는 선생의 근업近業을 말할 능력조차 없습니다. 논평하기 이전에 나는 보다 선생을 주목하고 선생에게 배워야겠습니다. 항상 건전하사 보다 깊고 보다 넓은 시의 세계로 저의 앞날에 많은 영향을 주십시오. 이것이 내가 선생을 흠앙欽仰할 수 있는 이유입니다.

1959

기우祈雨
—요즈음 내가 생각하고 있는 것

비가 오지 않아 걱정입니다. 형兄은 요즘 무얼 생각하고 있습니까. 교외郊外에 있는 R대학의 3층 강의실에서 유리창 밖을 내다보니 새파란 하늘이 탄도彈道처럼 무섭게 빛나고 있습니다. 나의 귀에 음파音波가 몰려듭니다. 나의 안공眼孔에 가난한 골목을 줄지어 걸어가는 사람들이 굽어보입니다. 꽹매기와 장구를 치는 걸로 보아 틀림없이 기우제祈雨祭를 올리기 위하여 그들은 동내洞內로 자금資金을 모으러 돌아다니는 모양입니다.

저것은 지금도 농촌 사람들이 일소 함원一掃含怨에 오월 비상五月飛霜을 믿고 있다는 반증입니다. 신라 시대 때만 하여도 시가詩歌의 영험靈驗이 대단하였던 것으로 기록되어 있습니다. 오늘날의 '시詩'는 그런 신비한 힘을 발휘하지 못합니다. 아무도 오늘날 시인들이 '기우제'의 시를 쓴대서 감우甘雨가 패연沛然히 쏟아지리라고 믿지 않습니다.

우리는 사람이 먼저 감동하지 않는 천지신명의 감동을 믿지 않습니다. 기우제를 올린대서 안 올 비가 오지야 않겠지요. 그러나 그런 것쯤은 알면서도 방방곡곡에서 기우제를 올리는 동포들의 마음을 이해할 것만 같습니다. 만일 큰 흉년이 든다고 합시다. 어떻게 될까요. 이제 시련이란 의미는 이미 지나갔습니다.

형! 이와 마찬가지로 나는 곡절을 따지기보다 지나가는 시간에 맡기다시피 기거하고 있습니다. 오늘날에 있어 의지란 것은 어느 정도로 보답되는 것일까요. 물론 고도의 과학은 정확한 것이겠지요. 그러나 인간은 위협을 받고 있습니다. 그래서 때론 불완전에 의한 영원성永遠性이란 걸 생각해보기도 했습니다.

어떻든 나는 금년 들어 서구 시를 정당히 평가하기 위하여 먼저 우리의 동양 시를 회고하기로 하였습니다. 그래서 나는 고대로부터 내려오는 우리 나라 한시漢詩를 더듬어보기로 하고 도서관에 다녔습니다. 즉 우리가 처하여 있는 동양의 생리를 더듬으며 우리의 실정을 내성內省함으로써 무엇보다 자기 자신을 알아야겠다는 생각이었습니다. 누가 시작이 반이라고 하였을까요. 이러한 출발은 곧 많은 의구疑懼에 봉착하였습니다. 결국 유한한 체력의 대부분은 거의 생활 방법에 빼앗겼습니다. 피로가 의욕을 회색 권태로 덮었습니다. 무수한 서적書籍이 필요할 뿐만 아니었습니다. 그만큼 시간도 필요하였던 것입니다. 나는 자신을 돌아보고 망양지탄望洋之嘆을 연발連發하였습니다. 동시에 나는 자기의 의도한 바 작품마저 쓰지 못하고 있음을 알았습니다. 후회와 애착의 혼주混酒는 참으로 고배苦杯였습니다. 나는 두 마리 토끼를 좇았구나 하고 길을 잃은 여행객이 황야荒野에서 밤을 맞이한 것처럼 당황하였습니다. 스크랩북을 뒤져보면 금년 들어 한 번도 원고 청탁을 거절 않고 쓴 잡문雜文들과 단시短詩 수편이 있을 뿐입니다.

형! 나는 내가 하고 싶은 일만을 위하여 그렇다고 생활에 등한할 수 있겠습니까. 금년도 거진 6개월이 지났습니다.

생각은 많았으나 아무런 성과도 얻지 못했습니다. 원고가 되면 잡지사로 돌아다니며 실어줍소사고 애걸을 할지언정 되도록 청탁을 받고 붓을 들지는 않기로 하였습니다. 물론 이것도 가능 없는 결심이겠지요.

우선 여름 방학이 되면 좀 한가할 테니 쓰고 싶던 글을 써보겠노라 벼르며 있습니다. 늘 이맘때면 해마다 되풀이하는 다음날의 실패를 또 되마련하는 것이란 것도 잘 압니다.

우리 나라 옛 시의 대부분인 한시는 틈 있는 대로 조사하고 읽어볼 요량입니다. 언제 비가 올지 누가 안답니까. 보람 없이 조급하느니보다는 절망하지 않고 시간의 힘을 믿는 수밖에 없습니다. 그저 기다릴 뿐입니다. 이러한 의지가 결실할지 또는 흉년이 들어 기아에 허덕일지 앞날을 알 수 없느니 만큼 생각 않기로 하였습니다. 소망하며 실패하며 또 소망하는 농부의 노력처럼 이러한 되풀이로써 미완성이나마 이루어야 하지 않겠습니까.

여름 방학까지는 금년 상반기를 반성하고 남은 하반기에 대한 준비나 할 요량입니다.

하늘엔 구름 한 점 없습니다. 땅콩 덩굴도 배배 꼬였습니다. 바위는 뜨거워 곤충들도 기지 않습니다.

"비가 안 오셔서 큰일입니다."

거리에서 얼음 장사까지도 걱정을 하였습니다.

형! 그럼 방학 때 가서 뵙겠습니다. 항상 변함 없는 우정으로써 작년과 마찬가지로 깨끗한 방 하나만 치워주시기를 미리 부탁합니다.

기우제를 올린대서 안 올 비가 오겠습니까. 그러나 나는 저 새파란 하늘로 메마른 적동색 팔들을 뻗으며 비를 비는 동포들의 마음을 요즘 절실히 알 것만 같습니다.

1959

대지송大地頌

아무리 보잘것없는 것도 그 자체는 진리를 나타낸다. 당신은 대지의 무언無言에 귀를 기울이고 있다.

꽃, 과실, 석유, 창공을 찢는 듯한 고봉 층만高峰層巒과 솟아오르는 샘물, 아직도 타고 있는 지중地中의 열, 신비한 바다 밑 협곡峽谷, 그리고 광물, 목재木材, 보옥寶玉 등 이 이외에도 무수히 있는 것들, 우리는 시각을 통하여 가슴속에 퍼져 있는 이들의 은혜를 잊고 있지나 않은가. 언제나 바로 목전의 것에서 우리는 지극한 영원의 호흡을 볼 수 있는 것이다. 그러나 우리는 보고 있건만 모르며 있다. 즉 그 큰 덕을 받고 있건만 반성하고 유의하지 않는 한 우리는 그 고마움을 느끼지 못한다. 이다지도 아무런 자랑 없이 보다 풍성히 베풀어주는 것은 흙의 참다운 본질이다.

흙은 생명의 모태이며 역사의 발상發祥이며 인간의 살[肉]이다. 대지에 흐르는 물줄기는 우리의 혈관이며 가지가지 귀중한 광맥鑛脈은 우리의 골격이며 모든 식물은 우리의 자양분이다.

찬 비를 맞으며 해오라기가 담묵淡墨빛 농촌 풍경에 날아오른다.

이미 백설 위로 돋아난 산채山菜가 새벽의 일륜日輪 가운데서 떨며 아름다운 힘을 전주前奏 한 지도 오래 전인 것이다. 생명의 발생은 어디까지나 엄숙하였다. 설한풍雪寒風에 자라난 보리가 유난히 푸르다. 비를 노박 맞으며 해토解土에서 일하는 농부들의 모습은 여하한 문명에도 변하지 않는 의연한 자세이다. 흙은 우리에게 신비한 작용을 약속하고 있다. 우리의 그 확신이 노력으로 발휘된다. 손이 흙을 갈고 파고 종자를 뿌린다. 묵묵히 홀로 토향土香과 어울려, 논밭에서 한참 바쁜, 그들의 노력은 노고라기보다, 각기 저마다 성자聖者의 수도처럼, 이를 보는 사람에게 보다 진정한 교훈을 준다. 한 알의 종자와 광막한 흙! 우리 내부의 토양에도 깊이 목적의 뿌리를 박고 무한한 공간과 대결하는 잎을 피우며 존재의 꽃을 만발시켜야만 당신은 모진 바람 억센 빗발 저편에 이르러 결실할 사랑에 대하여서도 미리 불굴의 신념을 갖게 되는 것이다.

점점 백열白熱한 하늘은 유리처럼 빛나고 있다. 이때 우거진 수림 사이로 저수지는 한여름의 신화를 이룬다. 그것은 대지가 우리에게 약속한 바 그 벼[稻]를 위한 어머니로서의 유방이다. 그것만으로도 이 대지의 유방은 아름답다. 저수지에 뜬 배들, 심도深度에서 명멸하는 고기들의 유영遊泳, 그러나 그뿐인가 수중천水中天인지 천중수天中水인지 분별조차 할 수 없는 일여一如의 입맞춤에서 나풀거리며 살랑거리며 일렁거리며 호흡하는 녹엽綠葉과 구름과 산과 일월성신日月星辰들의 영영映影들, 이러한 끝없는 미美, 그것은 나락들을 위한 유액乳液이기도 한 것이다. 신의 모습은 자연이며 인간의 마음은 신이다. 이 자양 충일滋養充溢하는 조화의 낙원을 보라. 그러므로 에덴 동산의 비화悲話는 대지의 것이 아니다. 이에서 우리는 생사의 한계까지도 벗어난 자아를 깨닫는다.

폭양暴陽 속에서 이미 모든 꽃들은 피고 져서 흙으로 돌아가고 열매들을 점숙漸熟시키며 있다. 이보다 명확한 계시는 없을 것이다. 자라나는 것들, 즉 엄연한 존재와 변화의 의의는 콩, 팥, 깨, 가지, 호박 등과 그것을 가꾸는 남녀노소와 함께 다 같은 자성自性들의 발현이다. 한재旱災와 수해는 대지의 소산을 보다 강하게 하기 위한 시련이며 사람의 신념을 성력誠力에까지 승화시키기 위한 섭리이다.

투쟁에 허덕이며 자기만의 허욕을 만족시키기 위하여 타인의 멸망을 기도하는 것을 발전이며 진리라고 생각던 사람들도 차창 바깥으로 지나가는 낙원을 유의해 내다본다. 당신을 키워주시기에 갖은 고생을 다하신 늙은 아버지 어머니처럼 앙상하고 메마른 팔들의 가지를 초가집 돌담 위로 뻗고 나무는 찬란한 홍시들을 창공에 완성시키고 있다. 획획 지나가는 차창 밖에 파도처럼 일어나는 과원果園의 잎새들 사이사이마다 보석 같은 임금林檎들이 노래하고 가지가지마다 서로 춤춘다. 대지는 그 큰 공덕을 먼 보랏빛 산까지 황파黃波로써 펴주시었다. 보라! 어딜 보아도 전적戰跡은 없다. 아무리 찾아도 유혈의 자국은 없다. 풍작의 승리는 어느 곳에도 폐허를 마련하지 않았다. 당신은 이제야 무엇을 느낄 것이다. 나도 반성할 때가 왔나 보다. 모두가 대지의 은혜와 자아의 성력誠力과의 합치점에 대하여 감사 드리고 있다.

태양도 동결할 듯한 추위에 눈물이 흐른다. 슬퍼서 우는 것은 아니다. 눈보라 휘몰아치는 밤중의 저 등불들이 너무나 다정하기 때문이다. 새벽 굴뚝마다 오르는 푸른 연기가 갈색 풍경에 너무나 은은하기 때문이다. 낡은 밥상에 오른 씨락국, 땀복장, 김치, 잡곡밥이 너무나 거룩하고 고맙고 떳떳하기 때문이다.

이슥고 눈물이 어렸던 눈은 미소로 풀린다. 흙은 모든 이치를, 그리고 우리의 자성自性을 보여주었고 알려주었고 말씀하시었다.

무언으로 함축하고 계시로 모든 의혹을 끊고 있는 것은 변화로써 사랑하는 불변의 진리! 바로 그 대지인 것이다.

1959

시를 생각하는 꽃들에게

이름도 모르는 사람에게 편지를 쓴다는 것, 더구나 여러 사람을 상대로 쓴다는 것은 극히 드문 일입니다.

그러나 나는 아직 인사도 없는 여러분에게 이 글을 쓰면서 가득한 정情을 느낍니다. 즉 시를 생각하는 여학생 한 분과 조용한 서재에서 이야기하는 심정이기 때문입니다.

그 한 분의 여학생이란 누구일까요.

'여학생' 이란 말은 한 사람을 지칭할 수도 있는 동시에 모든 여학생을 의미할 수도 있습니다.

이와 마찬가지로 너[汝] 나[我] 없이 서로가 시를 생각하고 쓴다면 이런 점에 있어서 그것은 결국 하나입니다.

나는 내 시가 변변치 못할 때마다 뒤에 오는 여러분의 목에다 나의 아름다운 희망을 걸어주고 싶습니다.

그러므로 여러분이 받아야 할 나의 희망은 보석처럼 순수하고 피[血]처럼 귀중하고 이 현실 사회처럼 복잡합니다.

한 사람의 일생마냥 어렵고 힘드는 이 시란 것을 성취하자면 한 꽃이 과실을 이루듯 오랜 비바람 속에도 장구한 인내를 필요로 합니다.

참을 줄 알아야만 감정은 정리됩니다.

나는 시를 공부하는 여학생에게 감정과 시와의 관계를 설명해야겠습니다.

알기 쉽도록 간단히 말하자면 감정은 비료일 수 있지만 결코 시라는 꽃은 될 수 없다는 것입니다.

더러운 진흙 속에서 연꽃이 피는 걸 봅시오.

만일 재주가 감정과 손을 잡으면 기구한 운명을 걷고야 맙니다.

그러기에 시를 쓴다는 것은 몹시 위험한 일이기도 합니다.

여러분은 우리 나라 옛 여류 시인들의 작품을 읽어보셨습니까. 나는 이 나라 옛 여류 시인들이 거개 불행했음을 이해합니다.

그분들의 시는 거개 눈물과 애타는 그리움과 무궁한 원한을 찬란한 기교로 짜놓았습니다.

그러나 감정에서 승화를 얻지 못한 시는 천합니다.

이 지상에 어느 시대인들 괴롭이 없었던가요.

역사 이래 감정 없는 인간이 어디 있었던가요.

어둠 속의 별빛을 보거든 걸음을 멈추고 또는 창변窓邊에 단정히 앉아 생각합시오.

시인은 괴롬을 알기 때문에 아름다움을 창조할 수 있습니다.

악惡을 이해할 수 있기 때문에 자기를 발견할 수 있습니다.

그러기에 시는 영원에 있는 단 하나의 태양이라고 생각합시오.

시는 우주에 떠 있는 지구라고 생각합시오.

시는 세계와 인류를 대하는 자아自我 위치라고 생각합시오.

허영으로 자랑을 꾸미고 남에게 오만하고 모든 것을 멸시하면 안

됩니다.

그만큼 시에 대해서 책임을 느끼고 스스로 자중自重하며 붓을 들어 조심스레 작품을 만들라는 뜻입니다.

다음은 노력입니다.

소크라테스가 독약을 마신 것은 절망이 아닙니다. 그는 생명을 버리며까지 노력의 결과를 증명한 성인聖人입니다.

역경逆境이 없으면 여러분의 옥玉 같은 바탕은 빛나지 않습니다.

그렇다고 나는 여러분에게 완전한 여성이 되라고 권할 수 없습니다.

누구나 인간은 완전할 수 없습니다.

진리는 단정斷定할 수 없습니다. 그러기에 노력의 가치는 황금보다 큽니다.

이 노력의 순수는 세상의 칭찬과 욕설에도 변색할 줄 모릅니다.

노력은 당신을 지성至誠에 이르도록 하는 단 하나의 길입니다.

비록 죄수의 옷을 입은 어머니일지라도 그 아들딸들을 생각하는 마음은 성모聖母의 가슴입니다.

슬픔이 있어야 사랑의 빛을 봅니다.

여러분이 참으로 후회란 걸 알면 남을 미워하던 맘을 다시 후회할 것입니다.

이런 시의 모든 필수 조건은 다 노력이 거두어들이는 과일들입니다.

물론 시는 하루아침, 하루저녁에 이루어지지 않습니다.

작품은 그 사람의 일생과 함께 성장합니다.

나는 여러분 중의 그 어떤 여학생이 먼 훗날 위대한 시인으로서 뒤에 오는 세계의 사람들에게 존경을 받으리라고 믿습니다.

이것은 그분만의 업적일까요. 아닙니다. 우리 나라의 자랑인 것입니다.

당신은 어디까지나 한 인간으로서 당신의 시를 성취시킬 수 있습니다.

1960

사랑하는 이에게

전번 편지 받으셨는지요.

할말은 많으나 막상 쓰려 드니 아무 생각도 떠오르지 않는군요. 그러나 따져보면 간단한 한마디에 지나지 않습니다.

"보고 싶습니다. 그래서 늘 괴롭습니다."

황혼의 거리에 서면 다방에도 가기 싫습니다. 셋방 잠자리로 돌아가기도 싫습니다. 무작정 걸을 수는 없습니다. 그렇다고 우두커니 섰을 수도 없는 노릇입니다. 생각은 과학적 속력보다도 놀랍게 어느새 당신에게 가 있습니다. 주체할 수 없는 몸만이 방황합니다.

그간 안녕한지요. 자당님께서도 안녕하신지요. 당신 아버님께서 주저한다는 사실이 나를 더욱 우울하게 합니다. 나는 그 주저하는 이유를 누구보다도 잘 이해하기 때문입니다. 내가 사랑하기 때문에 당신을 행복하게 못하면 어쩌나 하고 염려하듯이 말입니다.

나는 보잘것없는 사람입니다. 자기 욕심을 만족시키려는 그런 잔인한 인간으로 간혹 생각하기도 합니다. 손을 모아 성모님께 우리의 앞날을 위해서 기도합시오. 나도 지금 손을 모아 부처님께 우리의 앞날을 기도하는 심정입니다.

나는 옛 성인들을 차별하지 않습니다. 그럴 만한 자격이 우리에겐 없습니다. 종교는 비록 다르지만 모든 성인들은 다 '사랑'을 찬미하셨습니다 부처님이나 예수님도 우리의 '사랑'을 함께 축복하실 것입니다. 우리는 그것을 믿어야 합니다. '마음이 가난한 자는 복이 있다'고 하셨으니, 나의 잘못된 해석인지는 모르나 허영과 허욕을 버리도록 노력합시다. 영화를 누리기 위해서 많은 원망을 사는 것보다 어떤 처지에서도 만족할 줄 아는 사람이 되도록 애써봅시다. 오죽하고야 무사한 것보다 더한 행복이 없다는 창피감이 들기도 합니다. 당신이 나의 마음을 이해해주리라 믿습니다.

5월 7일날 상경하겠습니까. 하루쯤 결근하여 아침에 대전을 출발할 수는 없겠습니까. 그럴 수 없다면 다음 기회로 미루어도 괜찮습니다. 그날 상경한다면 서울에 몇 시에 도착할지 곧 통지해줍시오. 만사 제쳐두고 역에 마중 나가겠습니다.

그곳 학교 주변은 신록이 눈부시겠지요. 내가 직접 찾아가봤던 만큼 아침저녁으로 교문을 출퇴근하는 당신의 모습이 여기서도 역력히 보입니다. 그날 당신이 찾는다던 양복을 못 보고 온 것을 후회합니다. 그랬더라면 요즘 당신이 어떤 옷을 입고 다니는가를 상상하지 않아도 될 뻔했습니다.

즉시 답장 줍시오. 나도 당신의 편지를 받을 때마다 늘 기쁩니다.

1960년 5월 1일

1960

내가 본 월탄
—『금삼의 피』부터 스승

처음으로 선생의 작품을 읽은 것이 『금삼錦衫의 피』였으니 따져보면 지금으로부터 22년 전이다. 회고하면 세월이 빠르다. 해방 후 강의실에서 처음으로 선생을 뵙고 가르침을 받은 지도 이제 12년이 지났다. 외람스런 말이나 일제 때 연소했던 내가 감히 망국민이란 걸 의식했다고 한다면 또 자기 나라 역사와 조상의 체온에 눈을 떴다고 한다면 그것은 선생의 작품에서 받은 바 크다. 『대춘부待春賦』를 읽던 때의 지난 푸른 시절이 지금도 어젯날 같다. 그러고 보면 흑판 앞에서 수학하기 이전부터 선생은 나의 스승이시다.

노익장 하신 선생에 관하여 제자로서 붓을 드는 것이 송구스럽다. 왜냐하면 제자가 선생을 칭덕稱德하면 '혹 과장이 아닌가' 하는 모르는 사람의 의심을 받을 것이요, 노둔魯鈍한 안목이 함부로 단정한다면 웃음거리밖에 안 된다. 내가 평소 들었거나 본 것 몇 가지를 적는다.

선생은 날마다 새벽 4시면 기침하여 집필하거나 또는 책을 보는데, 학교 강의가 없는 날은 대개 그 일이 정오까지 계속된다고 한다. 그래서 조반이 늦은 편이라고 하신다. 나는 오전 중에 선생을 뵙고자 간 일이 없다. 선생의 이런 근엄한 다른 일면은 학생들로부터 종종 듣는다. 즉 휴강休講이 없고 종鍾 나기 전에 강의를 마치는 일이 없고 그 많은 답안지를 어떻게 세밀히 읽고 지적하시는지 월탄 선생님 과목은 함부로 쓸 수가 없다는 것이다. 지난날 선생께 배운 나는 학생들의 말을 곧 수긍할 수 있었다. 아무리 조그만 문학 하는 학생들의 모임일지라도 청하면 선생은 출석하신다. 언젠가 몇 학생이 내게 말하기를 "학생들 작품을 약간 편선篇選해줍소사고 선생을 만나려 해도 만날 수 없어 결국 월탄 선생님 댁에까지 갔습니다. 월탄 선생은 쓰시던 원고까지 제쳐놓고 늦게까지 작품을 선해주셨습니다." 이 말을 들었을 때 나는 매우 송구한 느낌이 들었다. 시인 성춘복成春福• 씨 결혼 때, 그 당시 나도 모시고 함께 내려갔기에 잘 알지만 그때 선생은 담이 결려 운신運身이 자유롭지 못하였으나 제자 혼례식에 주례를 서시러 먼 부산까지 가신 일이 있다. 이처럼 선생은 자기 자신에 엄하고 제자들에게 인자하시다. 언젠가 선생은 나에게 이런 말씀을 하였다.

"사람은 놀면 버리네."

또 한번은

"밤엔 뭘 하나."

"누워서 책 줄이나 보다가 그대로 잡니다."

"그럼 건강에 좋을 거야."

한번은 문인들만 모인 주석酒席에서 선생은 나를 돌아보시며 "시는 배운다고 되는 게 아닐세" 하고 말씀하였다. 제자를 가르치심이 이 이상 간곡할 수 있을까. 나는 학점 때문에 선생에게 배운 것보다도 그 이전에 그 이후에, 그리고 앞으로 보다 더 배울 것이다. 선생은 파초芭

焦를 좋아하신다. 조수루釣水樓에서 선생은 집필, 독서에 바쁜 중에도 편지를 받으면 즉시 답장을 쓴다. 방학 동안 산속에서 문안 편지를 올리고 하서下書를 받을 때마다 일자日字를 꼽아보면 받은 그날로 곧 답장을 쓰신 것이다. 나에게만 그런 것이 아니고 누구에게나 그러신다는 말을 여러 사람으로부터 들었다. 선생이 기거하는 조수루는 단아하다. 어쩌다 친구들과 함께 선생 댁에 갔다가 물러나올 때면 선생은 반드시 대문 앞까지 따라 나오셔서 우리를 보내신다. 그러니 수년 전 일인가 보다. 선생이 문학박사를 받던 날 그날 선생은 답사 중에서 다음과 같은 말씀을 하였다. 덕 없는 사람이 복이 넘칠까 두렵다는 그런 뜻이었다. 나는 지금도 그 말씀이 잊혀지지가 않는다.

10여 년간 문단으로 또는 학교에서 선생을 모셔오는 터에 할 이야기가 어찌 이뿐이겠는가. 그러나 지면 관계상 그저 몇 가지만 적었을 뿐이다. 잎새 하나로 천하의 가을을 안다는 말이 있다. 그러고 보면 오히려 선생의 작품에서 선생을 더 잘 알 수가 있을 것이다. 선생의 영윤令胤 박돈수朴敦洙 씨와 나는 동경同庚이라고 들었다. 앞으로도 선생에게 배울 것이고, 결혼 때에는 선생께서 주례까지 서주셨고, 이제 소생까지 하나 있으니, 한 번쯤 나의 거처로 선생을 모셔다가 소찬일망정 진지라도 한 상 차려드려야겠건만 옹색한 셋방살이에 그럴 주제도 못 되니 앞날을 기다리는 수밖에 없다.

그런데 금년이 선생의 보갑寶甲이시다. 선생은 제자를 대하심이 옛 어진 스승과 다름없건만 나 같은 제자는 옛사람이 스승을 섬기던 길에 비해서 어긋남이 너무 많다.

1961

문인文人으로서의 월탄 선생

세상엔 어려운 일이 많다.

이런 건 설명 않아도 백이면 백, 천이면 천 사람 누구나가 다 각기 체험하고 있는 사실이다.

그러나 어려운 중에도 아무나 할 수 없는 어려운 것이 있다.

무엇이든 간에 일생 동안 변치 않고 단 한 가지 것을 꾸준히 한다는 것 이상 어려운 것은 없다.

하루아침에 벼락부자가 되는 수도 있다. 어떤 계기와 영감으로 연구한 결과 30 전후해서 노벨 상을 탄 과학자도 있다.

몇 해 동안 목숨을 걸고 싸워 혁혁한 공훈을 세우고 평생 존경을 받은 장군도 있다.

그러나 대통령도 임기가 있다.

또 모험이라든가 요행이라든가 재수라든가 운수란 것도 그 사람의 일생에서 보면 일시적인 것에 불과하다. 공장에서 생산품이 만들어져 나오듯 예술도 그렇게 만들어지는 것이라고 생각한다면 그것은 잘못 생각한 것이다.

작품은 재수라든가 요행수로써 하루아침에 이루어질 수 있는 그런 성질의 것이 아니다. 비록 언문 일치言文一致의 신문학新文學이 시작된 지 얼마되진 않았으나 일생 동안 변함없이 문학을 하신 분이 있다면 과연 몇 분이나 있었을까. 끝까지 작품을 썼을지라도 일찍 요절한 분은 차치하고 노경老境에 이르기까지 작품을 쓴 분이 있다면 몇이나 있는가.

여기에 이름을 주워 섬기기보다 우리 나라 문학에 조금이라도 관심이 있는 분이면 쉽사리 지적할 수 있을 것이다. 이런 의미에서 월탄 선생은 어려운 중에서도 가장 어려운 일을 하였고, 하는 중이고, 앞으로도 하실 것이다. 그러기에 선생의 환갑을 축하하기보다는 이 어려운 일을 한 선생의 높은 정신을 축하하고 싶다.

선생은 약관 19세 때부터 글을 쓰기 시작하였다. 그리고 지금 『조선일보』에 「자고 가는 저 구름아」가 연재 중이다.

그 당시 선생과 함께 문학을 하던 분으로 지금 생존한 분이 몇 분이나 있는가. 선생의 후배로서 문단에 나왔다가 세상을 떠난 사람, 이북으로 넘어간 사람, 붓대를 던진 사람은 그 수효를 헤아릴 수 없을 정도이다. 이런 걸 생각한다면 선생도 감회가 적지 않을 것이다. 선생은 오늘날 문단의 원로이다. 선생은 일제 때의 암흑과 해방 후의 혼란과 6 · 25의 참극과 함께 그때마다 모든 문인들과 함께 문단을 위해 힘쓰고 슬픔을 나누어온 역사이기도 하다.

위에서도 말했지만 어렵다는 것은 쉽다는 말의 반대어라기보다 단순하지 않다는 뜻으로 생각하고 싶다. 문학은 의욕만으로 또는 재주만으로 되는 것이 아니다.

스스로 그 어려움과 대결하는, 즉 견뎌낼 줄 아는 힘이 필요하다. 즉 문학에 있어서 이 힘이란 것은 단 한 가지를 위해 다른 것을 버릴 줄 아는 신념이기도 하다.

그것이 무엇이든 간에 시종일관 노력 실천한 사람은 그가 일생 동안 오로지 그것을 하였다는 그것만으로도 하나의 인간을 성취하는 것이다. 이번에 청탁 받은 이 글의 제목은 '내가 보는 문인으로서의 월탄 박종화 선생' 이다. '20 미만 때부터 상징주의 글을 쓰기 시작하여 환갑 해인 오늘날도 작품을 쓰시는 어른이라' 고 나는 세상이 다 아는 사실을 쓰고 싶다.

문인이란 무슨 남다른 행세를 하는 사람들도 아니며 또 문인이래서 보통 사람과 다르거나 특이한 것도 아니다. 더구나 우리 나라에선 문인들이 일반인들과 마찬가지로 날마다 출근도 하며 퇴근도 한다. 더구나 일반의 고민과 기쁨을 작품화하는 가장 평범한 일반 사람이다.

다르다면 다른 사람들이 휴식을 취하는 시간에 그들은 생각하거나 글을 쓴다.

그들은 서로 그들이 무엇을 구상하며 무엇을 쓰느냐고 묻는 법이 없다. 또 말하는 일도 없다.

활자화 된 작품을 보고서야 그는 무엇을 했구나 무엇을 하는 중이구나 하고 비로소 알게 된다.

결국 월탄 선생도 역시 보통 문인들과 다름이 없다.

다만 가장 어려운 일을 많이 하신 선생이시다. 그리고 우리 나라 문인들이 다 함께 존경하는 분이시다. 그 원인은 무엇인가. 그러나 원인보다는 결과를 더 중요시한다.

1961

목전目前과 일후日後

책으로 나온 신문 축쇄판을 뒤져보면 일제의 식민지였던 과거가 새삼 가슴 아프다. 매일 배달되는 신문을 조석으로 보고 나면 수십 년 후에 오늘날 이 신문을 축쇄판으로 대할 때 어떤 느낌이 들 것인가 하고 막연해진다. 그것은 실망도 희망도 아니다. 어느 시대 어느 때를 막론하고 실망이란 속단이며 희망이란 배신이기 때문이다. 말하자면 '장차 우리는 어떻게 될 것인가' 하는 회색빛 속에서 파쟁, 무질서, 혼란의 구름이 도처마다 심상치 않은 기사와 보도로 뒤끓고 있음을 응시하지 않을 수 없는 처지에 있다. 그 어느 누구고 간에 자기 나라를 사랑하지 않는 사람이 있을까. 조국이란 애국자의 우상만은 아니다. 전 국민의 직접 이해 관계란 점에서 항상 중시되고 있는 것이다.

4·19의 승리를 위하여 피를 흘리지 않을 수 없었던 비극의 책임은 누구에게 있는 것인가. 그러나 이제 과거만 따지고 있을 순 없다. 현재만으로도 두통이 심하니 말이다. 4·19의 승리에 대한 환호성은 새로운 출발에 대한 기대였을 것이다. 그러나 탈출과 동시에 발병한 상태다. 환자는 여하한 외부 정세에도 무능한 법이다.

병든 맹수는 머리 위에서 지저귀는 까마귀 소리에도 눈을 감는다. 하물며 우리 가난한 사람들의 발병이란 어떤 것인가에 대하여 설명할 필요조차 없다.

혼란은 의욕의 현상일 수도 있어 잘만 요리하면 사전에 악화를 예방할 수도 있다. 뿐 아니라, 보다 좋은 추진을 기약할 수도 있으나 도가 넘으면 내부를 붕괴하는 세균의 식민지를 이루고야 만다. 일단 육체를 잃으면 돌아갈 곳이 없다. 어떤 악조건도 일제 아래서처럼 무주고혼無主孤魂이 되는 것보다는 나을 것이다.

실정實情을 모르면 한계도 모른다. 한계를 모르면 시기를 잃고 만다. 시기를 잃으면 구조할 수 없다.

그런데 실정이란 것이 안개 속에서 암초처럼 출몰하고 있다.

한 달에 만 환밖에 수입이 없는 가장家長이 열 식구의 신임을 얻으려 한 달에 2천 환씩 분배하겠다고 호언한다면 믿을 수 있겠는가. 그 말을 곧이듣고 식구들이 가장을 지지했다면 이건 만화 거리도 못 된다.

그저 막연히 월급이 오르리라고 믿었던 가장은 그 후 도리어 감액減額 대상에 오르고 선조 때부터 물려받은 부채로 진땀을 흘린다.

병든 가장 자리를 노리고 일가一家간에 난투가 벌어진다. 누구나 이런 이야길 비웃을 줄 안다. 아니 비웃어주길 바란다. 그러나 이것은 병자가 병자를 치는 소리다. 병자가 병자에게 얻어맞는 소리다. 그가 가장인 줄 알았더니 맞고 있는 내가 바로 가장이었다.

제 식구에게 맞고 있는 것이 나만인 줄 알았더니 남을 치는 내 손을 보고야 바로 내가 그 집 식구임을 알았다. 이래선 안 되겠다는 걸 누구보다 그들은 잘 알고 있으면서도 여전히 그들은 그 짓을 되풀이하는 것이다. 즉 모두가 어쩔 요량인지 자기 안면顔面을 무지스레 쥐어지르고 있다.

그렇건만 그들은 진정코 타인을 친다고 믿는다. 해방 후 헤아릴 수도 없었던 정당들의 대두와 6 · 25 사변 때 가책 없이 죽인 동족 상잔과 마침내 부패 정권의 종막 등에 나라는 상처만 남았다. 아직도 아픔을 시시각각 뼈저리게 느낀다.

그러면 이 아픔이 어디서 왔을까. 역경과 합세하여 자기 손이 자기를 때리고 있다.

세계 정세로 빚어진 숙명의 역을 출발했대서 앞이 무궤도한 절벽인데도 만사를 방임한 채 세월을 흘려보낼 수는 없다.

더 이상 증오와 투쟁으로 자신을 학대할 수 있을까. 각자의 이기만이 자유며 정의이고 보니 시비의 갈피조차 잡을 수가 없다.

고층에서 맹아들은 서로 상대를 떠밀다가 서로 떨어진다. 되도록 많이 떨어지고 되도록 소수가 남기를 노리는 눈들이 고층을 조명한다.

결국 검박 질소儉朴質素한 데서 참다운 인간 본성의 존귀함도 체득될 것이다. 쉬지 않고 노력함으로써 남을 이해 협조할 줄 아는 사랑을 발견한 사람은 역사상에 허다하다.

하건만 남의 원조를 받는 빈곤한 가정에서 시비만 늘어간다. 끝없는 싸움의 결과가 무엇일까.

넉넉지 못하면 그럴수록 정신의 지침이 서야 할 것이다. 이것을 시대에 역행하는 잠꼬대로 돌릴 것인가. 자유 진영엔 우리 강산만도 못한 나라가 우리 나라 국민보다도 몇 배나 잘사는 예를 얼마든지 들 수 있다. 어째서 그들은 그러할 수 있었을까. 그들은 배타와 추종에서 벗어나 스스로의 정신을 가졌기 때문이다.

외방外方의 지배에 굴종하거나 아니면 독재가 전횡하거나 아니면 혼란만 있대서야 한심하다.

그러면 굉장한 정치가가 출두해야 하는가. 아니라면 새로운 법이 필요한가. 그것만으로도 되는 것은 아니다. 물론 현실을 향상시키기 위한 신중 과감한 조처가 적절하여야겠지만 중대한 문제는 그 나라 국민의 수준이 어느 정도냐에 있다.

눈앞의 만족 때문에 뒷날을 망치지 말고 희망을 위해서라면 참아야겠다는 단계부터 찾아야 한다.

1961

향수鄕愁

흔히 몸이 쇠약하면 외로워진다. 외로우면 향수가 떠오른다. 그러나 향수란 것은 망연한 것이다. 비가 뜸하기에 미닫이를 열었다. 하늘은 쇠[鐵]빛이었다. 담 밑 봉선화, 백일홍도 수척해 보인다. 내 곁에 와 앉아 있는 해피(발바리 이름) 머리를 허탈한 손으로 쓰다듬었다.

"백부伯父와 종형從兄, 부자父子분의 혼백이 아래윗방에 나란히 모셔 있는 고향 산정山亭 뜰에도 꽃들은 피었을까."

그러나 어쩐지 잡초가 우거졌을 것만 같다. 또 둔탁한 하늘에서 비가 계속한다.

"이번 장마에 집을 잃은 사람들은 어쩌고 있을까."

지난 3월 고향에 가던 도중 차창 밖으로 계속되던 농촌 풍경은 초라하였다. 해외에서 수십 년 만에 돌아온 교포가 있다면 그가 고국을 떠나던 때와 비해서 어느 정도로 고향이 변했다고 할까. 세월은 흘러가고 시골 풍경은 여전하기만 하다.

피로를 풀어야 할 일요일이다. 그런데 비는 쉬지 않고 내린다. 방이 습해서 아스스 춥다. 다시 드러누워 『벽암록碧巖錄』•을 폈다. 책상엔

『성경』, 『한중록』, 『금강경』, 『퇴계 전서』가 함부로 널려 있다. 공부하기 위해서라든가 무슨 참고할 게 있어 책장에서 빼놓은 것들은 아니다. 요즘 펴지는 대로 읽다가 싫증이 나면 덮어둔 것들이다. 승僧이 묻되 "조사祖師가 서西에서 온 뜻은 무엇입니까?"

춘림春林이 대답하되 "오래 앉았더니 피로하구나."

책을 읽는다고 되는 것은 아니다. 『벽암록』을 덮었다. 방이 차서 돌아누워도 낮잠마저 안 온다.

몇 해 전 일이었다. 시인 S씨가 유치장에 수감된 일이 있었다. 이 소문을 듣고 씨를 잘 아는 사람들은 씨의 건강을 염려했다. 우리의 짐작대로 S씨는 아무 혐의가 없음이 밝혀져 10여 일 만에 유치장에서 놓여 나왔다. "그간 고생하셨지요" 하고 어느 소설가가 물었을 때 시인 S씨는 "소화불량증이 나았어요" 하고 조용히 미소하였다. 맑은 산속에서 휴양하고 나온 것처럼 S씨의 얼굴은 평화로웠다. 문득 시인 S씨의 그때 모습이 생각난다.

그때와 마찬가지로 역시 '아름다운 얼굴'이라고 기억되었다. 사람은 얼마나 홀로 험한 곳을 방황하고 풍상을 겪으면 마음의 고향에 안주할 수 있는가. 물론 마음의 고향은 차표로 갈 수 있는 거리가 아니다.

몸과 마음이 다 타향을 헤매는 모양이다. 싸늘한 습기진 셋방에서 창 밖 빗소리를 들으며 망령亡靈 같은 책들에 에워싸여 가지고 눈을 감아본다. 고향을 다녀온 것이 어제 같기만 하다.

내가 전전번에 내려갔을 때 그러니까 5년 전 어느 날 밤에 큰아버지를 마지막으로 뵈었던 그 큰 기와집은 전번에 내려갔을 때는 솟을대문만 남고 빈터로 변해 있었다. 건물이 섰던 곳과 축대 위엔 새파랗게 돋아난 보리가 쌀쌀한 바람에 나풀거렸다. 이렇게 변하였구나. 나는 아내와 함께 말없이 빈터를 굽어보았다.

그리고 대밭 사이로 시선을 돌려 "저기가 어머니가 시집온 곳이었소. 지금은 누가 살고 있는지 모르지. 물론 저 건물도 아버지 어머니가 살림하던 집은 아니야" 하고 설명해줬다. 일가 친척도 두루 찾아다녔다. 언제나 가난한 사람들, 그만큼 착한 마음씨들이었다. 조상들 산소도 두루 가봤다. 어디서 들려오는 초동의 콧노래에 가슴속이 답답하였다.

고향을 떠나오던 날 버스 뒤를 따라오며 우리에게 조그만 손을 흔들던 큰집 조카의 눈, 학교도 못 가고 있는 그 어린 조카의 손! "할무니와 어무이에게 효도해라이." 속으로 나는 기도하듯 중얼거렸다.

그런데 지금 미닫이 너머에서 비가 악수로 쏟아진다. 지금 고향에 홍수가 범람하지 않았는지, 논과 밭들이 수침水浸되지나 않았는지. 땔나무가 젖어서 연기만 자욱한 집도 있을 것이다.

우리가 오던 길에 들러서 하루 쉬고 온 해인사海印寺에도 지금 비는 쏟아지고 있을 것이다. 우거진 잎들이 성난 파도처럼 굽이치고 있을 것이다. 그 파도 밑에서 해인사는 산호궁珊瑚宮처럼 무설설無說說을 하고 있을 것이다. 용처럼 포효하는 홍류동이 선히 뵌다.

빗소리에 잠이 안 오는가. 향수 때문에 내가 잠들지 못하는가. 몸도 마음도 고향을 잃었는가. 머리를 들었다. 책상 밑에서 어느새 해피가 편히 자고 있다.

나는 천천히 일어나 『금강경』을 펴고 옷깃을 여미었다. 해인사 장경각藏經閣도 뇌성벽력에 명멸하는가!

1961

보석의 꿈

—불탑佛塔

우리는 거개의 탑에 대해서 작자를 모른다. 여기선 전설이 깃들인 탑과 역사적인 탑을 하나씩 대표로 들까 한다.

누구나 탑을 보면 그 당시 사람을 생각하게 마련이다. 탑은 산속에 홀로 섰거나, 석양 짙은 논두렁 가에 비스듬히 기울어져 있거나, 도적들이 다녀간 뒤 빈터에 쓰러져 있거나, 가난한 집들 틈바구니에도 끼여 서 있다. 또는 공원에서, 고궁古宮에서, 박물관에서, 구경거리가 되고 있다.

탑은 달과 꽃과 대리석과는 다르다. 옛사람들의 소망과 기도와 염원으로 이루어졌기 때문이다. 그러기에 탑의 아름다움엔 번민이 스며 있다. 그런 만큼 탑의 정묘精妙는 자학自虐 정도로 심각하다. 그 장엄에서는 수인囚人의 권태를 느낄 수도 있다. 우리 때로는 그 숭고한 어리석음에 놀란다. 우리는 그 단순성에서 거의 동물에 가까운 건전을 발견하고 부러워하는 때도 있다.

확실히 옛사람의 괴로움엔 보석 같은 꿈이 박혀 있었다. 이제는 어디를 가도 꿈이 없다. 관능적 감각이 절대의 위치를 차지하고 있다.

옛사람이 허무를 극복하기 위해 심혈을 기울여 조성한 탑도 오늘날 감각 앞에선 허무만을 드러낸다. 즉 전설에 흥미를 두지 않는다. 사람들은 고탑古塔 앞에 둘러서서 배구排球를 시작한다. 그들은 역시 하늘로 허무를 열심히 밀어낸다. 지긋지긋한 것에서 벗어나기 위한 몸부림이다. 뭐고 잊기 위한 동작이다. 젊은 사람들이 허무와 대결하는 몸짓은 가관이다. 그래서 그들은 도리어 전설傳說 때문에 기분을 잡친다.

햇빛은 절에 쨍쨍 내리쬔다. 아내는 천릿길을 왔으나 탑을 조성하는 동안은 부정不正을 기忌한다는 법 때문에 남편과 만나지를 못했다. 매미 소리가 요란하다.

"아내를 부정이라니 대체 우리 여성을 뭘로 아는 걸까요."

그러나 옛 여성은 못물에 비친 자기 얼굴을 남편으로 착각하고 뛰어들어갔다. 요란한 매미소리가 때문에 경내境內가 더 고요하다.

"더 머물기에 여비旅費가 부족하다면 마침 잘됐어요. 먼저 가세요. 서울서 다시 만나요. 불국사 호텔에 전부터 친하던 남자 친구가 몇 와 있어요. 내 걱정은 말아요."

호텔 쪽으로 사라져가는 원피스를 바라보는 사나이의 눈동자 가에 공허가 반영反映한다. 처음으로 가건, 몇 번째 가건, 뭐고 유심히 보지 말 일이다. 신경을 쓸 필요가 없다. 무심히 보아야 무영탑無影塔의 무언無言을 들을 수 있다. 아니면 부상負傷을 당한다.

그러나 평제탑平濟塔은 아무래도 무심히 보아지지가 않는다. 딱한 일이다. 차라리 적당한 여자 친구와 함께 가서 평제탑을 배경으로 웃으며 사진이라도 찍으면 기분이 날까. 그럴 신세도 못 된다. 그럴 필요도 없다. 그럴 만한 곳도 못 된다.

어찌 보면 평제탑은 삼별초三別抄 같다. 평제탑을 보고 있노라면 가등청정加藤清正이 생각난다. 눈을 감고 평제탑을 생각하면 임경업林慶業 장군이 머리에 떠오른다. 평제탑 주변을 거닐면 의병義兵들을 죽인 형장刑場 같다. 사진에서 삼팔교三八橋라는 다리를 봤을 때 평제탑이 연상되었다. 참으로 모를 일이다. 어째서 평제탑이 여러 가지 각도로 다양하게 보이는지 모를 일이다. 평제탑은 분기로分岐路였다. 그 결과 압록강은 경계선이 되었다. 그래서 광개토왕은 외국 벌판에서 있다. 흐르는 강물을 보듯이 평제탑을 볼 수 있다면 다행한 일이다. 일본은 부여扶餘에다 동양 최대의 신사神社를 지을 계획이었다. 그러나 도로만 닦다가 물러갔다.

요즘 사람들은 숫제 탑에 대해서 관심을 갖지 않는다. 도리어 이해할 수도 있는 일이다. 사나이는 뭐고 잊어야겠다는 몸부림처럼 여자 친구를 끌어안는다. 탑 근방엔 신문으로 얼굴을 가리고 낮잠이라도 잘 만한 숲이 없다.

이 지상地上엔 평제탑과 같은 탑이 얼마나 많을까. 없어진 것도 없어져가는 것도 많을 줄 믿는다. 다시는 평제탑 같은 것이 생겨나지 않으리라고 굳게 믿을 따름이다.

어떻든 거개의 탑은 한恨이다. 허무하도록 아름답다. 대체로 탑은 위에서 말한 것처럼 두 가지로 분류할 수 있다. 사람마다 자기 자신을 정복하고 스스로 불멸의 연화蓮花가 되려고 한 것이 불탑佛塔이다. 그러나 우리는 꿈을 잃었다. 또 하나는 오랜 세월 동안 엄연히 남아 있으면서 가혹한 역사를 눈앞에 생생히 보여주는 기념탑이다. 우리는 아무 능력도 없지만 총명하다.

무영탑과 평제탑은 정신과 물질처럼 대조를 이루고 있다. 그러나

이 두 탑은 지상에 서 있다는 점에서 동일하다. 놀라운 사실이다.

지금까지 고탑古塔에 대해서만 말했다. 미래의 탑은 지금까지의 모든 탑에 비해 내용도 형태도 수법도 달라질 것이다. 그럼 뒤에 오는 사람에게 어떤 탑을 남겨줘야 할까. 우리는 어떤 탑을 제시해야 할까. 이런 문제는 한 사람의 의견만으로 규정 지을 성질의 것은 아니다. 그러나 한 개인일지라도 자기의 소망을 말할 수는 있을 것이다. 전설 없는 탑, 제목 없는 탑, 각명刻銘 없는 탑을 보고 싶다.

언제 보아도 싫증이 나지 않는, 누가 보아도 제멋대로 즐길 수 있는 그런 탑을 아침저녁으로 보면서 거닐고 싶다.

그러면서도 나는 그것이 과연 어떤 것인지를 모른다. 이 모른다는 것마저 어떻게 만들어야 할지를 모르고 있는 형편이다. 그러나 언젠가 누군가가 인간의 자랑을 탑으로 표현해줄 날이 올 것이다.

1962

고서점 순회

우리는 다른 나라보다도 우리 서적을 귀중히 여겨야 할 것이다. 영국에서 셰익스피어 전집을, 독일에서 『파우스트』를 구할 수 없대도 염려할 필요가 없다. 그들은 외국에서 자기 나라 책을 구할 수 있기 때문이다.

그러나 우리는 아직 한국 소설이나 시집 등을 외국에서 구할 순 없다.

나는 근년에 와서야 책이란 평생 벗님 할 만한 그런 정도의 책을 약간 가질 것이지 많은 책을 가질 필요는 없다고 생각하게 됐다. 그러나 생각만이지 습관이란 고치기 어려워서 한 달에 한 번 정도로 고서점을 돌아다닌다.

아는 사람 집에 갔을 때도 그 집 서가書架에 내게 없는 우리 나라 절판본絶版本이 끼여 있으면 매우 반갑다. 우리 나라 절판본을 보면 그것이 꼭 세계에서, 아니 우주에서 우리 나라에만 있는 무슨 보물처럼 느껴지기 때문이다.

언젠가 고서점을 둘러보고 돌아오다가 출판업을 하는 모씨某氏를 우연히 만나 함께 다방에 들어갔다. 도무지 책이 팔리지를 않아서 야단이란 것이었다. 당신 같은 사람이 새 책을 사지 않고 신간까지도 고서점에서 사려고 하니 되겠느냐는 것이었다. 나는 웃으며 고서점에서 책을 살 때마다 아내와 아이들에게 미안한 생각이 든다고 대답했다. 우리는 심각한 요즘 경제에 관한 얘길 하면서 연신 미소를 지어 체면이나마 유지했다.

6 · 25 사변 때 우리 나라는 책이 많이 없어졌다. 어떤 분은 장서藏書를 잃지 않았다고 하지만 그건 특수한 예이다. 거개의 분들이 오랫동안 피땀 나게 수집했던 책을 잃었다. 나는 그 당시 산속에 책을 뒀기 때문에 비교적 피해가 적었지만 작년에 비로소 서울로 옮겨와 보니 없어진 책이 한두 가지가 아니었다.

지난날 가졌던 책을 다시 사야 할 때는 매우 괴롭다. 『백범 일지白凡逸志』도 그런 경우의 책이었는데, 내가 다시 구한 『백범 일지』엔 선생이 모씨에게 기념으로 준다는 친필과 낙관까지 찍혀 있어서 뜻밖에 귀한 책을 입수한 셈이 됐다.

6천 환 달라는 육당 『백팔 번뇌百八煩惱』를 애걸하다시피 해서 4천 환에 샀을 때는 내가 지난날 가졌던 그 책을 누가 가지고 갔는지 알 순 없으나 미운 생각이 들었다. 없어진 책일지라도 돈으로 살 수 있으면 문제는 좀 다르다. 일제 때 출판된 시집이나 소설 중에서도 구할 수 없는 것이 많다. 물론 기우杞憂에 불과하지만 내가 그런 책을 가지고 있지 않으면 그 책은 세계에서 없어지고 만다는 착각을 하는 것이다.

개화 이후에 나온 우리 나라 잡지와 신문을 다 수집한 분이 현재 두 분이나 있다고 들었다. 그 중 한 분은 가난해서 그걸 팔 생각이면서도 자기 연령年齡과 함께 모은 것이기 때문에 내놓질 못하고 지금도 월간 잡지를 수집한다는 사실을 모씨로부터 들었다. 그 심정을 짐작할 것만 같았다.

그나마 많지 못한 우리 나라 책이 장차 해외로 팔려가지나 않으까.

외국 대학에서도 한국 문학에 관한 관심을 갖기 시작했다니 물론 기쁘고 반갑다. 그러나 장차 한국 사람이 한국 문학을 연구하기 위해서 외국에 나가야 한다면 이건 좀 뭣하다. 비단 서적만이 아니다. 한국의 고민이 이런 데에도 있지 않을까.

나는 그간 문인 몇 분에게서 책을 빌려와 그 중 한 권은 내가 베끼고 또 한 권은 조교助教를 시켜 베꼈다. 듣건대 복사기도 마이크로 필름이란 것도 있다기에 알아봤으나 나의 수입으론 이용할 수 없었다.

그래서 가끔 몇 푼 안 되는 돈으로 무슨 보물찾기나 하는 것처럼 고서점을 돌아다닌다. 내가 비교적 싼값에 샀다고 생각하는 책은 안서岸曙 김억金億, 역시집譯詩集『오뇌懊惱의 무도舞蹈』를 50원 준 정도라고나 할까.

박종화朴鍾和『흑방비곡黑房秘曲』과 노자영盧子泳『청춘青春의 화환花環』이 있기에 에누리를 하다가 가진 돈이 부족해서 그냥 돌아온 일이 있다. 한 달쯤 지나서 가보니 이미 팔려서 없었다.

책이란 봤을 때 무리를 해서라도 사둬야지 그렇지 않으면 언젠가는 후회하게 마련이다. 그런 줄 번연히 알면서도 무리를 못하는 사정이 우리네 실정이다.

간혹 혼자 속으로 위로한다.

비록 구할 순 없을지라도 누군가가 가지고 있을 것이다. 책은 스스로의 가치만큼 대접을 받는다. 반드시 잘 보관하는 사람에게 가 있게 마련인 법이다.

1963

환상

작품은 어디에서 시작하는가. 내 생각 같아서는 되도록 이론을 부정하는 데서 출발한다고 말하고 싶다. 이건 역설이 아니다. 대개 문인은 흔히 외연外延과 내포內包의 경계에 선다. 말하자면 현실과 무한을 수시로 자기 자신에게 집중시킨다. 하지만 착잡한 현실을 냉정히 관찰해야만 하는 과정이 필요하다. 그리고 천천히 마음대로 작품화할 수 있는 특권을 갖는다.

예외는 없듯이 문학에서도 특권은 명예가 아니다. 하나의 책임이다.

누가 우리에게 '당신의 책임 있는 말씀을 들려줍시오' 하고 캔다면 다른 사람은 모르지만 나는 사실 막연하다. 무엇에도 도취하기는 쉽다. 그렇다고 그냥 견디어내기는 어렵다.

시를 쓰건, 소설을 쓰건, 미술을 하건 간에 특히 예술가는 늘 매우 어려운 기로에 선다.

그들은 조급한 결정보다는 꾸준한 실험을 차라리 자기 본분으로 생각하는 모양이다. 그래서 어떤 문인은 안 쓰는 것이 아니라 못 쓰는 수가 많다.

비교적 가까운 예로는 릴케와 발레리가 10여 년간이나 침묵하였다. 또는 새로운 시의 효장驍將이었던 막스 자콥이 "이제 장난은 그만둬야겠다. 나에게 침묵이 찾아왔다"고 말한 것도 다 그런 따위다. 요즘 예로는 카뮈가 죽기 전 몇해 동안 별로 작품 활동이 없었던 것과 또는 사르트르가 『자유의 길』을 미완未完으로 던져둔 채 아직 결말을 짓지 못하는 것 등이 다 그러하다.

그들이 스스로 책임을 느끼는 작가라면 우리는 그들의 침묵을 엄숙한 행위로 보아야 한다.

그러나 과거로 올라가면 올라갈수록 흔히 작가들은 자연으로, 또는 신에게로, 또는 사랑으로 간단히 자기를 합리화시켰다.

이런 것을 좋다든지 또는 나쁘다든지는 고사하고 현대 문학의 당면문제에선 암만 도피하려 해도 도피할 길이 없다. 인간이 모든 책임을 지게 마련이다. 아직도 문학은 검진檢診과 고발과 피와 기현상으로 가득하다.

이런 정확한 어둠이 어떤 내일을 낳을지? 또는 이대로 영영 폐막하고 말 것인가?

나는 단칸방에서 간혹 환상에 사로잡힌다. 그 미지인未知人의 모습은 침묵하지만 그 표정은 늘 방황한다. 그러나 난 환상으로 나타난 그 사람의 연령을 모른다.

1963

백일몽

기자가 원고를 청탁할 때 흔히 제목까지 정해준다. 더구나 이런 '백일몽白日夢' 이란 제목은 청탁을 받는 쪽을 당황하게 한다. 나는 이런 경우를 당하면 "언제고 다음 기회에 쓰기로 하지요" 하고 회피하기가 일쑤다. 글은 쓰고 싶을 때 맘대로 써야 쓸 맛이 있다. 제목에 구속당하기가 싫기 때문이다.

처음엔 '백일몽' 이란 말이, 겉은 멀쩡한데 미친놈이란 뜻 같기도 하고, 또는 되지못한 시인에 대한 대명사 같기도 해서 께름칙했다.

그러나 나는 "언제까지 쓰면 되나요?" 하고 기자에게 물었다. 뒤집어놓고 생각했을 때 의외로 쓰고 싶은 충격을 느꼈다. 백일몽은 구속拘束이 아니었다. 네 마음대로 쓰라는 뜻이었다.

애정의 모양은 일종의 꿈이었다. 감옥은 왕관보다 튼튼하지만 고독했다. 사람이 달나라에 갔다가 돌아왔다고 하자. 오랜 인간의 꿈이 실현된 데 불과하다. 백일몽을 해결시켜주지 못하는 과학은 아무런 가치가 없다. 꿈은 체계가 없다. 사랑은 의외의 순간에서 싹트는 수도 있다. 우리는 이런 계기를 함부로 모독해서는 안 된다.

우리에게 백일몽이 있는 한 절망하지 않아도 좋을 것이다. 우리는 여러 가지 책에서 꿈을 달성하기 위한 귀중한 노력의 자취를 더듬어 본다. 우리가 창조하고 발견하는 힘도 바로 백일몽인 것이다. 그러기에 '만일' 이란 말은 우연일지 모르나 그것은 출발인 동시에 실은 본질이었다. 만일 부모님께서 생존해 계시다면 하고 생각할 때, 나는 이미 생사生死의 한계를 꿰뚫고 있는 것이다. 남 · 북은 분단되었지만, 꿈은 백주에도, 이북에 두고 온 아내에게로, 또는 이남에 가 있는 남편에게로 서로가 자유로이 왕래한다. 만일 세계에 싸움이란 것이 없어진다면 하고, 그대는 대낮에 꿈을 꾸어본 일이 있는가, 나는 아직, 어떤 사람이 오로지 치부致富하기 위해서 가족을 버리고, 독신으로 일생을 끝마쳤다는 이야기를 들어본 적이 없다. 참으로 다행한 일이라고 생각한다.

학생들에게는 백일몽이 있는가. 아직 그런 경험을 못했는가? 전에는 있었는데 점점 소멸해가고 있는 실정인가? 아니면, 꿈이 고장이 났는가? 대답은 아니 해도 좋다. 내가 말하고 싶은 것은 백일몽이 없으면 세상은 정지한다는 정도다. 굶어 죽은 사람의 수효보다는 차라리 자살을 감행한 사람의 수효가 더 많았다. 이것이 꿈이나 인간에게만 있는 특권이기도 했다. 소원대로 언젠가는 이루어진다. 그러므로 백일몽의 영역은 무한하다.

1964

독서 유감

물론 매사는 다 계획이 선 연후에 실천되게 마련이다. 그러나 독서는 기계 조립처럼 진행되지 않는다. 타인의 글도 잘 선택하고 씹어서 자기의 피[血]를 삼으려면 상당한 훈련이 필요하다. 가을을 등화가친燈火可親이라고 한 것은 비교적 책이 잘 읽힌다는 정도의 뜻이지 독서와 무슨 깊은 관계가 있다고 할 수 없다.

독서는 담배를 피우는 것과 같다. 독서도 생활의 하나라면 그만이지만 역시 습관인 만큼 일종의 중독이다. 그래서 나는 아는 사람과 만나면 "요즘 무슨 책을 읽는가", "특히 기억에 남는 글은 뭣이냐" 하고 묻긴 해도 "책을 읽으라" 권하진 않는다.

우선 책을 읽는 '재미' 에 대해서 말해볼까 한다. 주변 사람들로부터 흔히 이런 말을 들을 때마다 그 '재미' 의 기준을 어디에다 두어야 좋을지 당황한다. 음식에 대한 구미口味도 달라지듯이 내가 알기로는 책에 대한 재미도 나이에 따라 변한다. 10년 전에 감명받았던 책을 10년 후에 다시 내어 읽다가 쓴웃음을 웃는 수가 있다. 연애 편지도 이와 마찬가지다. 졸업 논문에 앙드레 지드를 취급했다는 여학생에게 바이런 식 연애 편지를 써서 보내봤자 그들의 '재미'가 일치될는지 의문이다.

나는 유년 시절에는 삽화만 보고서 책을 샀다. 그 다음은 광고나 후기만 보고서 샀다. 다음은 유명한 사람이 쓴 것이면 무조건 샀다. 이젠 책을 사는 데도 겁이 많아졌다. 슬며시 정가부터 본다. 전과 몇 범의 도적처럼 문패나 대문은 보지도 않고 우선 책 속으로 들어가서 닥치는 대로 읽기 시작한다. 이때 눈은 불신不信하려는 냉정으로 가득해진다. 읽히지 않으면 제자리에 가벼이 놓아버린다. 읽힌다고 곧 사는 건 아니다.

끈덕지게 의심하는 눈초리로 이곳 저곳을 두드려보고 냄새를 맡는다. 그래도 읽힐 경우엔 돈이 비교적 아깝지 않다. 이렇게 약아빠진다는 것부터가 불행한 일이다. 나는 이런 짓을 총명하다고 생각한 적은 없다.

그래서 언제부터 자랑스럽지 못한 습관이 몸에 배었는지 기억할 순 없지만 담배를 피우듯이 책을 읽게 되었다. 심심해서 읽는 것이다.

처음부터 끝까지 읽는 책은 흔하지 않다. 내가 특히 좋아하는 시집과 산문을 머리맡에 두고 심심하면 아무거나 펴들고서 읽히는 데까지 읽다가 피곤하면 덮는다.

책에 대한 차별이 심하면 편식과 같아서 건강에 좋지 못한 것 같다. 그러나 한 가지만은 충고해야겠다. 처음부터 읽기 시작해서 이야기 줄거리를 알아야만 계속해서 끝까지 읽을 수 있는 그런 두터운 이야기 책을 독서하려거든 차라리 여자 친구와 함께 교외나 영화관에서 가서 시간을 보내는 편이 여러 가지로 경제적이다. 경제가 넉넉한 사람이면 차라리 과실이나 먹으면서 음악을 듣는 편이 나을 것이다.

책을 좋아하는 사람이면 조만간에 평론가를 비평할 때가 온다. 이러한 발전기일수록 정확과 난해성을 알아야 한다. 그러므로 반드시 가치 있는 책이 많이 팔리는 건 아니다. 숙독熟讀은 상당한 인내가 필요하다. 그러기에 세밀히 읽히는 책이 좋다. 비행기를 타고 세계 일주를 한다면 그야말로 수박 겉핥기다. 한자리에서 폭음하면 좋은 술맛도 모르게 된다. 아끼면서 읽어야 할 일이다. 읽다가도 다음 구절을 계속해서 읽지 말고 잠시 시선을 다른 데로 옮긴다. '나라면 그 다음을 뭐라고 말할까.' 그런 연휴에 자기 생각과 다음 구절을 비교하면서 천천히 읽어내려간다면 누구나 그 책에서 곧 유익한 정도를 알아낼 것이다.

그뿐만이 아니다. 우리는 독서를 하다가 의외의 현상에 간혹 놀란다. 즉 오독誤讀 했을 경우에 얻는 기쁨이다. 이런 유쾌한 실수는 거개 시에서 경험하게 된다. 간단한 예를 들자면 '비[雨]가 내린다' 를 '비[篝]가 내린다' 로 또는 '그네[彼女]의 치마' 를 '그네Swing의 치마' 로 오독하는 경우이다. 물론 이런 착각은 곧 시정된다. 그러나 오독이 순간이나마 나에게 보다 강한 어떤 이미지를 불러일으키는 수가 있다.

어떻든 이성異性이나 돈처럼 독서도 자칫 잘못하면 위험하다. 자기도 모르는 중에 독서로 권태를 잊는 습성을 기르다가 식상하거나 중독되면 곤란하다. 더구나 몇 명 뽑는데 몇백 명과 겨루기 위해서 취직공부를 하는 사람을 볼 때 비참하다. 독서는 생을 위한 비료 정도로 생각할 일이다. 영양 섭취 정도로 생각할 일이다. 심지어 자기 자신이 바로 비료나 영양 섭취가 된다고 할지라도 어떤 기쁨이 있어야만 인간이랄 수 있지 않은가. 그러므로 의의를 느끼지 못할 때에는 무리해서까지 읽을 필요가 없다. 공부와 독서가 어찌 인생의 전부이겠는가. 남산의 크기에 비한다면 한 알의 영신환靈神丸 정도라고 생각되는 때가 있다.

1964

자연과 현대성의 접목

—전봉건의 시 세계

세대사世代社에서 내가 보내온 청탁 그대로 '전봉건全鳳健의 시 세계' 라고 제목을 붙이긴 붙였다. 그러나 솔직히 말해서 내가 감당할 수 있는 그런 제목은 아니다.

그럼 왜 이 글을 쓰는가를 밝혀야겠다. 어쩐지 쓰고 싶어서 쓰기로 한 것뿐이다. 나는 이런 지극히 막연한 의욕이랄까 충동을 스스로 소중한 것이라고 생각해왔다.

말하자면 전봉건 씨의 시 세계는 그만큼 나에게 있어 매력적인 것이다. 동시에 씨의 작품 세계를 말한다는 것은 나에게 있어 그만큼 어려운 노릇이다. 즉 씨의 소중한 작품은 읽는 나로 하여금 항상 기쁨을 느끼게 했다.

잡지를 받았을 때 또는 책점冊店에 들렀을 때 목차를 보고 그 중에서 몇 가지만 골라 읽는 버릇은 비단 나뿐일까. 또는 골라 읽다가도 몇 줄 안 읽고서 책을 덮어버리는 경우는 없는가. 이렇게 신간 잡지를 대하는 버릇을 길러오는 동안에 내가 독자가 될 수 있는, 즉 나의 몇몇 필자가 은연중에 정해져가는 듯한 느낌이 든다.

이와 마찬가지로 나는 내가 아는 글 쓰는 분들을 수시로 생각한다.

'세월이 흘러 갈수록 남을 수 있는 시인이 몇이나 될까. 또 그들은 누구누구일까.'

나는 내 생각이 혹 잘못된 거나 아닐까 하고 그분들의 신작을 읽을 때면 더욱 냉정해진다. 즉 자기 생각을 몇 번이고 수정하기 위해서이다.

내가 지금까지 생각한 그 몇 분들 중에 전봉건 씨도 들어 있다.

나는 이론으로 완전 분석될 수 있는 작품을 별로 좋아하지 않는다.

프로이트니 초현실이니 하는 것이 있다고 해서 그 무렵 시인들을 한마디로 다 단정할 수는 없다. 현재까지의 모든 시론詩論은 일반적인 상식이요, 작품은 보다 오묘한 개성적인 것이라고 말한다면 충분할 것이다.

물론 창조와 지식을 분단하려는 뜻은 아니다. 그러나 이것을 어느 정도 분류해야 한다는 것은 시인에 있어서나 학문에 있어서나 가장 중요한 일이다. 왜 이런 말을 하는고 하면 문학사적으로 남는 작품과 작품 자체의 가치로서 남는 작품이 있다는 걸 내가 요즘 생각하고 있기 때문이다. 물론 가치 없는 작품이 어찌 문학사에 남겠느냐고 할 것이다. 그런데 가치에도 관점과 기준이란 것이 있지 않을까. 굳이 예를 들자면 육당六堂의 신체시新體詩「해海에게서 소년에게」와 주요한朱耀翰의「불놀이」와 지용芝鎔의 시는 다 일세一世를 풍미한 작품이었고 지대한 영향을 끼쳤고 한국 현대 문학사에 엄연한 존재로 남아 있다. 그러나 우리는 그들의 작품에서 별로 흥미를 느끼지 못한다. 즉 사적史的 공로는 존경하지만 작품적 가치로서 보장하고 싶은 생각은 없다. 차라리 한용운韓龍雲, 김소월金素月, 이상李箱이 우리의 서가書架에 없다면 섭섭할 것이다.

우리는 결국 사적 공로보다는 작품 자체의 가치에 눈을 돌리게 된다. 이런 가치란 백년 후의 독자가 오늘날의 작품을 대할 때에도 적용되지 않을까. 부끄러운 말이지만 나는 공로와 가치란 것에 대해서 방황하는 때가 있다.

나는 전봉건 씨를 말하기보다는 나의 이런 생각에 대해서 씨의 높은 의견을 들어보고 싶은 심정이다.

그러나 나는 전봉건 씨의 작품이 공로와 가치를 겸한 작품이라고 믿고 싶다. 즉 가장 오래 남을 수 있는 시인이기를 원한다. 그리고 그러한 징조가 작품상에 나타날 때마다 나는 씨의 시에서 기쁨을 느낀다. 씨는 우리 나라에서 가장 현대적인 시인이다. 그런 의미에서 씨는 많은 자기 아류를 거느릴 것이다.

씨가 즐겨 쓰는 낱말을 살펴보면 자연과 동물과 인체에 관한 것이 인공적인 것보다는 많은 자리를 차지한다. 그러면서도 우리에게 현대적인 새로움을 주는 것은 씨의 예술성이라 하겠다. 여기서 간단히 씨의 예술이라 말해버린 그 예술이란 말에 대해서 나는 어느 정도 책임을 져야 할 것 같다. 즉 자기 작품에서 방법과 기교가 빤히 드러날 때 아무리 많은 대중의 박수 갈채를 받을지라도 그런 작품은 반성해야 할 단계에 있는 것이다.

그런 작품이란 다행히 첫번 읽을 때엔 감탄할지 모르나 두 번 읽을 수가 없기 때문이다.

씨가 일가一家를 이룬 그 비밀은 방법과 기교를 예술화했다는 점이다.

잠재 의식 작용이니 은유니 의인법이니 하는 것을 인형화, 도구화하지 않고 생리화生理化한 것이다. 이 점이 씨의 뛰어난 천분이며 성실이며 기품이다.

그래서 씨의 작품을 읽으면 묘할 뿐 조금도 천하지 않다. 아무리 심오한 상想도 간결한 환상적 함축미로 처리된다.

씨의 작품을 읽으면 좋은 피아노 협주곡을 듣는 듯한 흐뭇한 공감과 위로를 받는다. 이 어찌 천래天來의 시인이 아니고서야 이럴 수 있겠는가.

나는 작년에 방송을 통해 「역驛」을 듣고 나서 곧 라디오를 꺼버렸다. 내가 받은 감명을 다른 음音으로 방해 당하지 않기 위해서였다. 그 후 『세대世代』지에서 「꽃소라」를 읽었다. 우리 나라 시극사詩劇史도 씨에 의해서 이미 막이 올려진 셈이다. 씨를 아끼며 기대하는 사람이 어찌 나뿐이겠는가. 나는 이 이상 씨에 대해서 할말이 없다.

왜냐하면 누구나 시에 대해서 정의를 내릴 만큼 용감하지는 못하다. 더더구나 나로서 강조한다거나 강요한다는 것은 이만 저만한 실례가 아니다.

머지않아 활자화되어 나올 「속의 바다」 11~15를 나는 모든 독자와 함께 냉정히 읽을 것이다.

우리를 공감으로 이끌어들이는 씨의 시 세계에서 또 다시 황홀하기 위해서이다.

1964

문인 묘지

우리 나라에 문인 묘지란 것은 없다. 있다면 하고 가상했을 뿐이다. 이런 생각을 하게 된 동기부터 말해야겠다. 여러 해 전 일이었다. 나는 여러 분과 함께 김말봉 여사 묘비 제막에 참례하려고 처음으로 망우리라는 데를 갔었다. 공동 묘지도 초만원이었다. 무덤들이 서로 닿을 듯 총총 들어박혀 있어서 실묘失墓하기에 알맞은 정도였다. 나는 김말봉 여사의 비대한 몸을 생각했다. 나는 학교에서 날마다 우리 나라 현대 문학을 중얼거리기 때문인지 한용운•, 김동인•, 이효석•, 김유정 등 죽은 선배 선생들도 생각났다. 만일 세상을 떠났다면 춘원 선생은 어디에 묻혀 있을까. 이상 선생의 무덤은 분실됐다고 한다.

그래서 나는 문인 묘지란 걸 한번 생각해봤다. 그분들이 나란히 묻혀 있다면 얼마나 좋을까. 이런 기회에 나 같은 사람도 작품으로만 대해오던 그분들을 다 둘러볼 수 있다면 얼마나 좋아들 할까. 반드시 훌륭한 장소가 아니라도 괜찮다. 교통이 좀 불편한 곳이라도 무방하다. 국가에서 허름한 야산이나 밋밋한 평지라도 내주면 해결될 문제이다. 글 쓰는 사람이라고 특별한 대우를 받아야 한다는 법은 없다. 또 국가가 문인 묘지를 마련해준대도 생색낼 건 못 된다. 그런가 하면 세상에 피해가 되는 일도 아니다.

그 후 몇 해가 지났는지 모르겠다. 염상섭• 선생 묘비 제막에 참석해달라는 통지를 받았다. 그날 나는 대절 버스 속에서 김이석• 씨가 작고했다는 소식을 들었다. 차창으로 우이동 쪽을 바라보며 얼마쯤 더 가다가 길이 좋지 못한 관계로 모두들 내렸다. 도봉산 쪽으로 걸어 들 가는데 T씨가 말했다. "저곳이 연산군燕山君 무덤이라오." 모두 그 쪽을 바라봤다. 어수선한 수목에 흰 구름만 유유했다.

염상섭 선생 묘비 제막이 끝나고 모두들 둘러앉아 다과를 드는 자리에서, 고인故人의 글을 따서 비명碑銘을 새겼으면 더 좋지 않겠느냐는 둥, 그런 것은 시 쓰는 사람이나 할 짓이라는 둥, 서로 설왕설래하던 참이었다. 나는 다시 문인 묘지란 걸 생각하게 됐다. 이런 기회에 작고한 문인들을 다 둘러볼 수 있다면 얼마나 좋아들 하실까. 작고한 연대순으로 나란히 묻혀 문인들이 모여 있다면 얼마나 좋을까. Y씨는 건너편을 가리키며 나에게 말한다.

"저기 저 무덤이 이무영• 씨지요. 노천명•, 김내성•은 저 산 너머에 있어요."

나는 말했다.

"이 근처라면 가보고 싶군요."

말이 나온 김에 내 나름대로의 문인 묘지에 관한 계획을 피력했다. T는 웃는다.

"그랬다간 평생에 작품 한두 편 쓰다가 만 자들까지도 서로 문인 묘지에 묻히겠다고 야단나게요."

나는 그 말이 마땅찮아서 대답했다.

"아는 사람이 이사와서 이웃에 살겠다는데야 누가 싫다겠소."

내가 직접 본 문인들 중에서도 여러 분이 세상을 떠났다. 대부분은 선배지만 나보다 후배로서 세상을 떠난 분도 있다. 어쩌다 그분들의 글을 읽을 때라든가 또는 그들이 남긴 책을 대하게 되면 그 얼굴이 선히 떠오른다. 그 음성이 들리는 듯 지난날 친소 관계야 어쨌건 간에 그리워진다. 시간을 초월한 그분들은 선후배할 것 없이 한곳에 이웃하고 있는 것이 따로 떨어져서 버림받거나 황폐한 곳에 호젓이 있는 것보다는 나을 것이다.

그러나 이런 생각이란 대개 그때뿐이다. 곧 잊게 마련이다.

지난 봄이었다.

사소한 일도 있고 해서 소풍 겸 아내와 함께 우이동에 갔다. 누구나 알다시피 그곳에는 손병희• 선생을 위시하여 지명지사知名之士들의 산소가 많다. 지나가면서 길가에 있는 표목標木을 보다가 축구 경기장으로 둔갑했다는 효창 공원의 백범 선생 산소 생각이 났다. 그것이 계기가 되어 아내에게

"문인 묘지란 것도 있었으면 좋겠다."

하고 중언부언했다. 아내는 듣기만 하고 시종 대답이 없었다. 아내가 내 말에 공감한 나머지 열심히 듣는 줄로만 알았다.

그러나 나의 착각이었다. 아내는 조금 전에 가게에서 산 사과를 권하듯이 나에게 내주면서 말했다.

"그런 데가 있다면 당신만 혼자 가겠군요. 난 어떡허지요."

"……"

나는 대답을 못하고 씹던 사과를 꿀꺽 삼켰다.

금강을 굽어보는 봉황산 기슭에 나의 아버님과 어머님 산소는 합장

合葬으로 모셔 있다. 그곳에도 진달래가 한창 피었을 것이다. 나는 겨우 계면쩍스레 대답했다.

"내가 뭐 문인 축에나 드나."

아내는 웃었다. 나도 웃었다.

1965

보리수 잎

누가 "가보고 싶은 나라를 하나만 말하라" 한다면 나는 "인도요"라고 대답할 것이다. 이것은 일제 때부터의 한갓 공상이었다. 인도엔 부처님의 성지聖地가 있기 때문이다. 인도 문학, 예술에 관한 글과 사진이라든가 기행문 같은 것은 언제나 나의 흥미를 끌었다.

비행기를 타면 혜초慧超가 갔다는 인도까지 몇 시간이나 걸리는지, 과연 금생今生에 부처님 성지를 순례할 수 있을지 그런 생각을 하였다. 그러나 자아自我가 문제이다. 인도에 가보아야만 가치가 있는 것은 아니다. 이렇게 자기 자신을 위로하는 때도 있었다.

그러나 부처님은 말씀하셨다.

"손가락으로 땅바닥에 한 번 부처님을 그리어도 그 인연 공덕으로 너는 언젠가 부처님이 될 것이다."

지난날 심상尋常히 읽었던 구절이다. 사실 나는 아무 인연도 공덕도 없는 죄 많은 중생이다. 그러한 내가 인도에 가지 않아도 이제 성지에 있게 되었다. 내 언젠가는 성지에 가서 평생에 신심이 대단하셨던 아버지 어머니 사진을 내놓고 『금강경』을 한번 읽었으면 하고 망상한 일은 있었다. 내 언젠가 붓다가야에 가서 탑에 지심 정례하고 인도 경찰에게 붙들려 구류를 당할지라도 보리수 잎을 몇 개 훔쳐오는 데 성공하리라 하고 공상한 일은 있었다. 내게 인연 공덕이 있다면 언젠가 이런 망상을 한 일이 있었고 도둑질을 하겠다는 그런 소망이 있었다.

그런데 내 서재엔 지금 인도 붓다가야의 보리수 잎이 푸르르다.

1년 전 일이었다. 원의범元義範 교수는 학교에서 불교 철학을 강의하고 있었다. 어느 날 원교수는 나에게 이런 말을 했다.

"인도로 공부하러 가게 됐어요."

"언제 떠나시나요."

"일간 여권이 나올 것입니다."

원교수의 말에 나의 꿈이 동면冬眠에서 다시 살아났다. 장차 성지를 볼 원교수의 눈에 입을 맞추고 그 손과 그 발에 손을 대어보고 싶도록 축복하고 싶었다. 나는 원교수에게 부탁했다.

"인도 붓다가야에 가시거든 보리수 잎을 몇 개만 따서 보내줍시오."

원교수는 그렇게 하겠노라고 나에게 약속하였다. 그러나 원교수가 떠난 후로 나는 기대하지 않았다. 원교수는 떠나기 며칠 전에 나에게 이런 말을 했던 것이다.

"어려울 것 같아요. 그곳에서 보리수 잎을 비싼 값에 팔고 있다는 말이 있군요."

그 후 나는 원교수가 생각나는 때도 있었다. 만리 서역西域에서 가난한 원교수가 공부에 몰두하고 있는 모습이 우연히 떠올랐다. 붓다가야에 이미 다녀왔을지도 모른다. 원교수는 보리수나무를 볼 때 나를 생각할 것이다. 그러면 나는 원교수의 법력法力에 의해서 그곳에 간 것이나 진배없다.

그간 녹음은 우거지고 잎이 지고 눈이 오고 하는 동안에 물가 지수가 얼마나 변했는지 모르겠다. 겨울 방학이었다. 나는 학교 교수들과 학생들과 함께 해남 윤고산尹孤山* 고택故宅과 두륜산 대흥사大興寺와 강진 정다산丁茶山 적소謫所와 만덕산 백련사白蓮寺를 두루 보고 서울로 돌아왔다. 며칠 쉬고 학교에 가서 열쇠로 내 방문을 열었을 때 언제 온 것인지 문틈 사이로 집어넣은 항공 우편이 실내 바닥에 있었다. 인도였다. 봉투 속이 두툼하였다.

조용히 책상 앞에 앉아 약간 떨리는 손으로 조심스레 봉투를 뜯었다. 인도 붓다가야 보리수 잎 세 개가 나타났다.

김교수님에게

오랫동안 소식을 전해드리지 못한 채로 해가 바뀌게 되어 죄송합니다.

이곳은 지금 우리 나라 한여름을 피한 늦은 봄, 첫가을 같은 참 좋은 계절입니다. 낮에는 섭씨 23도, 밤에는 17도 가량입니다. 국화, 다알리아, 장미, 장배기꽃 등 여기 사람들은 겨울 꽃이라 부르는데 한창 제때입니다.

일전에 비로소 붓다가야, 왕사성, 나란타 지방을 순례했는데 구경한 것을 한국 모 신문사에 기고했으나 게재되었는지는 모르겠습니다.

선생님 말씀하신 『화엄경』은 동대東大도서관(사서과?) 황천오黃天午 선생님께 신청서까지 써놓고 왔지만 지금이라도 필요하시면 책값 천 원만 갖고 가시면 배본配本해주실 것입니다. 한다는 일이 이런 조니 죄송합니다.
정령 붓다가야의 보리수 잎입니다. 구김 없이 선생님 손에 드시면 무어라고 이렇다 말씀 주시기를—이만 붓을 놓습니다.

1966년 1월 3일

나는 10여 일 후에야 답장을 썼다.

보내주신 편지 뜯기도 전에 꿈이 아닌가 하고 생각했습니다. 이 겨울에 그곳은 많은 꽃이 만발한다니 존체 더욱 청정하실 줄로 믿습니다. 예년보다도 춥다는 이곳에서 소생은 붓다가야의 보리수 잎(조금도 상한 데가 없습니다)을 대할 때마다 지옥에서 시공時空을 벗어나 석가 세존을 뵈옵는 마음입니다. 떠나시기 전에 말씀드렸던 소생의 오랜 염원이 드디어 이루어졌은즉 선생님의 이 공덕을 인연하여 언제고 소생도 성불할 때가 있다는 것을 믿게 되었습니다.
소생이 부산에 피란 갔을 때 묘심사妙心寺에서 비로소 선생님과 알았고 한동안 침식을 함께 하던 일이 어제 같습니다. 대오 견성大悟見性하사 소생을 제도하실 때도 오늘 일을 지난날처럼 어제 같게 하여줍시오.
언제 어느 신문에 성지 순례하신 글을 기고하셨는지 알려주시면 알아드리겠습니다. 이후는 소생에게 원고를 보내주시면 미약하나마 최선을 다하겠습니다. 그 후 『축쇄고려대장경縮刷高麗大藏經』 제8 『화엄경』은 동국대학교 이동림李東林 교수 편에 구입했습니다. 동봉하신 그림 엽서 녹야원에 선생님의 모습이 보이기도 하고 소생의 모습이 보이기도 합니다. 언제면 성지를 이 육신으로 순례할 수 있을지요. 선생을 생각하며 합장합니다.

병오丙午 1월 25일

머지않아 개나리 진달래도 필 것이다. 석가 세존이 별을 보시고 진리를 깨달으신 그곳 붓다가야의 보리수 잎을 액자에 넣어 벽에 걸었으니 내 방이 바로 성지이다. 고학하는 원교수가 비싼 값을 치르고 사서 보냈는지도 모른다. 언제고 나는 나 같은 사람의 간곡한 청에 견디다 못해 보리수 잎을 빼앗기거나 아니면 내주고 말 것 같다는 예감이 든다. 그때는 내 방만이 아니라 지구가 다 성지가 될 것이다. 그런데도 지금 심정으로는 누구에게도 썩 내줄 것 같지가 않다.

1966

못 보고도 안 사람들

모두가 변한다. 한 개인의 입맛도 달라진다. 어렸을 때 좋아하던 콩나물이 싫어지고 전혀 거들떠보지도 않던 가지 나물을 자주 찾는다. 비위에 거슬리던 버터가 어느새 향기롭다. 그런가 하면 김치와 된장찌개는 언제고 있어야만 한다. 한 사람의 오랜 독서와 책 선택도 이처럼 간단하지는 않을 것이다.

내가 기억하는 두 가지 이야기부터 시작해야겠다. 그 하나는 6 · 25 사변 때 파하巴下는(이원섭李元燮 씨 아호雅號, 출처는 파하破荷라 한다) 『법화경法華經』과 『성서』 두 권만 들고 남하하였다는 사실이다. 또 하나는 일제 말기 때 산속에서 읽은 것인데 낡은 잡지에 소개된 글이었다. 불란서 모 잡지사는 열 사람 미만의 문인에게 설문을 냈는데 "당신이 만일 돌아올 기약도 없는 절해의 무인 고도로 귀양을 간다 합시다. 몇 권의 책을 가지고 갈 수 있다는 허락이 내렸습니다. 어떤 책을 가지고 떠나겠습니까" 하는 식이었다. 나는 소개된 앙드레 지드의 대답을 읽었다고 생각하는데 도무지 기억이 나지 않는다. 중요한 일은 『법화경』이나 『성서』보다도 그 당시의 파하巴下이다. 중요한 것은 앙드레 지드라는 사람보다도 내가 기억하지 못하는 말[言]인 것이다. 그것은 자기 자신에게 찾아야 할 말이다. 파하처럼 스스로 결정해야 할 태도이다.

나는 점점 전만큼 책을 읽지 않게 되었다. 그러므로 되풀이해서 많이 읽은 책으로는 『금강반야바라밀경金剛般若波羅蜜經』이었다고 대답할 수 있다. 『법화경』도 비교적 여러 번 읽은 셈이다. 부득이한 사정이 없는 한, 그 외의 산문을 여러 번 되풀이해서 읽은 일은 드물다. 그러나 불경에서 어떤 영향을 받았다고는 생각하지 않는다. 우선 불경에서 받은 영향을 표현할 수가 없기 때문이다. 실은 불경이 나에게 아무런 영향을 받지 못하도록 하였는지도 모른다. 결국 불교를 종교로 생각하지는 않았다. 불경은 지금도 귀중한 미지未知로 남아 있다. 그래서 언제나 내 곁에서 불경이 떠난 적은 없다. 따라서 어떤 주장이나 강조는 판단과 이해를 쉽게 하였다. 그것만으로써 나의 관심도 끝나는 것이었다.

이와 반대로 여러 가지 문제를 제시하고 내포하는 근본 바탕은 있다. 막연히 느낄 수는 있으나 무엇이라고 지적할 수 없는 그런 것 말이다. 한때나마 폴 발레리의 시를 유의해 읽은 것도 그 때문인지 모른다. 그러나 내가 태어난 곳은 폴 발레리의 시대는 아니었다. 구라파에서도 폴 발레리를 계승한 사람은 없듯이 나는 그의 시에서 존경할 줄을 알았다. 더구나 우리 나이의 사람들은 거개 그러하지만 과거에 청춘을 갖지 못하였다. 옛사람의 체험에 비교해서 누구나 오래 살고 있다. 폴 발레리를 존경하였을 뿐 한 3년 전후해서 그의 책을 덮고 말았다. 또 시인 하면 릴케의 영향을 다소 받은 것으로 짐작들을 하지만 릴케의 만년 작품을 유의한 것은 그 뒤의 일이었고 시간적으로는 보다 짧은 동안에 불과하였다. 나는 탄광에서 천사를 생각할 수는 있어도 포화의 세례를 받고 피를 흘리는 비둘기의 체질은 아니었다. 이리하여 책과 소원해지는 데도 많은 세월이 걸리었다. 아마 T. S. 엘리어트를 읽던 무렵인 것 같다. 책을 읽기보다는 날마다 귀로 듣고 눈으로 보는 것만으로도 벅찼다. 일상 생활이 책을 읽는 일보다도 심한 독서였다. 차라리 미당未堂이 부럽기도 하고, 청마靑馬•를 장하다고 생각하였다. 그러나 나는 무엇으로도 나를 해결할 만한 소질이 없었다. 초연超然과 도피와 허무가 어떻게 다른지 분별 못할 지경이었다. 앞을 가리는 안개에 신경 능력이 마비되었는지, 옳고 그른 것을 잃었다. 당황한 나는 나를 찾아야만 하였다. 그러던 어느 날 나를 우연히 발견하였다. 어처구니없는 일이었다. 만나는 사람마다가 나의 얼굴이었던 것이다. 어느 사이에 독서를 위한 독서는 자기 학대처럼 느껴지기도 하였다. 시를 쓰기 위해서 책보다도 필요한 시간은 조용히 앉아 있는 일이었다. 머리에 저절로 떠오르는 시를 기다려서 기록하는 일이었다. 책이란 자기 나름대로 읽히는 글을 읽히는 데까지 보면 그만이었다. 이런 사태는 앞으로 얼마 동안이나 지속될까 하고 걱정도 되었다. 이런 현상이란 정지인지, 휴식인지, 준비인지, 아니면 변화인지도 모를 노릇이었다. 아니 뭐고 따지는 일은 힘써 피해야만 하였다.

그 뒤 읽은 책들은 전에도 거의 그러하였지만 역시 체계도 계통도 없었다. 장 즈네의 작품과 초현실파 시인 중에서 줄 쉬페르비엘 시를 다시 살피고, 2차 대전 후에 나온 외국 시인들의 시를 구하는 대로 뒤져보는 정도지만 그들의 이름을 기억하지는 못한다. 간혹 나는 폐물廢物인가 하고 생각하였다. 그럼 폐물의 변辯이 있어야 할 것이다. 전에 없던 일로는 퇴계退溪와 완당阮堂의 시가 읽히기 시작하였다. 나는 어느 날 꿈에 두보杜甫의 유적遺跡인 완화초당浣花草堂•에 가 있었다. 눈을 떴을 때는 한밤중이었다.

앞으로는 여가 있는 대로 『화엄경華嚴經』과 『염송拈頌』과 원대元代의 가곡訶曲을 볼까 한다. 그것이 어떤 영향을 줄지는 알 수 없다. 누구에게나 현실은 도피일 수 없듯, 벌써 식상食傷이 되어 있는 판이다. 찾는 것과 기다리는 것을 동시에 하는 수밖에 없다. 내게 있어 시는 일용품 정도이다. 그런데 많은 사람은 현대시를 난해하다 한다. 이 말은 경우에 따라 시에 대한 존경과는 반대의 뜻이 있다. 그런 말을 쓰거나 그것과 비슷한 말을 하는 사람을 대할 때마다 위안을 받았다. 왜냐하면 피카소나 현대 미술을 난해하다고 말하는 사람을 보지 못하였기 때문이다. 그러나 명심할 일이 있다. 언젠가는 '피카소도, 20세기 미술도 고물古物이다' 는 시대가 올 것이다.

나는 많은 책에서 영향을 받았다. 선의와 노력으로 이루어진 인간의 전통을 믿는다. 너무 영향을 받았기 때문에 제 자신마저 잃었는지도 모른다. 이런 중에서도 분명히 밝혀야 할 점이 있다. 영향과 모방은 다르다는 것이다. 그 다른 점이 앞날을 계시할 것이다.

1967

연구실 여화餘話

권에 못 이겨 쓰기로 했으나 별로 할말이 없다. 내 자신에 대한 이야기는 흥미가 없다. 뿐만 아니라, 극장은 손님에게 무대 뒤를 보이기 싫어한다. 남에게 서재를 보이는 일은 옷을 벗는 것 같고, 누가 나의 미정고未定稿라도 보았다면 부끄러운 곳을 보인 것처럼 불쾌할 것이다. 그래서 찾아온 사람이 친한 친구가 아니면 거처하는 방과 서재 사이의 미닫이를 닫는다. 서재에 백화시실白華詩室이란 횡액橫額이 붙어 있다. 하필이면 동양 인명 사전에 흔히 나오는 백화白華를 따서 서재 이름을 지었느냐고 할지 모르나, 실은 내 출생지의 산 이름이다. 처음엔 우리 나라 옛 명현名賢의 글씨를 집자集子해서 현판懸板을 만들 생각이었는데 마땅한 것이 없어서 벗님 김상옥金相沃 사백詞伯의 글씨를 건 것이다.

서재에서 날마다 심심하지 않을 정도로 연습을 한다. 어찌 옛 선비가 말한 매처학자梅妻鶴子•를 본받을 수 있을까마는 내 깐에는 연애를 하고 있다. 무無에서 유有를 찾아내는 연습이다. 이런 유희를 하다 보면 못난 자의 도피처 같기도 하고 때로는 무슨 자학 행위 같기도 해서 피곤하다. 피곤을 지나 고통스러운 때도 있다. 돈을 위해서 쓰기 싫은 원고지를 메울 때의 경우이다.

장판 방에 드러눕기를 좋아한다. 가장 잘 쉬는 일은 아무 생각도 않는 일이다. 그것도 연습 부족이어서 그런지 이젠 습관이 되어서 그런지 난초를 바라보거나 돌[石]에 물을 주거나 하다못해 서화라도 바라봐야만 심심하지가 않다.

서재 생활은 그늘지고도 긴 길이다. 그 길을 가는 사람이 도중에다 비록 보잘것은 없을지라도 하나의 도정표道程標를 남기지 못한다면 무엇 때문에 이 위험한 짓을 해야 하는가. 그래서 책을 읽다가도 옛사람과 친구들을 존경하고는 한다.

1967

극장에 가면

영화 상영 극장이 도시와 지방을 합쳐서 얼마나 있는지 모르나 영화를 감상하는 사람의 수효는 엄청날 것이다. 지방에 있는 극장에서도 그러하겠지만 전등이 꺼지면 극영화가 시작되기 전에 국내 뉴스부터 상영된다. 음악과 함께 국기가 화면에 가득히 나타난다. 극장에 갔을 때마다 느끼는 것은 바로 그 순간이다. 그때 관람객 중에는 무릎에 올려놓았던 다리를 내리는 분도 있을 것이다. 씹던 껌을 뱉는 청춘 남녀도 있을 것이다. 모자를 벗는 분도 있을 것이다. 비뚤어진 몸 자세를 바로잡는 분도 있을 것이다.

그러나 실지로 그런 분이 있는지 없는지는 관람객들이 더 잘 아실 것이다.

우리는 일제 36년 동안 국기 없는 민족의 원한을 겪었다. 태극기를 위해서 많은 애국 열사는 순국하였고 애국 지사는 태극기를 모시고 외국에 망명하였다. 그러므로 모든 국민은 자기 나라 국기에 대해서 경의를 표하는 것과 마찬가지로 남의 나라 국기에 대해서도 경의를 표한다. 우리는 아직도 국토가 양단된 서러움을 당하고 있는 민족이다. 국경일이면 집집마다 태극기에 대한 경례를 한다.

기왕이면 극장에서 태극기가 화면에 나타나는 동안만은 관람객들도 경의를 표하는 것이 좋을 것 같다. 이런 일이란 지시할 일도 지시를 받을 일도 아니다. 일어설 필요도 손을 가슴에 얹을 필요도 허리를 굽힐 필요도 없다. 형식은 문제가 안 된다. 각자가 앉은 그대로 잠시 몸 자세를 바로잡기란 그리 어려운 일이 아닐 것이다.

올림픽 선수의 가슴에 붙은 태극기와 집집마다 모신 태극기와 극장 화면에 나타나는 태극기는 언제나 어디서나 같은 태극기이다.

1968

인정극人情劇 2화二話

거짓말의 예술성

예전에 김만중金萬重•은 어머님을 위해서 소설 『구운몽』을 지었다지만, 사실인지 아닌지 그런 것은 따질 필요가 없소. 나는 당신을 위해서 그런 이야기를 하고 싶소.

당신과 내가 홍콩 독감을 앓는 중이니 이야기를 하거나 듣는 것이 안정보다도 효과가 있을 때도 있소. 적적하면 아픈 증이 더 번집니다. 재미있는 이야기를 하라구요.

걱정 마오. 남성보다도 여성이 훌륭하다는 이야기라면 어떻겠소.

당신, 조선 때 유명한 기생 황진이黃眞伊를 알지요. 누구나 아는 케케묵은 얘기는 그만두라고 하지 마오. 그럼 거두절미하겠소. 세상이 잘 모르는 그 중 한 토막만 알려드리겠소. 사람들은 옛 글을 그대로 보고 코웃음 치는 이가 있소. 당신도 아시다시피 이웃집 총각은 황진이한테 반해서 상사병을 앓다가 죽었는데, 그 시체를 실은 상여가 황진이 집 앞에 이르렀을 때, 웬일인지 상두꾼들의 발이 갑자기 땅에 들러붙어서 꼼짝을 않았다는 그 이야기 말이오. 이런 거짓말이 어디 있겠소. 지금도 시골 노인들은 사람이 상사병으로 죽으면 그 원혼이 그처럼 무섭다고 교훈할지 모르오. 나는 생각하오. 그 일을 곧이 믿는 사람도 믿지 않는 사람도 다 옳지 못하오. 원래 예술이란 거짓이니 그렇다고 모든 예술을 무시해서야 쓰겠소. 거짓말의 가치를 알아야 하오. 우리 나라 사람들은 자고로 예술성이 풍부하오. 울 때에도 넋두리를 하면서 인생을 노래한 백성이오.

교훈도 시적詩的으로 했소. 즉, '밤에 거울을 보면 얽은 각시 얻는다' 는 식이오. 참으로 자랑할 만한 조상들이었소.

그럼 상여가 황진이 집 앞에 이르렀을 때 상두꾼들의 발이 땅에서 떨어지지 않았다는 이야기는 어떤 가치를 거짓말로 예술화한 것일까요. 요는 그 점이 문제요.

내가 그 당시 상두꾼들 중의 한 사람이었으니까. 그때 실정을 공개하리다. 웃지 마오. 그런 거짓말을 말라고 하지 마오. 사실의 가치를 표현하려면 거짓말을 해야 한다고 설명했는데도 그러네. 우리 상두꾼들은 미리 의논했소.

"세상에 나서 짝사랑을 하다가 죽다니 총각이 불쌍하다. 인정상 죽은 총각의 원한이라도 풀어줘야겠는데 어떻게 하면 좋을까."

"처녀에게 사정해서 죽은 총각과 한 번이라도 만나보게 하는 것이 제일이지."

"처녀가 비록 첩의 소생이지만 그래도 양반님네 씨인데 우리가 함부로 그런 청을 했다가는 우리만 경칠 뿐만 아니라 일만 잡치네."

"이 일을 어쩐담. 무슨 좋은 수가 없을까."

"이러기로 하세. 우리가 상여를 메고 처녀 집 앞에 가서는 발이 땅에서 떨어지지 않는다며 생떼를 쓰세. 우리가 억지를 부리고 꼼짝을 않으면 처녀 어머니도 도리 없을 걸세. 그럼 그들도 사람이니 알아서 하겠지."

"거 참 묘책이다. 좋은 생각일세."

당신은 내 말을 알아듣는구려. 그래서 그들은 죽은 총각의 영혼을 내세운 것이오. 발이 떨어지지 않는다며 떼를 쓴 것이오.

세상에 이처럼 아름답고 지혜로운 인간성은 아마 다른 나라에서는 찾아보기 힘들 거요.

그러나 보다 훌륭한 일은 처녀가 어머니의 반대를 뿌리치고 밖으로 나와서 상여 안의 총각 시체에다 자기 옷을 덮어주었다는 엄연한 사실이오.

상여꾼들이 그제야 발이 떨어진다면서 떠나가던 광경을 생각해보오. 현대 여성은 이런 이야기를 어떻게 생각하시는지요.

당신부터 대답해보구려.

저세상 가서는 두목지杜牧之**를**

우리 나라에는 이와 비슷하면서도 이와는 다른 이야기도 있소.

조선 때 유명한 분의 일이니, 사실 여부는 고사하고 이름을 밝힐 것 없이, 그저 김대감으로 해둡시다. 나중에 당신에게만 이름을 말하라구요. 어떻든 우리는 우리대로의 예의를 지킵시다.

그 김대감의 부인은 오늘날 여성 연구소에서도 넉넉히 연구 대상이 될 만한 분이지요. 왜냐하면 그 부인은 남편인 김대감 앞에서 늘 솔직한 심정을 고백했오. "언제나 두목지 같은 분을 섬겨볼고." 그 말이 부인의 입버릇이었소.

두목지란 누군고 하니 당唐나라 때 유명한 시인詩人이며 유명한 미남자였소.

오늘날 어떤 남자가 아내 들으라고 한다는 말씀이 "마릴린 먼로 같은 여자와 살아봤으면" 한다든가, 또는 어떤 여성이 남편 앞에서 "오나시스 같은 남자를 섬겨봤으면" 하고 늘 말한다면 어떻겠소.

그러나 김대감은 당대 명성이 높은 분인지라 부인의 말을 듣고는 용하게 참아왔으나 그것도 한도가 있어서 결국 파탄이 나고 말았소. "두목지 같은 남자만 생각하는 여자와 함께 살 수 없다"고 부인을 친정집으로 보내버렸소.

부인은 한 번 쫓겨간 뒤로 우여곡절은 그만두고 몇 해가 지났던지 그만 친정집에서 병들어 죽었소. 어느 날이었소.

꽃 같은 상여가 김대감 댁 앞에 이르러 꼼짝을 않는 것이었소. 이만 소동이 났소.

그때만 해도 상두꾼들은 옛날에 상두꾼들이 황진이에게 썼던 그 절묘한 수법을 이어받았던 것이오. 우리 나라는 원래부터 그러했던지라 실은 『삼국유사三國遺事』에도 이와 비슷한 이야기가 있소만 매수 관계로 그건 생략하겠소. 상두꾼들은 들어가서 김대감을 뵈옵고 사정했소.

"마님께서 세상을 떠나셨습니다. 갑자기 상여가 꼼짝을 않으니 소인들인들 어떡합니까. 나가셔서 돌아가신 마님을 한 번 보기라도 합시오."

김대감이 어떻게 했느냐고요. 들어보오.

김대감은 쪽지에다 글 한 수를 써서 내밀며 갖다 주라고 하더라오.

그 쪽지를 먼저 읽기는 상여꾼들이었지요. 그 쪽지에는 '生從金○○死從杜牧之'라 했더라오. 살아서는 나를 섬겼지만 죽었으니 두목지를 따라가라는 뜻이오.

상여는 그냥 북망산을 향하여 떠나갔소. 상두꾼들의 말을 들어봅시다.

"김대감아, 네가 옛 황진이만 하려면 아직도 멀었다. 대감이 기생만도 못하구나. 세상 인심이 이럴 수가 있나. 어서 가세."

그런데 옛사람은 이 일을 기록하되 '부인의 영혼이 김대감의 글귀를 보자 그만 무안해서 상여가 움직였다'로 되어 있소. 보기 드문 썩은 양반 선비의 글이오.

분개하지 마오. 독감에 이롭지 않소. 좀 이야기라도 하고 나니까 몸이 한결 거뜬하구려. 당신도 기침이 멎었구려. 이젠 됐소. 당신은 어떻게 생각할지 모르나…… 왜 갑자기 조그만 목소리로 말하느냐구요…… 나는 솔직히 말해서 황진이나 김대감 부인 같은 여성을 좋아하지 않소. 썩 잘난 여성, 비범한 여성, 남자보다 월등한 여성을 특히 좋아하지는 않소. 내가 남자라서 그런다지 마오. 총각이 황진이와 결혼했던들 김대감처럼 실패했을 거요. 천변만화千變萬化하는 여성이라면 누가 좋아하겠소. 나는 감기로 누워 있는 당신 곁에서 이야기하는 여가를 갖게 된 것이 유쾌하오. 뭐 먹을 거라도 갖다 주오. 우리 함께 듭시다.

1969

종교와 부부애

하나님과 부처님의 사랑

아내와 자녀에 관한 글을 쓰기는 쉬운 일이 아니오. 당신에게 남편에 관한 글을 쓰라면 뭐라고 쓰겠소. 이 세상에서 사랑하는 분이라고 쓰겠지요. 나도 당신과 마찬가지요.

우리 나라는 자고로 아내와 자식 자랑하는 자를 바보로 취급했소. 바보로 취급할 것까지야 없지만 쑥스러운 일이기는 하오. 상식적인 것을 강조하다 보면 바보 소리도 듣겠지요. 그러나 우리는 자랑할 것이 없으니까 안심이오.

작년 겨울 어느 날 밤이었소. 언젠가 당신에게 말하지 않았던가요? 들은 일이 없다면 그 이야기나 하리다. 바깥은 꽃송이 같은 눈이 내리고 있었소. 불경에서는 하늘에서 꽃송이가 내린다는 구절을 흔히 볼 수 있소.

옛날 더운 인도에서 그런 말이 생겨났다 하오.

다방에서였소. 졸업반 남녀 학생들 중에 한 학생이 나에게 이런 질문을 했소.

"선생님은 우리 학생들이 앞으로 어떤 인물이 되어줬으면 하고 바라십니까."

어려운 질문이었소. 나는 막연하였소. 옳건 그르건 간에 평소에 생각했던 바를 대답하는 수밖에 없었소.

"아들 딸에게서 존경받는 부모가 될 줄로 믿네. 하다못해 동정이라도 받는 부모가 되어야 할 텐데……"

학생들은 일제히 웃음을 터뜨리며 좋아했소. 밤도 늦고 변두리 다방이어서 손님도 별로 없었지만 내 얼굴이 붉어지는 것을 느꼈소.

당신도 짐작하겠지만 그것은 대답도 독백도 아니오. 아이들로부터 존경받는 부모가 될 수 있을까 하고 반성한 때문은 아니었소. 내가 왜 그런 말을 했던가, 그것 때문이었소.

당신은 나의 아버님 어머님을 뵈온 일이 없기 때문에 말만으로는 잘 모르겠지만 두 내외분은 참으로 훌륭한 어른이었소.

아버님은 지나치게 엄하셨고 지나치게 아들들을 사랑하셨소.

두 내외분은 자녀들을 위해서 평생을 바치신 어른이었소. 부모님의 애정과 자정慈情을 나는 따를 만한 처지도 못 되지만 더구나 인격도 못되오.

받기만 하였고 주지를 못하는 평소의 허전한 심정이 그런 대답을 하게끔 한 것이오.

나의 부모님과 우리 부부를 비교하는 수가 있소.

시대의 차이도 분명하오. 세대의 변화도 놀라울 정도로 다르오.

우리는 결혼하기 위하여 많은 풍파를 겪었소.

불교를 좋아하는 나와 가톨릭 신자인 당신이 어째서 사랑했는지? 만일 이런 일을 이상하게 생각하는 분이 있다면 나는 그분을 이상하다고 생각해야겠소.

유儒 · 불佛 · 선仙의 신복론

나는 절에 가면 부처님께 절하오. 성당이나 교회에 가면 무릎을 꿇소. 대성전大成殿이나 향교는 물론이오. 우리 나라 명현名賢을 모신 서원에 가도 절을 하오. 아니 친구의 아버지께 절을 한 일도 여러 번 있소.

나는 당신에게 말했소.

"사람이 사람을 사랑하면 모든 성현[聖人]은 다 기뻐하실 것이오."

지금도 그때의 소신 그대로요.

우리는 반대를 무릅쓰고 결혼했으므로 당신은 나 때문에 파문破門을 당했소. 그래도 우리는 종교 문제로 입다툼을 한 일은 없소.

당신이 "아이들을 데리고 성당을 가도 괜찮겠지요" 고 물었을 때 나는 "오히려 권하고 싶은 일이오" 라고 기꺼이 대답했지요.

우리는 저녁때면 간혹 아이들을 데리고 근처 성당에 들러 산보하다가 돌아오곤 하오. 당신은 내가 읽다가 둔 불경을 정돈하기도 하오. 11면 관세음보살 사진들을 깨끗이 손질하기도 하오. 종교를 떠나 종교 이상으로 하나님과 부처님 말씀을 잘 이해한 때문이라고 믿소. 사랑하는 한 종교가 우리를 해치지는 않을 것이오.

언젠가 번화한 거리를 지나다가 나는 어느 화구畵具 상점 앞에서 걸음을 멈추었소. 아이들에게 줄 과자를 사려고 잠깐 뒤로 처졌던 당신이 와서 물었소. "뭘 보세요" 하고 물었소.

나는 대답 대신 당신을 데리고 상점으로 들어가서 라파엘이 그린 마돈나 상像을 샀소. 보기 드문 원색原色 정인판精印版이었소. 직접 성모聖母를 본 일도 없는 옛 예술가의 능력에도 나는 기쁨을 느꼈던 것이오.

어느 해였던가 학생들을 인솔하고 경주에 가서 석굴암 대불大佛 앞에서 사진을 찍은 일이 있소. 헌데 그때는 전혀 몰랐지요.

나중에 사진을 받아보니까 그때 함께 갔던 선생님들은 한결같이 단정한 자세로 양수거지兩手居地 하고 나타나 있었소.

선생님들은 거개가 종교에 무관심한 분들이었지요.

우리 나라는 자고로 유 · 불 · 선이 엄격하게 나뉘어 있지는 않았소. 우리 조상들이 남긴 문학과 예술은 유 · 불 · 선이 종합되어 평화와 행복을 이루고 있소. 강호 문학江湖文學도 그러하고 목공예품도 그러하고 만卍 자 문紋이라든지 자기磁器에 그려진 추상적 연꽃 소묘라든지 일일이 예를 들 수 없을 정도로 그러하오.

당신은 하느님에 대한 신앙이 부족해서 파문을 당하면서까지 나와 결혼했다고는 생각하지 않소.

당신은 우리 나라 사람으로서 하느님을 잘 믿었기 때문에 나와 결혼했다고 생각하오. 이 글을 읽고 솔직히 말해도 좋소. 당신의 자유 의견을 존중하오. 나는 아이들이 장성해서 하느님을 믿건 불교를 좋아하건 종교에 관심이 없건 간섭하지 않을 작정이오. 서로 사랑하는데도 다른 종교를 믿는 사람이기에 결혼할 수 없다면 그런 생각만은 시정하도록 조언하고 싶소.

내가 언젠가 졸업반 학생들에게 원했듯이 말이오.

"우리는 과연 아들딸에게서 존경을 받는 부모가 될 수 있을까. 하다못해 동정이라도 받을 만한 부모가 되어야 할 텐데……"

나는 벽에 걸려 있는 11면 관세음보살상을 보며 그런 생각을 하고 있소.

당신은 라파엘의 마돈나 상을 보면 어떤 생각에 잠기시는지요. 아이들이 자라난 시대에서는

"그것이 무슨 대단한 문제입니까. 아니, 나와 무슨 관계가 있다는 말씀입니까."

하고 우리를 웃을지도 모르오. 그러면 세상의 부모들은 자녀에 대한 부담감에서 벗어날 수 있을까요.

아내여, 부모로서의 사명이 없어지면 인생은 쓸쓸할 것만 같소.

하숙생 남편

『인형의 집』 그 후

건넌방에 있는 당신에게 편지를 쓰오. 서로가 부르면 대답하는 거리지만 다음 달 호 『여원女苑』이 나와야만 당신은 이 편지를 읽을 수 있으니 묘하오.

남자는 하고 싶은 말이 있어도 다하지 않는 버릇이 있기 때문에 이런 기회에 이런 방법으로 말씀을 드리는 것도 우리 체모에 손상은 없을 것 같소. 대화의 광장이라는 말도 썩 성행하니 말이오.

당신은 그런 말을 한 일은 없지만 소위 신여성이란 분들이 툭하면 내세우던 『인형의 집』은 해방한 뒤로 많이 철거를 당했소. 축하할 일이오. 누구의 덕분인지는 몰라도 남편들 중에는 그 아리송한 골칫거리를 면한 분들이 있는 것만으로도 천만다행이오. 그렇다고 만천하 아내들은 승리하여 문제가 해결된 것은 아니오. 개선改善은 서로가 늘 개선해야만 언제나 개선되게 마련입니다.

당신을 역습할 생각은 조금도 없소. 피곤할 텐데 의자에 편히 앉아서 천천히 읽으오. 워낙 고물이어서 그 의자 다리가 요즘 좀 이상합디다. 약간 주의하고 기대시오.

남자는 매사에 안이한 결론을 내리지 않는 결점이 있어서 좀 협상을 하자는 것이오.

어떤 부부도 이렇게 말할 것이오. '우리는 결혼하고 나서 아기를 두기 전까지지는 참 멋있었어요.' 그런데 경험에 의하면 부부의 애정이 각기 맡은 바 책임으로 분담되면서부터 좀 복잡해집니다. 바로 그 점에 대해서 좀 말씀을 드리려는 것이오. 언젠가 나는 학생들에게 이런 말을 했소.

"내가 희곡을 쓸 수 있다면 '하숙생' 이란 제목으로 하나 상연해보겠는데……"

학생들의 표정은 각각 달랐소. 어떤 여학생은 하숙생이라는 유행가가 생각났는지 킬킬 웃었소. 어떤 남학생은 '아마 저 선생님이 예전에 하숙하던 시절이 생각나서 공부를 좀더 열심히 했으면 하는 곰팡내나는 소릴 하는구나' 이렇게 넘겨짚어 높이 평가하는 수재도 있었을 것이오.

나는 학생들의 눈치를 보며 슬며시 허두를 냈소.

"『인형의 집』을 쓴 입센이 살아 있으면 아마 나처럼 「하숙생」이라는 작품을 쓰고 싶을 거야."

내 말뜻을 당신은 눈치챘구려. 사제간보다도 아니 그 누구보다도 우리는 가까워서 잘 아는 사이니 무리도 아니오. 당신 짐작이 바로 들어맞았을 거요.

우리가 간혹 싸우는 여러 가지 문제를 분석하면 결국 다음의 견해 차이라고 요약할 수 있으니까.

"남자는 가정을 지도하면서 무척 존경을 받고 싶어하오. 그렇지 않다면 남자가 아니오. 당신은 연기가 부족하오. 아니 표현이 부족해. 아니 아니 내가 말을 잘못했군……"

"헌신적인 절대 복종과 존경을 좀더 나에게 보여달란 말씀이오. 나는 이 집 하숙생은 아니니까."

또 당신의 말씀을 요약해보면(그래서 나는 늘 강력히 나가지 못하지만),

"내가 뭘 잘못했다고 그러셔요. 난 애교를 파는 여자가 아니예요. 당신은 곧잘 외국 영화의 어떤 장면을 감탄하지만 전번에 우리가 본 영화의 그 여자 배우만 해도 실은 이혼을 여러 번 한 선수랍니다. 여자에게 관대하고 이해해주는 것이 남자인 줄로 알아요."

이런 사소한 점이 실은 평지풍파를 일으키다가 흐지부지 끝나는데, 그러고 나면 나는 또 방황하게 마련이오.

사랑의 일방 통로

여성은 아들딸을 낳고 기르면서부터 분명 달라지오. 남편에게보다도 아이들에게 극진히 하는 것은 좀 섭섭하지만 이해 못하는 바도 아니오. 그런데 서로 이해는 하면서도 사실은 그렇지 않으니 복잡하오.

갓 시집 와서 남편만 믿고 매달리던 아내가 어느새 절대 다수인 자녀들의 절대 신임을 받아 지위를 확고히 하는 반면, 남편은 하숙생으로 몰락한 느낌이 없지 않으니 말이오. 이쯤 되면 누가 누구를 이해하지 못하는지 실로 막연하오.

당신 입장을 충분히 고려하고서 내가 그간 발견한 바 그 막연한 연구 결과를 공개하리다.

확실한 예를 들어서 말하자면 언젠가 영화를 보러 갔던 그날 말이오. 극장으로 가던 때부터 당신은 나의 의견을 무시했소.

택시를 잡자는 데도 당신은 10원짜리 일반 버스 타려는 초지를 관철했소. 각자 부담이라 나도 덕을 봤소만은 영화가 끝나자 나와서 내가 한턱 낼 테니 점심 식사나 함께 하자고 청했을 때 당신은 어린것의 울음소리가 들리는 듯해서 영화도 제대로 못 봤다며 또 10원짜리 버스로 먼저 돌아가버렸소. 나는 화가 나서 외로이 걷다가 그만 빙그레 웃었소.

"하긴 그래야 해. 그러지 않으면 어린것이 누굴 믿고 사나!"

악을 쓰며 따라다니겠다고 울었던 아득한 내 어린 시절과, 세상을 떠나신 어머님 모습이 거리에 가득히 떠올라서 그만 숙연해졌소. 제법 인생의 일면이라도 엿본 듯 허무하고 묘하고 대견하고 심술궂고 거룩해서 또 막연해지다가 만 것이오.

당신이 남편인 나에게보다도, 즉 남자 성현聖賢이란 분들이 무책임하게도 말로만 하고 가버린 그 사랑을 아이들에게 몸소 실천하는 데는 모든 남성을 대신해서 나는 감사하오만…… 적어도 아이들에게는 사랑의 반 정도라도 남편에게 베풀어주었으면 하고 생각하는 때가 있소.

천하 만사는 공평하지 않게 마련인지 그런 때문에 이성異性이 결합하는 묘리妙理가 있는지, 이런지 저런지, 아니면 다른 무엇이 또 있는지, 알 수 없는 것이 바로 그것인지, 알 듯 모를 듯 분주히 드나드오마는 그렇게 살아가다 보니 분명한 점도 있긴 합디다.

아이가 아프다든가, 또는 학교 입학 때가 되면 부부는 함께 근심하다가, 그것들이 합격하고 공부를 잘하거나 기특한 일이라도 하면 함께 기뻐하는 그것 말이오.

내가 어디 여행을 갔다가 돌아오면 당신은 전에 없이 기뻐하듯 늘 그렇게 나를 대하라는 것은 무리지만 어쩌다가 당신이 친정에라도 간 날은 화가 나서 쩔쩔 매오. 평소에 당신이 집안을 잘 다스림을 나는 그럴 때마다 절실히 느끼기 때문에 당신이 돌아오면 늦게 왔다고 더 화를 내니 말이오.

생각하면 우스운 일이오. 시비는 도맡아 내가 먼저 걸고 이래라 저래라 요구는 나 혼자 하고 나도 나를 내 맘대로 못하는 주제에 욕심만 부리는 듯하나 그러는 것이 남자니 누구를 탓하겠소. 나와는 반대로 당신은 참 관대하오.

내가 여성처럼 관대해서는 우리 집안이 너무 적막할 테니 그 점 이해하오. 우리 언제고 택시나 잡아타고 지나간 그 시절처럼 교외로 드라이브나 합시다. 필요없는 소리라니 그게 무슨 말씀이오. 하하 글쎄 그게 탈이라니까 그러네.

1969

하늘과 찬 달

"무엇이냐"고 물으면 대답할 말이 없다. "그럼 아무것도 없느냐" 하면 결코 그렇지도 않다. 하늘 중에서도 특히 가을 하늘은 우리를 성숙시킨다.

우리의 하늘에도 밤은 있다. 특히 가을 달은 일품이다. 이태백이 보았던 그 달이다. 동서고금의 시와 노래에 나오는 억천만 개의 달이다. 남자와 여자의 사랑을 위하여 중매를 많이 섰고 성공시킨, 이를테면 가장 큰 공로자다.

달은 그 달인데 달에 대한 우리의 생각은 금년 들어 변했다. 인간이 달에 간 것이다. 계수나무 옥토끼는 고사하고 사람도 생명도 없는 곳임을 우리는 TV로 사진으로 똑똑히 보았다. 이제 달을 향하여 외국 간 아들이나 이도령을 금의환향하게 해줍소사고 기도 드릴 여성은 없다.

기뻐할 일인지 슬퍼할 일인지 그것은 나의 논할 바가 아니나 하여튼 놀라운 일이다.

그리고 이 놀라운 사실이 앞으로 인생에게 좋은 발전을 가져오기를 빈다.

아폴로 11호가 지구를 떠나 달을 밟은 최초의 인간이 임무를 수행하고 무사히 지구로 돌아오기까지 세계의 사람은 동시에 불안을 느꼈고 기대하였고 성공을 빌었다. 이러한 전 인류의 한마음 한뜻은 지구 생긴 이래의 큰 아름다움이었다.

그러나 요즘 가을 달을 보면 그 아름다움이 충격적인 신비로 변하는 것을 어쩔 수 없다.

남은 달나라에 다녀왔는데 우리 나라는 양단이 되어 아직도 왕래가 없다. 인공 위성이 개발된 것도 2차 대전 후이고 우리는 해방된 지 24년이건만 국토는 끊어진 그대로이다.

이북 땅에 두고 온 부모, 처자, 친척은 저승에 가서나 서로 만난단 말인가. 우리 나라를 양단하기로 최초에 합의한 사람들은 아폴로 11호로도 어쩔 수 없는 큰 사실을 남겼다.

인간이 달을 정복했다고 기뻐하기에는 너무나 이르다. 그러나 전세계의 인간이 동시에 한마음 한뜻이 되었던 지난 여름 일을 결코 과소평가해서는 안 된다.

밤 중에도 특히 가을 밤은 거룩하다. 저 달이 나에게 이런 생각을 하게 하니 말이다.

1969

필적筆跡 수집

바깥일이 끝나면 집에 돌아와 방안에서 시간을 보내는 것이 낙이다. 남들은 몰취미한 일이라 할지 모르나 나는 약간 고독해야 안정하고 약간 근심이 있어야 보람을 느낀다. 어쩌다가 내게는 자진하는 적극성이 없는지 알듯 모를 듯하나 어디나 고독과 근심이 있는 세상은 참 묘하기만 하다. 이해 관계로 사람을 대하는 일은 고통이어서, 놀러 오는 친구는 반가이 맞이하되, 남의 집을 방문하는 일은 거의 없다.

방안에 가만히 앉아 있기를 좋아하는 사람에게 취미가 있다면 자연 방안에서 즐길 수 있는 짓들이라야 하는데 그렇다고 특히 좋아하는 것은 없다. 말하자면 휴식을 취하는 데 심심하지 않을 정도로 도움이 되면 그만이다.

어려서 배운 붓글씨를 간혹 쓰는 취미가 있었는데 뭐고 좀 알게 되면 더 어렵다는 식으로 이젠 부담이 되어서 멀리하는 편이다. 그러니 일을 하다가 피곤하면 앉거나 눕거나 간에 옛 글씨를 바라보는 것이 어느 사이에 취미 아닌 버릇이 되었다.

이런 버릇은 남에게 권할 것이 못 된다. 나 자신에게 이런 버릇은 도

피가 아니냐고 반문한 적도 있다. 그러나 도피 따위의 말로 나의 버릇을 간단히 규정할 수는 없었다. 좋아하는 옛 글씨에서 도시에서는 체험할 수 없는 흐뭇한 평화와 막연한 기쁨과 거룩한 인간성을 느끼니 말이다.

옛 글씨 하면 골동품을 연상하게 되니 돈이 있어야 구하지 않느냐고 할 것이다. 그러나 다행히도 글씨를 통하여 존경하는 옛 명현名賢은 과히 많지 않다. 없으면 살 수 없고 더구나 있대도 비싼 것을 살 필요는 없다. 옛 명현의 대표적인 글씨를 찍은 사진판 책과 인쇄한 것과 탁본이 있으니 그만하면 족하다.

글씨는 보고서 즐거워야지 꼭 많이 가져야만 하는 그런 사치품은 아니다. 내가 숭배하는 분이고 그 글씨가 좋고 그 글이 좋다면, 단 한 폭만 걸어두어도 피곤을 풀 수 있고 잠 안 오는 밤에 고통을 잊을 수 있고 도시의 좁은 방안에서 대자연과 동화할 수도 있는 것이다. 내가 즐기는 옛 필적은 나에게 있어 보약과 같다.

어쩌다가 하루 내내 방안에 있는 경우에는 저녁때면 관훈동 일대를 거닌다. 통문관通文館에도 들르고 동원 전시장東苑展示場에서 쉬기도 하고 규문각奎文閣 2층에서 담배도 피고 아자방亞字房에서 한담도 하고 현동화루玄同畵樓에서 차를 마시기도 하고 경문서림景文書林, 동산방東山房, 예원사藝苑社에 들르기도 한다. 산책을 하면서 고서적 또는 서화書畵를 구경하며 우리 나라의 옛 좋은 점을 생각하기도 하고 배우기도 한다.

몇 해 전만 해도 무리를 해서 사기도 했으나 이제는 적당한 것을 봐도 담담하다. 나는 수장가도 아니며 연구가도 아니다. 소유욕은 외람한 짓이요 감상하는 것이 나의 올바른 분수라고 생각한 때문이다.

선대先代에서 물려받은 것과 내가 약간 구한 것을 심심하지 않을 정도로 즐기면 족하다.

필적을 수집하는 일은 그 사람의 체질과 같아서 어느 정도로 좋아하느냐가 문제이다. 가령 나의 친구 안安씨의 연구실에는 그가 선운사禪雲寺에 갔을 때 추사秋史 김정희金正喜 선생의 글이며 글씨인 화엄종주華嚴宗主 백파대율사白坡大律師 대기대용지비大機大用之碑의 앞과 뒷면을 탁拓해온 것이 대련對聯식으로 걸려 있어 분위기를 좌우하고 있다. K교수의 방에 오창석吳昌碩*의 「홍매도紅梅圖」가 있기에 어디서 입수했습니까고 물었더니 대답은 않고 웃기만 하였다. 알고 보니 인쇄한 것이었다.

근 10년 전에 나는 해인사에서 팔만대장경 판을 찍은 반야심경 한 폭을 막걸리 2되 값도 못 되는 금액으로 사왔는데 매우 귀중히 여기고 있다. 비싼 것을 많이 사들이고 즐기지 않는 사람은 투자거나 아니면 자랑하기 위한 사치이다. 많이 사들이고 즐기는 분은 애호가나 수장가이다. 그러나 우리 나라의 훌륭한 옛 글씨는 그 글씨 자체가 과도한 욕심을 금계禁戒하고 있다. 왜냐하면 옛 명현들은 상품 가치를 생각하고 글씨를 쓰지는 않았던 것이다.

나에게 있어 수집이란 말은 버리지 않는다는 뜻도 된다. 아는 분들이 보내주는 편지를 버리지 않았더니 저절로 수집이 되었다. 작고作故 문인 원고 필적은 누구고 가진 것이 없으면 모르되 있기만 하면 대개의 경우 선배 선생들은 나눠준다. 나도 두 장 이상 가진 것은 나눠주었다. 언젠가 어느 두 분 선배에게 작고 문인의 같은 필적이 여러 장 있기에 한 장 나눠달랬다가 거절당한 일이 있는데 조금도 섭섭지가 않았다. 필적을 소중히 아끼는 그분의 심정이 고마웠기 때문이다.

전에는 잡지사에 가면 간 김에 문인 친필 원고를 그냥 얻어오기도 했었다. 권할 일은 못 되나 필적 수집이란 어려운 일이 아니다. 과도한 욕심만 삼가고 뜻만 있으면 기회는 있게 마련이다. 옛 것과 드문 것만이 귀중한 것은 아니다. 오늘날의 사람들 것도 구해두면 먼 훗날에 자연 귀한 것이 되어 전해질 것이다. 잘 썼건 못 썼건 간에 글을 지어 쓴다는 일은 매우 진지한 자취이다. 그 진지한 흔적을 사랑하고 아끼는 마음이 더 귀중하다고 요약할 수 있지 않는가. 옛 문인 학자는 산과 들에서 노숙을 하며까지 옛 비석을 찾기도 하였고 감상도 했다. 그들은 자기 나라 것을 이해했고 존경했다. 옛 과정과 아름다움을 찾는 데서 스스로 힘을 얻었다. 현대는 각 분야에 전문가들이 있으니 그분들에게 맡길 일이어니와 믿음과 사랑과 존경을 모르는 오늘날의 자기 혐오적 황량한 마음은 이대로 둘 수도 없지 않는가.

문인도 글을 써서 생활이 되어야 직업이라 할 수 있다. 그럼 대부분의 문인은 취미로 글을 쓰는 것인가. 직업도 취미도 아닌 것만은 사실이다. 일종의 도道를 한다고나 할까. 그것도 아니다. 그러나 그들은 좋은 책을 사고 싶어하는 공통된 취미가 있다. 내가 글씨를 좋아하는 것은 책을 맘대로 사들일 정도도 못 되는 데서 빗나간 일종의 버릇이나 아닌지, 간혹 방안에서 두서없이 이런 생각 저런 생각을 하는 때도 있다.

1970

노초장老蕉莊 주인

원래 부산에 있었던 오영수 씨는 피란 생활 하는 문우들에게 많은 위로를 주었다. 불행했던 때가 그리운 것은 그 당시의 아름다운 마음씨들 때문이다. 어디건 여행을 간다면 오영수 씨와 함께 가고 싶다. 왜냐하면 씨는 간혹 일화를 남긴다. 인간 오영수의 일화는 듣는 사람에게 흐뭇한 웃음을 전한다. 씨는 쌍문동 노초장에서 역시 낚시도 다니고, 붓글씨도 쓰고, 옛 자기磁器도 아끼고, 그림도 감상하고, 손수 만돌린을 켜면서 노래도 부르지만, 미안한 말이나, 내가 보기에는 취미에 불과하다.

오영수 씨의 특질은 그가 쓰는 소설에 있다. 사라져가는 우리 나라의 좋은 점, 아니 어쩌면 영원히 귀중한 인정이라 할까, 또는 귀중한 인간성이라 할까, 그는 그런 본질에 깊이 뿌리를 박고 있다. 이런 신념은 어디서 기인한 것일까. 씨의 집 노초장에 가면 알 수 있다.

기르기 어려운 난을 그나마 여러 가지 종류를, 그 중에는 남이 실패해서 버린 뿌리를 주워다가 소생시킨 것도 있다.

씨는 어려운 것을, 고귀한 것을 가꾸는 기쁨이다. 그것은 고고孤高

한 손[手]의 덕德이다. 씨가 흙을 만지듯 다루는 원고지에서 착한 생명들이 창조된다.

요즘 씨는 무엇을 하고 있을까. 노초장은 간혹 가보고 싶은 곳이다.

씨는 우리가 잃은 귀중한 것을 주려고 언제나 애쓸 것이다.

1970

삶과 기쁨

전화벨이 울린다. 원고 청탁이었다. '인생 노트'를 쓰라 한다. 거절하기도 뭣해서 수락하였다. 수화기를 놓고 나니 얼떨떨하다. 인생 노트를 쓸 만한 나이가 됐는가. 인생을 말할 만한 자격은 있는가. 곧 후회할 일을 솔직히 거절 못한 것이 바로 나의 인생인 것 같아서 쓴 입맛을 다셨다.

전세계에 책이 몇 권이나 있는지 모르지만 역사 이래 그 많은 저자들은 제각기 인생과 진리를 언급하였다. 그러고도 부족해서 해마다 날마다 책이 쏟아져 나온다.

인생은 간단하지 않다는 것을 알 수 있다. 우리가 그 많은 책을 읽을 수 없듯이 진리는 무궁무진하고 인생은 무궁무진하고 책은 무궁무진할 것이다.

어렸을 때이다. 형들을 따라 시장 근처 거리를 가는데 사람들이 아름다운 큰 가마 같은 것을 메고 온다. 나는 형들에게 물었다. "형아 저기 뭐꼬." "상여란다." "상여가 뭐꼬." "저 속에 송장이 들어 있단다." 아름다운 그 단청丹靑이 갑자기 더럽고 무서워졌다. 며칠 동안 속이

메스꺼워서 밥도 제대로 못 먹었다. 그런 후로 상여가 지나가면 외면하고 침을 뱉는 버릇이 생겼다.

언제부터 그 버릇을 고쳤는지 기억이 나지 않는다. 차차 자라면서 나라 없는 백성으로 태어났음을 알았다. 해방, 6 · 25, 휴전선 등에 관한 일은 동시대 여러분과 함께 겪었다. 이제는 고통과 슬픔을 말하기에 앞서 다른 분의 말씀에 귀를 기울일 만한 나이도 됐다. 전에 읽었던 책들을 그간 체험을 통해서 내 나름대로 여러 번 느끼기도 했다.

머리맡에 『불경』과 『성서』와 『노자老子』와 『징비록懲毖錄』•을 두고 이것 읽다가 저것 읽다 해도 아무렇지 않다. 어쩌다가 이렇게 됐는지 모른다. 회의懷疑와 모색摸索도 예배당 시계에서 퍼지는 음악 정도이다.

그러면서도 사람은 다 약간씩 다르고, 모르기 때문에 한 경이를 이룬다는 것은 매우 흥미롭다. 아는 사람을 평가하는 데도 이해가 필요했다. 다방에서 친구들에게 차는 곧잘 사면서도 술을 일체 사지 않는 사람이 있는가 하면 다른 데는 돈을 쓰지 않고 택시만 타는 친구가 있다. 직업도 각각이지만 취미도 각각이어서 때문에 일률적으로 왈가왈부할 수는 없다.

아이들이 나 같은 사람이 되기를 원하지 않는다. 제자들이 나처럼 되기를 바라지 않는다. 그러한 내가 지천명知天命을 눈앞에 놓고 그림을 그리기 시작한다면 어떠할까. 지도해주는 분이 있는 것도 소질이 있는 것도 아니다. 남의 그림을 모사摸寫하지 않고 시처럼 내 나름대로 해보겠다는 것은 뜻뿐이다. 무능한 탓인지도 모른다. 혼자서라도 즐기고 싶다는 데서 빗나간 눈을 뜨고 말았다. 완당阮堂 선생이 귀양살이하던 때의 글씨는 풍상風霜에 시달린 매화나무 등걸처럼 강하다. 70을 전후한 만년에 이르르면 그 강한 중에도 부드러움이 감돌면서 매화꽃을 피운다. 굳센 기상에 향기가 감돌기까지 선생은 70년이 걸렸던 것이다. 이 약간의 차이에 도달하는 데도 인생은 평생을 바쳐야만 한다. 봉은사奉恩寺 대웅전 현판과 판전板殿 현판은 평생 다난했던 선생이 세상을 떠나신 해인 71세 때 쓴 글씨로서 그러면서도 서로 대조적이지만 특히 대웅전 현판의 그 노졸老拙한 필치 아래 서면 엄숙히 무한 감개를 느낀다.

요즘도 관훈동을 지나다가 보면 예원사藝苑社 김영윤金榮胤 옹은 책을 보거나 아니면 뭣을 열심히 쓰고 있다. 옹은 서화를 취급하면서 쉬지 않고 집필, 55세 때『한국 서화 인명 사서韓國書畵人名辭書』를 완성 출판했다. 금년 67세인 김영윤 옹은 계속 혼자서 방대한『중국 명인 약전 연표中國名人略傳年表』(가칭)를 저술 중이다. 누가 연구비를 대주는 것도 아니다. 조수가 있는 것도 아니다. 어느 출판사의 부탁을 받고 집필하는 것도 아니다. 그러면서도 옹은 동양 최초로 정확 상세한 책을 내겠다고 카드를 작성한다. 명예도 돈도 생각하지 않고 헌신하는 김영윤 옹은 현대인이 아닐지 모른다.

가위 무모한 짓이라고 비웃을 수 있다. 그러나 보기에 김옹의 그 염원과 정성은 귀중하다. 인생으로 기쁨을 찾았다는 것은 쉬운 일이 아니다.

어렸을 때 상여가 뭣인지를 안 후로 외면하여 침을 뱉는 버릇이 생겼다는 것은 이미 말한 바이다. 언제부터인지 기억은 나지 않으나 장의차가 지나가면 마음속으로 합장한다. 이제는 제바달다提婆達多나 유다가 상여에 실려 나간대도 경의를 표할 것이다.

1970

취미와 수집
—필적筆跡

나는 필적을 수집하는 사람은 아니지만 골목길을 가다가 담 너머 어느 집 처마에 목각 현판 글씨가 붙었거나 또는 남의 집 열려진 창 안으로 붓글씨가 보이면 걸음을 멈추고 기웃거리는 정도이다. 집 안에 걸린 글씨를 보면 그 주인을 만나지 않아도 알 것만 같다.

모든 예술이 그러하지만 붓글씨는 특히 심화心畵여서 쓰는 사람의 마음씨와 정성이 그 글씨에 나타난다. 옷이 날개라는 말이 있으나 글씨는 인간을 숨기지 못한다. 그러므로 붓대를 잡는 사람도 그렇지만 필적을 좋아하는 사람도 성격과 체질과 나이에 따라 구미가 변한다. 어떤 글씨 또는 누구의 글씨를 좋아하느냐는 것은 각자에게 맡길 일이다.

오래 두고 보아도 비교적 싫증이 나지 않는 것이 붓글씨이다. 마음이란 시각이나 청각이나 감각처럼 단순하지가 않다. 붓글씨는 수련과 적공積功이라 할까, 도리어 그 막연하고 은은한 데에 깊이를 담는다. 자고로 묵연墨緣이라는 말이 있다. 마음에 드는 좋은 글씨를 구하기가 매우 어렵다는 뜻이다. 첫째는 잘 볼 줄 알아야 한다. 둘째는 좋은 글씨를 만나야 한다. 셋째는 돈이 있어야 한다. 그러나 이상 세 가지만으로도 안 될 경우에 '인연' 이라는 말이 떠오른다.

오래 전 일이다. 고서화점에 들렀더니 첩帖 속에 추사 선생 자작시 「국화菊花」 네 수 중 하나인 자필 글씨가 한 폭 있기에 그것만 뜯어서 팔라고 흥정을 하는데 마침 학교 야간 강의 시간이 임박한지라, 다방에 있는 R교수를 일부러 데려와 흥정을 하도록 부탁하고 학교로 갔었다. 그 결과는 어떠했던가. R교수는 그것을 싼값에 사서 가로채고 나에게 영 내놓지를 않았다. 나는 웃으며 연분이 없었나 보다고 단념했다.

한번은 S씨와 이런 이야기 저런 이야기 하다가 애국 지사 A선생의 글씨를 본 일이 있느냐고 물었더니 자기에게 한 폭이 있다는 대답이었다. 그 글씨를 입수하기까지 무던히 성의를 기울였지만 지금 생각하여도 그 경우는 인연이라는 말과 흡사한 우연이었다.

다른 예술과 마찬가지로 붓글씨에도 그 생애와 기복起伏이 있다. 즉 아무도 거들떠보지 않고 천대하던 글씨가 일조에 명품名品이 되어 극진한 대접을 받는 경우이다. 그러나 이런 일이 흔하지 않다는 것은 역시 좋은 현상이다.

우리 나라 옛 서 · 화에는 전傳 아무[某]라는 것이 없다. 낙관과 도서만 있으면 가짜도 진짜로 둔갑을 한다. 그렇지 않으면 진짜도 가짜로 몰락하는 수가 있다. 그래서 장사하는 이들 중에는 추인追印을 찍거나 아니면 유명한 분에게 진품眞品이니 진적眞蹟이니 하는 글을 받는다. 언젠가 어떤 분이 소폭 글씨를 가지고 왔는데 끝에 추강秋江이라는 호만 있었다. 추강• 남효온南孝溫 선생의 진적인가 아닌가를 봐달라는 것이다. 난들 알 리가 없다. 다른 종이에 전傳 추강秋江 남효온南

孝溫 선생필先生必이라 써서 그 곁에 붙이라고 했더니 그러면 상품 가치가 없어진다며 가버렸다.

한번은 모씨가 정몽주鄭夢周 선생 글씨를 가지고 와서 진짜인가 봐 달라는 것이다. "서원書院에 가면 밤나무를 깎아 위패로 모셔놓고도 수백 년간 절을 하지요. 글씨도 혹사酷似하고 종이도 수백 년 이상 된 것이니 전傳 포은圃隱 정몽주鄭夢周 선생필先生必이라고 써서 붙이면 되지 않느냐" 고 대답했더니 매우 서운한 상이었다. 누가 옳은지 알고도 모를 일이다.

중국에서는 작품에 역대 소장자 인이 찍혀 있고 명가名家들의 제발題跋이 붙어 있어 그 전해 내려온 계보가 비교적 또렷한 것도 있지만 우리 나라는 그런 것이 매우 희귀하다. 예술품은 원래 주인이 따로 있지 않고 좋아하는 사람에게로 가게 마련인데 대개의 경우는 가졌던 책이나 서화書畵를 파는 것을 큰 수치로 알아서 차라리 소장인所藏印을 찍지 않는 경우도 있다. 그런가 하면 바로 작품 속에 뛰어 들어가서 자기 도서를 찍고 글을 써넣는 외람된 짓을 한 것도 있다. 필적에 있어서도 세상은 고르지 않다. 그래서 아무리 연대가 오래 되었을지라도 필명 미상의 글씨는 쓰레기 정도로 아니 탄식할 노릇이다.

동서고금을 막론하고 예술품에는 가짜가 따르게 마련이다. 더구나 추사 선생 글씨에는 서명도 도서도 없는 것이 있고 추인追印한 것도 있고 가짜도 있다. 더구나 곤란한 일은 추사 선생 글씨를 가짜로 만든 것도 아닌, 즉 다른 사람 글씨와 선생 글씨를 혼동하기 쉬운 어려운 점이 있다. 예를 들자면 추사 선생 글씨와 우봉又峯• 조희룡趙熙龍 글씨를 분별할 줄 안다면 상당한 안목이다.

남들이 진짜라 할지라도 스스로 신념이 서지 않으면 사지 말아야 한다. 추호라도 의심이 가면 사놓고서 생병生病을 앓게 된다. 흥분하면 눈 뜬 장님이 되는 수도 있다.

언젠가 저녁때였다. 값은 다음에 주기로 하고 추사 선생 글씨 소폭小幅을 안고 집에 와서 자세히 보니 도무지 자신이 서지 않았다. 이튿날 돌려주고 말았지만 황혼에, 더구나 전등불 밑에서 필적을 사서는 안 된다고 깊이 깨달았다. 한번은 정약전丁若銓 편지 글씨가 있기에 사가지고 집에 와서 보니 정약현丁若鉉이었다. 현鉉 자가 전銓 자로 보였으니 눈뜬 소경이 따로 있는 것도 아니다.

남이 가짜라 할지라도 가진 사람이 확신만 서면 만족할 수 있고 물론 반대의 경우도 있다.

시골 어느 명문名門 집에 갔다가 추사 선생 글씨를 여러 폭 봤는데 그 중 한 폭은 믿어지지가 않았다. 그 집안 윗대 어른은 추사 선생과 서찰 왕래가 있었던 사이니 진적眞蹟임에 틀림없다. 추사 선생 글씨에 그런 정도로 치졸稚拙한 것이 있음을 알고 매우 감복했다.

우리 나라 글씨는 어느 정도 진가眞假를 분별할 수 있지만 중국 서 · 화는 가짜를 만드는 솜씨가 어찌나 놀라운지 여간해서는 알 길이 없다. 나에게도 중국 옛 명필 글씨가 두 폭 있는데 진짜일망정 나는 가짜로 생각한다. 가짜라고 생각하면서도 워낙 글씨가 훌륭해서 귀중히 간직하고 있는 것이다.

언젠가 동산방東山房 주인이 자기 소장인 옛 글씨를 나에게 빌려주면서 마음에 들거든 복사해서 하나 가지라는 것이었다. 자기 소장품을 남에게 빌려준다는 것은 여간 어려운 일이 아니다. 모처럼의 기회였는데도 복사기를 다루는 사람의 기술 부족인지 복사한 것이 시원치 않았다. 한번은 어효선魚孝善• 씨가 자기 소장인 추사 선생 글씨를 기계로 복사했다면서 나에게 한 장 준 것이 있는데 물론 원촌대原寸大이고 자획字劃이 분명해서 탁본과도 다른 묘미가 있었다.

나는 몇몇 출판사에게 추사 선생 필적 전집을 펴내보라고 기회 있을 때마다 권했으나 그 실현을 보지 못했다. 옛 서 · 화를 취급하는 상인들에게도 명품名品을 정인精印해서 보급시켜보라고 권했으나 역시 하는 이가 없다.

인쇄 기술이 고도로 발달해서 온 세계가 명작名作을 다투어 소개하는 것을 보면 부럽다. 우리 나라 명현明賢들의 서도書道나 기타 예술까지도 얼마든지 출판물로 즐길 수 있어야 일반의 안목도 높아지고 그 가치도 발휘될 것이다. 나 같은 사람이 수집가라는 오해를 받지 않아도 되고 이런 글도 쓸 필요가 없을 것이다.

힘있는 분이 몇백만 원을 내고 사는 성의와 넉넉지 못한 사람이 만 원을 내고 사는 성의와 그 성의에 어느 정도의 차이가 있을까.

동양의 붓글씨는 과거로 끝나지 않고 후세 사람도 작품과 말없는 대화를 나눌 것이다. 언제나 마음과 마음으로 교류하는 사람이 많을 것이다. 그런 의미에서 서예書藝를 쓰거나 앞으로 붓글씨를 쓸 분에게 간곡히 부탁하고 싶은 말이 있다. 우리 나라 국문 붓글씨를 고도로 예술화시켜달라는 것이다. 옛 어른들이 한문 글자를 쓰는 데 기울인 정력에 비하면 우리 한글 붓글씨는 아직도 개발할 수 있는 풍요한 처녀지이다. 그러기 위해서는 『훈민정음訓民正音』, 『월인천강곡月印千江曲』, 『용비어천가龍飛御天歌』 외에도 각종의 언역판본諺譯板本, 기타 사본寫本, 내간內簡, 궁체 등 옛 글씨를 많이 연구해야 할 것이다. 동시에 한글 글씨는 한문 글자보다도 현대 조형 예술과 서로 통하는 점이 많다는 것을 알아야 한다. 한글은 선線과 원圓과 굴곡과 속력이 있다. 얼마든지 심상心像 구성이 가능하면서도 우리 고유의 전통미를 발휘할 수 있다고 믿는다. 간혹 한글 서예에 새로운 정신을 부여하려고 시도하는 분들이 있다는 것은 기쁜 일이다.

필적은 많이 가졌대서 장한 것도 아니요 자랑할 것도 못 된다. 어디까지나 마음의 그림이지 사치품은 아니다. 단 한 폭이라도 좋으니 필적에서 자기가 존경하는 옛 어른을 직접 뵈옵고 앞날의 붓글씨에서 새로운 가치를 발견하는 것이 뜻깊은 일이다.

1970

산길

"당신은 길 중에 어떤 길을 좋아하오."

하고 넌지시 물었더니

"산길이 좋아요."

아내의 대답이다. 왜 산길이 좋다고 하는가. 올 여름에 우리는 두 번 산길을 거닌 일이 있다. 그때 아내는 흐뭇해했다. 그래서 창졸간에도 이런 대답이 나올는지 모른다.

"언제 우리 산에 갈까."

"어디로요."

아내는 반색을 한다.

"지난 여름 해가 저물어서 오르다 말고 내려온 화계사에서 삼성암까지의 산길이 어떨지."

"우리 꼭 가요."

슬며시 미안한 생각이 든다. 춥기 전에 아내를 데리고 산길을 걷기로 작정한다. 여름과는 전혀 다를 것이다. 산은 물들고 무성하던 잎들은 떨어지고 물소리도 마르고 쓸쓸할 것이다. 남자는 가을에 생각한다. 산은 한밤에 눈이 온 이튿날처럼 원래는 길이 없었을 것이다. 언제부터 길이 생겼을까. 사랑하는 사람을 만나러 다니는 동안에 저절로 길이 생기지나 않았을까. 가고 가며 길은 변화한다. 모두가 살아 있기 때문이다. 산 그림자는 멀어져간다. 별도 위치를 옮긴다. 모두가 움직인다. 제작기 길을 가는 것이다. 위험한 일, 힘드는 일, 하기 싫은 일, 닥치는 대로 한다. 결국은 사랑을 위해서이다. 그런데 싸우고 병들고 쓰러진다. 공해는 날로 는다. 근본 문제인 사랑까지 불신한다. 그러나 지구도 돌고 있는 길이 있듯이 언제나 길은 있다. 언제나 근본을 재인식해야 한다.

나는 아내를 데리고 산길을 걷는 것이 유익한 일이라고 거듭 생각하기에 이른다. 산길을 따라 산에 오르면 보다 먼 곳을 볼 수 있다. 옛사람이 말한 "산은 끝이 없고 길도 끝이 없다"는 뜻을 여러모로 음미할 수도 있다. 늦가을의 산길이 쓸쓸해도 아내는 나와 함께 걸으면 흐뭇할 것이다. 나도 적막하지는 않을 것이다. 누구에게나 같은 산길이로되 혼자서 걷는 것과 둘이서 걷는 것과는 전혀 다르다. 어째서 다른가를 알게 된다. 이런 문제는 생각할 때마다 새롭다.

건넌방에서 아내가 나를 부른다. 묻는 소리가 들린다.

"언제 가시려오."

"어딜."

"산에 말이에요."

"글쎄."

"일요일은 등산객이 많을 테니 우리 이번 토요일날 오후에 가요."

"그럽시다."

1971

내 말이 들리는가*

* 편집자 주 : 이 글은 고 천상병 시인에게 쓴 편지 형식의 글이다.

이 사람아, 서울 친구들은 그대가 영남嶺南에 가 있거니 믿고, 병환이 그새 좀 어떤가 궁금해했지. 그런데 집에서는 그대가 서울에 가 있거니 하고 믿었던 모양일세.

병든 그대가 행방 불명이라는 소문이 간혹 내 귀에 들리더니, 요즈음은 '혹 세상을 떠나시지나 않았을까' 하는 풍문이 나돌고 있은즉, 도무지 믿어지지 않네.

그대는 범속한 상식으로 따질 수 없는 일화를 많이 남긴 주인공이니 어디에 또 그 장난기로 숨어서, 나 같은 사람이 하찮은 시름을 가가대소呵呵大笑하는가. 이 사람아, 그러지 말고 어서 나오게. 무던히도 때[垢]를 타지 않는 마음아. 친구들에게 그대의 비범하고도 천진무사天眞無邪한 웃음을 활짝 보여주게나. 이상李箱 선생의 무덤은 없어졌고, 김유정金裕貞• 선생의 뼈는 강에 뿌려졌다고 한다. 그대가 전례없는 승천昇天을 하실 리 있나. 그러실 리가 있나.

지난 늦여름에 송영택宋永擇 씨가 나에게 연락하기를, 몇 친구가 그대 시집을 내려 준비 중인데, 그대 작품이 게재된 잡지를 가졌거든 작품을 베껴줄 것과 부족한 비용으로는 호화 장정을 못할 형편이니 제자題字나 써달라는 청이었더군. 그래 하동호河東鎬 씨에게 청하여 그대 시 몇 편과 산문 1편을 베껴 받아 전한 일이 있었네.

그 뒤 소식이 없기에 알아봤더니, 최해운崔海雲 씨가 그간 심려했으나 결국 시집은 나오지 못하고 말았더군.

민영閔暎 씨가 각 방면으로 모았던 그대의 시 60편(미발표 작품까지)이 대접을 못 받게 되었네. 이번은 성춘복成春福 씨가 보다못해 나서서 옥고를 맡아 가지고 서둘러 상재하기에 이르렀으니 김영태金榮泰 씨가 그대의 초상을 그리고 정인영鄭麟永 씨와 김시철金時哲 씨가 일을 도와주었네. 이 사람아. 여러 친구들이 그대의 작품들을 이처럼 아끼는데, 책이 나와야만 나타나려는가.

이 사람아. 우리들은 부산 피란 때 서로 알았잖나. 이형기 씨나 박재삼• 씨가 글을 써야 할 텐데, 나도 그대의 오랜 친구들 중의 한 사람이라고 몇 말씀을 다니 미안하네, 부끄럽네. 욕심은 그대 평론도 산문도 다 수록하고 싶었네. 아쉬움이 없지 않으나 이후에도 할 수 있는 일이라 미루기로 했네.

이 사람아. 내 말이 들리는가. 모두가 그대를 보고 싶어하네. 글쎄 왜 이러나. 그러지 말게. 우리가 그대의 노여움을 풀어드려야지. 그대는 책이 나오기까지 수고한 여러 친구들에게 정리情理로도 감사하는 말을 해야 하지 않나. 간청일세. 어서 대답을 좀 하게나. 잊지 못할 사람아.

1971, 겨울

김구용

망각이라는 의식

즐겁게 사는 비결에 대해서 정확한 대답이 떠오르지 않는다. 어떤 친구는 "한평생 사는 것만도 대사업이다" 하였다. 또 "사람은 제멋에 산다"는 말도 있다. 따지고 보면 즐거움으로 산다기보다는 보람을 찾아 사는 것이다.

그러니 비결이 있을 수 없다. 있다면 비굴, 좌절, 허무를 달래는 길이다. 분노와 고독을 무슨 자랑으로 생각하던 때도 있었다. 이젠 그런 것을 말한다거나 쓰는 것부터가 가슴 아프다. 그러나 싸움이란 무엇인가, 경쟁이란 무엇인가 하는 어려운 문제는 남는다. 어려운 문제를 치료하는 방법은 시간이 되는 일이다. 기억하는 공부가 아니라 잊어버리는 공부를 한다. 망각도 의식인 이상 뜻대로 잊혀지지는 않는다. 그러므로 모두가 잘돼야 누구나 잘된다는 신념이 선다.

나는 자신을 유쾌히 속인다. 나 자신보다 훌륭한 작품을 쓰고 싶은 생각이 나의 보람이기 때문이다. 자기 직업에 만족하는 사람이 얼마나 있는지 모르나 직업이 인생의 전부가 아닌 바에는 자기 나름대로의 취미라고나 할까, 기쁨을 찾는 길은 있다. 내가 글을 취미로 쓰거나

(여기서 취미라는 것은 생활비가 안 된다는 뜻이다) 화초를 취미로 가꾸는 사람이나 짐승을 취미로 기르는 사람이나 즐거움을 찾는 데는 다르지 않다.

나는 가난을 싫어한다. 부자를 원하지 않는다. 신이 있어 묻는다면 차라리 부자가 안 되더라도 가족이 서로 사랑하며, 권력은 없을지라도 좋은 작품을 쓰고 싶다는 집념이 있다. 뭐건 괴로워하지 않기로 결심을 되풀이한다. 괴로움은 낭비다. 판단을 내리지 못하는 고통은 가치 없이 지속한다. 이것이 문제인 것이다. 이미 말한 거와 마찬가지로 괴로움 앞에서 내 스스로가 시간이 된다. 고민을 객관시하며 감상하는 버릇이 생긴다. 그것은 나의 꿈을 기르는 비료가 되어 작품을 쓰는 데 중대한 역할을 한다.

세상은 정신의 노고를 대수롭지 않게 여긴다. 외로운 사람들이 서로 사랑하지 않는 것은 웬일인가. 모를 일이다. 예술품보다도 기계 생산품이 존경을 받는 것은 웬일인가. 또한 모를 일이다. 역경은 추진력이라 생각한 일이 있다. 즐거움을 찾기 위해서 집중하는 그 자체가 즐거움인 것이다.

그러나 역사 이래로 몇몇 사람이 즐겁게 사는 비결을 알았는지 의심스럽다. 동서고금 그 많은 서적 중에서 "인생은 즐겁다"고 잘라 말한 책이 과연 있는지 없는지, 그것조차 모르겠다.

1971

찾아온 독백

무엇이고 요구하기는 쉽다. 하지만 질문에 대답하기는 어렵다. 나날이 자기 자신에서 일어나는 질문에 스스로가 묻혀 제안할 말을 잊는다. 여러 가지 문제가 머릿속을 꽉 차지하면 아득해진다. 그 막연한 상태에서 또한 여러 가지 작용은 일어난다. 밤에도 시간은 흐르듯이, 무능력자도 호흡은 지속하듯이…… 그러나 정신에 있어 이런 작용이란 일종의 반사 작용인지도 모른다.

여성이 남성에게 없는 특성을 충분히 발휘할 수 있다면, 그것이 남성만의 특성과 충분히 조화를 이룰 수 있다면, 그 조화에서 새로운 가치를 계속 찾아낼 수 있다면, 하고 생각하는 것이다.

주부가 사회에 참여해도 집안 아이들이 조금도 고독하지 않다면, 그럴 수 있다면 얼마나 좋을까. 반면 주부가 가정에 충실하면서도 사회에 참여할 수 있는 길은 없는가. 또 여성이 사회에 적극 참여함으로써 여성도 남성도 아닌 중성이 되어버리는 경우는 없는가. 그러고도 남편이 불만을 느끼지 않을 수 있는가. 그렇다고 옛날처럼 횡포에 복종하며 일생을 희생하는 그런 무지한 여성을 좋아할 남성은 없다.

꿈이 현실과 부닥쳐 어려운 고비를 노상 겪으면 생각은 냉각한다. 이런 경험이 쌓일수록 지성이라는 괴물이 나타난다. 어떤 사람은 지성의 예지를 찬양하지만 사실은 지성에서 현대의 비극을 본다.

과학은 대중 복지를 위하여 큰 뜻이 있다. 기계 생산품은 소수를 위한 것이 아니라면 냉장고나 세탁기는 일반적인 것이며 소수의 사치품일 수는 없다. 섹스 문제는 위선을 지적하며, 억제된 본능에서 일어나는 죄악을 지적하고 있다. 그러나 우리에겐 이론에 불과한 사치품이며 타락인 것이 현실이다.

남편의 월급만으로는 생활을 꾸려갈 수 없는 집이 있다. 그래서 아내도 직장에 나간다. 이런 일은 절약이나 저축과 같다. 요는 부부 사이에 애정을 필요로 한다. 애정이라는 기초가 미약하면 가정에 충실하건 사회에 공헌하건 간에 그 의의를 잃고 만다. 즉 목적과 가치가 분리되는 것이다.

도덕을 부정하는 사람은 없다. 그러나 도덕이 다양한 개성을 무시하거나 일방적으로 강요할 때 결점을 드러낸다.

이럴 수도 저럴 수도 없는 일상 생활에서 무엇을 제안할 수 있는가. 이런 상태는 타개되어야 한다는 대답을 들을 뿐이다. 형편은 때에 따라, 입장에 따라 각각 다르다. 그러나 대상은 어떤 경우, 어떤 때에도 마찬가지이다.

어떻게 하면 서로 협력하여 좀더 행복할 수 있는가. 어떻게 하면 서로 협조하여 개량할 수 있는가. 어떻게 하면 개인의 조그만 힘이 모여 아름다움을 이룰 수 있는가. 어떻게 하면 다수의 행복에 의하여 소수의 불행을 구제할 수 있는가. 어떻게 하면 사회에의 참여가 가정의 기쁨일 수 있는가. 어떻게 하면 가정에의 성실이 바로 사회에 공헌할 수 있는가. 어떻게 하면 남아도는 시간을 이용하여 타락하지 않을 수 있는가. 어떻게 하면 개성이 전체에 공헌할 수 있는가. 목적은 목적만으로 이루어지지 않는다. 보이지 않는 근본 정신을 잘 가꾸는 데 있다.

남녀 차별이 심했던 옛날에도 여성의 힘 없이 한 집안을 일으킨 일은 없었다. 궁중 비사秘史란 여성의 영향으로 이루어졌다 해도 과언이 아니다. 반대로 현모양처라는 말도 생겨났을 것이다. 문자 그대로 현명한 어머니요, 훌륭한 아내라는 뜻이다.

오늘날은 내조의 힘이란 말을 자주 쓴다. 그런 단계도 지나 여성의 힘 없는 지상의 꿈을 이룰 수 없다는 신념을 가져야 할 때이다. 남성에게만 일을 내맡기던 시대는 지나갔다. 그러나 힘을 합쳐야만 좋은 성과를 거둘 수 있다는 것은 상식이다. 어떠한 제안도 방법도 제시할 만한 능력은 없으나 이런 근본 상식을 확인하기 위해 반성할 여지는 아직도 남아 있다.

1971

난초 그것은 평화이다

대개의 경우 꽃은 피어서 오래가지 않는 것이 특색이다. 물론 백일홍, 해바라기처럼 오래 지속하는 꽃도 있기는 하다. 특수한 예로는 연신 피고 지는 무궁화꽃도 있다. 푸른 하늘을 나는 송화松花 가루도 있다. 그러나 역시 꽃은 오래 피어 있지 않는 데에 특색이 있다. 그 절대적인 아름다움이 무한 가치를 함유한 때문에 누구나 사랑한다.

그러나 난초 하면 꽃보다도 잎을 생각하게 된다. 난초에 꽃이 피었다는 말은 하지만 난초꽃이란 말은 듣기에도 어색하다. 차라리 올라오는 꽃대를 꺾어버리고 새 촉이 나오도록 하는 수법도 쓴다. 번식이 좀체로 잘 안 되기에 그런 짓을 하지만 난초는 잎이 더 귀중하다.

흔하지 않으면 귀하게 마련이지만 난초의 뛰어난 품격은 그런 것만도 아니다. 천성이 어찌나 맑은지 비료를 주면 죽어버린다. 물이 즉시 빠져버려야 하기 때문에 깨끗한 굵은 모래에 심는다. 기르는 이가 욕심을 부려 물을 많이 주면 뿌리가 상하고 잎이 병든다. 물이 약간만 스치고 지나가도 난초는 충분한 수분水分을 섭취한다. 그 대신 말라도 참고 견디는 데에 강하다. 지나친 음지도 양지도 싫어하고 반음 반양半陰半陽에 통풍이 잘 되는 곳을 좋아한다. 남에게 폐를 끼치며까지 과분한 것을 바라지 않는 청덕淸德이다. 그러므로 까다롭기도 하다. 깨끗이 끝낼지언정 타협을 모르는 열사烈士의 풍모도 있다. 그렇게 강력한 데가 있는가 하면 맑고 곱기가 비할 데 없다.

서로 뜻이 맞으면 춘하추동 언제나 푸르다.

집 안이나 서재에서 난초는 평생의 가장 친한 어진 아내요, 아내를 잘 가꾸는 존경할 남편이다. 그러므로 남녀로서 따질 것이 아니라 난초에서 사랑을 배우는 것이다.

옛날에 세상을 탄식하고 멱라수汨羅水에 투신 자살한 굴원屈原•은 그의 장시 「초사楚辭」에서 읊었다.

나는 난초를 아홉 고랑이나 심었네余旣滋蘭之九畹兮
그 아름다운 향기가 망쳐지는 것을 슬퍼하노라哀衆芳之蕪穢

옛 학자들은 굴원이 말한 바 난초는 앞으로 국가에 이바지할 훌륭한 인재人材를 뜻한 것이라고 풀이했지만 그렇게까지 따질 필요는 없다. 문자 그대로 난초가 있는 세상은 아름답고 난초가 망하는 꼴은 차마 볼 수 없다는 뜻이다. 충신忠臣 굴원에게는 난초의 존폐存廢가 이 세상에서 가장 심각한 문제였던 것이다.

B화백이 외국에 갔을 때였다. 골목을 지나다가 우연히 봤더니 어느 집에 난초가 많이 있었다.

은은하고 곱기에 들어가 주인에게 인사하고 난초를 감상했다. 집주인인 노인이 "맘에 들거든 난초 한 분盆을 가지고 가시오" 하더란다. B씨는 보는 것으로도 족하다며 사양했다. 노인은 계속 말하기를 "이건 다 아내가 기른 것이오. 그런데 아내는 세상을 떠났소이다. 아내는 난초를 좋아해서 난초 같은 여성이었소. 나는 어진 그녀의 덕을 잊지 못하오" 하더라는 것이다.

난초를 좋아하면 고통에 예민한가 보다. 그 단점을 싫다 하여 그 장점마저 버릴 수는 없는 것이다. 이것이 난초의 매력이기도 하다.

내가 기르는 건란建蘭은 꽃이 사과 속살처럼 노랗다. 마른 핏빛 같은 반점이 꽃 중심부에 약간 돋아 있다. 소위 암향暗香이라는 것으로서 코를 가까이 대도 향기가 나지 않는다. 어쩌다가 맑은 바람이 불거나, 또는 사람이 고요하거나 또는 무심히 앉아 있노라면 멀리서도 향기가 스며온다. 꽃은 환경과 주위에 따라 때때로 향기를 발산한다. 굳이 말하면 그 향기는 매우 신선하다.

물론 꽃도 향기도 오래가지는 않는다. 인상적이어서 선명한 기억으로 길이 남는다.

잎이 사철 푸르기로 말하면 소나무, 대나무도 있다. 그러나 소나무는 방에 들여놓을 수가 없다. 더구나 대나무는 더운 남쪽 식물이다. 여기서 사철 푸른 난초 잎을 본다는 것은 속기俗氣를 멀리한다는 그런 옛 표현을 내세우려는 것이 아니다. 우리 정신에 기쁨과 안정을 준다는 뜻이다. 난초 곁에 돌[石]이나 추사秋史* 글씨를 두면 방안이 훨씬 돋보인다. 그러면 아무리 잘 그린 묵란도墨蘭圖라도 걷어치우게 된다. 비싼 값을 주고 난초 그림을 살 필요는 없다. 보다 싼 난초를 사서 천천히 번식을 시키는 것이 현명하다.

어효선 씨 말에 의하면 난초를 기르면 다른 화초는 기를 맛이 없다고 한다. 봄에 꽃이 피는 것, 여름에 가을에 꽃이 피는 것, 한국종韓國種, 중국종, 일본종, 변종變種, 양종洋種 등 그 종류는 문자 그대로 무수하다고 한다. 춘하추동 때에 따라 꽃이 피는 난초를 각 종별種別로 기르고 싶다. 그러나 구하기가 어렵기 때문에 과욕은 금물이라고 자신을 달랜다. 난초는 어디까지나 동양의 특색이지 서양의 특색은 아닌 것 같다. 요즘 화초 가게에서 흔히 파는 양란洋蘭은 너무나 비료를 좋아하고 빛깔이 짙고 화려하고 자극적이어서 정신에 부담을 준다.

요즘은 서울에도 희귀한 중국종中國種을 파는 곳이 있다고 하나 번식이 잘 안 되는 만큼 귀해서 비싸다는 것이다. 그러나 난초의 성격은 가격의 고하에 있지 않다. 봄이면 화신和信과 안국동 사이 길거리에서 우리 나라 춘란春蘭과 제주도 풍란風蘭을 파는 사람을 간혹 본다. 선녀仙女 춤처럼 가냘픈 꽃이 피는 풍란은 기르다가 실패했지만 춘란은 번식도 잘 되는 편이고 꽃도 잘 핀다. 사는 사람이 없기 때문인지, 촌사람이 팔기 때문인지 매우 싸다. 우리 나라에 진짜 난이 없다東國無眞蘭고 한 옛말은 이해가 가지 않는다.

오염된 대기에서 오염된 수돗물로 난초를 제대로 기르기란 어렵다. 어효선 씨는 하이포넥스를 물에 희박하게 타서 주라 한다. 박노수朴魯壽• 씨는 죽은 쥐를 바짝 말려 거기에 물을 부어 한 1년 삭혔다가 다시 많은 물을 타서 주라 한다. 오영수 씨는 화분 양쪽에 아교를 꽂아두라 한다. 그러나 어떤 경우에도 물을 많이 타고 그 맑은 천성을 괴롭히지 말라는 것이다. 그러기에 소위 비방秘方이란 것을 쓰다가 난초를 죽이는 수가 간혹 있다.

이렇게 말하면 매우 어려운 것 같으나 약간의 관심만 있으면 친근할 수 있다. 즉 우리의 마음도 가꿀 수 있다.

복고주의를 위해서 좋아하는 것은 아니다. 난초는 우선 건강에 좋다. 노이로제에서, 공해에서 벗어나기 위해서이다. 화초를 사랑하는 인간의 본능을 지키기 위해서이다. 휴식을 취하면서 힘을 얻기 위해서이다. 그러므로 비싼 난초를 많이 사다 놓고 자랑하는 것은 몰취미한 일이다. 더구나 사람을 시켜 기르는 것은 난초에 대한 모독이다. 스스로가 친해야만 기쁨을 얻는다.

몇 해 동안 잘 가꾸면 다른 분盆에 나누어 심게 된다. 하나가 둘, 둘이 넷, 넷이 여덟 분이 될 것이다.

자기가 하는 한 가지 일 외에 또 다른 일에 열중하는 것은 삼가야 한다. 난초를 전문으로 재배할 생각은 없다. 자기 일에 충실하는 사람에게 휴식을 주는 난초, 난초에서 휴식을 취하고 열심히 일하는 사람, 그런 정도로 족하다.

그러므로 춥거나 덥거나 언제나 푸른 잎에서 기쁨 이상의 안정을 느낀다. 마음에 선명히 떠오르는 꿈을 피우기 위해서 실은 안정 이상의 어떤 힘을 기르는지도 모른다. 한마디로 말해서 난초는 무엇인가. 말하자면 평화이다.

1971

무제1

첫 줄이, 그 작품의 비중을 결정한다. 이런 말을 간혹 들어왔다. 글 쓰는 사람이면, 그런 말을 다소 수긍할 만한 경험이 있을 것이다. 그래서, 어떤 경우에는 첫번째 줄을 작품 끝에 가서 다시 되풀이하는 딱한 사정도 본다. 이런 성가신 점을 알기 때문에, 제1행을 어떻게 쓰느냐는 설문이 나왔을 것이다.

그러나 제1행에 신경을 쓴 경험은 초기에 많았다. 어떤 설정을 하고, 시작할 정신적 능력이 없기 때문에 요행수를 바랐다고나 할까. 심하게 말하면, 나의 경우는 첫째 줄을 이리저리 뜯어고치다 보면, 미리 설정했던 내용까지가 이리저리 변했다는 웃지 못할 고백이다.

극장이 무대 뒤를 보이기 싫어하듯이, 서재 상황을 이야기하는 것은 탐탁한 일이 못 된다. 그러나 설문을 받은 이상 피할 필요는 없다.

나는 제1행에서 받는 고통에서 벗어나야 했다. 그런 방향으로 길을 잡아야 했다. 잘 썼다, 못 썼다는 말에 휘말려들거나 흔들릴 필요는 없었다. 찬사와 욕설이 시 자체와 무슨 관계가 있느냐 싶었다. 시가 유명할 필요는 없었다. 현대 시는 명예와 아무런 관계가 없다. 오늘날 시는 수입이나 직장과는 절연 상태에 있다. 세상에 가치란 것이 있다면, 시는 스스로 충실할 수 있는 정도의 것이었다. 나를 위해서 쓰는 것이 아닌 바에야, 더구나 무엇을 위해서 쓸 수는 없는 노릇이다.

바꾸어 말하자면, 근년에 이르러서야 나는 그 제1행의 속박에서 상당히 해방되었다. 시를 쓰기 위해서 원고지를 펴놓고 첫 줄을 생각하는 일은 거의 없다. 쓰는 것이 아니다. 머리에 말이 저절로 떠오르기를 기다린다. 사랑하는 상대란 기다리는 것으로도 흐뭇하다. 말씀이 오는 수도 있다. 또는 생각하지도 않는데 홀연 찾아오는 경우도 있다. 나는 그 말씀을 반가이 원고지에 영접하고 옮긴다.

때로는, 나를 찾아온 말씀과 의논도 하고, 끝내 합의를 보지 못하고 헤어지는 수도 있고, 때로는 전혀 소식이 없는 언어에 대해서 분노도 하지만…… 내 시의 제1행은 반드시 제1행이 아니어도 괜찮다.

1972

의미 없는 의미

가만히 앉아 있는데, 자면서 꿈을 보듯이 말이 떠오른다. 그럴 때면 그 말을 원고지에 적어둔다.

'의미 없는 의미' 란 구절이 내 머리에서 생겨났다. 왜 이런 말이 나왔는지 생소할 정도로 막연하였다. 막연한 만큼 정확한 것도 같았다. 이런 때가 중요하였다. 어떻게 다음 말을 이어 나갈 것인지. 잠시 방황하다가 도로 침묵 상태로 돌아간다. 시詩는 말씀을 기다리는 과정이기도 하였다.

그날, 나는 A씨와 함께 걸었다. 묵은 외상값을 갚으려고 길 오른쪽 가게로 들어갔다. 그런데 A씨는 나를 따라오지 않고 "아는 노인이 와 있군" 하면서 반대편 헌책 가게로 들어갔다. 외상값을 치른 나는 A씨가 내게로 오겠지 하고 기다렸다. 유리창 너머로 보았다. 길 건너편 헌책 가게 안에서 A씨와 노인은 서로 반기며 좀체 헤어질 것 같지 않았다. 물론 음성은 들리지 않으나, 그들은 연신 웃고 계속 이야기 중이었다. 나는 기다리다 못해 헌책 가게로 갔다. 그 헌책 가게는 책 값이 비싸서 내가 평소 가지 않는 곳이었다. A씨와 노인은 무슨 이야기가 저리 많은가.

나는 그들의 대화가 끝나기를 기다리며 구석에 쌓인 고서古書를 뒤져본다. 케케묵은 책 먼지에 손이 더러워진다. 한참 만에 돌아봤다. 아직도 A씨는 노인과 이야기 중이었다. 하는 수 없어 마음이 내키지도 않는 고서를 또 뒤진다.

밑바닥 가까이에서 필첩筆帖 하나가 나왔다. 첩을 넘기던 손이 약간 떨리는 듯하였다. 한 면에 잔 글씨 세 조각이 붙어 있었다. 그 위 여백을 이용하여 주묵朱墨으로 쓴 남명南冥 두 자가 번갯불처럼 눈을 쏘았다. 즉 후세 사람이 남명• 조식曺植 선생의 친필임을 표지한 것이었다. 첫눈에 보니 선생 친필은 편지도, 시도 아닌 일기였다.

실은 A씨와 노인의 대화가 끝나기를 기다린 것이었다. 그런데 결과는 남명 선생 친필이 나를 기다리고 있었다. 그러나 우연이란 평소에도 생각하지 않았던 사실을 두고 말한다. 평소 원했던 일이라면 하나의 결과가 아니겠는가. 요는 오래 전부터 기다린 것이었다.

나는 집으로 돌아와 『남명 문집』(고종 때 개정판)과 친필을 대조해 봤다.

선생 친필은 짐작했던 대로 『유두류록遊頭流錄』의 첫 부분에서부터 12일까지의 초고草稿였다. 뜻은 대동소이하나 초고 쪽이 자수字數가 많았다.

이조에서 순수한 정신 문화의 황금기는 남명 선생 당시가 아닌가 한다. 퇴계, 화담花潭•, 청송聽松•, 회재晦齋• 선생 등, 도학자가 한꺼번에 배출된 시대였다. 특히 남명 선생과 퇴계 선생은 시만 보아도 대조적인 쌍벽이었다. 누가 더 위대하냐 아니냐를 따지던 시대는 지나갔다. 우리는 그분들의 특색을 하나하나 연구하여 밝힐 단계에 이르렀다. 기묘 사화己卯士禍가 그 당시 선생들에게 어떤 충격을 주었으며 도학에 어떤 영향을 끼쳤는지는 전문가의 분야인 만큼 함부로 언급할 바는 아니나 큰 관심사였다. 어떻든 그 당시 모든 선생이 독학 역행篤學力行한 점을 누구나 존경해왔고, 그 시대에 흥미를 가졌던 것이다.

퇴계 선생, 청송 선생 친필은 간혹 볼 수 있다. 화담 선생, 회재 선생 친필도 본 적이 있다.

그런데 남명 선생 친필은 희귀한 정도가 아니라 전혀 본 일이 없어서 찾기는커녕 한 번 보기가 원이었다.

제자를 많이 두시지 않았던 탓인가 한다. 매사는 원한다고 곧 이루어지는 것은 아니다. 일단 원하면 기다리게 된다. 기다리는 한 언제고 이루어지는 것일까. 막연히 원하기만 했던 남명 선생 친필을 마침내 보았으니 말이다.

C씨가 왔기에 남명 선생 필적을 보였다. C씨는 후세 사람이 주묵으로 써넣은 남명南冥만으로써 그 진가眞假를 어찌 알 수 있느냐. 친필임을 증명할 만한 아무 근거도 없지 않느냐 하였다. 나는 웃고 대답하지 않았다. 나는 오늘날 사람의 이론보다는 옛사람의 표지를 믿기 때문이다.

'의미 없는 의미' 란 말을 원고지에 써놓은 지도 여러 날이 지났다. 아직 그 다음 구절을 쓰지 못하고 있다. 허심탄회하게 기다려도 말이 머리에 떠오르지 않는다. 언젠가는 그 다음 말이 떠오르겠지 하고 막연히 믿는 것이다. 언젠가는 '의미 없는 의미' 를 계승할 만한 어떤 새로운 말이 떠오를지도 모른다. 그날 A씨와 노인의 대화가 끝나기를 기다리다가 뜻밖에 남명 선생 친필과 만났듯이 말이다. 1572년에 남명 선생은 72세로 세상을 떠나셨다. 금년이 선생 4백 주기다. 선생 친필을 보기까지 4백 년이 걸린 셈이다. 그렇다면 훌륭한 시를 못 쓴다고 초조하거나 탄식할 필요는 없다.

기다리는 한 언젠가는 누군가가 나보다 훌륭한 시를 쓸 것이다.

1972

동전 다섯 닢

길거리는 복잡한데도 쓸쓸하였다. 날씨가 추워서 그럴까. 그러나 외적 조건보다는 내적 상황에 민감한 편이었다. 친구들을 만나고 싶지는 않았다. 갈 곳이 없었다.

길가에는 공중 전화가 죽 늘어서 있었다. 한 유리통 속에서 젊은 여성이 수화기를 들고 연신 웃는다. 우연히 본 장면이었다. 나는 아내를 불러내어 간단한 저녁 식사나 함께 할까 하는 생각이 떠올랐다. 유리통 속에 들어가서 전화를 걸었다. 신호는 계속 가는데도 받는 사람이 없다. 점점 불안해졌다.

'집 안에 아무도 없다면 무슨 일이 생겼나 보다. 무슨 일이 일어났을까. 아니다. 기계란 놈은 원래 인정머리가 없다. 혹시 잘못 건 거나 아닐까.'

다시 걸 생각으로 수화기 걸이를 눌렀더니 여러분 웃지 맙시오. 인정머리 없는 기계에서 5원짜리 동전이 한꺼번에 여섯 개나 쏟아져 나왔다. 얼떨떨했다. 그 중 한 닢을 넣고 다시 걸었다. 이번은 아내 목소리였다. 서로가 만날 장소를 일러줬다.

아내의 음성은 밝게 변했다. 수화기 걸이에 수화기를 살며시 놓았다. 동전은 다시 나오지 않았다.

5원짜리 동전 다섯 개 앞에서 망설여야만 했다. 인정머리 없는 기계에 도로 넣어줄까. 내 주머니에 집어넣을까. 이래도 저래도 괜찮은 일에까지 신경을 쓰기가 성가셨다. 안주머니에 동전 다섯 닢을 넣고 공중 전화 유리통 속에서 빠져 나왔다.

길거리는 역시 복잡한데도 쓸쓸하였다. 회색빛 저녁은 추웠다. 다방에 가서 기다리는데 드디어 아내가 활짝 웃으며 들어왔다. 나는 기계의 기적 아닌 한때 고장에서 입은 정신적 피해를 말하고 동전 다섯 닢을 떠넘기듯이 아내에게 내줬다.

함께 지하도를 지나다가 아내는 내게서 받은 동전 다섯 닢을 구세군 자선 냄비에 넣었다. 아내는 나에게 "저녁 식사를 사겠다"며 자청하였다. 아내의 돈이 나의 돈이건만 싫지가 않았다.

1974

요산 요수樂山樂水

일요일이면 교외의 산으로, 지방의 낚시터로 빠져 나가는 사람들이 해마다 늘어나는 중이다. 거개가 이해 관계에 민감한 만큼 늘 바빠서 쩔쩔 맨다는 도시 사람들이다. 그들이 아무런 보수도 없이 하루를 수고한다는 것은 어느 모로도 믿기 어려운 사실이다.

시골 사람들은 넉넉한 도시 사람들의 행동이거니 하고 오해할지 모르나 실은 도망쳐 나온 그들이다.

날이 새기도 전에 낚시 도구를 챙겨서 나왔거나 늦어도 아침 식사를 서둘러 마치기가 급하게 떠난다.

산을 오르며 외치는 소리에 하늘이 새삼 푸르거니와 피는 잘 돌아 건강을 회복한다. 노인이 타도 앉을 자리 하나 양보하지 않던 시내 버스 속의 승객들도 산속에서는 무거운 룩색을 지고 땀을 흘려야만 자랑스럽다.

밤에 불을 켜고 호숫가에 늘어앉은 낚시꾼들은 오랜 참선參禪에서 대오大悟한 고승高僧들 같았다. 그들 중에는 범죄자도 있을지 모르며 아파트라는 핵가족 단위의 서랍 속에서 뛰쳐나온 이들도 있을 것이다. 그들은 고층 빌딩 속에 갇히어 시간에 쫓기며 허둥대는 월급쟁이들이 대부분이었다. 병자病者들은 태양과 맑은 공기와 흙을 찾아왔다. 대자연은 본래의 아름다움을 발휘한다.

도시의 아귀다툼도, 사람 없는 시골의 고독도 제 나름대로 할말은 많았다. 물질로만 행복할 수 있는가를 물었을 때 세계는 이미 대답하였다. 정신으로만 만족할 수 있는가를 물었을 때 역사는 이미 대답을 하였다. 날로 고도로 변하는 지구는 옛날에는 상상조차 못했던 부작용에 휘말려든 듯한 느낌마저 준다.

이러다가는 사람을 개조하거나 치닫는 현대 문명의 방향을 수정해야 한다는 어처구니없는 저서著書가 나올지도 모른다. 그러나 인간 아닌 다른 무엇이 되기를 원하는 사람은 없을 것이다. 어느 시대건 간에 믿었다. 절망하지 않는 지혜와 슬기와 책임은 있었다.

1974

언제였던가

어느 해였다. 그때도 단편적인 기억은 확실했으나 기능은 저조한 편이었다. 발육 부족의 아이였거나 아니면 한 노인이었을지도 모른다.

저무는 서쪽 하늘은 일대 장관이었다. 암회색 구름은 엄청난 산이며 기묘한 봉우리들로 계속 변하였다. 장엄과 신비를 펴는 중이었다. 모든 산정山頂은 황금빛으로 피어 올라, 도처에서 일어나는 서색瑞色과 방광放光은 온몸의 피에 비치어 은은한 곡조로 번지었다. 부처님 말씀이 기억날 정도로 서방 정토西方淨土 극락 세계極樂世界란 저런 곳이 아닌가 생각하였다. 그는 늙었거나 어렸거나 둘 중의 하나였다. 하지만 그가 받은 인상은 언제나 황홀하였다.

그는 똑똑히 보았기 때문에 그곳에 갈 수 있다고 믿었던 것이다. 그러면서도 두려워했다. 자기 자신이 초라하게만 느껴졌다. 그곳에 가면 바로 주저와 두려움은 해소되고 무엇도 침범할 수 없는 편안과 즐거움이 있을 것만 같았다.

그는 저녁 밥상을 물리자 노을을 향하여 동네 밖으로 걸어 나갔다.

그는 어렸거나 늙었거나 간에 그 자신自身임에는 변동이 없었다. 천천히 걸었다. 솔밭 고개도 물레방아도 아랫마을도 잘 익은 황혼 속에 들어 있었다. 읍내에 갔던 장꾼들도 달구지도 아름다운 저녁노을 속을 돌아온다.

그 후는 걷잡을 사이도 없었다. 가고 가도 구름의 산들과 기묘한 봉우리는 먼저 사라졌다. 금빛과 서색과 방광은 간 곳이 없었다. 지나온 냇물도 보이지가 않았다. 밤비가 내리고 있었다. 다시 흰 눈이 되어 펄펄 날았다. 세찬 바람이 불었다. 그때가 언제였던가. 추억이 아니면 꿈이었나 보다.

1974

새해를 맞이하여

근년에 와서는 한 해를 보내고 새해를 맞이한다는 데 대해서 별로 감흥을 느끼지 못한다. 날마다 날아 들어오는 연하장을 받고서야 벌써 새해가 왔나 하고 자기 자신에게 묻는다. 특별한 희망이 있을 수도 없다. 오랜 체험을 거듭해왔으니 역시 그 체험을 되풀이하면서 가야만 할 길이 있다. 1년이라는 한계 대신에 계속이 있을 따름이다. 물론 이런 상황은 나 개인에 관한 것이다.

다른 분들은 나이와 처지에 따라 각기 다를 것이다. 인쇄물 연하장에 인쇄된 문구는 천편일률이지만 그 뜻은 다 새해를 축복하고 있다. 해마다 붓으로 일일이 답장 연하장을 써서 보냈는데 금년은 웬일인지 귀찮기만 하다.

바쁜 탓인지, 나이 탓인지, 아니면 다른 무엇인지 이유는 막연하다. 인쇄물은 보내기 싫고 축복을 받고서 가만히 있기는 죄스럽고 그렇다고 일일이 쓰기에는 상당한 시간을 허비해야 한다.

그러나 아무리 바쁠지라도 답장 연하장만은 다 써서 내기로 작정하였다. 사실과 생각은 이처럼 다르다는 것을 또 다시 느꼈다. 쓰는 일이

무리인 것도 사실이다. 나에겐 지난해와 새해를 구별해야 할 아무런 이유가 없다는 것도 사실이다. 그러나 나 아닌 다른 분들에게 새해 발전과 행복을 염원해드려야 한다는 생각이 사실과는 반대로 분명해졌다. 정 바쁘면 천천히 써도 되지 않는가.

금년은 무슨 말을 써서 보내야 할까. 우선 글자가 많지 않으면서도 축복하는 뜻이 내포되자면 역시 한자漢字가 알맞다. 이런 문구, 저런 문구를 생각하다가 금년은 '보광자재寶光自在'를 쓰기로 했다.

앞으로 답장 연하장을 낼 일이 벅차기만 한데 이런 귀중한 지면에 글을 쓸 기회가 왔다. 고마운 일이다. 그러나 이것은 답장이 아니다. 내가 모르는 수많은 분들에게까지도 새해 축복을 드릴 수 있으니 말이다. 한자를 쓸 필요도 없다. 여러분, 나의 축복을 받아줍시오. 여러분의 새해 발전과 행복을 빕니다.

1974

인연

나는 스물여덟 살 때 처음으로 동리 선생을 찾아뵈었다. 돌이켜본즉 그간 스물네 해가 지났다. 금년이 선생 환갑이시다. 선생에 관한 글을 쓰려고 원고지를 대하니 뭣부터 어떻게 말해야 할지 모르겠다. 스물네 해를 정리해서 더구나 제한된 매수에 쓴다는 것은 불가능한 일이다. 두서 없는 내용일지라도 머리에 떠오르는 대로 써나가는 수밖에 없다.

내가 선생 작품을 맨 처음으로 읽기는 『조광朝光』• 잡지에 게재됐던 「솔거率居」였다. 정현웅鄭玄雄 화백의 삽화였다고 기억하는데 솔거가 어두운 절간 방에 엎드려 고민하는 장면이 곁들여 있었다. 그처럼 작품과 삽화까지도 비교적 생생히 기억하는 데는 그만한 이유가 있다. 그 당시는 어려서 몰랐지만 지금 생각해도 예삿일이 아니었던 것 같다. 왜냐하면 일제 말기의 암흑 시대 때였다. 나는 실제로 산속 절간 방에서 문학을 공부하며 솔거 비슷한 나를 여러 번 발견했던 것이다.

그러니 나로서는 선생과의 인연이 매우 일찍부터 은연중에 싹튼 셈이다. 세상에 인연이란 말을 뒷받침할 만한 일은 누구에게나 허다하지만 이런 기회에 그 정도를 밝혀야 할 것 같다.

나라 없던 백성에게 해방이 오고 다시 몇 해가 지났다. 나는 나이로나 처지로나 결심을 하지 않을 수가 없었다. 오랜 산속 생활을 떠나 서울로 올라와서 난생 처음으로 문인文人 한 분을 찾아갔다. 많은 문인 중에서도 하필이면 동리 선생을 돈암동敦岩洞 자택으로 찾아갔던 그 당시를 말하면 남들은 언뜻 이해하지 못하는 수가 더러 있다. 한 문학청년이 시고詩稿를 들고 소설가를 찾아갔으니 말이다. 전부터 작품을 통해 존경하던 마음이 나를 그리로 데려다 주었다고 간단히 말하면 그만이지만 실은 그것만도 아닌 것 같다. 그 외에 다른 무엇이 있었다면 그것이 바로 인연이 아니었을까.

재주 없는 내가 어려운 추천제推薦制도 겪지 않고 오로지 선생의 은혜로 평생 숙원이었던 문단에 나서게 되었다. 선생은 나의 스승님들 중에서도 스승님이시다. 어쩌다가 수남장樹南庄의 문하생이 됐는지는 정확히 모르지만 그러기에 나는 누구에게나 이 인연을 감사한다. 내 일생에 있어 결정적이었던 이 인연만은 하늘도 다시는 변경하지 못할 것이다.

선생을 생각할 적마다 선생의 여러 작품이 막연히 떠오른다. 학교에서 선생 작품을 강의할 때 미처 몰랐던 선생의 일면을 간혹 새로이 발견해내고는 선생에게서 들은 육성肉聲을 상기하고 그 부합점符合點에 머리를 끄덕이는 일이 아직도 있다. 선생의 업적은 나 같은 제자보다도 후세 사람들에 의해서 두고두고 연구될 것이다.

내가 말할 수 있다면 선생님은 매사에 성실로써 정확하시고 엄격할 정도로 정신이 투철하시고 놀라우리만큼 신념이 강하시다. 정확하시기에 글은 빛나고 정신력이 투철하시기에 작중 인물의 인간성은 풍부하고, 신념이 강하시기에 작품은 새로운 주제에 들었다. 인자하시기 때문에 겉으로 냉정하고, 자신에 준엄하시기 때문에 남에 대한 이해가 넓고, 함부로 쓰거나 말하시지 않기 때문에 생각은 깊다. 그러나 선생은 초인도 아니며 무엇보다도 고민하는 인간이기 때문에 작가일 수 있었다.

부산 피란 때 선생이 다방에서 원고 쓰는 걸 나는 수차 본 일이 있다. 선생은 글을 쓴다기보다도 만년필을 들고 생각에 잠긴 조상彫像과 같았다. 다음 한 줄을 쓰기 위해서 얼마나 깊은 생각에 잠겨야 하며 애쓰는가를 알았다. 옆에서 뵙기에 딱할 정도였다. 그 후로 선생의 글을 읽을 때는 그 한마디 한마디를 세심히 따지게 됐다.

나는 오랜 세월 동안(지금도 그러하지만) 나의 능력을 회의懷疑해 왔다. 선생이 발신發身시켜주지 않으셨다면 나는 자기 작품을 활자화 못하는 시인으로서 일생을 마칠지도 모를 뻔했다. 이런 일이란 내가 무슨 실력이 있었기 때문도 아니며 선생이 나를 무턱대고 아끼신 때문도 아니다. 역시 인연이란 뜻 외에는 표현할 말이 없다.

문학에 관한 건 이쯤하고 선생과의 인연을 한 가지 더 들어야겠다.

나는 다시 산속을 떠나 조그만 보따리를 들고 부산으로 피란했다. 뵙고 싶은 것도 사실이었으나 선생 한 분만을 믿고 갔대도 과언이 아니다. 아침 식전에 부산 대신동大新洞을 헤매어 선생 피란살이를 겨우 찾았다. 사모님은 초면 때부터 그러하셨지만 반 거지꼴이 되어 나타난 나를 친정 동생이나 대하시듯이 반가이 맞이해주셨다. 대신동 댁에서 범부凡父 선생님도 다시 뵈었다. 동리 선생은 손수 브랜디 한 병을 사오셔서 나에게 술을 권하며 겸상해서 조반을 자시고 금강 다방으로 데리고 가셨다. 다방 안은 피란살이 하는 문인들로 득실거렸다. 그때부터 나도 한몫 끼이게 됐으나 당시의 나는 문학보다도 생활 문제로 아득했다.

선생이 나 때문에 그런 구차한 노릇을 하기는 처음이었을 것이다. 선생 문하에서 허다한 고재 준족高才駿足이 나왔지만 그 많은 제자들 중에서 나처럼 선생에게 신세를 진 사람도 아마 없을 줄 안다. 선생은 부산 거리를 걸었다. 나는 낯선 길을 따라다녔다. 서러운 아이가 부형父兄을 따라가는 심정이었다. 가는 곳마다 사람들은 선생을 반가이 맞이했으나 선생의 말씀에는 난색을 표했다. 내가 죄송해서 어쩔 바를 몰랐으니 자존심이 남만 못하지 않는 선생이 왜 이곳 저곳을 찾아다니며 아쉬운 말씀을 해야 하나 하고 나는 분노 같은 것을 느꼈다. 부득이한 사정에서 마땅히 거절하는 사람들에 대한 것도 아니고 선생에 대한 미안한 생각이 그처럼 변한 것도 아니고, 실은 내 자신에 대한 분노였다. 우리는 분명한 약소 민족이어서 난리는 언제 끝날지도 모르고, 너나없이 피란살이라는 사실에 견딜 수가 없었다. 결국 붉은 벽돌집 도청道廳에까지 들어갔다. 관청은 나와는 인연이 먼 곳이다. 그 건물 안에 상이 군경 원호회 사무실이 있었다. 그들도 역시 선생을 반가이 맞이했다. 나는 단념하고 있었는데 김형식金亨湜 선생은 동리 선생만 믿고 초면인 반 거지를 기자로 써주었다.

내가 경제적 곤란을 그처럼 당한 것도 난생 처음이었다. 이 세상에 나서 소위 취직이란 걸 한 것도 그때가 처음이었다. 내가 어렸을 때부터의 평소 소원이었던 문인이 된 것도, 내 손으로 벌어먹으며 살길을 튼 것도(교단敎壇에 선 것도 선생의 주선이 컸다) 다 선생님이 시켜주신 것이다. 그 후 이런 사실을 지하에 계시는 부모님께 낱낱이 아뢸 수 있다면 나에게 뭐라 말씀하실까. 나의 부모님만이 아니다. 이 세상의 어느 부모도 그 대답은 마찬가지 뜻일 것이다. 그런데 나로서는 큰 은덕과 감사를 인연이라는 말로밖에는 표현할 능력이 없다.

근년近年의 일이다. 세배를 갔을 때였다. 선생은 해마다 신관과 눈이 더욱 맑았다. 선생은 내 이름까지 써뒀던 휘호揮毫 한 장을 내주시고 술을 권하며 더 놀다 가라 하셨다. 문단 뻴로 나의 후배들이 계속 세배를 드리러 들이닥쳤다. 나는 일어서며 선생께 여쭈었다.

"선생님께서 어느 잡지에 신작 연재를 하시기로 정했다는 광고를 보았습니다. 언제나 뛰어난 작품을 써주시기 바랍니다."

하고 여쭸더니

"김구용 씨가 그처럼 생각해주니, 이번 작품도 잘 되리라 믿소."

선생은 대답하시고 집 바깥까지 따라 나오셨다.

제자가 스승을 생각한들, 스승이 제자를 생각하는 것만 못하다. 간혹 선생을 생각한다. 불멸의 작품을 많이 남겨주실 것을 나는 믿기 때문이다. 큰 은혜에 보답할 길은 없어 보이지 않는 인연만 작용한다. 이런 인연이란 내가 선생을 잊지 못하는 길이다.

1974

내 정신의 고향
—계룡산의 동학사

선친께서 타관살이를 많이 하셨으므로 나는 어릴 때부터 일정한 곳에 붙박여 거주하질 못하고 경상, 강원, 경기, 충청도에서 산 일도 있다. 그래 그런지 나는 출생지보다도 지난날 정들었던 까닭에 그리워지는 곳이 있으면, 때에 따라 그곳을 바로 내 고향이라고 생각하는 버릇을 갖게 되었다. 충청도는 옛날부터 청풍 명월淸風明月이란 칭호를 받느니 만큼 선량한 곳이지만 특히 계룡산을 뒤에 두고 금강錦江을 앞에 한 공주는 백제 때 고도古都로서 지금도 인심 좋기로 유명하다. 일본이 점점 망조가 들면서부터 이 나라 젊은 사람들을 못살게 굴었던 덕분에 나는 공주의 우리 집에서 60리며 유성儒城 온천서 20리인 계룡산 동학사로 들어가 암흑 공포의 바깥 세상을 피하며 장구한 세월 동안 독서 생활을 할 수 있었다. 그런 관계로 동학사는 이를테면 내 추억의 고향이다. 여름에도 더위와 모기를 모를 만큼 수목과 계곡이 좋다. 가장 공부하기에 적당한 곳으로 믿는 그 동학사를 소개할까 한다.

삼한三韓 때 일이다. 당唐나라 사람인 상원 조사上願祖師라는 승僧

이 바다를 건너와 우리 나라 계룡산 위에다 초옥草屋을 짓고 백제 시조始祖 온조溫祚를 제祭 지내고 수도하였다. 어느 해 겨울 새벽에 대호大虎가 밖에 와서 입을 벌리고 신음하거늘 나가본즉 범의 목에 여자의 수식물首飾物이 가로 걸려 있었다. 상원 조사는 범의 목에 걸린 것을 뽑아주고 제일불살생第一不殺生의 계戒를 설說해주었다. 그 후 어느 날 새벽에 창 밖에서 큰소리가 났다. 상원 조사가 내다본즉 그 범이 한 여자를 마루에 업어다 놓고 가는 것이었다. 얼마 후 그 여자는 소생하여 말하기를 저는 상주尙州 사람으로서 혼례를 마치고 첫날밤을 맞이하려다가 호환虎患을 당하였으니 이곳은 어디오니까 하였다. 상원 조사는 곧 그녀를 상주 본가로 데려다 주려 했으나 옛날은 눈이 많이 왔던 고로 백설이 쌓이고 길은 멀어 떠날 수 없었다. 그래 그들은 남매의 의를 맺고 함께 과동過冬하였으며 해빙解氷하자 상원 조사는 의매義妹를 상주 그 본가까지 데려다 주고 귀산歸山하였다. 그러나 상주 부락 사람들은 호승胡僧과 함께 과동하고 왔다는 그녀를 정당하게 보지 않았다. 이에 그녀는 장발長髮을 끊고 신라와 부모와 일체 애증을 버리고 다시 백제의 계룡산으로 들어가 의오빠인 상원 조사와 함께 수도하여 마침내 대오 견성大悟見性을 하였다. 이 의남매가 세상을 떠나자 상원 조사의 수제자인 회의 화상懷義和尙이 그들을 화장火葬하였고 많은 사리舍利가 나왔으므로 두 탑을 세워 봉안奉安하였으니 이 쌍탑雙塔을 남매탑이라고 한다.

그리고 회의 화상은 다시 터를 잡고 절을 지었으니 그것이 동학사의 창건이며 때는 바로 신라 성덕여왕聖德女王 시대였다. 이상의 전설은 동학사 사적기寺蹟記에 있으며 지금 그 남매탑은 동학사에서 한 10리쯤 다시 산으로 올라가면 천여 년 전의 옛 모습을 보여주며 있다.

일제 말기 때 밤에 불량한不良漢들이 그 탑 속에 무슨 보물이나 있는 줄 알고 오빠탑을 쓰러뜨린 까닭에 지금은 누이동생탑만 봄바람 가을비 속에 외로이 서 있다. 그리고 바로 그 곁에 연전年前에 비구니 이인정李仁貞 스님의 원력願力으로 지어진 계룡정사鷄龍精舍가 있다. 동학사는 이런 전설에서 시작되었을 뿐 아니라 우리 나라 역사와도 여러 가지 인연이 깊다. 신라의 유신遺臣 유차달柳車達은 상원 조사가 백제 시조를 제祭 지낸 걸 본받아 이 절에 와서 충신 박제상朴提上•과 신라 역대 왕을 제 지냈으므로 지금도 충렬사忠烈祠가 있고 고려 초에 도선• 국사道詵國師의 천거로 이 절이 왕건 태조의 원당願堂이었던만큼 조선 초에 고려 유신 야은冶隱 길재吉再 선생이 이 절에 와서 고려 역대 왕과 정포은鄭圃隱, 이목은李牧隱 선생을 제 지냈으므로 지금도 삼은각三隱閣이 있고 조선에는 매월당梅月堂• 김시습金時習 선생이 이 절에 와서 처음으로 단종端宗을 제하였으므로 지금도 숙모전肅慕殿이 있다. 그러므로 동학사 입구에 홍살문이 있어 자고로 이 나라 현인 일사賢人逸士가 많이 와서 애군愛君한 자취를 상징하고 있다. 그 외에 많은 고승高僧, 학승學僧들이 배출되었으나 지면의 제한으로 모든 것을 생략하기로 한다. 동학 풍경은 절도 크지 못하지만 좌우 산천이 확 터지질 못한 만큼 참으로 선비의 서재처럼 깊숙하고도 아늑한 맛이 있다. 수해樹海에 부침浮沈하는 황금조黃金鳥의 노래를 들으며 반석盤石 따라 금강문金剛門까지의 계곡을 소요하면 저절로 자연의 오묘한 진리와 동화됨을 느낀다. 나도 외국 문사들처럼 만일 잘살 수 있다면 동학에다 별장 겸 초가 삼간을 지어놓고 여름과 겨울이면 가서 공부도 하고 글도 쓰고 싶다. 이런 가망 없는 소원을 품고 있으리만큼 나에게 있어 동학 동천東鶴洞天은 내 정신의 고향일지 모른다. 그러나 원래 주인 없는 산천이거니 대자연은 누구에게나 고향 일 수 있을 것이다.

1975

서로 잊지 못하는 사람들

외국으로 이민 가는 분들을 전송하기 위해 김포 공항에 간 일은 없다. 해외 여행을 떠나는 분을 위해서, 또는 연구를 마치고 돌아온 분을 위해서 공항에 간 적은 더러 있다. 이민 갔던 제자가 잠시 돌아와서 나의 주례로 결혼식을 올리고 떠나던 날도 그 후 신부가 수속을 마치고 뒤따라 떠나던 날도 나는 김포 공항에 가지 않았다. 내가 바빴거나 아니면 나를 인정머리 없는 사람이라고 할 것이다. "며칠 날 떠납니다. 안녕히 계십시오." 이런 전화만 받아도 실은 우울하였다. 영원한 시간에서 동족 동포로서 동시대에 태어났다는 것은 대견한 일이다. 서로가 안 것만도 고마운 일이다. 친하기까지는 오랜 세월이 흘렀다. 그런데 그들은 떠나는 것이다. 그야 다시 못 만나란 법은 없지만 떠나는 사람은 좀체 못 돌아올 것만 같고, 보내는 사람은 다시 못 볼 것만 같기 때문이다. 그런 경우에 전송하지 않았던 심정을 이해할 만하지 않는가.

외국에서 온 편지를 받아도 나는 답장을 잘 않는 편이다. 이민 간 분들이 보낸 연하장을 받고도 나는 답장을 잘 않는 편이다. 저쪽에서 자세한 소식을 알려주지 않으니 할말이 없기 때문이다. 무턱대고 축하할 수도, 위로할 수도, 그간 소식을 꼬치꼬치 캐물을 수도 없다. 그래서 답장을 쓰지 않는 것이 예의라고 생각하기에 이르렀다. 그렇다고 아주 잊은 적은 없다. 앞뒤도 없이 문득 생각나는 때가 있다. 외국에서 온 연하장 중에는 내가 기억 못하는 졸업생도 더러 있다. 그는 그 동안에 귀국해서 서울에 있지나 않을까. 나로서는 감당할 수 없는 제자의 청을 거절한 일도 있었다. 그 제자는 외국 하늘 밑에서 아직도 나를 섭섭히 생각하지나 않을까. 외국 시골에서 산다는 그 친구의 집은 영화에서 볼 수 있는 그런 호화로운 생활일까. 아니면 개척 지대의 황무지에 총소리라도 들릴 법한 오막살이일까. 그 노인은 가족들로부터 어떤 대우를 받고 있을까. 만리 타국 목적지에 와서 보니 소중한 짐이 없어져서 낭패라던 소식을 다른 분으로부터 전해 들은 일이 있었는데 그의 가족들은 이제 안정되었을까. 나에게서 받아간 붓글씨는 벽에 걸려 있을까.

이민 갔다가 여러 해 만에 잠시 귀국한 부인은 이런 말을 했다.

"아파트 주인이 우리 애를 너무 꾸짖기에 동양에서는 그러지 않는다고 점잖게 타일렀더니 그 다음부터 좀 덜 심하더군요."

나는 되도록 묻지를 않았다. 모씨의 편지는 이런 사연이었다. '부탁드린 책들을 보내주셔서 잘 받았습니다. 감사합니다. 금년이 내 환갑입니다. 점심 시간을 이용해서 쓰느라고 글씨가 산란하니 용서하십시오. 내년엔 한번 고국을 다녀올까 합니다.' 그러나 그는 오지 않았다. 어떤 분은 외국에 간 김에 친지들을 둘러보고 왔다면서 소감을 말했다. "자동차 없는 집은 없어요. 우리처럼 시간이 남아돌았다가는 거기서는 밥도 못 먹어요." 어떤 분은 다녀와서 말했다. "미워할 상대라도 있거나 동화同化하면 괜찮아요. 고독하면 못 견딘다."

몇 해 동안 미술을 공부하고 온 이는 말했다. "이승만 박사 생전의 말을 실감나게 느껴보기는 처음이었어요. '호랑이도 제 굴에 돌아가서 죽고 싶어한다' 던 그 말 말이에요." 직접 가보지 않았으니 이런 말들이 어느 정도로 정확한지는 알 수가 없다. 그런가 하면 잠시 귀국한 분들도 외국 생활에 관한 이야기를 회피하는 편이어서 나는 실정을 모른다. 그래서 그들을 막연히 생각하는 때가 있다. 그녀는 잘 있을까. 그는 부자가 되었을까. 내가 그들을 생각하듯이 그들도 나를 잊지나 않았을까.

이민 간 사람들을 생각하면 그들은 나를 웃을지 모르나 금세 피곤도 불평도 고독도 사라진다. 늘 위기설이 떠도는 조국이지만 조상들의 산소가 있는 강산이 고맙다. 통행 금지 시간이 있는 나라가 몇이나 되는지 모르지만, 우리가 이처럼 모여서 고락을 함께하는 정다운 곳은 어디에도 없다. 조국을 떠난 그들이 생각날 때마다 잊을 수가 없다. 그들의 행복을 간곡히 바라는 것은 웬일일까.

퇴근하거든 한잔하자고 친구에게 전화를 걸어야겠다. 누군가가 나에게 전화를 하겠지 하고 숫제 기다린다. 단골 술집에 가면 퇴근한 친구들을 으레 만나게 마련이다. 웃음이 철철 넘쳐흐른다.

1975

수집하는 마음
—옛 서화

수집도 일종의 취미라 할 수 있을 것이다. 사람 따라 체질이 다르듯이 취미도 가지각색이다. 그러기에 취미는 없으니보다 있어야 하지 않을까. 그러나 수집 취미만은 권하고 싶지 않다. 이유는 첫째 재력이 있어야 하고 둘째는 기회라는 것이 작용하고, 셋째 과열하기 쉽기 때문이다. 바꾸어 말하자면 재력이 관계되느니 만큼 독선적인 자랑에 빠지기 쉬우며 기회란 요행수와 흡사해서 자기 노력의 창조가 없으며, 과열하면 허욕虛慾에 사로잡힌다는 뜻이다.

훌륭한 서화書畵를 남긴 옛 어른들이 반드시 수집가는 아니었다. 수집한 분들이 있었을지라도 그것은 자기 안목을 높여 보다 좋은 글씨를 쓰고 보다 좋은 그림을 그리기 위해서였지 수집을 위해 수집을 한 학자나 예술가는 없었을 줄로 안다.

그러고 보면 오늘날 옛 서 · 화 수집은 개인의 투자나 취미로서 끝날 일이 아니다. 많은 박물관은 숨은 천재들의 눈을 열어주기 위해 문화재를 힘써 모아 공개해야 하며 적극 도록圖錄을 펴내어 예술이 온 국민의 것이 되도록 뒷받침하여주어야 할 일이다.

감정가鑑定家가 따로 있는 것이 아니라, 그 방면의 예술가는 물론 애호가면 옛 서 · 화를 마음껏 즐길 수 있도록 널리 상식화시켜야 할 것이다. 따라서 전문 분야를 저술하는 연구가만이 필요할 것이다. 옛 조상들에 대한 존경심이 생겨나서 예술이 발전하면 문화의 긍지를 지닌 국토가 이루어질 것이다.

다른 방면은 모르겠으나 옛 서 · 화 수집에는 기이한 현상이 없지 않다. 취미도 없는 분이 수집을 하겠다고 나서는 일이다. 좋아하는 분은 돈이 없고 모르는 분에게 돈이 몰려 있기 때문일 것이다. 그러나 돈으로만 하는 취미는 취미 중에서도 몰취미한 편이다. 어느 정도의 자기 노력과 창조성 없이 취미의 본질인 기쁨을 느낄 수 있을까. 옛 서 · 화 수집에서 소유욕만을 만족시킬 바에야 차라리 몸소 붓글씨를 쓰고 스스로 그림을 그리는 편이 뜻깊은 취미일 것이다.

옛 글씨를 진정 좋아하는 분에게 도움이 될 리도 없겠지만 몇 가지 말씀을 드릴까 한다. 골동이나 옛 그림에 비해 옛 붓글씨는 상품 가치가(앞으로는 어떨지 모르나 현재로는) 낮기 때문에 몇 명현明賢의 필적을 제외하고는 요즘의 모작模作은 가위 없는 편이다. 회화繪畫는 눈으로 보는 미술이어서 좋아하는 사람들이 많지만 동양의 붓글씨는 자고로 마음의 그림이며 정신의 반영이어서 특수한 가치를 지녔으면서도 시세時勢에서 밀려난 느낌마저 든다. 이것은 시정되어야 할 여러 가지 이유가 있을 것이다. 더구나 존경하는 선현先賢의 글씨와 일반적으로 명필名筆이라는 글씨가 공존하고 있어 다른 분야보다 좀 복잡하다. 한글을 만드는 세종대왕 어필御筆이 있다면 가사 명필이 못된다 해서 소홀히 여길 분은 없을 것이다. 붓글씨에서는 치졸성稚拙性도 도저한 경지로 간주되는 이유가 여기에 있다.

그림은 종이가 아니면 깁이어서 연대가 올라갈수록 전하는 것이 희귀하지만 글씨는 쇠와 돌에 새긴 것도 있어서 고대古代의 마음씨를 직접 느낄 수 있다. 그러하기 때문에 그림은 상품을 위한 모조품일 경우에 그 가치를 인정하지 않으나 글씨에서는 옛 금석 문자金石文字 탁본拓本이나 임서臨書도 보배로워한다.

예를 들어 말하자면 추사 선생 글씨를 목각木刻한 현판이 있다고 하자. 그 친필 글씨가 전하지 않는다면 또 원각原刻마저 없다면 복각覆刻 자체가 단 하나의 존재로서 권위를 가져야 마땅하다는 뜻이다. 동양의 붓글씨는 마음의 그림이기 때문에 그 형태에 앞서 정신 문제를 유의하느니 만큼 다양한 개성이 솔직하게 나타나 있다.

다른 예술은 재질才質이 앞서야 하지만 붓글씨는 마음이 중요하기 때문에 평생을 써야 한다는 점에서 문학과 서로 통한다. 글씨에는 시나 문장이 따르게 마련이어서 존경하는 옛 명현의 글씨나 옛 명필 글씨는 오래 걸어두고 보아도 다른 것에 비해 싫증이 덜 난다. 보는 것만으로 끝나지 않고 음미하며 감화도 받아야 하는 공간이 설정되어 있기 때문이다.

그런데 곤란한 경우는 이름도 없고 도장도 찍혀 있지 않은 글씨다. 옛 명현들의 필적을 모은 첩帖이거나 그것이 질帙일 경우에는 그 내용과 전체로 미루어보아 오늘날 사람의 고증보다도 옛사람의 기록을 믿어야 할 것도 있다. 비록 이름과 도장이 분명할지라도 글씨가 마음에 어떤 감동을 불러일으키지 못할 때는 그것은 휴지 조각에 지나지 않는다. 또 믿었던 글씨가 진짜가 아님을 자기 힘으로 알아냈다면 말로써 가르칠 수도 돈으로써 배울 수도 없는 진수를 깨닫게 되는 것이다.

글씨는 크고 깨끗하대서 반드시 좋은 것은 아니다. 조각 글씨, 토막

글일지라도 보는 사람에게 어떤 감명을 줄 수 있다면 그것으로 족하다. 연대가 올라갈수록 서명도 아니 한 글씨들이 있다. 매명賣名 행위를 몰랐던 것이 옛 어른들의 마음가짐이었다. 글씨나 지질紙質로 보아 옛 것이언만 누구의 필적인지 전혀 모를 것도 나돈다. 그런 것은 비싸지 않으니 글씨만 마음에 들고 내용이 좋으면 사서 옛 마음 옛 향기를 즐기는 것이 건강에도 좋을 것이다. 그런 것이야말로 집 안의 운치를 돋울 수 있다.

아무리 명현일지라도 인간인 만큼 너무 알고 보면 선택에도 귀찮을 때가 있다. 차라리 이름도 없는 옛 좋은 글씨와 글이 있다면 더 바랄 것이 없지만 그런 것을 찾기란 사람에 따라서 유명한 것보다도 더 구하기가 어려울 것이다.

옛 글씨는 허영으로 이루어진 것이 아니니 허영으로써 대접하지 말 일이다. 아니라면 주먹 같은 도장이 야단스레 찍힌 글씨를 구해서 거는 것이 어울릴 것이다.

달이나 돌이나 꽃에 작자의 서명이 없대서 섭섭해할 취미는 없다. 봄 · 여름 · 가을 · 겨울의 우열을 따지기보다 그 특색에서 감화되듯이. 옛 붓글씨의 가치란 무엇일까. 옛 글씨는 무지한 손에 의해서 없어질지언정 괄시를 당하면서까지 남아 있지는 않는다. 결국 원하는 사람, 알아주는 사람에게로 간다.

1975

월탄 선생 편지

소설문예사 원고 청탁으로 내가 가지고 있는 월탄 선생 편지를 이번 기회에 소개한다. 편지를 보내야 답장을 안 주기로 이름난 분이 있는가 하면 이와 반대로 월탄 선생은 반드시 답장을 주기로 유명하다. 봉투에 찍힌 소인을 보면 85로 되어 있으니 이는 단기 4385년이요, 서기 1952년의 편지다. 부산 피란 시절이었다. 항도港都에서 한때 산속으로 돌아와 편지를 드렸던 것으로 생각되며 그 당시의 선생 답장이다.

오랫동안 만나지 못하였던 끝에 멀리서 화감華椷 받아보니 반가운 마음 간담懇談을 펴는 듯하오.
염열炎熱이 지나고 추풍秋風이 일어나니 선비의 회포 더 한창 흔들릴 때가 되었나 보오. 또한 부지럽슨 회심懷心을 가라앉히기 위하여 도등독서추안규挑燈讀書秋鴈叫의 정경도 산중의 일취一趣일 듯 생각하오.
나는 8월 추석을 서울서 지난 후 10월 상순上旬경에나 하부下釜할 예정이오. 혹시 그때서나 부산에서 만나게 될 것을 바라며 각필稈筆하오. 주체 연위做體連衛하기를 간절히 빌며 이만 그치오.

9월 19일 박종화朴鍾和

선생이 서울신문사 사장으로 계셨던 때라 서울신문사용 봉투인데 봉한 곳에는 선蟬 한 자가 적혀 있다. 편지 종이도 '서울신문사' 를 인쇄해서 넣은 붉은 양면 괘선지로써 난리 때라 지질이 좋지 못하다. 잉크 빛도 먹빛에 가깝다. 우표는 대형으로서 영문으로 '한국전 참가국들' 이라 적혀 있으며 태극기와 남아프리카 연방기가 자유의 여신상을 중간에 놓고 양쪽으로 배치된 것이다. 1951년 발행으로서 물경 5백 원짜리다. 어느새 20여 년이 지난 셈이다.

다음은 1958년 때 월탄 선생 편지다. 무술戊戌년이었다. 그해 여름 방학 때 산속에서 편지를 드렸더니 보내주신 답장이다. 봉투는 태지苔紙며 편지는 주황빛 괘선이 있어 먹빛이 새롭다. 선생께서 마음 잡수시고 붓글씨로 써서 보내주신 것이다.

어제까지 화운火雲을 바라보고 붓을 들어 심번心煩을 잊었더니 밤사이 일진취우一陣驟雨에 양미凉味가 작동하면서 귀또리소리 이하籬下에 은방울을 굴리니 이것이 인세人世의 새삼스러운 일이 아니언만 오늘 또 다시 가고 흐르는 것을 아니 느낄 수 없구려. 악별握別한 뒤 항상 구용 형의 청복淸福을 부러워하고 스스로 하잘것없는 문채文債에 얽매인 몸을 자린自燐하는 중 반갑고 정에 넘치는 수묵水墨은 나에게 넌지시 청풍淸風을 실어다주는 듯하오. 다산 선생의 화조도花鳥圖 제사題詞는 향다香茶의 유類가 아니라 옥로 청기玉

露淸氣를 가국可憐하는 드문 구句라 하겠소. 어느 때 한번 보장寶藏을 보여주기 바라오.

'琳宮擊磬罷 天色淨琉璃' 정지상鄭知常 시인의 절창絶唱을 빌어 시인 구용의 범궁梵宮 뜰 앞에 거니는 모습을 눈에 그리어보면서 편지 답장을 쓰오. 그러면 다시 서울서.

건국십주建國十周 광복일光復日 박종화朴鍾和

김구용 사백詞伯

우표는 세종대왕상 40환짜리이며 주소는 선생이 오래 거처하셨던 충신동忠信洞이다. 도시 계획 때문에 근자에 선생이 충신동을 떠나셨다는데 이사한 댁엘 찾아가 뵙지도 못하였다.

선생은 내 결혼식 때 주례를 서주셨다. 답례할 길이 없어서 여러 가지로 궁리한 끝에 조그마하나마 조각도 괜찮고 석질도 무던한 중국 옛 인재印材 한 벌을 사서 두 번이나 갔건만 선생이 출타 중이어서 우리는 물건만 두고 왔었다.

선생께서 잘 받았다는 내용을 적어서 보내준 메모지가 있건만 어디다 깊이 뒀는지 찾을 수가 없다.

어느 해였더라. 선생이 전인해서 봉투 하나를 보내주셨다. 관람권이 두 장 들어 있었고 글은 이러하였다.

영화 「다정불심多情佛心」 어느 날이나 일자 제한 없이 보실 수 있습니다. 내외분이 보십시오.

월탄 선생 편지는 언제나 자상하시다.

1975

고양이와 조선 자기

그런 이야기는 몇 해 사이에 두 곳에서 들었다. 내게 그 이야기를 해 준 분은 시인 K씨와 삼보당三寶堂 주인 B씨였다. 그러고 보면 제법 전해졌거나 알려진 이야기일지도 모른다. 우선 그 내용부터 소개하면 이러하다.

도시의 어느 음식점에서 고양이를 길렀다. 그런데 그 고양이의 밥그릇이 매우 희귀한 조선 자기였다는 것이다. 한 골동품 수집가가 이 사실을 발견하고는 그 음식점에 자주 드나들면서 그 조선 자기에 잔뜩 눈독을 들였다. 하루는 골동품 수집가가 음식점 주인에게 수작을 걸기를 "거 고양이 잘도 생겼다. 내게 파시오" 하고 상당히 비싼 값을 치르고 샀다.

그는 고가高價의 고양이를 안고 나가다가 슬쩍 조선 자기를 집어들면서 말했다. "기왕이면 고양이 밥그릇도 나 주오." 그랬더니 음식점 주인은 "그건 안 됩니다. 그 그릇 때문에 고양이를 비싼 값에 팔아왔는뎁쇼." 이런 이야기를 듣고 나면 기는 놈 위에 나는 놈이 있다는 속담이 생각난다. 공짜로 먹으려다가 목에 걸린 격이라고나 할까.

이상은 K씨한테서 들은 이야기이다. B씨가 나에게 한 이야기에서는 도시의 음식점이 어느 시골집이 되고 골동품 수집가가 골동품 장사꾼으로 등장하는 그만 정도의 차이였다. 그러니 내용은 똑같다.

그 이야기를 들었을 때는 두 번 다 웃고 말았는데 그 후로 그 이야기가 생각날 때면 도무지 웃어지지가 않았다. 반대로 얼굴 근육이 굳어지는 편이었다.

왜 그럴까 생각했더니 그 이야기는 내게서 내 나름대로 다시 계속되었던 것이다. 장소와 등장 인물은 여하튼간에 조선 자기를 미끼로 해서 고양이만 비싸게 팔아먹던 사람은 어느 날 아침에 무척 당황하였다. 조선 자기를 깨뜨린 고양이가 주인을 잔뜩 노려보며 앙칼진 소리를 질렀다. 그렇다면 웃지 못할 이야기가 되는 것이 아닌가.

1975

다시 『법화경』으로

권위나 전문 지식가知識家에는 불구성不具性이 있다. 그러므로 청년 시대 때 가치관 정립에 영향을 받았던 것으로 기억에 남는 한 권의 책을 말하기란 어려운 일이다. 왜냐하면 한 권의 책에서 영향 받기를 실은 거부할 수도 있다는 것이다. 가치가 있는 내용일지라도 체질에 맞지 않는 경우가 있다. 또 저자의 시대와 독자의 환경이 너무나 다른 경우도 있다. 한때 영향을 받았을지라도 오래지 않아 버리는 경우가 있다. 그럴 때는 편협과 무지를 깨닫는 수가 왕왕이 있다. 꿀은 여러 가지 성분으로 이루어지듯이 여러 가지 체험과 잡다한 독서에서 결국 자기 자신을 발견하려는 것이 아닌가 생각된다.

그러나 습관이란 묘한 것이다. 책을 꽂을 적에는 맨 위에 성인聖人들의 경전經典을 두고, 그 다음에 시인들의 책을 두고, 그 다음에 일반 서적들을 둔다. 그러고 보면 잡다한 독서에서 영향을 받았노라고 노상 우길 수는 없지 않을까. 그렇다면 체험에서 자신을 조금씩 인식하였노라고 주장할 처지는 더구나 아닌 것 같다.

그 당시, 내가 결국 피신하다시피 거처했던 산사山寺는 옛날에 유명한 강원講院이었던 만큼 충분한 불서佛書가 있었다. 문학 서적을 주로 읽으면서도 덕분에 책상에서 불경이 떠나지 않았다. 일정 말기는 암흑 시대였지만, 나는 산사에 갇히어 오랜 독서 생활을 할 수 있었던 행운아였다.

그런 시절이 없었다면 오늘날의 내가 아니었을지도 모른다. 젊었을 때 읽고서도 감명을 받지 못했던 책을 근년에 와서야 다시 읽는다는 사실 때문이다.

불경 중에서도 『화엄경華嚴經』과 『법화경法華經』은 너무나 유명하였다. 하도 유명하다기에 귀가 솔깃했으나 『화엄경』은 80권 거질巨帙이기에 읽다가 만 것이 아니다. 지루하고 재미가 없어서 집어치웠다. 『법화경』은 7권이라 읽긴 읽었으나, 뭣 때문에 그처럼 유명한지 알 도리가 없었다. 고독한 문학 청년은 시원한 『금강경 오가해金剛經五家解』와 극적으로 구성된 『유마경維摩經』과 통쾌한 『염송拈頌』에서 답답증을 풀면서 정신적 설법說法과 전통적 사고와는 반대인 서구 문학에 빠져 들어갔다.

그런 양극兩極의 모순에서 병들지 않고 파탄을 면했던 원인이 무엇인지는 모르겠다. 그처럼 영향을 준 책이 무엇인지는 막연하기만 하다.

체력에도 한계가 있듯이 문학은 할수록 어렵기만 하다. 어려움과 한계를 극복하려면 휴식이 필요하기에 이르렀다.

왜 유명한지 알 수가 없었던 『법화경』이 다시 손 가까이 놓인 지도 몇 해가 됐다. 문학 서적들은 수시로 바뀌건만 『법화경』은 언제나 그 자리에 놓여 있다. 위엄 있는 대형 목판본木版本이 아니고 범어梵語 역譯까지 곁들인 활자 문고판이다. 줄줄 읽지도 못한다. 조금씩 읽다가는 덮어두는 것이 고작이다.

그러면서도 휴식을 섭취한다는 것이다. 어떤 영향을 받으리라고는 기대하지 않는다. 내용은 젊었을 때 읽은 그대로인 것이다. 그럼 왜 다시 읽느냐고 할 것이다.

이젠 왜 유명한지를 굳이 알려 하지 않기 때문이라고나 할까, 읽히니까 읽는다는 정도이다.

그러면서 모든 것이 지루하고 아무것도 재미가 나지 않기를, 실은 두려워하면서 은근히 기다린다. 그래야만 지루하고 재미없었던 『화엄경』을 다시 읽을 텐데 하고 기대를 거는 것이다. 손을 대면 다 읽겠다는 결심은 섰다.

하지만 선뜻 화엄법해華嚴法海에 뛰어들 용기가 나지 않는다.

부처님은 화엄華嚴에서 법화法華로 중생을 제도하셨다지만, 아무래도 법화法華에서 좀더 말씀을 들어야만 화엄으로 들어설 것만 같다.

청년 시절 때 가치관 정립에 영향을 받았던 책이 역시 머리에 떠오르지 않는다. 많았기 때문일까. 앞으로 내가 영향을 받아야 할 책이 남아 있기 때문이다. 그러기 위해서는 잡다한 서적들을 계속 읽으면서 보다 이해의 길을 열어야 할 것 같다.

1976

내 마음의 보석

누구나 마음은 보석 이상의 보석이다. 그런데 내 마음의 보석은 무엇인지 알 도리가 없다.

마음의 보석이 아니라 마음 자체가 보석이기 때문이다. 맑기로 말하면 물보다 자유롭고, 밝기로 말하면 억 · 천만 개의 태양이며, 그 변화는 오색五色, 칠색七色으로 따질 것이 아니라 무궁무진하다.

더듬으면 안개뿐이요, 찾으면 세상의 온갖 고통과 슬픔이다.

그러므로 마음의 무엇이 아니라 마음을 본다. 세상에 보석이야 많지만 마음보다 더한 보석은 없을 것이다.

1976

엽서

수백 년이 걸려서 자라난 나무가 있다. 그러나 그 나무를 베는 데는 하루도 안 걸린다.

공해는 언제부터 심해졌나를 다시금 생각한다.

유명한 고적古蹟을 가보았다.

이상한 느낌이 들었다. 옛 문화재의 현대화란 말이 있을 수 있을까.

있을 때는 잘 모른다. 아무도 어리석은 짓은 할 리가 없다. 그러나 알았을 때는 혼자서 떠나게 마련이다. 그래 그런지 전에는 하고 싶은 말이 너무 많아서 탈이었다. 그러던 것이 점점 말이 하기가 싫어졌다.

말이란 함부로 할 것이 못 된다고 생각되니 철이 들었나 보다. 공해를 줄이기 위해서도 말은 삼가야 한다.

그러나 말처럼 가치 있는 것도 없다. 가치 있는 말이란 흔하지 않다. 그래서 자신이 없다. 미리 기가 질린다.

말이란 기다리는 일인가. 한없이 기다리는 동안에 그것도 우연히 좋은 말이나 머리에 떠올랐으면 다행이겠다.

좀더 천천히 가야 당도할 것 같다.

수백 년이 걸려서 자라난 나무와 좀 만나봐야겠다. 그런 나무들은 어디에서 누구를 기다릴까.

봉은사奉恩寺로 가볼까.

화계사華溪寺로 가볼까.

진관사津寬寺나 가볼까.

아니, 좀더 멀리 가볼까.

1978

교외郊外에서

빠른 변화에 적응할 사이가 없다.

바다에 가면 상쾌할까. 산으로 오르면 개운할까. 혼자서 가도 재미있을까.

마침 친구에게서 전화가 왔다. 운전을 할 줄 몰라서 그런지, 아는 사람의 운전은 신경이 쓰인다. 친구가 모는 자가용차 덕분에 교외 호텔로 갔다. 다방 바깥은 녹음, 녹음이 끝나면서 석산石山이 솟아 있었다. 다방 안에는 남녀가 몇 쌍 드문드문 앉아 있었다. 저들은 무엇 때문에 여기에 왔을까. 택시로 왔다면 돌아갈 때 택시를 잡기는 불가능한 곳이다. 그들의 사이는 가족 같지가 않다. 그럼 어떤 사이며, 과연 바랐던 휴식을 얻어낼까. 여유 있는 몸차림에 비해 따분해서 온 것 같다.

같으면서도 다른 점이 있기는 있다. 우리가 식당에서 맥주를 마시는 것도 그러하다. 남녀는 쌍쌍이 약속이나 한 것처럼 이 호텔에서 특히 잘한다는 커피 잔을 앞에 놓고 속삭인다. 다방과 식당이 맛보는 표정도 각각이다.

맥주는 첫 잔이 시원하다. 두 잔째부터는 갈증이 난다. 몽롱하기 전에 잔을 놓아야 한다.

무더운 일요일, 집 안에 들어박혀 있는 식구들이 떠오른다. 해가 기울기 전이다.

"이만 갈까. 버스 타는 데까지만 데려다 주게."

"그럴까."

친구도 비슷한 심정인지 일어선다. 마이카는 달린다. 여기가 어디더라. 친구는 맥주를 조금 마셨으니 사고가 나지는 않을 것이다.

1978

믿음을 찾아서

점점 일방적 관점으로써 평가하기는 어렵게 되어간다. 적용하려는 복잡성을 지켜본다.

하지만 상대를 알려면 이성異性이어야 한다.

남성이 여성일 수는 없다.

진실로 친한 사이는 아첨하지 않는다.

이건 실례의 말이 아니다.

상대가 서로를 잘 알아서 필요로 하기 때문이다.

경쟁은 차별이 아니라 서로가 돕는 일이다. 월드컵 축구는 단순한 힘의 차원을 넘어서 미학美學을 제시한다. 승부는 보도되어 이미 아는 바이다.

묘한 경기에 이끌려서 텔레비전을 지켜본다. 승리는 과거요, 실패에서 내일이 살아난다.

떠나면 오게 마련이다.

편리한 대신 복잡해졌다. 다 알면 재미가 없다. 모르기에 홍미를 느낀다.

발견하지 못하는 모방은 위험하다.

모방만 하면 믿지 않는다.

싸우기 아니면 좌절한다.

애쓴 데 비해서 실패는 늘어난다.

약한 자를 양성하라는 뜻은 아니다. 어머니와 아내와 딸과 모든 여성을 기쁘게 하려는 한 남성들의 보람은 있다. 약한 이에게 즐거움을 주지 못하는 한 즐거움은 없다.

믿음을 찾아서 방황한다.

믿음이 없어서 방황한다.

1978

주례主禮

돈으로도 젊음은 못 산다. 권력으로도 젊음을 못 얏는다. 참으로 공평하다는 생각이 든다.

물론 주어진 시련은 고통스럽다. 그 대신 능력이 길러진다.

일단 지나놓고 보아야 알게 된다.

역시 가을은 거룩하다.

빚을 내서 산 사람은 집이 있다. 저축한 사람은 집을 마련하기가 멀어간다는 이야기이다.

어느새 봄도, 한여름도 지났다.

포도, 사과, 배, 대추, 밤, 감이 나왔다.

과일들이 하얀 그릇에 놓여 왔다.

얼른 손이 가지지가 않는다.

먹음직스럽도록 탐스럽다.

보기만 한다.

어느 곳에서 가꾸어져 어떤 경로를 겪어서 하필이면 내 방까지 왔을까.

젊은 남녀들은 과일을 서로 권하며 무슨 말들을 할까. 귀여운 아기를 둔 부부들은 어떤 처소에서 과일을 먹을까.

내가 주례를 섰던 그들이 생각난다.

그들 중의 누구인가가 와서 함께 먹어줬으면 좋겠다.

그들의 안부가 궁금하다.

계절은 공평하다.

간혹 선선한 바람이 분다. 이런 때 첫사랑에 실패한 사내가 있다면 덜 미쳤기 때문이다. 지극한 정성은 위험하다.

그래서 용기가 필요하다는 이야기인가.

1978

한옥

내가 간혹 산책하는 길가에 한옥 한 채가 있다. 지날 때마다 보고 또 보았다. 그 집을 팔려 내놓았다기에 아내가 가서 알아보았으나 그 당시 우리의 힘으로는 살 도리가 없었다. 그 집 문패가 바뀐 지도 여러 해가 지났다. 알고 보니, 내 친구의 부인과 그 댁 부인이 아는 사이였다. 그래서 그 집 주인이 건축가임을 알았다. 피차 인사도 없는 사이지만 나는 그 건축가와 취향이 통하는 듯해서 흐뭇했다. 그 건물은 타일을 붙인 근대식 한옥이 아니었다. 넓은 마당에 비해서 규모가 조그만, 아담하면서도 단정한, 그러면서도 조용해 보이는 재래식 순 우리 나라 한옥이었다. 겉으로 보기에는 그러하지만 내부 시설은 그 건축가에 의해서 전통과 현대가 어떻게 조화를 이루었을까 궁금했다.

얼마 전 일이다. 그 동안에 그 집 감나무 잎과 감은 어느 정도로 남았을까. 그래서 오랫만에 산책을 했다. 그 큰 오동나무마저 보이지가 않았다. 뿐만 아니다. 담 너머는 아무것도 없었다. 일하는 이들에게 물었더니 건축가가 한옥을 뜯어서 목재로 팔았단다. 2층 양옥을 올리려 기초 공사 중이라는 대답이었다.

무딘 눈에는 갑자기 재래의 것이라고는 다 없어진 듯싶었다. 그날따라 산책한 풍경은 가정이라기보다도 오피스 같은 양옥들이었다. 한복을 입은 남녀도 못 만났다. 그날따라 외국에서 미아가 된 듯싶었다. 나에게 단절을, 위화감을, 소외를 풀어주던 그 한옥은 다시 앞에 나타날 것 같지가 않다. 어느새 아무데도 쓸모 없는 구세대가 됐나 보다.

1978

연하장

세모歲暮가 되면 가지가지 연하장과 새해 캘린더와 일기책이 나온다.

지난 1년을 회고하듯이 상대방에게 새해를 축복하는 연하장을 보낸다. 물론 받기도 한다. 반갑고 고마워서 세상이 이때만은 빛난다.

그래서 받은 만큼 보내드려야 한다는 습성이 붙었다.

엽서에다 붓글씨로 옛 좋은 글귀를 써서 일일이 답장을 보냈었다.

그러던 것이 어느새 받기만 하고 답장을 보내드리지 못하게 됐다.

그럴 여가가 없어진 때문이다. 지저분하리만큼 바빠진 탓이다.

받은 붓글씨와 그림을 귀중히 보관하는 나로서는 누구에게도 인쇄물을 보내기는 싫은 노릇이었다. 그렇다고 일일이 다 쓸 수도 없으니 이것도 저것도 아닌 어중간이란 딱하다. 비단 연하장만이 아니다.

본의 아닌 난처한 입장을 당하고는 한다. 생각은 간절한데 형편이 말을 듣지 않는다. 해마다 답장이 왔었는데 이 사람이 변심한 거나 아닌가 하고 오해할 것 같아서 부담감마저 느끼게 됐으니 말이다.

안부 편지나 책을 받고도 감사하다는 답장마저 내지 못하고 있다.

어떻게 하면 고마운 마음씨에 보답할 수 있을지, 어쩌다가 이 지경이 됐는지 적막해지는 때가 더러 있다. 이해利害만이 남아서 더욱 미안하기만 하다.

1978

가을 산사
—동학사

동학사東鶴寺 대웅전과 삼성각三聖閣은 해방 전 건물로 남아 있다. 삼성각은 동학사 위쪽 보상암寶相庵 터에서 옮겨 지은 것으로서, 왜정 때 입적入寂하사 사리舍利가 많이 나왔던 동은東隱 대사가 생전에 불전佛殿으로 세웠던 조그만 건물이라고 전해 들었다.

동학사 대웅전에는 협시보살協侍菩薩도 없이 삼존불三尊佛이 계신다. 아미타불, 석가모니불, 약사여래불이시라고들 하지만 내게는 과거불, 현재불, 미래불로만 여겨졌다. 그래서 그런지 대웅전에 들어서면 삼세三世가 현재요, 영겁永劫을 동시同時에 느끼고는 했었다.

가을 산사를 찾아가지 않아도 내 집 뜨락의 나무에 가을빛은 완연하다. 눈 깜박할 찰나에 동학사 대웅전 삼존불은 내 앞에 나타나신다. 내가 어디에 있건 간에 삼존불이 이 이상 선명할 수는 없을 것이다. 삼세가 현재요, 영겁이 동시라는 설법을 하신다. 언제나 그 당시처럼 부족한 내가 듣는 것이다.

그러면서도 동학사와 나 사이에는 거리가 있다. 유차달柳車達이 와서 신라 열성列聖과 박제상朴提上을 제사지낸 곳이며 길야은吉冶隱

이 와서 고려 열성과 포은, 목은을 제사지낸 곳이며 김시습이 와서 몰래 단종을 초혼한 유적이 있어서 고금을 동시에 생각하게끔 하기 때문이다. 남 · 북이 분단된 이래로 겨레는 아직도 통일의 비원悲願을 품었으니 말이다. 신라 성덕여왕 때 창건되었다는 동학사는 새벽, 저녁으로 종소리가 번진다. 밤이면 법등法燈이 밝다. 삼존불의 설법을 정녕 들었다면 무슨 대답이 있어야 할 것이다.

1978

책을 읽음으로써 사랑할 그 무엇을 찾아야 한다

적어도 내 기억으로는 지난날로 거슬러 올라갈수록 여유 있는 독서들을 했다. 근자에 이를수록 인구 증가에 비해서 독서율이 어느 정도인지는 의심스럽다. 그저 눈으로 보고 귀로 들을 수 있는 기계 문명에 의해서 간단히 해치우려 든다. 아니면 독서도 한 오락물로 전락한 느낌마저 든다. 이런 편리한 발달에 비하면 책을 읽는 짓은 확실히 시간 낭비며 너무나 따분한 일이다. 그럼 문학이 필요없는 미래가 올 것인가. 제각기 다른 식성食性도 음식품처럼 규격화될 것인가. 정서情緒의 세계는 그렇게 간단하지는 않을 것이다. 소위 문화란 것이 있어 필경 이런 대답에 이른다면 문학을 다시 생각하지 않을 수 없다. 어느 시대라고 그렇지 않을까마는 문학은 갈등을 나타낸다. 작품은 한 사람이 만들지만 여러 가지 시간이 반응되며 다소간에 독자는 있다. 따라서 이해는 해소하려는 노력이요, 회복이란 창조에의 욕망일 수도 있다. 이런 점에서 독서는 이르면 이를수록 많으면 많을수록 뜻이 있다.

우리 나라 청소년들은 어느 나라 못지않게 독서를 한다. 밤낮없이 책과 씨름을 한다. 그런데 기이하게도 독서가 아니다. 입시를 위한 교과서만 봐야 한다. 독서할 여가가 없다. 교과서에서 탈락하면 탈선하게 마련이다. 자기 천분天分과 소질을 발견하는 데 필요한 자유로운 독서가 없었으니 그럴 수밖에 없다. 다행히 좁은 문을 겪어 졸업만 하면 거개가 책과는 담을 쌓는다. 자유로운 독서를 못하였기 때문이다. 누구나 아는 지식, 누구나 갖는 직장을 위해서 피나는 경쟁을 해야만 한다. 그래도 성공한 사람은 많지가 않다. 누구나 인생을 다시 생각할 때가 온다. 자기 나름대로의 어떤 기쁨을, 어떤 아름다움을 절실히 찾아야 할 시기에는 참으로 어려운 고비에 부딪친다. 독서를 시작하기에는 너무나 늦었다. 일찍부터 독서해서 오랜 준비를 미리 했어야만 했던 것이다. 누구나 아는 지식은 물론 누구나 다 알아야 하지만 그것만으로는 다를 것이 없다. 규격이 똑같은 생산품도 발전할 변화를 기다린다. 더구나 본능은 보람과 창조 쪽이다. 지식과 기억과 기술은 과학으로써 이용하면 된다. 누구나 생각하는 인간 본연의 생명이 되어야 할 것이다. 이해와 행복과 평화한 자기 세계를 제각기 창조하려는 작용 없이는 견뎌내기 어렵게끔 되었다. 교과서 인생, 규격품 세상은 회의할 것이다. 머지않아 실망한다. 그러므로 읽고 생각하는 일이 독서인 것이다. 그러는 것이 문학이기도 하다. 따라서 문학 예술이니 문예니 문학 작품이니 하는 말이 같은 뜻을 갖는다. 예술이란 없는 데 대한 창조이다. 문학과 예술이 문화를 이룬다. 생활에 있어 그만큼 필요하다는 말이다.

서울 중심가 몇 안 되는 큰 서점에 들러보면 늘 만원이다. 그런가 하면 헌책 가게가 귀하기로도 제일이다. 청소년들도 책을 산다. 곁에서 보기만 해도 교과서 공부만 해야 할 나이인데 하고 걱정이 태산 같아진다. 한참 자유로운 독서에 열을 올려야 할 대학생들은 다방에 모여 있다. 일찍이 교과서에서 진이 빠진 그들이다. 그래서 책 가게 하나 없는 대학가街도 있다. 교재에만 매달려 버둥대는 수재들도 있다. 그래도 책이 안 팔리느니 좋은 책이 없느니 시끄럽기는 매일반이다. 창조시대에 있어 새세대는 무엇을 버리고 무엇을 창조해야 할 것인가. 과학도 물론 예술이지만 기계가 인간일 수는 없다. 사라진 정서, 잃어버린 꿈을 어떻게 찾아야 할까. 어디서나 느끼는 한, 생각하는 한, 의식하는 한, 상상하는 한 문학은 있을 것이다. 독서로써 그대는 사랑해야 할 무엇을 찾아야 한다. 찾아도 없으면 만들어야 한다는 자각에 이를 것이다. 그렇지 못한 경우를 가정해보라. 대번에 알 일이다.

1978

너무 많아서 탈

나는 아호雅號가 많다. 나이에 따라서 변한 셈이다.

어머님의 태몽은 이러하였단다.

스님이 삽짝 문 밖에 와서 동냥을 청하기에 쌀을 떠다 줬더니 하얀 비단 한 폭을 주더란다. 펴보니 '관세음보살' 다섯 자가 분명하더란다. 그래서 '백릉白綾' 이란 아호를 지었으니 내가 10대 때의 일이다. 그 전에는 '도봉道峰' 이라고도 했었다. 20대 때는 꿈에 '석월조고천石月照古泉' 이란 시구詩句를 짓고서 '석월거사石月居士' 라고도 했다. 한때는 물이 좋아서 '수경水慶' 이라고도 하였다. 이런 따위가 오래 갈 리는 없었다.

어떤 뜻이 있거나 글자에서 어떤 의미가 풍기는 아호가 싫어지기 시작했다. 일본 문인들의 아호나 필명이 거개가 얄팍했기 때문이다.

그래서 아무도 뜻을 알아보지 못할, 나 자신도 알 수가 없는 별호別號를 짓기로 했다. 제법 애써서 지은 것이 '구용丘庸' 이다. 그러나 '구용' 은 아호인지 필명인지 이름인지 정작 나도 모르게 됐다. 어떤 이는 아호로, 어떤 이는 필명으로, 어떤 이는 이름으로 불러주니 특히 아호랄 것도 없다.

그럼 아호가 없느냐 하면 그렇지도 않다. 많아서 탈이다. 어효선 씨가 전각篆刻해서 주신 여러 가지 도장 때문에 자연 여러 가지로 아호가 생겨났다.

'중향성인衆香城人'은 금강산 중향성衆香城을 잊을 수가 없어서 취한 것이요, '마하거사摩訶居士'는 마하연摩訶衍에서 땄다. '동학구년東鶴九年'과 '무죄죄인無罪罪人'은 회상에 불과하며, '동선재東仙齋'는 어효선 씨가 내가 동선동에 산대서 전각해주셨다. '자묘암인慈妙庵人'은 추사 예서隷書 '자묘암慈妙庵'이란 탁본拓本이 대청에 걸려 있기 때문이며, '일세삼생一世三生'은 두 번이나 죽을 고비를 넘겼기에 청해서 새겨 받은 것 중의 하나이다. '남일천초南一天艸'는 대구에서 본 추사 선생 목각 현판 글씨라는 말만 듣고서 새겨 달라고 청한 것이다.

또 '삼산채동三山採童' 인印은 강남월姜南月이 유년 사주流年四柱에서 나를, 나의 형국을 논한 구절이다.

이러고 보면 이건 다 문자 도장이지 무슨 아호가 이 모양이냐고 할 것이다. 하긴 전각을 위해서 생각한 것들이니 이 모양이 됐는지도 모른다.

경험이 없었던 때라 도장들이 너무 커서 별로 쓰지도 않았다. 인사동 골동 가게에 '석년石年'이란 조그만 아호 도장이 있기에 붓글씨를 쓰면 함부로 찍었더니, 나중에 알고 본즉 진짜 석년 오경윤吳慶潤 그분의 아호 인이었다. 송구해서 그 후론 집어넣고 진태하陳泰夏• 박사에게 청해서 그 정도로 작은 '구용丘庸' 전각을 새겨 받았다.

그럼 결국 아호가 없다는 말인가. 아니다. 붓글씨를 쓴 다음에 내가 즐겨 쓰는 아호는 '백화실白華室' 이다. '백화' 는 내가 백화산白華山 아래서 태어났기 때문만도 아니다. '백화' 가 웬일인지 싫증이 나지 않아서이다.

1978

일기는 언제 시작해도 늦지 않다

내가 나라를 잃은 백성으로 태어났다는 것을 알기는 소년 때였습니다. 독서를 좋아하다 보니 문학이 하고 싶어졌는데 작품을 쓸 만한 능력이 없어서 일기를 끄적거린 것이나 아니었던가 하고 생각해봅니다.

왜정 때에도 세말이 되면 각종 일기책이 쏟아져 나왔습니다. 한 해를 보내는 후회 비슷한 심정은 새해에 대한 어떤 보람을 불러일으켰겠지요. 그래서 일기책을 사고는 했습니다. 그 당시 일기책은 열두 달 365일이 기입되어 있어 1월 1일을 고대해서 날마다 쓰게 마련이었습니다. '일 년의 계획은 정월 초하루부터' 라는 말이 그때의 나를 흥분시켰던 것이겠지요. 바꾸어 말하자면 내가 돈을 주고 산 일기책은 한 번도 다 써본 적이 없다는 결론입니다. 그렇습니다. 여러 학생들을 위해서 고백하는 수밖에 없습니다. 미래의 주인공인 젊은 여러분을 위해서는 시시한 체험을 털어놓아야겠습니다. 한마디로 말해서 애초부터 나는 일기를 쓸 자격이 없었습니다.

그래서 날마다 일기를 쓰지 않기로 작정한 후부터 실은 일기를 쓰게 되었습니다. 쓰고 싶으면 쓰는 게 무슨 일기냐고 묻는대도 대답할 말이 없습니다. 지금도 나에게는 그날 쓰는 일기가 일기이지 반드시 날마다 써야만 하는 능력이 없습니다. 물론 나의 경우에 한해서 하는 말입니다. "당신이 오늘날까지 쓴 일기의 양이 얼마나 되느냐"고 묻는 분도 있습니다만 솔직히 말해서 나는 그럴 때마다 "모른다"고 대답했습니다.

가게에서 산 일기책들은 쓴 부분보다도, 안 쓴 부분이 훨씬 많고 아니면 노트에 쓴 것들입니다. 한때는 원고지에 쓴 일기도 있어서 그 양을 알 수가 없습니다. 그 중에는 버려야 할 부분도 있을 줄로 압니다.

요즘 세말에 나오는 일기책은 종류도 다양하고 가지가지 특색이 있더군요. 언젠가 보니 열쇠가 붙어 있어 잠그도록 만든 일기책도 있었습니다. 남이 읽을 수 없도록 지켜준다는 뜻이겠지요.

나는 그런 일기책은 권하고 싶지 않습니다. 남이 읽어서는 안 될 일기라면 쓸 필요조차 없는 말이기 때문입니다.

『안네의 일기』는 비밀히 쓴 일기였습니다만 마침내 그 일기는 많은 독자를 가졌습니다. 『도둑 일기』는 프랑스 작가 장 즈네가 남들이 읽어주기를 바라고서 쓴 작품입니다.

이런 뜻에서 남이 읽어서는 안 될 일기를 쓴다는 것은 무책임한 일이요, 실례되는 짓이라 생각합니다.

누구나 살다 보면 별의별 일이 많습니다. 일기도 문학의 일종이라면 사실만을 그대로 기록해서는 가치가 없습니다. 사실은 누구에게나 있는 사실이기 때문에 자기 혼자만의 큰 사건은 아닙니다. 말이란 묘한 것이어서 같은 뜻일지라도 표현에 따라 얼마든지 품격 있게 더 절실하게 전달된다는 경우를, 우리는 평소의 독서에서 많이 느껴왔을 것입니다. 그러므로 사실을 전적으로 무시하라는 뜻은 아닙니다. 남이 보아서는 안 될 일기를 쓰느니보다는 사실보다도 더 감명을 줄 수 있는 표현을 닦아야 합니다.

나는 심심풀이 겸 일기를 써왔기 때문에 내 일기에 대해서는 애착을 느끼지 못합니다. 그런 만큼 훌륭한 일기를 써야 할 학생들에게 부탁만 드리는 바입니다.

이상 말한 바가 나의 쑥스러운 고백이요, 시시한 체험이었습니다. 젊은 학생들을 위해서는 일기에 대해서 더 말할 자격이 없습니다.

더구나 일기를 쓰는 법이라든가 지도라든가 어떻게 쓰는가 등은 다른 분들의 미래의 일기에서 내가 배워야 할 관심사입니다.

나는 나라를 잃은 백성으로 태어났던 낡은 세대입니다. 학생들은 2차 대전이 끝난 뒤 이 나라에 태어난 새로운 세대 중에서도 귀중한 세대입니다. 구세대가 신세대를 가르친다는 것도 만용이지만 신세대가 구세대를 되풀이한다는 것은 못할 짓입니다. 젊은 학생들에게 나 같은 사람의 말이 필요하다면, 구세대를 알았기 때문에 전철을 밟지 않고 새로운 출발점이 될 수 있다는 정도겠지요.

그러나 한 가지만 여러분에게 더 말해야겠습니다. 한정된 매수枚數 내에서 가능한 한 내가 아는 여러 가지 일기를 소개하겠습니다.

우리 나라 선현들은 자고로 많은 일기를 남겼습니다. 유명한 예를 들자면 미암眉巖• 유희춘柳希春(1514~1577) 선생은 세상을 떠나시기 전전날까지 일기를 써서 남겼으며, 『난중 일기亂中日記』와 『열하 일기熱河日記』는 여러분이 더 잘 아는 바입니다.

서양 사람이 남긴 일기로서는 아미엘•의 『일기』가 유명하며, 일기체로 써서 명작을 남긴 예로는 괴테의 『젊은 베르테르의 슬픔』이 있지 않습니까.

앙드레 지드도 많은 일기를 남겼으나 특히 『이제야 그녀는 네 안에 있다』와 『마음의 일기』는 감동적인 글이라 하겠습니다.

역시 방대한 일기를 남긴 줄 르나르의 『일기』는 독특한 매력이 있어서 나는 일찍부터 애독하였습니다. 그러나 짧으면서도 내게 감명을 준 일기는 『퇴계집退溪集』에 수록되어 있는 「고종기考終記」인가 합니다. 이퇴계 선생이 병들어 세상을 떠나기까지 지켜본 제자가 쓴 일기로서 옛 선생을 뵙는 듯합니다.

가람• 이병기李秉岐 선생도 꾸준히 일기를 쓴 것으로 아는데, 그 전부가 아직도 발표되지 않아서 뭐라 말할 수가 없습니다만 이번에 게재된 춘원 이광수李光洙 선생의 『산중 일기』를 자세히 읽어주기 바랍니다.

이상 예거한 일기들을 보면 쓰는 법이 따로 정해져 있지 않다는 것을 알 수가 있습니다. 다 다른 특색을 제각기 지녔기 때문입니다.

학생들은 과거의 누구보다도 훌륭한 일기를 남길 수 있는 자격이 있습니다.

그 자격을 실천하려면 써야 합니다.

그럼 언제부터 써야 할까요. 일기는 언제 시작해도 늦지 않다는 것을 잊지 맙시다. 그럼 어떻게 써야 할까요. 자기 마음대로 쓰고 싶은 대로 써야 합니다. 일기의 영역은 그만큼 자유롭습니다.

1978

가장 아름다운 곳

아기 엄마 보세요. 아기에게는 엄마가, 엄마에게는 아기가 있어요. 둘 중에서 하나가 없다면 이야말로 큰일입니다.

엄마는 누구나 다 마찬가지지요. 나의 어머님도 여성이었습니다. 아기를 보면 내가 아기였던 때를 상상합니다. 물론 그 당시를 알 리가 없습니다. 그런데도 평화와 감사를 느낍니다. 웬일일까요. 나는 어머님이 세상에 아니 계시건만 그 큰 덕을 잊지 못합니다. 오늘날 과학은 이러한 비현실을 부정할 수 있을까요. 물론 과거와 현재는 다르다고 하실 것입니다. 그것이 사실이라면 다르다는 점이 문제가 되지 않을까요.

우선 나에게 남겨주신 어머님 상像을 말씀드려야겠습니다. 어머니보다도 훌륭한 분을 나는 본 적이 없습니다. 부처님의 대자 대비도, 예수님의 사랑도 내게는 어머님의 자애만 못했습니다. 내 어머님의 일생은 인종忍從의 믿음이었습니다. 자녀들을 자기 목숨으로 아신 어른이었습니다. 부처님에게도 산신山神에게도, 돌담에도 허공에도 절하셨습니다. 소원은 무엇이었을까요. 자식의 수명 장수壽命長壽를 빌었습니다. 그때는 백자 천손百子千孫이 일반의 욕망이었습니다. 그럴 정도로 아기와 어린이들이 많이 앞서 떠나서 남은 부모들의 가슴에 못을 박았습니다. 오늘날보다는 인구가 훨씬 적어서 서로가 생명을 존중했습니다.

오늘날은 어떠합니까. 아기 엄마가 더 잘 아시겠지요. 과거의 기억과는 정반대 방향으로 미래가 발전하는 듯합니다.

요만 정도의 경제 성장으로써 조상들의 가난을 잊어버린 남성이 있나 하면, 시간이 남아돌면서 고생을 천대하는 여성도 있나 봅니다.

결국 얻은 만큼 잃기도 합니다.

무엇을 얻었으며 잃었는가를 알아야만 방향을 설명할 수가 있습니다.

모든 가치 기준은 이익일 수도 있습니다. 모든 방법은 계산일 수도 있습니다. 그러나 채산이 맞지 않는대서 가족을 버린 사람은 없습니다. 결손이 난다 해서 종교를 버린 종교가는 없을 것입니다.

이와 마찬가지로 아기와 어린이들이 부모 있는 고아가 되어가는 현황을 미연에 막아야 합니다.

부모가 고생을 싫어하면 어린이는 감사를 모르고 자라납니다. 부모의 애정을 모르면 어린이는 외롭습니다. 그런 어린이가 다음에 어른이 되어서 성공을 할지라도 반드시 행복하리라고는 보장하기 어렵습니다. 경제적으로 넉넉한 분이 자살한 경우가 있나 하면 자식들 때문에 골머리를 썩이는 부자도 있습니다. 이런 사태는 아기 엄마들이 생각하셔야 할 문제입니다.

어떤 학교 여선생님은 이런 말을 하였습니다.

"남의 자녀들을 가르치다가 보니 내 집 어린것들이 불쌍해서 못 견디겠어요. 내년엔 직장을 그만두고 집에 들어앉기로 했어요."

듣고 보면 이럴 수도 저럴 수도 없는 딱한 사정들이 많습니다.

옛사람들이 상상도 못했던 새로운 어려움에 처한 아기 엄마는 무슨 생각을 하시는지요. 시험관 잉태에 대해서는 어떻게 생각하시는지요. 궁금한 일만 늘어갑니다.

가난하대서 또는 넉넉하대서 해결되는 일은 아닌 듯합니다.

어떻게 하면 인구를 적절히 억제하면서 아기와 어린이들을 훌륭한 어른으로 기르느냐가 큰 관심사입니다.

아기 엄마는 어느 때보다 현명해야 할 처지에 있습니다.

미래를 위해서 반성할 점은 언제나 있게 마련입니다.

불행한 옛날처럼 효자, 효녀가 되기를 바라지는 않습니다. 오늘날 아기와 어린이들이 부모 있는 고아가 되지 않기를 바랍니다. 그들이 평화와 고마움을 알도록 그들을 길러주어야 합니다.

그러나 너무 염려할 필요는 없습니다. 서로가 믿기 때문입니다.

엄마와 아기가 함께 있는 데가 세상에서도 가장 아름다운 곳이었습니다.

1978

초극의 창조

남관南寬 화백과 대하면 부산 피란 시절이 떠오른다. 문인들과 가까이 지냈던 한 분이다. 그 당시 잡지 기자였던 내가 청탁해서 잡지에 실었던 남관 화백의 펜 화畵와 글을 지금도 보관하고 있다.

아기를 업고 풀떡을 굽는 부인을 그린 그림이 있다. 곁에 딸아이 비슷한 소녀가 양담배 같은 것들을 팔고 서 있다. 소녀는 아기를 업고 풀떡을 굽는 엄마(?)를 쳐다본다. 아기가 쓴 모자 하나로 추운 겨울이 다 나타나 있다. 그림 뒷면에 있는 남관 화백 글은 이러하다.

거리에서

영도影島 바닷가에서
가끔 보는 풍경이다.
한 개에 백 원—열 개를 팔아도
불과 천 원이다.
하루에 얼마나 파는지!

나는 남모르게 생각해본다.

남편은 무엇을 하시는 분인지!

일선一線에 나가시지는 않았는가!

설명이 필요없다. 또다시 읽게 된다. 우리는 그 어렵던 때부터 알아온 사이다.

우리들은 환도還都했다. 수화樹話 화백이 프랑스로 떠난대서 문인들은 날마다 하는 술자리를 마련, 환송회 비슷한 것을 했다. 그러나 우리는 남관 화백이 파리로 언제 갔는지를 모른다. '고생한다' 는 소식이 들리곤 했다.

귀국한 남관 화백 작품전에서 나는 경이와 영광을 느꼈다. 작품 세계의 변화는 다른 분들이 더 잘 아실 것이다. 기사회생이란 이런 것이 아닌가 싶었다.

나는 미술을 좋아하지만 별로 욕심을 부리지 않으려는 편이다. 파리 시절의 흑黑 · 갈褐 · 청靑은 진실의 분노며 때로는 절망한 종교미宗教美 같은 충격마저 안겨주었다. 나는 욕심을 자제하느라 스스로 어색할 때가 있다. 파리 시절의 어두운 빛 한 폭 가져봤으면, 그 침묵의 병, 거짓 없는 고민이 나를 매혹하였다.

그 후로 서울에서 열리는 남관 화백 작품전에는 으레 갔다. 그 작품세계에서 좋은 산책을 하며 귀를 기울인다. 내 나름대로 대화를 나눈다. 색채가 점점 밝아온다. 녹슨 상처들로 더욱 은근하다. 세심한 정성이 숭엄崇嚴하였다. 한 예술가가, 아니 한 인간이 도저한 고행을 겪어 도달하는 승화란 이런 것인가 싶었다. 내가 전 작품들을 다 못 보았으니 함부로 더 말할 일은 아니다.

간혹 남관 화백이 생각나면 그 조용한 댁내 분위기가 떠오른다. 나직한 음성, 자상한 미소는 지금 무엇을 하고 있을까. 눈은 얼음처럼, 타협 않는 자세로써 작품 활동에 여념이 없을 것이다. 그래서 가보고 싶다가도 그만둔다. 문안 전화라도 걸어볼까 하다가는 그만둔다. 남관 화백 댁에 가면 내가 별로 좋아하지 않는 욕심이 저절로 일어날까 봐서 주저한다.

그 댁 정원에 봄이 오면 남관 화백 근작近作을 보러 가야겠다. 김진옥金眞玉 여사가 주는 차를 마시며 몇 해 만에 말을 나누며 무슨 말씀을 하나 귀담아들어야겠다. 집 안 수리는 오래 전에 다 끝났을 것이다.

남관 화백을 보면 옛 예술가들도 저러 했을까 생각한다. 고독한 의지意志 말이다. 고독한 의지는 예술의 자유지만 그러나 그 가치를 살피는 일이 나의 예의며, 그분에 대한 대접일 것이다.

1978

달마상

삼락자三樂子 석정石鼎 스님은, 동래 금정산金井山에서 정진한다. 나는 서울에 살기 때문에 1년에 한 번씩 서로가 연하장으로써 대한다. 금년 정초에 달마상達磨像을 받았다. 예술에서 가장 이루기 어려운 이 무기교의 차원을 감사한다. 대자연은 돌 하나에도 극치가 나타나 있기 때문이다. 석정 스님 선서화禪書畵를 보면 아무런 부담을 느끼지 않는다. 이런 아름다움에 이르기란 쉬운 노릇이 아니다.

1978

여성과 화장

여성이 없는 가정이 있을까. 그러한 가정이 있다면 여러 가지로 불편할 것이다. 모든 생명은 부모님이 있었다. 세상에는 여러 가지 사정이 있기에 혼자 사는 여성과 혼자 사는 남성의 경우가 있다. 그러나 여성과 남성은 다르기에 서로를 필요로 한다. 일반 여성의 화장이 이상하면 이상한 느낌이 든다. 화장을 하지 않는 여성을 보아도 이상한 느낌이 든다.

화장을 잘한 여성은 자연스럽고 천연스럽다. 특수한 경우가 아닌 남성이 화장을 하면 자연스럽지도 천연스럽지도 않다. 남성과 여성이 서로 다르기 때문이다.

옛날 여성들은 크게 두 번을 화장했다고 한다. 첫번째의 큰 화장은 결혼할 때였다고 한다. 두번째의 큰 화장은 세상을 떠난 때였다고 한다.

어머님은 혼례를 올리던 날 분을 바르신 후로는 화장한 일이 없다고 말씀했다. 당시는 일반 부인들이 다 그랬다. 가난한 사람들이 많았다. 집안이 좀 넉넉한 여성들도 근검 절약이 미덕이었다.

형제들은 그러한 풍속을 예사로 생각했다. 형제들은 화장하신 어머님을 뵈온 적이 없다. 형제들에게 어머님은 잊지 못할 여성이었다. 자녀들에 대한 어머님의 사랑은 한량이 없었다. 여성의 자정慈情은 화장 따위로는 비교도 안 되리만큼 무한했다.

그러나 이제는 세상이 달라졌다. 세태는 변했다.

돌아가신 어머님을 생각하는 때가 있다. 어머님이 계신다면 얼마나 좋을까 하는 부질없는 공상을 한다. 부모님이 안 계실 때 효성이 제법 있는 척하는 말버릇은 곧이곧대로 믿을 수 없다. 그러나 효 · 불효를 막론하고 부모님에 대한 그리움이 떠오르는 것은 사실이다.

그럴 때면 이러한 대화가 있을 법도 하다.

"어머님, 화장품을 사왔습니다. 이제부터는 화장을 하세요."

"다 늙은 사람이 화장이라니 그게 무슨 소리냐."

"그렇지가 않습니다. 늙으신 어머님이 화장을 하시면 더 자연스럽고 천연해질 것입니다. 제 말이 맞나 안 맞나 화장품을 써보세요. 온화한 성품이 더 맑고 안색이 더 천연히 깨끗해질 것입니다."

왜 이러한 생각을 하는 것일까. 그에게는 그만한 사연이 있다.

옛 여성은 위에서 말했듯이 혼례를 올리는 날과 세상을 떠난 때 크게 화장을 했다.

6 · 25 난리 때 어머님은 피난한 곳에서 약도 못 쓰고 세상을 떠나셨다. 형제들은 그 당시만은 잊지 못한다. 어머님은 수의와 널은커녕, 입었던 삼베옷 그대로 그날로 그곳 옆 산에 묻히셨다. 자식 된 도리로서는 철천지한이 안 될 수 없다.

어머님이 결혼하시던 날, 한 번 바르신 분이 처음이자 마지막의 화장이 될 줄이야 누가 알았으리오. 여성은 귀천, 상하 할 것 없이 자고로 세상을 뜨게 되면 크게 화장을 했다고 하는데 어머님은 그냥 세상을 떠나셨다.

화장에 관한 글을 쓰라기에 어머님 생각이 나서 써보았다. 추석을 며칠 앞둔 가을 하늘은 드높기만 하다.

1985

전봉건 선생과 시극詩劇

단성사 근처 백궁 다방에서 전선생은 나에게 『현대 시학現代詩學』지를 창간할 뜻을 의논조로 말하며, 제자題字를 쓰라고 부탁했다. 현대 시학 제자를 졸필拙筆로 써드렸는데, 창간호가 나오자 천상병千祥炳 씨는 말한다.

"무슨 붓글씨가 그 모양입니까? 남들은 글씨가 아니라 합디다."

"서예가도 아닌 사람이 붓글씨를 취미로 써서 그래요."

하고 나는 쑥스럽게 대답했다.

그런데 1969년 『현대 시학』 창간호가 나왔고, 벌써 20년이란 세월이 흘렀다. 『현대 시학』은 한국 시 문학에 공로가 크다. 바쁜 중에도 전선생은 시종일관, 끝까지 시를 썼다. 『6 · 25』가 상재上梓되면 그 시집은 후인後人들에게 더 영향을 줄 것이다. 전선생은 분단의 아픔을 간결하고 함축 있게 작품화하셨다. 내가 말하지 않더라도 독자들은 그 특색을 알 것이다. 그러나 전선생의 시극詩劇을 아는 독자는 많지 않을 것이다.

아마 1970년대라고 기억이 난다. 라디오에서 시극 「역驛」이 방송

되었다. 우연히 「역」을 들었지만 감동과 여운이 적막하게 지속됐다. 그리고 시극 「꽃조개」는 『세대世代』지에 발표가 됐다. 언젠가 「역」과 「꽃조개」를 책으로 내도록 권했는데 책을 낼 여가도 없었던가 보다.

그 두 편 시극은 전선생이 처음으로 시도했던 것이다. 나는 어느 출판사가 『6 · 25』 시집과 『시극집詩劇集』을 상재하기 바란다.

우리는 30여 년을 간곡하게 사귀었다. 애환哀歡은 서대문 현대시학사 구 사옥을 회상한다. 허전한 마음이 선생을 잊을 수 없다. 진정의 말씀을 남긴 선생이여 명복을 누리소서.

1988

김기오 선생과 『현대 문학』

당시 『문예』지가 나오지 않게 되자 문인들은 글을 발표할 지면이 없게 됐다. 그 어렵던 때에 김기오金琪午 선생은 순문학 잡지를 창간했던 것이다.

우리가(조연현, 오영수, 임상순, 박재삼 씨와 필자) 혜화동 댁으로 갔던 날, 김기오 선생은 말했다.

"돈을 옳게 쓸 줄 알아야 돈의 가치가 있소. 나는 문화 사업을 일으키고 싶소. 여러분이 좋은 의견을 말하면 나는 뒷바라지를 하겠으니 나를 도와주오."

조연현 선생은 말했다.

"평소 생각하는 계획이 있습니까?"

"우선 문학 잡지가 없으니 문학 잡지부터 착수하고, 단행본을 출판하는 도서 출판사가 있어야겠소. 문화란 예술이 아니겠소. 장차 예술대학도 세우고 많은 인재도 기릅시다."

나는 꿈 같은 이야기를 듣는 듯했다. 그 당시만 해도 교육이나 문화 사업을 꿈꾸는 경제인이 드물었지만, 백년 대계를 내다보는 안목이 계셨다.

우리는 그 뜻을 받들어 문화 사업에 이바지하고자 했는데 김기오 선생은 세상을 떠나셨다. 그러나 현대문학사가 한국 문학에 이바지하며, 대한교과서 주식회사가 미래의 인재들을 기르는 중이다.

그 당시 사정은 조연현 선생이 김기오 선생을 애도한 조문에 나타나 있다.

1988

최남선의 글씨

문예지 『현대 문학現代文學』 창간 전인가, 아니면 바로 그 후였다고 기억한다. 나는 박재삼 씨와 함께 현대문학사 기자로서 육당六堂• 최남선崔南善 선생을 댁으로 찾아갔었다. 댁은 극장 단성사에서 비원 쪽으로 조금만 올라가면 바로 큰길 가에 있었다.

문단 초창기를 묻고 선생의 말씀을 들으면서 메모가 끝나자 청했다.

"선생님, 친필 글씨 몇 폭만 주십시오."

"내가 맘대로 움직이지를 못해서 집필을 못하오. 전에 써둔 원고가 있을 테니 골라 가오."

선생은 반신半身이 자유롭지 못했다. 문갑에서 나온 원고에서 넉 장을 골랐다. 지금까지 보관하고 있는 「서울의 노래」만이 4백자 원고지였다. 나머지 석 장은 일정 때 조선일보사용 조각 원고지에 갈겨 쓴 산고散稿였다. 한 장은 박재삼 씨에게 드렸다. 그 후, 한 장은 이상 선생 친필 글씨와 바꾸었다. 또 하나는 작고 문인 필적 전시회인가 뭔가에 빌려주었더니 영영 돌아오지를 않아서 결국 한 장이 남은 셈이다.

나는 선생을 뵙고 싶었다. 문단으로나 학계로나 단 한 분 생존해 계시는 대선배였다. 그 당시만 해도 선생의 업적을 높이 평가하는 이가 있나 하면 선생을 언짢아하는 이도 많았다. 어떻든 선생은 대선배로서 너무나 유명했다. 나로서는 우리 나라 문학의 특색이 무엇인지가 계속 궁금했던 시절이다. 문인文人이 인간성을 외면하고 지도자가 되어야만 했던 그 당시 일정日政을 탓해야 할 것이다. 그래서 오늘날도 걸핏하면 소위 종교가가, 교육자가, 문인이 그럴 수가 있느냐고 꾸짖는 분들이 있다. 다른 분야도 그러하겠지만 문인은 특별난 인간이 아니기에 인간 이외에는 별반 관심이 없다.

탕아蕩兒면 다 보들레르의 업적을 남기는 것은 아니다. D. H. 로렌스•의 작업은 색마로서 획득한 지위가 아니다. 그들은 보다 많은 인간을 대변한 문인이었다. 보다 솔직한 작품을 남긴 아픔이었다.

남을 책망할 처지가 못 되기에 육당 선생 글씨를 소중히 간직하고 있다.

보덕굴

내가 세번째로 금강산에 간 것은 아버님 병환을 낫게 해줍소사고 기도하러 보덕굴普德窟에 갔던 때이다. 히틀러가 파죽지세로 구라파를 석권하던 무렵이었다. 자신이 있어서 간 것은 아니다. 여한이나 없도록 사분정근인가를 했었다. 기도처로는 천하에 그만한 곳이 흔하지 않았지만 젊은 나이로서 정성을 다했다고는 할 수 없다. 아버님 병환은 누가 보아도 가망이 없었던 것이다. 내 기도가 과연 영험을 볼 수 있을까 해서 목탁을 치면 회의가 일고 이래서는 안 된다는 자책감에서 염주를 돌리며 더욱 열심히 관세음보살을 부르는 그러한 반복에 불과했었다. 7일 기도를 무사히 회향하고 보덕굴을 떠나온 지 몇 달 후에 아버님은 왕생 극락하셨다. 보덕굴에서 난생 처음인 나의 기도를 실패라고 생각한 적은 없다. 보덕굴 관세음보살을 원망한 적은 더더구나 없다. 언제면 금강산 보덕굴에 갈 수 있을까. 언제고 간다면 소원을 위해서 영험을 위해서 기도하지는 않겠다. 영험과 소원 성취가 기도의 전부라고는 생각하지 않기 때문이다. 금강산 보덕굴 관세음보살은 언제나 그처럼 대자대비하셨다.

무제 2

명랑한 햇빛이 내리쬔다. 가로수 그늘에 서면 꼭 그 누구를 만날 것만 같다.

그러나 황혼이 되면 꼭 누구를 기다리는 것만 같은 심정이다.

도시는 혼잡하건만 태고太古보다 가혹한 공허감에 가득하여 있다. 사람들은 모두 몹시 바쁘면서도 허탈감에 시들고 있다.

사랑을 모르는 인간이 기계와 이론과 외식적外飾的인 문명만으로 구원되리라고 믿을 수 있다.

나는 어느 조그만 다방 구석에서 하루의 피곤을 풀며 '자연의 섭리는 우리에게 암시한다. 5월의 푸른 잎은 생각는 사람에게 그 뜻을 계시한다. 이젠 이 이상 더 자연의 섭리를 저버리지 않기로 하자. 그리고 하늘 밑 땅 위에서 언제나 좀더 인간의 뜻을 찾아야 한다' 고 생각하였다.

그러면 어느덧 가로수 위로 별들은 찬란히 반짝이었다.

현대인과 독서

먼 산이 점점 가까워 보인다. 요즘 공기는 제법 맑다. 가을인 것이다. 가을이면 으레 독서란 말이 따르게 마련이다. 연례 행사로서 독서 주간이 강조되어 각 서점에 새로 출판된 책들이 쏟아져 나온다. 도처마다 등화가친燈火可親이란 말이 나온다.

가을과 독서는 평범한 상식이 되어버렸다. 사람들은 이런 상식적인 말에 멀미가 난 것일까. 아니면 숫제 무감각해져버린 것일까. 그래서 반응이 없는 것일까.

독서를 생활화하고 습관화하지 못한 데는 여러 가지 원인이 있을 줄로 안다. 경제난도 있을 것이요, 또 어떤 것이 양서인지 그 선택에도 신경을 써야 하느니 만큼 귀찮기도 할 것이다. 그러나 가장 염려스러운 현상은 시간 여유가 없다는 것이다. 현대는 복잡해서 현대인은 항상 바쁘다. 옛사람처럼 책을 읽고 생각할 여가가 없다.

그러나 한 가지 유의해야 할 일이 있다. 책을 읽지 않는 경향과 그래도 책을 읽어야겠다는 의욕을 혼동해서는 안 된다는 것이다. 아무도 자기 현실과 사실에만 만족하지 않기 때문이다. 누구나 미래에 대한 꿈이 있기에 살아가는 것이다. 앞날에의 희망과 향상과 발전과 행복을 갈구하는 정열과 노력이 없다면 과거의 역사도 앞날의 문화도 아니 자기 자신의 존재 이유마저도 상실하고 만다. 시간적 여유마저 없는데다가 의욕마저 없다면 어찌 되겠는가. 자신을 포기하는 절망이 있을 따름이다. 생각만 해도 가공可恐할 일이다.

이 점에 대해서 특히 관심을 기울여 난관을 극복해야 할 사람들이 있다. 즉 대학생들인 것이다. 대학생들은 이번에 등록금을 마련하기에 많은 애를 썼을 것이다. 부형은 어려운 살림에서 무리를 하여서까지 등록금을 내주었다. 따라서 열심히 공부해야 한다는 이유를 절실히 느꼈을 줄 알며 깊이 체험했을 줄로 안다. 대학생은 오늘보다는 내일의 꿈을 달성하기 위해서 갖은 고난을 참고 과감히 대결해야 할 존재이다. 대학생은 사명과 책임과 기대의 대상인 것이다. 그러므로 아무리 현대가 복잡할지라도 대학생에겐 충분한 시간적 여유가 주어져 있다. 누구나 시간의 낭비는 잘못이다. 더구나 대학생이 감각적인 것으로 권태를 몰아내려 한다면 이건 천부당만부당한 일로서 규탄받아야 마땅하다.

흔히 보고 듣는 바이지만 사람이 그 일생에 있어서 독서할 수 있는 시기는 학생 시절이다. 즉 학생 시절이 일생에 미치는 영향은 거의 결정적이다. 대학생은 특히 대학생에게만 부여된 귀중한 시기를 허송하지 말아야 한다. 가능한 한 꾸준히 한 권이라도 더 많은 책을 읽기 바란다.

자고로 독서하는 사람에겐 봄 · 여름 · 가을 · 겨울이 문제되지 않는다. 가을은 생각할 수 있는 계절이기에 독서하기에 가장 적합하다는 것뿐이다. 학생 외에도 세계의 현대인은 현대라는 바쁜 시간에 몰리면서 책을 읽는다. 그들은 자기의 존재 가치를 찾으려 의미를 발견하려 적극 독서 시간을 만드는 지혜 있는 사람들이다. 노력과 희망과 지혜가 있는 한 어느 시대건 간에 종말은 없다.

우리가 보다시피 서점은 술집처럼 손님이 많지 않다. 책을 사는 비용이 날마다 사서 피우는 담뱃값의 반만큼씩만 나간대도 충분할 것이다. 아니 현대는 책이 손쉽게 구할 수 있도록 너무 많아서 질릴 지경이다. 기회는 언제나 있다. 다만 문제는 시간이다. 현대인은 자기 시간을 넉넉히 갖지 못해서 심각성을 드러내는지도 모른다.

그런데 대학생은 그 일생에 있어 가장 많이 독서할 수 있는 시간의 혜택을 받고 있는 것이다.

우리 나라는 교육열에 비해서 독서 수준이 낮다는 말을 흔히 듣는다. 또 독서가 생활화 습관화되어 있지 않다는 말을 종종 듣는다. 지금은 사람들을 생각하게 하는 가을이다. 누구나 다시 한 번 생각해볼 일이 아니겠는가.

정이 스민 연하장

뭐고 모으기 위해서 모으는 것은 수집가가 하는 일이다. 나를 수집가라고 생각한 적은 없다. 누구나 자기가 좋아하는 물건을 산다. 버리지 않는 물건은 저절로 남게 마련이다. 연하장과 편지도 그러하다. 오는 대로 다 모아둘 수는 없다. 버리고 두는 데도 기준이 있다. 여러 가지 경우가 있을 것이다.

이미 세상을 떠나신 부모님 편지를 보관한다든가, 심지어는 자기가 아홉 살 때 쓴 편지를 발견하고 스스로 보관한다든가 하는 일은 이해가 간다. 그러나 그 당자에게만 소중하지 일반적으로 가치가 있는 것은 아니다.

또 아무리 유명한 명사名士에게서 온 편지라도 그 내용이 사무적 용건을 알리는 인쇄물이라면 버리게 된다. 값비싼 크리스마스 카드라든가 고급 봉투 속에서 금테까지 두른 연하장이 나온대도 그것이 인쇄물일 경우에는 보관이 되지 않는다. 소중하기로 말하면 이해 관계에 관한 편지가 으뜸일 것이다. 그러나 이해 관계가 끝나면 누구나 헌신짝처럼 버린다.

이와는 반대의 경우가 있다. 학생들이 보내주는 연하장일지라도 서툴망정 손수 그림을 그렸거나 붓글씨로 썼으면 버려지지가 않는다. 외국에 가 있는 친구라든가 또는 졸업생들이 보내주는 편지에는 진정이 들어 있다. 우편물은 모으려 모으는 것이 아니기 때문에 자연 까다로워진다. 그래서 내게 모여진 것을 보면 문인文人들의 친필 편지가 대부분이다.

그러나 문인, 예술가, 학자님 들로부터 받은 연하장은 많지 않지만 독특한 붓글씨거나 격조 높은 그림이거나 손수 새기고 찍은 판화거나 아니면 훌륭한 글이 적혀 있다. 그 크기와 지질紙質도 가지각색이다.

즉 불과 몇 장밖에 내지 않는 연하장 중에서, 그 귀중한 한 장을 받았을 때의 기쁨은 크다. 서로 바쁜 생활에서 그런 성의를 받았으니 더욱 감사하는 것이다. 돈으로도 살 수 없는 귀중품이란 바로 이런 것이 아닌가 한다.

나의 경우도 비슷하다. 인쇄한 연하장을 사용하지 않으니 많이 낼 도리가 없다. 그러면서도 복잡한 기계 문명 속에서 이해利害를 떠난 성의가 아쉽다. 현대는 행복을 찾는다면서 무엇엔가 메말라 있다. 밤이면 막걸리 집마다 손님들이 넘쳐나는 것도 알 만하다. 결코 술은 기쁨이 아니다. 취한 것뿐이다.

소중히 여기던 편지나 연하장이 없어지면 섭섭하다. 작고한 분의 것일 경우에는 더욱 그러하다. 어디에 깊이 두었겠지 하고 자신을 달랜다. 없어질 리가 없다고 믿는 것이다.

나는 책이나 편지나 연하장을 받으면 답장을 낸다 하는 일도 없이 바빠서 일일이 긴 사연을 쓰지 못한다. 그래서 엽서에 붓글씨로 써서 보내는 정도가 기껏이다.

많이 가지지도 못한 주제에 어쩌다가 이런 글을 쓰게 되었는지 모르겠다. 나보다도 더 정성어린 편지나 연하장을 많이 가진 분들이 얼마든지 계실 텐데 생각하니 도리어 그런 분들의 말씀이 듣고 싶다.

다른 분에게서 받은 것을 소중히 알면서도 다른 분에게 그런 정성을 드리지 못하는 자기 자신이 답답할 때가 있다.

회고回顧

부산 피란 당시였다. 하루는 김동리 선생이

"정음사 최영해 사장이 일간 서울에서 온답니다. 김구용 씨를 꼭 만나야겠다고 하더랍니다."

하였다.

그때만 해도 나는 최선생과 안면이 없었다.

"뭣 때문일까요?"

"무슨 의논할 일이라도 있겠지요."

김동리 선생 대답은 막연하였다.

최선생과 처음 만났을 때 그 비대한 풍신에 위압을 느꼈다. 알고 보니 용건은 번역을 맡아달라는 것이었다. 한참 궁하던 판이라 고맙기는 했으나 힘에 겨운 짐을 지는구나 싶었다. 처음으로 하는 번역인 만큼 무리도 아니었다. 내가 해낼지 모르겠다고 솔직히 말했더니

"그럼 용건은 이걸로 끝났어요. 우리 딴 얘기나 합시다."

최선생은 내 말을 들으려 하지 않았다. 그 후로 안 일이지만 용건은 즉시 해치우는 편이며 인정은 면면綿綿하였다.

일단 믿고 맡기면 독촉 외에는 군소리가 없었다.

최선생은 주로 서울에 가 있었기 때문에 나는 현 정음사 사장 최철해 씨와 박대희 씨와 자주 접촉하였다. 최선생은 간혹 부산에 나타났다. 그 당시 부산 최선생 댁은 어디 있었으며 몇 번 갔었는지 기억이 나지 않는다. 보다 큰 인상이 다른 것을 잊게 한 것 같다. 최선생은 말했다.

"여기가 내 방이오. 들어갑시다."

방에 들어선 나는 어디에 앉아야 좋을지 망설였다.

아랫목엔 새 비단 요 이부자리가 깔려 있었다. 젊은 사람이 이불을 뒤집어쓰고 누워 있었다. 최선생은 나에게

"내 동생이오."

하고 웃었다. 대낮이었다. 그래서 나는 물었다.

"어디가 아픈가요?"

그 소리에 젊은 사람은 잠이 깼는지 부스스 일어났다. 텁수룩한 모양이 형무소에서 갓 나온 사람 같았다. 최선생은 이런 말을 했다.

"더 누워 있거라."

"푹 쉬어야 한다."

"음식을 좀 먹었느냐?"

아무리 보아도 그런 형제간이 있을 리 없었다. 그제야 최선생은 빙그레 웃으며 설명했다.

"이번에 포로 석방으로 풀려 나온 우리 동포요. 내가 데려왔지요."

나는 최선생을 다시 봤다. 그 웃음은 너그럽고도 자상하였다.

환도하여 회현동 정음사에 처음 가봤을 때였다. 나는 조금도 어색한 생각이 들지 않았다. 그 동안 최선생에게 신세를 졌던 것이다.

계속 번역을 맡게 됐는데 『사원辭源』과 『중국 인명 사전』이 필요했다. 그 당시는 둘 다 구하기 어려운 책이었다. 최선생은 함께 헌책 가게를 뒤져 사줬고 그 후 반환하라는 말이 없어 지금도 내 서가에 꽂혀 있다. 함께 거리를 가다가 담배를 살 때면 반드시 두 갑을 샀다. 말없이 한 갑을 내 주머니에 넣어주었다. 최선생은 비대한 몸과는 달리 메마른 나보다도 섬세한 데가 있었다. 나를 데리고 동대문 시장에 들러 풋고추를 사서는 댁으로 간다. 혜화동 댁에서 고추적을 반찬하여 저녁 대접을 여러 번 받았다.

최선생의 화술은 다양하다. 말하자면 문학적이다.

정음사를 꾸려가느라 현실을 척척 처리하는 반면 정서가 놀랍다. 댁에 누차 가게 되어 부인과도 알게 됐다. 부인은 나 같은 사람에게 중매를 서겠다고 하였다. 그때 최선생은 말했다.

"규수야 좋지만 안 돼요. 그런 처가를 뒀다가는 우리 김형이 또 산속으로 달아날 거요."

나는 감심하였다. '이분이 나를 알아주는구나.'

한 번은 지프 차 속에서 나에게 권한 일이 있었다.

"김형, 돈 걱정은 내게 맡기고 결혼하오. 인생이 얼마나 된다고 혼자 사오?"

그러면서도 색시감을 천거한 일은 없었다. 그럴수록 나는 고맙게 여겼다. '나를 알아주는 분이로구나.'

여기서부터는 잠시 최사장이라고 써야겠다. 외솔 선생 환갑 해였다. 누구와 함께 갔는지는 기억이 나지 않으나 하여튼 외솔• 선생이 기거하시는 신촌댁을 힘들이지 않고 찾았다. 외솔 선생 회갑을 축하하러 온 학계, 문단의 각계 인사들로 뜰까지 분답했었다. 뚱뚱한 최사장은 마루에 잠시 걸터앉을 사이도 없이 손님들을 연신 영접하고 있었다. 나는 인사만 치르고 잠시 후에 물러나왔다. 최사장은 따라 나와 일일이 "와줘서 고맙다"는 말을 하였다.

며칠 후였다. 최사장을 만났더니 너무나도 지쳐 있었다. 외솔 선생 회갑 날 그 많은 각계 인사들을 일일이 영접 배웅했으니 성할 리가 없었다. 다리가 퉁퉁 붓고 아파서 걷지도 못하면서 또 빙그레 웃었다. 극도의 피곤과 흡족이 뒤섞인 미소였다. 나는 최사장이 부럽기만 하였다. 나는 감심했다. '이분이 효자로구나.' 지금도 생각한다. '효자는 복을 받아야 한다.' 외솔 선생 회갑이시던 해가 어제 같다. 그런데 그 당시의 최사장이 금년에 회갑을 맞이한다니 감회가 깊다.

한 가지만 더 써야겠다. 최선생은 나에게 간혹 암파무웅岩波茂雄• 을 말했었다. 그럴 때마다 최선생의 고독을 보았다. 그 고독을 내 나름대로 읽을 수 있었다. 비록 말은 않지만

"김형, 내가 인간으로나 뜻으로나 암파岩波만 못할 게 뭐요?"

그런 기색이었다. 그런데도 그렇지 못한 현실에서의 고독이었다.

언제부터였던가, 나는 경험상 느낀 바 있어 일단 출판사와의 계약 번역에서 손을 떼었다. 이젠 최선생도 정음사 사장 자리를 물려준 지 오래된 걸로 안다. 그 후 최선생이 자부子婦를 보던 날 잠시 만났고 여러 해 전에 길에서 만났을 때다.

"전번에 전주 신석정辛夕汀•한테 가서 놀다 왔소. 김형, 이젠 좀 어떠오?"

여전히 염려해주셨다.

내가 한때 어려운 고비를 넘긴 것도, 번역에 손을 댄 것도 최선생과 알았기 때문이었다.

내가 기억하는 첫번째 우리 집

맨 처음으로 기억나는 우리 집은 초가草家였다. 퍽 오래 된 옛 일이다.

두 살 때 나는 경상북도 하양河陽에 있었다. 네 살 때 영천永川을 떠났다.

그러니 세 살에서 네 살 사이였다. 그 당시는 우리가 사는 곳이 영천이라는 것도 몰랐다. 생각하면 꿈같기만 하다. 사실을 기억한다기보다는 환상의 테두리 속에서 그 옛날이 깜박인다.

전설처럼 평화한 마을이었다. 남쪽으로 난 사립문 앞은 마차가 지나다닐 만한 길이었다. 바로 길 옆은 논이 아니면 못[池]이었을 것이다. 왜냐하면 겨울에는 아이들이 가마니 짝을 타고 끌고 노는 얼음판이었다. 아이들이란 바로 나의 형님들이었을지도 모른다. 나는 그들을 부러워했다. 또는 그 물가에서 잠자리와 나비를 잡으려다가 번번이 실패했다.

남쪽으로 나 있는 돌담 문을 들어서면 꽤 넓은 마당이었다. 우리 집은 서향으로 자리를 잡고 있었다. 부엌과 안방과 마루와 건넌방, 이렇게 평범한 일자一字 집이었다. 부엌 앞 장독대에 백일홍 따위가 피었는지 어쩐지 모르나 딱딱하고 동글동글한 열매를 맺는 풀이 나 있었던 것은 분명하다. 그 열매로 염주念珠를 만든다는 말을 들었다.

장독대 옆, 이웃집 담 위로 나무가 솟아 있었던 것 같다.

역시 집 정문에 나무가 서 있는 흙담 너머 앞집은 선이네였다. 선이는 그 집 딸 이름이다. 아마도 시집갈 나이였다. 얼굴은 전혀 기억나지 않으나 선이란 이름은 신선 선仙 자거나 아니면 착할 선善 자였을 것이다.

그녀는 선녀처럼 아름다웠으며 매우 착한 처녀였다고 이제 내 나름대로 상상한다. 어디로 시집을 갔을까. 몇 남매나 슬하에 두었을까. 환갑이 넘었을 것이다.

아버지는 봄가을 수확 때마다 먼 고향을 다녀오셨고, 어머니는 개구쟁이 아들들 때문에 간혹 언성을 높이셨다. 삼마*(내가 났을 때 삼[胎]을 갖다준 부인)는 집안을 도우셨다. 오늘날로 말하면 식모인 판순이는 부지런하였다. 형님 셋은 삼마의 아들과 함께 영천 보통학교를 다니고 내 바로 밑에 동생은 한 살짜리 갓난아기였다. 나는 동생이 먹어야 할 엄마 젖을 독점했으므로 형님들한테 늘 놀림감이 되었다. 농사를 짓지 않으므로 외양간은 없었다. 닭을 몇 마리 길렀다는 것은 그 후 어머니한테 들어서 알았다. 개가 있었는지 없었는지는 분명하지 않다. 우리 집 뒤에도 다른 집이 있었는지 없었는지 모르겠다. 뒤곁에도 나무가 하나 서 있었던 것 같다.

나는 형님들을 따라 아늑한 산 언덕에서 매우 평화한 우리 집과 동네를 여러 번 바라본 일이 있었다. 언젠가 나는 어머니와 삼마 사이에 앉아 잔솔밭 사이로 우리 집을 바라보았던 기억이 난다. 조용하고 찬란한 저녁노을이었던 것 같다. 산은 유난히 푸르렀는데도 어딘가 별이 하나쯤 나타났다고 생각된다. 웬일인지 형님들은 보이지 않았다.

어린 눈에는 모든 것이 아름다웠다. 신기하였다. 세상은 행복하였다. 물론 불행이라는 말조차 몰랐다. 그런 중에서도 우리 집이 가장 좋고 우리 어머니가 제일 좋았다. 지금도 그 당시를 생각하면 황홀하다. 누구나 어렸을 때는 아름다운가. 나만이 그러한가.

만추晩秋의 달밤

만추는 희미한 애달픔인 양 광명의 원을 이루었다. 나는 창 너머로 우중충한 도시의 하늘에 썩은 핏빛 달이 점점 영롱하게 정화되는 걸 바라보았다.

나는 통행 금지 시간도 지나고 가로수의 낙엽이 도로에 구르건만 잠들지 못하였다.

대개 잠자지 못하는 사람이란 무엇을 생각하는 것일까.

각자의 사정에 따라 김장 걱정, 혹은 연탄 걱정, 또는 의복 걱정 등 이 이외에도 여러 가지 걱정으로 잠자지 못하는 사람이 있을 것이다.

그렇지만 누구나 이런 당면사當面事를 밤낮없이 생각할 수는 없는 일이다. 앞날을 생각하면 만사가 벽처럼 답답하지만 지난 일을 회고하면 어떻게 이렇게 살아왔다는 걸 알 수 있다.

그러기에 인간은 의식적으로 도리어 모든 것을 생각지 않고자 하는 시간을 필요로 한다.

흔히 말하는 바와 같이 가을을 독서의 계절이라든가 또는 좀 과장된 말일지 모르나 사색의 계절이라고 한다면, 그것은 도리어 무념의 안정이라든가 망각의 위로 같은 것이나 아닐까.

승강구까지 사람이 넘쳐 나올지라도 일단 문을 닫기만 하면 변통없는 철판으로 에워싸인 버스 속에서도 승객들은 깨어진다거나 부서지는 일 없이 타고 가게 마련이다. 즉 이러한 인간의 신축성을 새삼 느끼게 하는 거와 마찬가지로 우리는 가을에서 여러 가지를 유의케 된다.

물론 경우에 있어서는 사고와 고장도 있을 것이다. 그러나 만일의 사고를 두렵다 하여 가만히 앉아 있을 수도 없는 것이 현대이다.

그러기에 환경과 형편의 미래에 대한 불투명성은 우리에게 방향을 선택케 하는 동기를 일으킨다. 따라서 행위는 이미 의지를 요하는 것이다. 바람에 덜덜 떠는 앙상한 나뭇가지의 그림자에도 유리창에도 달빛이 수기水氣 도는 청녹색 보석 가루처럼 흩어져 반짝인다.

잠들지 못한 나는 무념의 안정에서 몇 시간 전에 헤어진 사람들을 생각고 있었다. 이러한 생각은 나의 피곤을 풀어주기도 하였다.

아침부터 저녁까지 한 사람의 사회인으로서 직장의 책임을 마치고 쉴 사이 없이 저녁부터 밤 10시 가까이까지 대학에서 공부하는 학생이라기보다도 호학好學하는 분들의 모습이 나의 눈앞에 떠올랐다.

만추를 오곡 백과의 완숙으로 본다면 각박한 현실에서도 노력을 아끼지 않고 연구하는 그분들이야말로 싸늘한 대기 속의 의연한 자태라 할 수 있을 것이다.

시간은 누구에게나 공평하다. 누구나 아침이면 일어나고 누구의 앞에서도 똑같이 태양은 서쪽으로 넘어간다. 가능한 한 시간을 뜻 있게 선용善用한다는 것은 누구에게나 부여된 자유이다. 밤마다 공부하러 대학에 나오는 분들을 다른 사람보다 한적하다고 하지는 않을 것이다.

나는 일주일에 하룻밤씩 그분들과 만난다. 나는 그분들 앞에서 강의를 한다기보다 도리어 그분들로부터 여러 가지로 배우는 점이 많았다.

일생을 그렇듯 호학하고 평생 그렇듯 시간을 선용한다면 진실로 위대한 힘을 얻을 것이다 하고 나는 영향되어 자기를 훈계하기도 하였다.

그분들은 이제 깊이 잠들었을 것이다. 과로로부터 해방된 수면은 축복된 것처럼 감미로울 것이다.

언젠가 강의가 끝난 후였다. 나의 거처하는 곳과 가는 방향이 비슷한 비교적 젊은 학생이 있었으므로 함께 버스를 탔었다. 그때 그 학생이 말하길

"공부가 제대로 될 리 있습니까. 낮엔 직장에 매달려야 합니다. 저녁 먹을 여가도 없이 학교에 나와서 강의를 듣습니다. 그러니 집에 돌아가 한술 뜨고 나면 쓰러져 자기가 바쁩니다. 이러고야 무슨 공부가 되겠습니까."

"책만이 공부가 아니겠지요. 우리가 일상 보고 듣는 것에서 배우는 것도 많을 겁니다. 누구나 오늘날에 있어 최선을 다한다는 것은 어렵지요. 그저 참으며 견디며 쉬지 않고 나아가는 데 의의가 있지 않을까요."

하고 겨우 나는 말하였다.

지금쯤은 그 직장 대학생도 깊이 잠들었을 것이다. 또는 나처럼 지금 자지 않는 분도 있을지 모른다.

그러나 이 나라 방방곡곡 어디에도 만추의 저 달은 이 시각에 그 정화된 뜻을 비치고 있다. 그리고 엄동嚴冬을 부르는 금년도 얼마 남지

아니하였다. 돌아오지 않을 시간이 흘러가고 있다.

무엇을 사색한다거나 또는 독서한다거나 성급하게 미숙한 대로 집필할 필요는 없다. 잠이 안 오면 잠들 때까지 평안히 누워 있으면 그만이다.

들리지 않는 만추의 소리에 안정을 느끼고 한천寒天에 솟은 메마른 나뭇가지 끝의 화염보다 심각한 주홍빛 과실들로부터 우리도 자아를 점숙漸熟시키며 정신적 영양을 길러야 할 뿐이다.

"메밀묵이나 찹쌀떡."

을 외치던 소년도 거리에서 군밤을 팔던 할머니도 진종일 돌아가던 농촌의 기계 방아도 김장 배추, 무를 싣고 서울로 달려온 운전사며 물주物主며 트럭도 비록 잠들었으나 저 달빛 가득한 천지의 호흡으로 호흡하고 있을 것이다.

흔히 현대 사람들은 '죄악의 밤' 이란 말을 하지만 잠들면 선도 악도 마찬가지로 없어진다. 죽음이 아니라 잠자는 호흡은 인간의 휴식이며 지상의 평화며 역사의 원천이다.

이 만추의 달밤에 나처럼 잠자지 않고 있는 분들이 이 장안長安에 몇 분이나 있을까. 그들은 무엇을 하고 있을까. 무엇을 생각하고 있을까.

달밤에 싸늘한 서리를 맞고 있을 학교도 그 강의실 속도 이젠 고요할 것이다.

밤늦게까지 공부하고 돌아가던 독학가篤學家인 학생들이 다시 생각난다. 은근한 정을 일으킨다. 그것은 일종의 기도처럼 경건한 것이기도 하였다.

이 밤 그들에게 평화로운 휴식이 있으라. 행복은 고난을 피하지 않는 그들의 의지 앞에 전개되어야 한다.

어느덧 만추의 달밤은 나로 하여금 이렇게 중얼거리게 하였다.

나는 무언에서 충실하는 자신을 느끼고 변화로써 영원을 형성하는 무성의 음악에 귀기울이며 달빛 찬란한 유리창을 스치며 떨어지는 나뭇잎에서도 새로운 맥박을 듣는 것만 같았다.

지방 문예 강연 행각기行脚記
—오산烏山 · 청주淸州 · 공주公州

오산에서 특청特請이 있었으므로 우리 일행 세 사람은 다른 분들보다 하루 앞서 서울을 출발하였다. 열차에 탄 서정주 선생과 필자와 1월호에 시를 추천받은 김혜숙金惠淑 양은 문학 강연보다도 강산 유람에 뜻을 두었다. 낙막落寞한 촌 역에 내리며부터 안내를 받아 점심 대접을 받고 청학산靑鶴山 품속 다양한 잡목림 사이에 있는 오산 중고등학교에서 첫 강연을 하였다. 입추의 여지도 없이 들어찬 청중에게 어떠한 감명을 줄 수 있었는지 그것은 우리의 알 바 아니다.

"정치에 관한 웅변은 많이 들었지만 문학 강연을 듣기는 처음입니다."

이 한마디는 그날 밤 우리를 위하여 베풀어진 주연보다도 또는 그 어떠한 찬사보다도 잊혀지지 않았다. 오미五美가 오산烏山으로 변하였다는 이 지방의 백제 고성古城 독산성禿山城과 임진왜란 때 승첩지勝捷地인 세마대洗馬臺를 사진으로만 보고 송죽松竹이 권하는 술잔을 받아 마시며 서선생 곁에서 장고長鼓를 치는 소복素服 단장녀丹裝女의 노래를 듣는 동안 미취微醉하였다. 우리가 일박하고 떠날 때 아침 찬바람을 무릅쓰고 역에까지 나왔을 뿐만 아니라 여러 가지로 이번에 힘써주신 오산 중고등학교의 설립자며 교장이신 서영석徐英錫 선생과 오래 전부터 필자와 서로 잘 아는 까닭에 이번에 더욱 수고하신 김순자金順子, 도원희都元熙 선생과 기타 여러 인사께 감사하는 바이다.

끊임없이 Z기의 폭음을 듣던 오산을 떠나 조치원鳥致院에서 합승차로 달린 지 약 한 시간 후 이름도 좋은 무심천無心川을 건너니 깨끗하고 조용하되 예상보다 조그만 청주淸州 거리가 전개되었다. 우리는 모두 초행인지라 거리를 구경하고 오식午食 후 충주忠州행 버스를 탔다. 차 속에서 어떤 청년이 "서울서 문학 강연차 오신 분들이 아닙니까"고 묻더니 "13일날 다시 청주 오시거든 용궁 다방이나 오페라 다방으로 오시면 영접하겠습니다" 하기에 우리는 시인 신동문辛東門•, 최창희崔昌熙 씨의 안부를 물었다. 임진왜란의 한 많은 전장터인 남한강을 건너 박모薄暮의 충주에 이르기까지 필자가 본 차창 풍경은 수목 없는 첩첩 산골의 연속이었다. 무기력한 회색 바탕에 점재點在한 농촌을 지날 때마다 마음은 우울하였다. 저무는 하늘에 철빛으로 높이 솟은 산들이 바라뵈는 조그만 거리인 충주에 당도하였으나 "서울로부터 문학 강연을 온다는 아무런 사전 연락도 받지 않았다"는 것이 우리를 대하는 사람들의 대답이었다. 그러나 우리 일행은 서울 주최측을 탓하지 않았고 애초부터 강연보다 유람이 목적이었던 만큼 서선생과 나는 여관 방 전등 아래서 미주 진효美酒珍肴로 대작 담소對酌談笑하며 밤을 즐기었다. 새벽 무렵 비 오는 소리에 잠을 깨자 나는 탄금대彈琴臺를 못 볼까 적이 걱정하였다. 서선생은 자작自酌 수배數杯 후 홀로 읊조리기를

"빗소리 듣노니 한일閑日도 유구悠久한데 서생書生의 독서가 억십년億十年이라."

나도 뒤를 이어 홍얼거렸다.

"누가 산을 보고 미소하는 그 뜻을 알랴. 탄금이 남한강의 흐름을 다[盡]하지 못했도다."

서로 미취하여 이불 속에서 듣는 객관 청우客館聽雨는 탄금대보다도 어떠한 귀물貴物로도 바꿀 수 없는 청복淸福이었다. 특히 서선생의 반생 회고담을 듣게 된 것은 필자나 김양에게 있어 뜻 아니한 수확이었다. 1시 50분발 조치원행 열차로 비 내리는 충주를 떠나 완전히 일몰 후 청주에 이르렀다. 그러나 우리는 전일 지나던 길에 청주를 보았고 문학 강연도 하기 싫고 해서 정읍井邑으로 가려 내리지 않았다. 정읍에선 일등 사냥꾼들, 몰이꾼들이 엽총 세 자루까지 준비하고 우리를 기다리기로 되어 있었던 것이다. 밤 6시 반에 조치원에 도착하자 비는 악수로 퍼붓는데 호남행 열차를 타기 위하여 다섯 시간을 기다릴 수도 없어 노루, 멧돼지, 꿩, 토끼 사냥을 하루쯤 연기키로 하고 우선 대전으로 향하였다.

우리는 대전에서 전라도 지방을 맡은 김동리 선생과 오영수, 손소희孫素熙•, 천상병, 김양수金良洙, 한말숙韓末淑 제씨諸氏와 만났다. 객지에서 서로 만나니 반갑기 집안 식구 같고 여관도 우리를 위한 주택인 양 부산하였다. 몇 달 만에 권선근權善根 씨도 만나고 오랫만에 임강빈任剛彬• 씨도 만나 늦게까지 이야기하였다. 그런데 권선근 씨는 "청주와 공주에다 이미 연락하여 모든 준비가 되어 있는데 강연을 않고 정읍으로 빠지다니 안 될 말이다" 고 굳이 우리를 붙드는 것이었다. 우리는 김동리 선생의 권유도 있고 하여 청주만은 다시 갈 수 없고 그렇다면 16일날 공주에서만 강연하기로 작정하였다.

이튿날 비는 멈추었다. 김동리 선생 일행은 호남으로 떠나고 우리는 대전에서 이틀을 묵게 되었다. 우리는 이틀 동안 권선근, 임강빈 씨와 그외 대전에 계시는 여러 분께 많은 폐를 끼치었다. 다만 신환身患으로 촌村에서 정양靜養 중인 한성기韓性祺* 씨를 만나지 못한 것이 아직도 섭섭하다. 15일날 오후 우리 일행은 권선근, 이재복李在福 씨와 함께 자동차 한 대를 전세내어 동학사東鶴寺로 향하였다. 동학사는 지난날 내가 문학 청년으로서 오랫동안 독서한 곳이다. 문단의 선배 서정주 선생을 모시고 여러 문우文友와 더불어 산곡 고사山谷古寺에 이르러 어제 같고 꿈 같은 지난날을 회고하니 감개만 새로웠다. 마침 단종 대왕端宗大王과 생사육신生死六臣과 포은圃隱, 목은牧隱, 야은冶隱 선생을 모신 숙모전肅慕殿 삼은각三隱閣 찰향察饗이 끝난 다음 날이어서 마실 선비들도 아직 남아 있었고 필자와 잘 아는 청년의 결혼식이 거행 중이어서 모두 바빴으나 나와는 잘 아는 스님들이 우리를 반갑게 영접해주었다. 아랫절로 내려가 내 서적과 소유물을 두어둔 방을 잠시 둘러보고 돌아오니 곧 저녁 식상이 들어왔다. 약주 산채藥酒山菜로 포식 후 서선생은 계변溪邊을 산책하며 몹시 기뻐하였다. 이윽고 종소리 송림松林 사이로 퍼지고 불전佛前의 황촉黃燭도 휘황한데 57명의 강원講院 비구니 스님들이 열좌列坐한 큰방에서 필자의 사회로 서선생의 강연은 시작되었다. 이어서 김양의 시 낭송과 권선근, 이재복 씨의 강연이 있었다. 이에 사중寺中에선 우리를 환영하는 뜻으로 학인學人 스님의 「대승기신론大乘起信論」 강석講釋과 사미니沙彌尼들의 여러 가지 찬불가를 우리에게 들려주었다. 다시 우리는 객실에서 다과와 약주 산채의 융숭한 대접을 받고 베갯머리에 스며드는 계곡 물소리를 들으며 모든 시름을 풀었다. 이제 지면을 통하여 조실祖室 김경봉金鏡峰 화상을 비롯하여 주지 조대현曺大玄, 총무 박지현朴知玄, 봉민奉敏, 소영昭靈 그 외 모든 수좌님들과 이튿날 우리의 짐을 산문山門 밖까지 들어다준 두 사미니께 감사의 뜻을 표한다.

오후 2시 예정인 문학 강연을 하기 위하여 조반 후 동학사를 떠나 버스로 공주에 도착한 것은 11시 반이었다. 공주는 필자의 양친께서 작고하신 곳이다. 내고향 다방엔 필자와 숙친간熟親間인 이원구李元九, 임헌도林憲道, 이광훈李光薰 선생이 이미 우리를 마중하러 모여 있었다. 문학 강연을 알리는 벽보가 거리에, 다방에 붙어 있었다. 자동차가 거리를 돌아다니며 확성기로 강연회를 선전하고 있었다. 공주 인사人士들의 안내로 식사를 마치고 오후 2시 정각에 공주 사범 대학 강당에서 박수 속에 강연은 시작되었다. 장내는 대만원이어서 문 밖까지 청중이 서게 되었다. 사대 교수며 부속 중고등학교 교장인 이원구 선생의 사회로 권선근 씨의 강연과 김혜숙 양의 시 낭송과 다음은 필자와 서정주 선생의 강연으로 시종 성황을 이루었다. 저녁엔 계속하여 공주 인사들이 서정주 선생, 필자, 그리고 이번에 함께 올 예정이었던 황순원黃順元•, 김윤성金潤成•, 한말숙韓末淑 제씨의 작품을 그림으로 그리고 모필毛筆로 써서 전시한 내고향 다방에서 많은 분들과 좌담회가 있었다.

이튿날 서선생과 잘 아는 공예가 김재석金在奭 선생의 안내로 공보원公報院서 전시 중인 그분의 훌륭한 도자기전을 구경하고 본댁本宅으로 초청되어 저녁 식사까지 대접받았다. 서점에서 『현대 문학』 신년호를 들고 처음으로 추천받은 자기의 시를 읽고 있는 김양을 위하여 권선근 씨가 한 권 사서 김양에게 선사하는 것을 보고 우리는 웃음으로 축하해주었다. 점심때부터 내린 궂은비는 밤에도 멈추질 않았다. 나는 고향 아닌 공주의 내고향 다방에 앉아 이 군郡 내에 있는 부모와 조모祖母와 고모의 산소를 생각하며 역시 고향 아닌 내고향 다방에서 차를 나르는 레지를 바라보았다. 서선생과 권선근 씨는 우리 일행을 위하여 모여든 여러 인사들과 끊임없이 환담하였다. 이윽고 바깥에 내리던 비도 백설로 변하여 우리의 문학 강연이 끝난 걸 축복하여주는 듯하였다. 서선생과 나는 정읍으로 사냥 가느니보다 어서 속히 서울로 돌아가고 싶은 일념뿐이었다. 이튿날 다망多忙하심에도 불구하고 우리 일행을 전송하여주신 이원구 교수, 사대師大 국문과장 임헌도林憲道 교수, 이광훈李光薰, 김재석金在奭, 원종린元鍾麟, 윤중재尹中在 선생 그리고 많은 수고로써 협력하여주신 공주 문화원 이관용李灌鎔, 이덕원李德元 선생께 감사드리는 바이다. 또 우리에게 많은 친절을 베풀어준 내고향 다방의 박정숙朴貞淑 양에게도 감사하다는 말을 전하고 싶다.

우리는 대전大田서부터 많은 신세를 끼친 권선근 씨와도 작별하고 공주를 떠났다. 조치원서 우리 일행은 오식午食을 마치고 열차 2등에 몸을 실어 나는 듯이 귀로를 달리었다. 서울 역전에서 서선생과 김양을 차에 태워 보내고 버스 정류소로 걸어가며 나는 이번 여행을 무사히 마친 데 대하여 기도하고 싶은 심정을 느꼈다.

산방山房의 독서와 습작

언제부터 문학 수업을 했느냐고 묻는다면 물론 내 자신의 일이지만 뭐라 대답해야 좋을지 모르겠다. 누구나 다소 연령적 차이는 있겠지만 거개의 경우 일찍부터 지나친 독서 취미가 문학을 하게 된 동기일 것이다.

그것은 이상한 일이었다. 별들이 노래하고 인생은 아름다웠다. 이러한 동화의 세계에서 눈물이 마르고, 불안한 귀를 기울이며, 확대하는 어둠 속에서 무언을 듣는 빛이 되려면 얼마나 많은 시일을 요하는 것일까. 좋건 싫건 간에 자기自己란 걸 버릴 수 없듯 길은 하나뿐이다. 그러나 나 같은 위인으로선 몇 겁劫을 지나도 될 성싶지가 않았다. 이러고 보면 문학 수업이란 끝이 없다. 이 끝이 없다는 것이 바로 그 바탕[質]인 것이다.

간혹 지난날을 돌이켜보면 현기증이 난다. 그러나 앞으로 어떻게 변할 것인지는 역시 모르기 때문에 과거처럼 나아갈 수 있을 것이다.

일제 말기부터 나는 어느 산사山寺에서 한 10년의 세월을 보냈다. 나는 그 당시를 나의 문학 수업 시대라고 생각한다. 지내놓고 보면 수

유須臾에 지나지 않지만 한 사람에게 있어 10년이란 소중하였다. 요즘 생각하면 내가 어떻게 산속에서 그런 생활을 했는지 타인의 일처럼 의심스럽다. 때로는 초조하고 지리한 세월이기도 하였다. 만일 나에게 여러 가지 책이 없었다면 그런 산방 생활을 하진 못하였을 것이다. 나는 그날 그날을 독서와 습작으로 소일하였다. 그 결과는 무엇이었던가. 지나간 시절은 다시 돌아오지 않는다는 것이다.

암만 생각해도 산방 생활이 나의 문학에 하등의 영향을 주지 못하였다고 나는 말할 수 없다. 그만큼 나는 현실적으로 많은 손실을 본 셈이다. 나는 내가 무엇에나 부적격자임을 안다. 그러나 이런 걸 의식할 때마다 나는 자기에게 감사한다. 그것은 둘 중에 어느 쪽을 택하겠느냐고 반문할 때 생기는 것이다. 그 무엇에도 가치가 있듯이 손실은 다른 의미에 있어 우연한 다행이었기 때문이다. 그것을 나는 자기에의 감사로 돌리는 것이다. 즉 불신不信은 가책이 아니기를 원하였다. 마치 수금囚禁된 고기가 유리 바깥에 대해서 열심인 것과 같았다. 이 보잘것없는 것에도 대가를 지불해야 한다는 것은 나에게 해당할 줄 믿는다. 그래서 가치 없는 것을 훨씬 비싸게 사지 않았나 하는 괴로움이 혼선을 이룰 때도 있긴 있었다. 그러나 문학에 있어 가치는 누구나 주관主觀만으로 한 인간을 함부로 평가할 수 없는 것과 같다. 즉 내가 가치에 대해서 알고 있는 것은 가치라는 그 말뿐이다. 나의 문학 수업이 의식적이었다면 그만큼 강렬한 과오를 범한 것도 사실이다. 그것은 뭘 하든지 간에 불가피한, 결국 겪어야 할 것을 겪은 것이다. 그것을 겪지 않고는 다시 어디로도 움직일 수 없는 그런 종류의 것이었다.

그러기에 도리어 지나가버린 과거에서 우연이라는 기묘한 형성形成을 보았다. 즉 그 당시와 지금의 차이를 똑똑히 알아볼 수 있을 만큼 또 많은 세월이 흘렀다. 결국 세월은 가혹하리만큼 인자하였다. 그 당시 나는 가지고 있던 많은 책을 매우 자랑스럽게 생각하였다. 아니 그 후도 그 책을 서울로 옮겨오지 못하는 처지를 안타까워하였다. 과연 문학 하는 사람에게 책이란 어느 정도로 필요한 것일까. 나는 언제부터 이런 생각을 하게 됐는가 명확하지 않다. 참으로 반려伴侶가 될 수 있는 것은 수십 권에 불과한 것이다. 나대로의 체험을 말한다면 더구나 시를 쓰는 사람에게 있어 지식이란 대단한 것이 못 되었다. 움트는 싹을 위해선 되도록 비료를 쓰지 말고 살과 피를 정성으로 가꾸는 것이 근본이었다. 요즘은 책상만 있는 깨끗한 방을 하나 가졌으면 싶다.

어떻든 여기에선 지난날을 얘기하는 것이 순서일 것이다. 참으로 산중의 적막은 무서운 압력을 지니고 있었다. 다른 사람들이 산속으로 수양하러 가고 싶다는 말을 할 때면 나는 속으로 당황한다. 산속에 가서 수양을 할 수 있는 사람은 이미 도시에서 수양이 된 사람이라야 한다. 그 무거운 압력을 견뎌내기 위해 나는 독서하고 습작했대도 과언이 아니다. 그러기에 내가 얻은 것은 그러한 권태와 공전空轉에서였다. 흐르는 용암溶岩이 그 밑 골짜기의 한 송이 꽃을 삼켰다면 그 꽃은 어디에 호소할 수 있을까. 화석은 이미 억울하다고 말할 시간도 없이 새로운 양자樣姿를 갖는다. 나는 찬란한 과오를 범했다고 회상하는 일도 있었지만, 신념할 수 있는 것은 여하한 사태에 처할지라도 모든 과거를 후회 않겠다는 것이다. 언제나 어디서나 스스로가 겪는 체험이란 문학 하는 사람에게 있어 고귀하였다. 다만 문제는 어떠한 자기를 형성하느냐에 있었다. 누구에게도 나처럼 산속에서 문학 수업을 하도록 권할 생각은 없다.

그래도 계절이 바뀔 때마다, 나는 산속을 생각한다. 그만큼 산은 특히 문학 청년을 싫어했던 것이다. 구름은, 바위는, 수목은, 계곡은, 대자연에 순응하는 사람에게만 기쁨을 주는 성싶었다. 산 밖은 일제 말기의 공포가 타오르고 있었다. 대자연은 나처럼 겁 많은, 더구나 젊은 사람의 여러 가지 생각과 독서를 마땅치 않게 여겼다. 더구나 문학에 소질이 없었던 나는 더욱 미움을 받았다. 역시 이상한 일이다. 그래도 그 산중에 대해서 향수를 느낀다.

나이만 젊다면 먹을 것만 넉넉하다면, 그 당시의 형편만 된다면, 새로이 산방에 들어가서 내 피를 본격적으로 가꾸어보고 싶다. 지난날의 체험이 견딜 수 없었던 것인 만큼 반대로 다시 의욕이 일어나는지도 모르겠다. 아니 이젠 불가능하다는 걸 잘 알고 있기 때문에 더욱 매력을 느끼는지도 모르겠다. 물론 이 현상에 있어선 한 장의 증명서도 될 수 없는 긴 10년간의 독서 생활이었지만 결국 복잡할 정도로 나에겐 유형 무형간에 많은 도움이 되었다.

지금쯤은 엽파葉波의 심저深底에서 고기처럼 빠르고 은빛보다 고운 책 버러지들이 내 장서를 종횡으로 침식하며 과실처럼 번식하고 있을 것이다. 내가 부모 밑에서 장만해놓은 물건이라곤 그 책들 뿐이다. 전엔 이런 생각을 하면 매우 안타까웠다. 그 어느 의장意匠보다도 교묘하게 파먹어 들어갔을 책장들과 앙상한 망해亡骸로 화하였을 장정裝幀들이 떠오른다. 그러나 그런 대로 이젠 심심하지 않다. 웬일일까. 산을 떠난 지도 다시 10여 년, 아직 자립하지 못한 내 생활에 내가 지쳐버린 것일까. 그런 것만도 아닌 성하다. 웬일인지 책이란 그다지 필요한 것 같지가 않다.

내 지난날의 문학 수업을 회고하는 눈도 이렇게 변하였다. 어디든지 물은 흐르는 한 부숴지고 깨어져도 물은 언제나 물이다. 나는 하수

구라도 흐르는 물이 될 수 있을까. 수도꼭지에서 쏟아지는 물이나 산곡山谷을 달리는 물이나 다 마찬가지다. 그릇에 담긴다면 남에게 이익이라도 줄 것이며 그것도 안 되면 결국 구름이라도 될 것이다. 항상 자신自信은 나를 배신하였다. 문학 수업은 이미 이전에 시작되었다. 그러므로 그것은 늘 계속되는 것이다.

1962

추억

부산은 잊을 수 없는 곳이다. 부산에서 피란살이를 했던 분이면 누구나 그럴 것이다. 내게 있어서 햇수로는 짧았지만 추억은 10년간보다도 더 많은 곳이다. 그런 면에서 생각할 때 부산은 또 하나의 고향이다.

환도還都 후로 첫번째 내려가기는 시인 성춘복 씨 결혼식에 참석하기 위해서였다. 월탄月灘 선생과 함께 아침에 부산 역에 내렸을 때 많은 분들이 영접 나와 있었으나 나는 꼭 나 혼자인 것만 같았다. 되도록 값이 싼 밥 한 그릇을 사 먹으려고 이 골목 저 골목을 기웃거리며 다녔던 지난날과 바로 다름없는 그 아침이었다.

이 거리 저 거리, 이 골목 저 골목을 다시 찾아보리라고 생각했던 예정은 이루지 못했다. 신랑 댁에서 진수성찬의 대접만 받다가 비행기로 올라왔다.

두번째로는 학생들과 함께 범어사梵魚寺를 경유, 부산으로 들어섰을 때였다. 버스에서 내린 나는 "여기가 어디냐?" 고 물었다. 분명 부산이라는데 내가 보기에는 부산이 아니었다. 부산 출신 여대생이 웃으면서 서면 로터리라고 했다. 졸업반 여대생은 우리가 피란살이할 때 일곱 살이었다고 한다. 팥죽처럼 질던 길도 다 아스팔트로 변해 있었다. 밤이면 곧잘 몰려갔던 자갈치 시장을 길을 물어서 찾아가야만 했다. 바닷가도 전등불들이 휘황찬란한 딴 세상이었다. 어디가 어디인지조차 알 수가 없었다.

우리는 그 당시에 판자로 된 그 술집을 '갈매기 집' 이라 명명했었다. 친구들과 함께 밤에 막걸리 잔을 기울이노라면 곧잘 갈매기가 날아와서 울었다. 갈매기 한 마리 못 보고 자갈치 시장의 으리으리한 술집에서 좋은 해물 안주로 청주를 마시며 이젠 서울에 있는 그 당시 친구들을 혼자서 생각했다.

그 당시는 뭔지 원통하고 비참하고 억울하기만 했던 시절이다. 그래서 지금도 잊지 못하는가. 그것만도 아니다. 그 당시는 아름다운 인정들이 있었다. 극진히 서로가 돕고 서로를 아꼈었다. 불행한 중에서도 얻은 것이 있었고 발전한 중에서도 잃은 것이 있나 보다. 안녕. 잊지 못할 부산이여, 안녕.

예술론——시 · 서 · 화에 대하여

시에의 관심
—시론

방학 동안에 정리한답시고 문학 소년 시절 때 쓴 시를 훑어보다가 낮잠이라도 자는 체 눈을 감은 적이 있었다. 먼 세월이 가로질렀을 뿐 자기 자신처럼 그때나 이제나 시는 별로 변한 것 같지 않았다. 따지고 보면 세대가 변한 정도였다. 시로서는 변모랄 수도 없었다. 헛되이 수고만 한 것 같은 아쉬움이 드는가 하면, 타고난 소질에서 숙명 비슷한 두려움도 새삼 들었고, 체념인지 자위인지 분명하지는 않으나 뜻밖에 안정을 느끼었다. 잘 썼건 못 썼건 그것은 문제가 되지 않았다. 시는 마음대로 되는 것이 아닌 만큼, 읽은 분의 판단에 맡길 일이지 그런 것까지 신경을 쓸 수는 없다. 많은 독자(?)의 구미에 일일이 맞도록 쓴다는 것은 불가능한 일이며 그런 시가 과연 있대도 탈이다. 자기 마음에 맞도록 애쓰는 일이 시작詩作을 위한 상식이다. 그것으로도 힘에 겨워서 실패를 거듭하는 보람을 느낀다. 폐일언하고 "왜 하는가" 묻는다면 "다른 무엇을 권할 테냐" 물을 수밖에 없다. 남에게 시를 쓰도록 권하는 일도 없지만 쓰지 말도록 말리는 일은 더구나 없다. 시를 읽으면 반갑고 공연히 기쁘다. 동병상련인 것 같아서 설명할 수가 없다. 한

때는 "20세기는 산문 시대며 시의 시대는 아니라"고 호언한 사람들이 있었다. 그러나 "시마저 없어진다면 지구는 볼장 다 보는 것이 아니냐"는 염려랄까 애착은 아직도 그대로 남아 있다. 그러므로 어떤 의구감은 따라다녔다. 시도 산문도 아닌 새로운 형태가 유발될 수도 있기 때문이다. 체험에 의하면 가능은 막연한 데서 나타났다. 그러나 어떤 경우에서도 본질적인 기쁨과 항구적인 앞날을 필요로 하는 한 시는 존속하며 믿음에 이를 것이다.

기술이 인간성을 침해하면서부터 시도 기교의 대가로 많은 귀중성을 잃은 듯싶다. 기교는 예술과 밀접한 관계로 인식되어왔지만 착각이었다. 기교만으로는 예술이 성립하지 않았다. 그럼 다른 요소란 무엇일까. 다른 성질의 것인 것만은 확실하다. 이건 어디까지나 한 개인의 소견이다. 기교가 감동을 돕는 경우와 기교가 감동을 줄이는 역할도 했다. 또 하나의 요소를 알아야만 관계를 성립시킬 수 있지 않을까. 그것이 무엇인지를 모르기 때문에 관심을 기울인다. 거듭 거듭 읽고 싶은 책이란 어떤 것일까. 보면 볼수록 싫증이 나는 회화繪畵란 어떤 것일까. 여기서 다수를 위한 상품과 비교할 생각은 없다. 잘 모르는 것을 알려는 것이 남아 있을 뿐, 모르는 것까지 말하는 것은 마땅하지 않다. 더구나 아는 것을 버릴 필요는 없다. 시가 돈이 되지 않기 때문에 만일 귀중한 점이 있다면 그 희소 가치는 독점적인 것이 아니라 다분히 반성적反省的일 것이다. 말하자면 시詩와 논論은 별개의 것인데도 시론이란 말을 쓰고 있다. 재미나는 일이다. 이와 마찬가지로 시론에 결론을 다는 수가 있다. 서구 사람들의 체질에는 어떤지 모르나 기왕의 지식과 상식이 시작詩作에 실지로 방해가 되는 수는 있어도 도움이 되는 경우는 드물었다. 결론을 거부함으로써 제시할 수 있다는 것이 시와 논의 상호 관계라고 굳이 변명할 수도 있을 법하다. 그러므로 난해성은 문제가 되지 않는다. 그것은 일시적인 것에 불과하다. 어느 시대고 간에 성격은 다르지만 그런 것은 늘 있어왔다. 우리 나라 사가시四家詩나 두보杜甫나 『신곡神曲』이나 『파우스트』는 오늘날도 독자가 없기로 유명한 시다. 그런데도 전시대前時代의 작품이 난해하다는 소리는 들어본 적이 없다. 오늘날 소위 난해시라는 것들도 백 년이 못 가서 저절로 쉬운 시가 되고 말 것이다. 문제는 난해시에 있는 것이 아니며, 후세의 평가에서 결판나는 것이다. 그러기에 예술이 엄숙하기로 말하면 전쟁보다 더하다. 예술가들은 자기도 모르는 후세後世를 본능적으로 생각하는 때가 있다. 시는 서로가 영향을 주면서 돕는다. 자기 자신이 시를 쓰는 것이지, 교육으로 시인이 생산된다고는 할 수 없듯이 말이다. 시인은 저마다 시 세계를 가졌거나 찾으려는 사람들이다. 그 성과는 천차만별이지만 그들에게 있어서는 한결같이 중요하다는 점에서 마찬가지였다.

조화를 이루는 면도 있지만 어떠한 시도 영원할 수는 없었다. 그 극복을 전제로 할 때 시인은 뒤에 오는 시인들에게 기대를 걸고는 한다. 시는 인간다운 조건에서 변해왔고 계속하기 때문에 한 시인의 것일 수 없었다. 시 자체에서 볼 때 그것은 놀라운 운행運行이며 소위 어떤 진리나 신의 예속일 수 없는 아름다움이 있었다. 이 아름다움이란 말은 그대로의 감각적인 것이 아니라 정신적 체험자가 공감하는 공통성이었다. 말하자면 노력과 성공이 무슨 관계가 있느냐는 데서 시작해야 할 것 같다. 흔히들 찾기에 앞서 잃어야만 할 상황에 묶여 있었다. 이 집중과 외연外延에서 시가 분열을 면할 수 있는 점은 자기 나름대로의 발견을 뜻하였다. 인내와 무관심은 사람이 동물과 다르다고 잘못 믿은 독선이었다. 초탈은 태도이지 회피가 아니기를 바라는 때도 있었다. 늘 반성해야만 했던 것이다. 반성하는 시는 중단하지 않을 것이다. 늘 진행 중이기 때문에 시론이나 주장이기에 앞서 끝나지 않고 찾는 일이었다.

불교 선종禪宗의 어록語錄과 서구 현대 시론 등에서 혹시 근사점近似點을 찾아낼 수 있을까. 그러려면 양쪽의 특색을 짐작해야 할 것이다. 둘 사이의 배합이란 가능할까. 이런 계산을 한다면 헛된 수고에 불과할 것 같다. 이런 계산 방법부터가 서구적이기 때문이다. 불경의 선정禪定이 아닌 중국의 선禪과 상징이나 의식을 주로 다룬 서구의 시론은 매우 다르다. 다르다는 것을 솔직히 인정하는 것이 보다 동양적인 사고 방식일 것이다. 우리가 현대에 살고 있기 때문에 잘만 하면 현대 시와 선의 관계가 형성될 것으로 안다든지, 또는 선에 의해서 현대시가 어떤 전기轉機를 초래할 줄로 생각한다면, 이건 동양을 모르는 서구 사람들이나 할 말이다. 아니면 문학 사조에 편승하려는 상혼商魂일 것이다. 좀더 가까운 예를 들자면 구조주의라는 것과 불교에서 말하는 지수화풍地水火風 사대설四大說이 어느 정도로 유사성이 있는지도 잘 모르겠다. 걸핏하면 동양과 서양이니, 서양과 동양이니 하지만 두 관계에 대한 수긍할 만한 글을 보지 못해서 이런 소리를 하는지도 모르겠다. 서구의 석학碩學 야스퍼스*가 쓴 공자孔子와 노자老子를 한번 읽어보시도록 권하고 싶다. 서양 사람이 동양을 아는 것보다는 우리가 그들과 좀더 친한 편이라는 것을 느낄 것이다. 선종의 시와 서구의 시론은 아무래도 다른 것 같다. 유의해야 한다면 두 이질異

質에서 제나름대로 출발하거나 발견해야 할 것 같다. 바꾸어 말하자면 동화하거나 동화시키거나 간에 반드시 또 다른 양상으로 나타나야만 할 줄로 안다. 옛 선시禪詩로도 현대 시론으로도 머물 수 없을 때 모색은 시작하는 것이다. 그러나 시를 위한 사명은 아니다. 그것은 어디까지나 시를 쓰는 개인의 태도가 되기 때문이다. 선과 현대 시론을 잘 알지도 못하지만 전문가처럼 알 필요도 없기에 시는 막연한 영향권, 그 관심사에서 맴돈다. 이해에 의한 보다 적극적인 반응이란 무엇일까. 바로 방황과 차질인 것이다. 실패와 손실만으로 끝날 수도 있다. 모색이니 추구니 하는 말이 보여주듯이 어려운 것이다. 잘 익은 만족을 십분 찬탄하듯이 노력은 더딜지라도 가치가 없는 것은 아니다. 늙을수록 너무 넓어지고 젊을수록 너무 고집에 치우치는 것은 시에 있어서도 이해할 수 있는 현상이다. 시는 끊임없는 반성에 의해서 서서히 각자의 시 세계를 이루어간다. 반성이란 시인이 자기 작품을 지속할 수 있는 근본적 힘이었다. 이 힘이란 능력이기 이전에 시간적인 것이며, 작위적이라기보다는 구성을 위한 공간 설정이라는 편이 근사하였다. 이런 것을 생각하지 않고는 자기 불만의 자극이거나 일시의 도취에 불과하였다. 입김을 불어넣어 시간을 생명화生命化시키고 공간에 가능을 불러일으켜 무한케 하는 것은 무엇일까. 개인적인 허다한 고독과 불행 없이는 대상을 찾을 방법이 없었다. 시가 없다는 현대는 어느 시대보다도 시적詩的 밑천을 확보하고 있는 듯싶었다. 시는 다수의 이목을 끌지는 못하나 그만큼 은혜를 받은 것이라고 생각하는 때가 있다. 어느 때나 부족한 만큼 필요하였던 것이다. 그래서 시는 어둠에서도 빛나고 있었다. 언제나 그 가능에서 보람을 찾아왔다. 하지만 문학 소년 때 쓴 작품과 지금의 작품을 비교해보면 별로 달라진 것이 없다. 그제나 이제나 자기 자신인 것처럼 말이다. '별로 달라진 것이 없다'는 '별로'에 오랜 세월이 흘렀다면 그 약간의 차이야말로 서글프기에 앞서 엄숙한 것이다. 시인은 그 약간이 무엇인지는 몰라도 믿으려 든다.

1975

나의 문학 수업

하나의 꽃 하나의 기계라 할지라도 그런 것들이 이루어지게 된 원인이란 것은 몹시 막연한 데서부터 시작된다. 그러나 누구든지 문학文學 하게 된 동기를 역연歷然히 지적할 수 없을 때, 그것을 운명의 손장난이었다고 말하기는 더더구나 싫은 법이다. 소질이 있는 것으로 착각하고 오랜 세월 동안 변함없었던 문학에의 의욕, 즉 이러한 위험이 여러 가지 우연에 의해서 요행히도 활자화할 수 있게끔 되었다는 것은 나로서는 기적이었다. 우선 나는 맘대로 태만할 수 있도록 자유로운 환경과 부유한 지주의 아들로서 생장生長하였다. 이리하여 문학에 심취할 수 있을 만큼 소년의 꿈은 비현실적이며 공상적일 수밖에 없었다. 시골서 보내주던 수업료로 극장에 드나들고 명일明日을 걱정하기보다 방에 누워 책을 읽었다는 것은 내 팔자가 유시幼時로부터 집에 있지 않았다는 까닭도 있겠으나, 놀기 좋아하는 타성惰性과 하기 싫은 것은 두들겨 맞아도 못하는 의지 박약에서였다. 내가 잡지를 사보기 시작한 것은 아홉 살 때 『어린이』였고 단행본을 읽기 시작한 것은 열한 살 때 형이 두고 간 『천일야화千一夜話』와 국지유방菊池幽

芳• 작 『자기自己의 죄罪』로, 그 당시 나는 점점 학교 공부 이외의 것이라면 무엇에고 곧 열중하였던 열등생이었다. 어느 날 밤 우미관優美館에서 돌아오던 도중 야시장夜市場에서 『삼총사』(개조사改造社판 세계 문학 전집)를 훔치다가 14세 소년으로 유치장 복도에서 하룻밤 신세를 끼친 일도 있으니 이것은 어른들의 감시 없이 제멋대로 자라난 탓이라 하겠다. 요행으로 고등보통학교란 데 들어간 후부터 신조사新潮社 판 세계 문학 전집을 읽기 시작했고 갈수록 학교 공부에 뜻이 없었던 것은 취직을 하지 않아도 일생을 살 수 있으리라 믿었던 때문이기도 했다. 그리고 되지도 못한 것이 어느덧 시성詩聖과 문호文豪를 반쯤 자처하고 있었다.

그러나 내가 만일 문학 수업을 하였다면 선친께서 별세하신 후 집이 싫어서 20세 때 책과 책상을 모조리 심곡 고사深谷古寺로 옮기고 산간 생활을 시작한 이후라 하겠다. 이래 10여 년간 내가 산방 정창淨窓에서 맘대로 독서할 수 있었던 것은 나의 의욕과 결심이라기보다 환경과 형편에 힘입은 바 컸다. 금전金錢에 대한 고통을 몰랐다는 것과 집이 싫어진 조기 고독병과 기나긴 중일中日, 미일美日 전쟁으로 우국憂國 아닌 염세에서 나의 좋은 시절이 산중이라야만 비교적 무성할 수 있었다는 것과 나의 독서욕을 빼앗아버릴 만한 여자가 나타나질 않아 소위 연애란 걸 못하였다는 것과 싫으면 못하는 극기심克己心의 결핍에서 증장增長된 편협과 고집 등, 이러한 조건이 산중 생활을 가능케 하였다고 믿는다. 내가 산사山寺에 들어갔을 무렵은 주로 바이런, 테니슨, 푸시킨, 스코트, 롱펠로우의 장시長詩와 셰익스피어와 하우프트만•의 『심종沈鍾』, 그러나 많이 본 것은 실렐의 극시劇詩 전부와 보들레르의 『악의 꽃』이었다. 그때 나는 방대한 서사시敍事詩

(?)를 쓰고 있었던 만큼 이런 책들만 골라서 읽었던 것 같다. 괴테를 위선자로서, 무능한 복인福人으로서 지목 염오厭惡하던 오만과 치기에 가득하였던 시절이니, 그 서사시란 것도 가히 짐작할 수 있으리라. 수척한 얼굴에 봉발蓬髮을 달고 육미지황탕六味地黃湯이란 걸 다려 마시며 장서藏書에 자랑을 느끼고 서화書畵를 사들이며 토마스 만• 에 흥미를 갖고 아나톨 프랑스•의 회의懷疑와 부르제•의 심리주의를 탐독하면서부터 나는 서양 문학을 경탄하는 동시 어딘지 석연치 못하다고 생각하였었다.

그때부터 내가 주로 사집四集, 사교四敎, 조사어록祖師語錄 등 불경을 보는 한편 사서 삼경四書三經과 노장老莊과 동양 고전을 읽었다기보다 도대체 이 책엔 무엇이 있나 하고 한번씩 들여다본 것이 의외로 내게 가장 큰 영향을 끼칠 줄이야 애초부터 상상도 못한 일이었다. 그 후 졸라, 발자크, 도스토예프스키, 이러한 거장巨匠에서 물러서며부터 타고르, 간디, 키플링, 헤세, 카로사, 릴케에게로 경도傾到하였고 다다와 쉬르레알리즘을 경박자輕薄子들이라고 멸시하였으니 저간의 정저와井底蛙를 짐작할 수 있으리라. 일본에서 대학을 다니는 형들이 방학에 오면 건방지게도 그들을 속으로 조소하고 고독을 동시에 느끼면서 몇 번이나 절망을 거듭하였으니, 이미 나는 그 넉넉한 시간을 이용하여 오랜 세월 동안 열심히 습작하였으나 전혀 문학에 자신을 가질 수 없었던 것이다. 나는 괴롭고 초조할 때마다 진인력이대천명盡人力而待天命이란 말을 버릇처럼 중얼거리며 자위했다. 흐르는 광음光陰과 함께 나의 독서 경향은 다시 변하여 지드, 아당들의 지성知性문학을 탐독하였고 특히 발레리에 이르러서는 경이의 눈을 부릅뜨지 않을 수 없었다. 발레리의 것이 아니면 읽을 맛이 없다고 생각하였으리만큼 중독되어 의식적으로 불경 다음에 동양 고전, 성서, 시, 소설, 학술 서적, 잡지 순으로 꽂던 나의 서가들엔 언제나 발레리의 저서만이 시건 산문이건 간에 시의 최상부에 놓여 있었을 정도였다. 그러나 결국 서양 문화에 만족하지 못하였고 그런가 하면 동양 문화마저 잘못 이해한 결과 산속에다 그림 같은 초당草堂을 짓고 만 권 서적과 벗하여 신선 부럽지 않게 살다가 이 세상을 떠나리라 결심하였던 것이 드디어 해방과 함께 시정되었음을 감사한다. 즉 부친의 유산만으로도 나는 실력 없이 문단에 나가지 않아도 독서하며 집필하며 자비自費 출판할 수 있다고 믿었던 희망은 일장춘몽으로 부서졌던 것이다. 이리하여 내가 현실에 눈뜨기 시작한 것은 해방 후 전혀 나도 모르는 사이에 우리 집 재산이 몰락하면서부터였으니 만일 그 살림이란 게 남아 있었던들 아직도 미몽迷夢에서 깨지 못하였을 것이다.

그러나 나는 승려도 될 수 없었고 문학에마저 패배당하였고 생활 능력은 없고 그렇다 하여 형님 집으로 들어갈 수도 없는 '어중간'이가 되었었다. 그때부터 그 좋아하던 서화 골동과 서도書道 취미도 식어버려 내 필연筆硯엔 먼지가 묻기 시작하였다. 누구보다 아는 것이 많은 듯하면서도 누구보다도 뚜렷이 아는 것은 없었으니 모든 게 아니꼽고 두렵기만 하였다. 근 10년간 산속에서 그 비빔밥식으로 독서한 것이 무슨 소용 있었으랴. 대학 졸업장이 있어야 취직이라도 할 수 있고 홀몸이나마 굶지 않을 수 있다는 걸 알았을 때 남은 것은 비관과 환멸뿐이었다. 결과야 어떻게 되던 간에 다른 능력도 없으려니와 내 청춘을 바친 문학이 아까워서라도 끝까지 문학을 하겠다는 고집과 억지만 남았었다. 굶고서야 문학도 할 수 없다는 상식을 그제야 깨닫고 오로지 일신의 생도生途를 위하여 그다지도 멸시하던 대학 졸업장을 탐하여 또 그다지도 동경하던 문단 진출을 꾀하여 서울로 올라와 김동리 선생의 애호愛護로써 그 해 『신천지新天地』에다 시를 발표하게 되었으니 이것이 문단에의 첫걸음이었다. 6 · 25 사변이 일어나자 갈 곳 없는 나는 다시 산방으로 돌아갈 수밖에 없었다. 그해 피란 중 편모片母께서 세상을 떠나셨으니 나의 한은 호천망극呼天罔極이란 문자로도 표현할 수 없었다. 1 · 4 후퇴 후 부산에 갔으나 배겨내지 못하고 기자 생활 수개월 후 다시 고사古事 산방으로 돌아갔다가 그 이듬해 여학교에 취직되어 4285년 10월에 산방을 떠나 부산으로 향하였으니 11년 만에 나의 산간 생활은 일단락을 지은 셈이다. 그러면 나의 그간 소득이 무엇인가. 얻은 것은 연령이었고 잃은 것은 어린 가슴속에서부터 키워온 시성과 문호에의 희망이었다.

지금도 잊지 못하면서 가지 못하는 나의 자묘 산방慈妙山房엔 자물쇠가 채여 있을 것이다. 9 · 28 수복 후 절이 비게 되었을 때 아랫절 이인정 노장님의 덕분으로 내 짐은 아랫동네로 옮겨져 무사했으나 일제 때 출간된 잡지 등은 그것이 국문이었기 때문에 동네 사람들 사이에 나돌아 대부분을 잃었다. 어머님이 시집오실 때 장만하였다던 귀금속 패물을 팔아서 사주신 책과 부잣집 아들로 돈이 무엇인지 모르던 시절에 샀던 장서藏書가 근어 천권近於千卷, 그리고 벽에는 권돈인權敦仁• 필筆 '수산須山' 횡액橫額과 완당阮堂 서書 '자묘암慈妙庵' 현판과 석파란石坡蘭 초草 현판들이 걸려 있을 것이고 내가 사랑하는 서화들과 가짜 고려자병과 옥등잔, 청자종, 목각 쌍룡들이 공방空房을 지키며 나를 기다리고 있을 것이다. 그러나 지금 내가 '귀거래혜歸去來兮여 산방山房이 장무將蕪로다. 호불귀胡不歸아' 를 읊조린다면 너무나 이 현실에 죄를 짓는 멋일 수밖에 없다. 나는 그렇게 좋아하던 릴케, 발레리, T · S 엘리어트도 탐독 아니한 지 오래되었다. 이 이상 그 무엇에도 유인, 심취, 중독되고 싶지 않은 까닭이다. 지식과 감상력만으로 문학 작품은 이루어지지 않는다. 언제나 좀더 넓고 좀더 깊은 이해력을 배양하기 위하여 독서할 뿐, 내 시를 위한 필독의 서書는 현실이며, 자아의 인간 본성만이 초점이라 생각하고 있다. 아직도 욕심이 있다면 성북산곡城北山谷에다 조그만 집을 장만하고 내 그리운 산방山房의 물품을 죄다 옮겨다가 식구처럼 같이 살면서 평생을 자기 문학에 바치고 싶다는 것뿐이다. 처자妻子가 있어야 낙이 있다면, 또 그 낙의 대상이 그 동안 사랑하여온 나의 문학에마저 해가 된다면 차라리 나의 존경하는 모든 선배 선생들과 문학하는 나의 외우畏友들만으로도 나의 인생은 쓸쓸하지 않을 성싶다. 되도록 자기 문학에 몰두할 수 있도록 시간 여유가 많으면서도 내 일신 하나 굶지 않을 수 있는 직장은 없을까. 그러나 과욕은 금물이다. 남아 소업男兒所業이 어이 여의如意한 데서만 이루어지랴. 옛 아성亞聖은 말씀하시되 '天將降大任於是人也 必先苦其心志 勞其筋骨 餓飢體膚 空乏其身 行拂亂其所爲 所以動心忍性 會益基所不能'[1]이라 하였다. 무엇보다 앞으로 끝까지 문학 수업을 계속한다는 것만이 중요할 따름이다.

1955

현대 동양 시의 위치

이곳에서 말하고자 하는 동양이란 것은 막연한 관념 속에 응고하여 있는 과거의 동양이 아니다. 우리들이 동양 사람인 한 동양이란 끝까지 현대일 수밖에 없다.

왜 새삼스레 이런 말을 하지 않을 수 없는 것일까.

우리들은 머나먼 과거의 광망光芒, 즉 동양의 시 정신을 이해하려 할 때, 그리고 현대의 동양을 무시할 수 없을 때, 동양 정신은 하나의 별이 되고 그것은 어느덧 태양이 되어버리는 까닭이다.

그것은 가사 태양이 아닐지라도 좋다.

건축을 구성하고 있는 일 편의 석재石材, 또는 정지한 영사映寫의 어느 장면, 또는 수면睡眠. 무엇이든 좋다.

동양의 정신은 모든 것에 나타나 있다.

그렇다면 동양의 시 정신은 어디에 연원淵源되어 있을 것인가.

그것은 신앙도 아니며 감정도 아니며 지성도 아니다.

모든 것의 상징, 즉 만인이 만 가지로, 자기를 발견할 수 있는 가능에 있는 것이다.

이 불가사의의 핵심을 파악하고 간파하기 위하여 지상의 가장 오랜 역사로부터 인력人力과 진리가 대결한 지역이야말로, 동양이었다.

그럼에도 불구하고 지금 우리들의 시 정신은 괴질怪疾보다 무서운 위기가 정수리 위로 휩쓸려오고 있건만 그 위기에 현혹되어 경탄하고 있다.

이것이야말로 신에서 해방된 인간 정신 문화의 역사가 아직도 오래되지 못한, 즉 구미歐美 문명의 투쟁과 또 경주용 차의 차량에서, 총성에서 호호濠濠히 일어난 병균의 습래襲來인 것이다.

막다른 골목에서 눈을 가리고 절규하는 서양 문학이 어째서 우리를 공감케 하는지 생각 않을 수 없다.

정신 문화가 인습과 법규로 개성을 말살하자 현실적으로 노쇠 무능을 초래한 동양에서 서양의 분방奔放하는 물질 문명이 괴물처럼 뿌리를 박고 우리의 안계眼界에 도량跳梁하며 있다. 그런 만큼 우리는 이미 육체적인 지배로부터 벗어나지 못하고 있다.

그러나 우리는 동양 정신을 말살하면서까지 감성적 유행에 경도하리만큼 부박浮薄하지 않다. 아무런 방도도 없이 개탄하려는 무기력자가 아니다.

동양의 시인들은 도괴倒壞하려는 물질 문명의 고층 건물을 미연에 피하기 위하여 20세기의 공포를 해소하기 위한 보다 무서운 고민에 허덕이고 있다.

그러므로 우리는 끝까지 판단할 줄 알아야 하며 투시할 줄 알아야 하며 순수한 정신의 원자原子를 추출 폭파하여 인간의 무애 자성無碍自性을 대오大悟해야 할 임무에 있다.

즉 붕괴하려는 물질 문명의 노예가 되어야 할 것인가 또는 필요의

오용誤用으로 모두가 과학 문명에 영어囹圄된다 할지라도 그들의 위기를 정확히 지적하고 그들의 자각을 위해 충고할 수 있는 정신력에 살아야 할 것인가.

이러한 문제는 여러 가지 복잡성에 인하여 미래의 침묵으로 제출되어 있다.

이러한 우리들의 당면사를 위하여 먼저 서양 문명을 담당하고 있는 예술가, 학자, 사색가 들에게 이러한 문제에 관하여 설문한다면 그들은 어떻게 대답할 것인지 자못 흥미 있을 것이다.

속력의 가능성을 추구하던 신기록의 상승은, 즉 서양의 물질 문명이 동양에까지 돌입하였을 때 그들은 이미 제동기制動機의 연소燃燒로 정지 불능의 질주 속에서 구원을 부르짖게 되었다.

이것은 무엇을 의미하는 것인가.

그들의 정신력이 너무나 빈약하였다는 것을 증명한 데 불과하다. 이 지상에서 구미歐美 사람들만큼 신을 신앙信仰하는 데 안이한 태도를 취한 예는 없을 것이다. 우선 그들은 자고로부터 종교와 철학을 엄연히 구분하였다.

즉 그들은 신을 자아에서 찾으려 않고 그것을 절대적이라 하여 맹목적으로 신앙하였던 것이다. 이러한 그들에게 육체적 만족을 추구하는 물질 과학이 진리로 나타났다는 것도 무리는 아니다. 이것은 생명력의 각심刻心인 정신적 구조에 대한 강조로부터 결과된, 그리고 자아의 구극究極을 망각한 동물성에서 기인하고 있다.

우리들은 얼마든지 이러한 과오에 도달한 그들의 절규와 신음을 들을 수 있다.

오늘날에 이구동성으로 아우성치는 그들의 소리는 부조리, 인간 상실, 공포, 불안, 신에의 불신임 등이다. 평화와 행복과 진리와 자유란 언어는 겨우 정치적으로 사용되고 있을 정도다.

인간 자성自性에 유의하지 아니한 물질 문명의 해독은 과거 원시 종교의 우매보다 더 무서운 결과를 일으켰고, 요원遼原의 불처럼 미만瀰漫하여 동양의 평화까지 유린함에 이르렀다. 이제 그들은 지구가 존속하느냐 멸망하느냐의 위기까지 책임지게 되었다.

그러나 그들의 지배욕은 왕성하다. 진실한 세계의 증인인 시인, 학자, 문학가, 과학자, 예술가 들의 깊은 사색과 우려와 경고가 끊임없건만, 그러나 이런 위기의 요인이 관능을 만족키 위하여 수단을 가리지 않는 탐욕이란 걸 알면서도, 이 치욕에 대한 애착을 버리지 못함으로써, 일로 고민은 더욱 각박해지고 있는 현상이다.

이러한 병적이며 자승자박에서 절규하는 그들의 선정煽情 문화를 우리 동양이 자극받아야 할 가치가 어디에 있는가.

화려한 물질 생산품을 무시할 수 없음으로써 그들을 추종하지 않을 수 없다 할지라도 우리는 그들의 고민을 풀어줄 수 있는 동양 정신을 확립해야 할 것이다. 그러한 정신에 입각해야 할 우리 나라의 문화인文化人, 즉 학자나 작가나 예술인들이 만일 배도 엎어지기 전에 수중으로 뛰어드는 격으로 태서泰西의 유행성만을 신봉하고 구미 각국의 절규하는 진실한 병자의 비명을 원숭이나 앵무새처럼 모방함으로써 오로지 새롭다고 자처한다든가 또는 흥분한다면 우리 나라 문화인에게 세계적 사명을 기대할 수는 없을 것이다.

막다른 골목에서 자유를 찾는 서양 문명의 애절한 절규를 들을 때마다 우리는 도리어 자아를 잃어가고 있는 동양에 대하여 고독과 비탄을 금할 수 없다.

서양이 세계의 비극을 연출하게 된 원인은 오랜 역사에서 시작되었다고 생각된다. 그들의 육체 문명은 원시 종교와 별로 다름없는 그들의 신에 대한 맹종에서 겨우 벗어나 문예 부흥 이후 기나긴 물질 문명의 가로街路를 행진하였다. 그들은 신의 장송곡을 취주吹奏하였고 2차 대전의 폐허에다 신의 묘지를 이루었다.

그들은 이제 적절한 신의 묘비명을 각刻하고자 약간의 눈물을 흘릴 수 있는 안이하고도 단조單調한 선善 의식에서 겨우 위로와 희망을 찾고 있다. 그러나 신을 매장한 그들의 행동이 끝나자 동시에 그들은 그것이 자신의 묘혈墓穴이었다는 사실을 발견하였다면 어떠할까.

이러한 그들과 비할 때 항하恒河에서 발상發祥하고 하도락서河圖洛書에서 시발한 동양 문화는 인심人心이 바로 천심天心이란 데까지 직관으로 승화하였고 한발 더 나아가 신아일여神我一如에서 선악에 구속되지 않는 영원의 자유를 목표하였건만 달성치 못하고 급격한 육체의 노쇠로 반신불수에까지 이르렀으나 항상 평화의 보물을 잃지 않았던 것이다.

서양 예술이 고전주의 이후 근대에 이를수록 인간성에 중점을 두기 시작하였고 현대에 이르러 더욱 초점화되었지만 이런 경향이 시작된 것은 인도에 발을 들여놓은 침략자들과 청조淸朝에 들어왔던 전도사들이 배워간 동양 문화에서 눈뜬 것이라면 이는 독단일까.

우리가 사학적 사전에만 흥미를 두지 않는다면 동양인의 눈으로써 비판할 수 있는 여유도 마땅히 있어야 할 것이다. 종교 개혁 이후도 신의 권세와 미력하나마 반동反動의 기세가 황무지로 기복起伏하다가 계몽 사조와 낭만주의를 지나 보들레르의 내부에서 전개된 영육靈肉의 처절한 투쟁도鬪爭圖에 이르러 현대사의 조종祖宗이 되었고 사실주의의 점토를 과학 발전의 주형鑄型에 주입하여 그들의 혁명을 야기케 한 그 열도熱度로 구워냈을 때엔 완전히 개인주의라는 새로운 우상이 성립되었지만 그들의 근대 시사詩史를 볼 때 그들이 동양 정신의 공통점으로부터 어떠한 영향을 받고 어떠한 결과에 이르렀는가를 분석할 수도 있을 것이다.

암흑에서 현란히 분열하는 상징주의의 화화火花가 처참하게도 중심을 잃고 극단으로 흘러내리며부터 나타난 랭보, 베를렌느의 취읍醉泣 광증狂症은 이미 현대 비극에 끼친 유전성으로서 볼 수도 있을 것이다.

이런 한편 어느덧 미미한 동양 정신 문화의 유입이었으나 이미 영리한 그들 중엔 "인간은 생각하는 갈대다" 라고 말하게끔 된 종교인으로서의 자연 과학자가 나타났는가 하면 중국의 9년 홍수를 노아의 방주方舟와 결부시키며까지 공자에 심취한 볼테르도 있었으나 "나 있음으로 인하여 나를 생각한다" 고 한 데카르트에 이르러 그들은 비로소 이미 수천 년 이래로 동양인들이 생각하여온 문제에 겨우 착안着眼하였던 것이다.

과학의 발전, 생산량의 증가에 의하여 날개 돋친 개인주의가 1차 대전의 비극을 겪은 뒤 더욱 물질 문명과 휩쓸려 새로운 예술 방법에 경도하기 시작했으나 서양의 지성을 대표하는 발레리의 스승은 말라르메라기보다도 데카르트란 것도 부정 못할 사실이다.

그러나 발레리가 투시한 순수에서 다시 구성과 분석으로 가능과 확대를 세분시킨 지성도, 또 지드가 자아와 신과의 대결을 진지하게 보고한 신경 예민증적인 지성도 결국 동양 정신 문화의 역사로 본다면 역시 수천 년 전 동양 사람들의 문제의 한 부분에 불과하였다.

어떻든 서양인은 점차로 변모하는 과정에 있다. 그들은 물질로써 우리 동양을 정복하고 있으나 그들의 내부와 모순은 동양 정신을 갈구하지 않을 수 없게 되었다.

그러기에 우리는 우리 동양 사람이 발레리나 T. S. 엘리어트에 심취한다든가 또는 그들을 이해할 수 없다고 한다든가 또는 난해하다고 하는 걸 들을 때마다 도리어 동양 정신 문화에 대한 그 사람의 무관심을 슬퍼하지 않을 수 없다.

동양인이라면, 조금이라도 우리 동양의 유산에 유의한 사람이라면 서양인의 사고 방식을 비교적 용이하게 분별할 수 있을 것이다.

구미의 압도적 물질 문명은 그들의 병폐를 치료할 수 있는 유일의 생명수인 동양 정신 문화를 좀체 받아들이지 못하고 있다.

그러나 구미 각국의 진실한, 그리고 참으로 천재적 예술가, 사색인思索人, 학자들이 그들이 처한 세계적 위치와 조국을 걱정하고 인류의 고민을 고민하는 한 그들은 동양 정신 문화에 더욱 유의 접근하고야 말 것이다.

오늘날 실존주의들이 체계體系를 부정하고 주의主義 없는 주의를 운위云謂하는 그 일면을 볼 때에 그들의 진지한 고민이야말로 우리 동양 정신에 가까워오는 진전이라 하겠다.

신이니 인간이니 또는 긍정과 부정뿐만 아니라 정신과 물질의 일체 양반兩反되는 차이와 상대성을 그대로 두고도 분별이 없어지는 본질로써, 즉 모든 자체自體가 본성의 자유를 각득覺得할 날이 이 지구의 미래라야만 하는 까닭이다.

이제 우리 동양 시인들은 서양 물질 문명에 휩쓸려 현실적으로 포로 되고 있으나 그들과 함께 고민하게 된 것을 혐오하고 있지 않으며 어디까지나 인류의 공동 문제로써 이해하고 협력하고 타개하고 향상코자 하는 자비에 충만하여 있다.

문예가들은 서로 개인의 정진에 의한 집대성으로써 동양의 문화를 더욱 밝히고 그 빛이 세계에 두루 비춰질 날도 또한 멀지 않다는 것을 믿어 의심하지 않는 바다.

1963

현대 시의 배경

언제나 그러하듯 요즘도 새로운 문학, 새로운 방법이란 말이 막연히 무슨 현학眩學과 애교처럼 남용되고 있다. 그저 새로워야 한다는 의욕과 이것이 새로운 것이다 하고 제시하는 것과는 엄연히 다르다는 걸 분별 못하는 까닭에 집필자와 독자 간에 혼란을 일으키고 있다. 언제나 자아와 대상과의 상호 관계에서 모색과 형성이 있을 뿐이다. 나는 불행하게도 아무 전제도 없이 반드시 새로워야 한다는 것은 무엇을 의미하는 것인지 그 요령부터 알 수 없다.

막연한 기분은 안이한 단정에 떨어지게 한다. 특히 시 문학에 있어 허영적 가식과 창조적 미는 철저히 구별되어야 할 것이다. 그러기에 나의 시는 이 요령 부득의 기상 속에서 등불처럼 명멸하고 있다는 걸 고백할 수밖에 없다.

누구나 믿었던, 과거로 올라갈수록 건전한 만큼 위대하였던 시 정신이 이제 여지없이 이 적신호의 위기에 말려들었다는 사실을 알게 될 때 놀라지 않을 수 없을 것이다. 지구는 유구한 역사를 가지고 있으나 인간성은 진보하였다고 생각되지 않는다. 오늘날의 지식에 비하여 도리어 우리는 인간 상실을 느끼고 있는 까닭이다.

시는 스스로의 영예를 잃고 있다. 시인은 앞으로 혈로血路를 타개해야 할 처형자處刑者로서 과중한 자기의 숙명에 허덕이고 있다. 때로는 비겁하리만큼 과거의 시인과 시가 찬란하였던 그 이유를 부러워하기도 한다.

20세기에 처하여 있는 우리의 주위 환경은 노래하여도 응하지 않는, 즉 보답 없는 노력을 시인에게 강요하며 있다. 그러기에 나는 새롭다는 말을 쓰고 싶지 않다.

다못 이 사실을 전후좌우로 배경하고, 어느 시대에서도 볼 수 없었던 괴미怪美한 현대 시가 발생하도록, 현대는 현대 시의 온상을 마련하였다는 것뿐이다.

이리하여 비시非詩의 시, 말하자면 현대 시의 비극이 필연적으로 (표현 없는 사고가 있을 수 없듯) 다른 형태를, 즉 자기 몸에 알맞는 의상을 갖추게 되었다. 이 비극의 초점은 다못 단순치 못하고 모든 것이 복잡하다는 데서 기인하고 있다.

이미 우리는 어떠한 정신적 이념과 그 소신부터 세워놓고 이 복잡한 현실을 판단하는 동시, 생리에 맞도록 취사 섭양取捨攝養해야 할 것인가. 또는 끝까지 이 복잡한 기후에다 중점을 두고 우선 육체에 미치는 감성적 영향의 측정과 체험에서 이루어지는 통계로 신념을 추출하여 고도高度한 정신을 지향하고 형상해야 할 것인가.

그러나 우리는 이 두 가지 방법을 따질 수 있는 여가마저 잃었다. 왜냐하면 우리는 항상 일상 생활에 있어 체험과 이념을 동시에 느끼는 까닭이다.

그리고 그것은 언제나 상반된 배리背理로서 나타났던 것이다. 이러한 상반의 구성은 급류急流하는 액체와 무수히 기멸起滅하는 포말泡沫의 시대의 한 계곡에서 무질서하게 일어난 것이다. 그러나 우리는 그것이 본질에 있어 다름없는 동시 변화란 걸 알고 있다.

의식의 노예가 되어버린 육체의 피로와 이루어질 수 없는 의욕 앞에 동작 잃은 권태는 모든 정신을 실지悉知한 까닭에 행복을 갈구하고 있으나 치열한 정신력은 기계와 조직적 이론에 유린당하고 도처마다 차단 당한 육신에 의하여 보석처럼 산산이 깨어져버리고 말았다.

과거 어떠한 시대보다도 복잡하고 동시에 그 어떠한 시대보다도 중대한 사명을 느끼고 있는 오늘날의 예술가들은 모든 인습적인 주의나 문학 형태에 대하여 불평을 말하기보다는 그러한 일방적 주의나 문학 형태만으론 현대를 표현하고 명일明日을 위한 창조를 성취할 수 없다는 데서 애처愛妻의 죽음을 슬퍼하듯 과거와 결별하지 않을 수 없게 되었던 것이다. 그러나 결별이란 용이한 일이 아니다. 언제나 결함은 과거의 애착을 경과한 후에 나타나므로 우리는 항상 용기를 필요로 하게 되는 것이다.

물론 예거例擧할 것도 없는 일이지만 시가 음악을 필요로 하던 노래와 작별하고 의식과 무용에서 빠져 나와 시가 시로서 독립하기까지도 무수한 연대를 요하였던 것이다.

이제 종교가가 경제를 무시 못하는 비애처럼 한 개인일지라도 세계 정세의 기복에 영향받는 오늘날에 있어서 홀로 시인만이 도시와 생활이란 엄연한 현실을 백안시한다면 그 시는 허위일 수밖에 없다.

의식주의 영위에 휴식 잃은 안정은 열대 지방에서 불을 쪼이는 고행자의 가치를 인정 않을 것이며 국회의 일거일동에도 국민의 개인 이해가 좌우되는 오늘날에 있어서 오로지 시만이 운수雲水와 화조花

鳥와 산해山海로 도피할 수는 없을 것이다.

가사 고도의 정신이 일월성신이라든가 수목이라든가 백합이든가 이러한 절대적인 자연만을 인용하여 오늘날의 퇴폐, 범죄, 타락 등을 시정하고 구제하기 위하여 스스로의 고민을 노래한다 할지라도 그것은 한갓 비탄에 지나지 않는다. 눈물이 고갈한 비인간非人間은 개인주의의 교양일 수도 있으나, 암흑 시대에 태어나 갖은 수난을 받은 사상史上의 성인聖人들도 눈물과 영탄에 몰입하진 않았던 것이다. 더구나 우리의 주위 환경은 우리에게 행동으로써 답변하기를 요구하고 있다. 우리는 십자가十字街를 횡단할 때 굴욕마저 느낄 여가도 없다. 역살轢殺되지 않기 위하여 판단해야만 되고 판단하여도 사고가 빈발하는 이 우연성에 이르러 지성도 문제되고 있는 형편이다.

이리하여 지식이 불행을 결과할 때 자칫하면 허무주의에 빠지기 쉽다. 예술가들은 비탄 속에서 용감하게도 허무주의를 극복해야 할 과정에 놓여 있다.

예술가들은 자기 작품을 위하여 모든 다른 예술과 서로 교류하며 나아가고 있다. 시인은 자기 작품을 위하여 미술, 음악, 건축, 무용, 과학까지도 필요할 때마다 섭취하며 부단히 그 방향과 방법을 주목한다. 다른 예술도 그와 마찬가지로 시 문학에서 발휘되는 가능성을 이용할 수 있는 데까지 섭취하고 있다. 이것은 오늘날의 세계 문화사를 형성하는, 즉 국경을 초월한 이해력에 비길 만한 일이다.

왜냐하면 그것은 천재를 무시하는, 또는 사고력을 말살하려는 전제專制주의나 폭력주의가 아니라 위대한 예술의 자유를 촉진시키는 이해력의 중량과 개성의 심도를 부여하기 때문이다. 그러므로 예술이라든가 음악이라든가 문학을 선택한 것은 아니다.

가장 자기의 심상을 표현하기에 적절하다고 생각한 부류를 천재적 힘으로써 선택하고 헌신하며 창조하며 있는 것이다.

나는 문학에 있어 시인이니 작가니 하는 분들이 낭만주의거나 사실주의거나 상징주의거나 초현실주의거나 또는 실존주의거나 어떠한 예술상의 주의를 예찬 또는 반박하는 것을 들을 때마다 이야기할 흥미부터 잃고 만다.

우리는 자기의 심상을 작품화하는 데 있어 필요하다고 생각는 점이 있다면 예술사상의 모든 수법일지라도 사양 않고 꼭 필요한 곳에다 적절히 이용해야 할 것이다.

이것은 모방과 추종이 아니다. 고전古典을 이해하고 전통을 무시할 수 없다는 데서 나아가려는 시도이기 까닭이다.

이것은 걸핏하면 이백李白이나 왕유王維나 두보杜甫나 발레리나 괴테나 릴케나 사르트르나 T. S. 엘리어트나 카뮈를 내세우고 그들의 말이라면 금과옥조金科玉條처럼 생각하며 인용하는 사이비 작가와 평론가를 멸시하는 까닭이다.

우리는 모든 것을 이해하려 노력하는 동시 어떠한 그 누구와도 타협, 뇌동雷同할 수 없음으로써 예술에 대한 의욕을 느끼며 비로소 작품을 완성하는 것이 아니라 시작하는 것이다.

그러나 우리는 여기에 있어 다시 한 번 회고하며 자신의 위치를 반성한 연후에 앞을 설정해야겠다.

위에서 말한 바와 같이 과거로 올라갈수록 자연을 모방하고 조물주의 오묘한 진리에 동화하려는 노정을 이루어왔었다.

우리는 고전일수록 일종의 경탄과 특히 시를 읽는 기쁨을 느끼는 것도 이러한 까닭에서다.

인류의 발전이랄까, 또는 불행의 확대라 할까. 제1차 산업 혁명 이래 양차兩次 대전을 겪는 동안 과학의 장족적長足的 진보는 인간의 오랜 사고 방식과 이론과 상식까지도 부정케 하는 비극을 전개시켰다. 특히 1차 대전이 끝난 후 모든 예술가들은 자연에의 예찬과 모방을 일축하고 모든 재래의 이론을 무시하면서부터 스스로 새로운 진선미眞善美의 창조주가 되고자 하였다. 과연 이렇게 엄청난 반역이 성공할 수 있었던가.

어느 정도의 성과를 거두었다면 그것은 자연과 격리된 도시 사회의 기운에 타협하고 부합하였다는 데 불과할 것이다.

즉 우리들이 타고 다니는 것이 이미 당나귀나 가마나 말이나 소가 아닌 것과 마찬가지로 기계 문명을 인정한 데서 시도된 표면상 방법에 뚜렷한 공로를 나타내었다는 것이다.

이러한 과학적 기술 예술은 백화난만百花爛漫한 천재를 우후죽순처럼 배출시켰으나 단 하나의 위대한 시인을 만들지 못하였다.

그들은 광란적 선언을 하였음에도 불구하고 미구에 자가 당착과 모순에 둘러 빠지고 말았던 것이다.

그렇다 하여 우리는 그들이 과학 만능을 유일의 진리로 믿고, 인력을 맹신하던 기술주의 예술가들의 공로를 무시할 수는 없다. 우리들의 비극과 희망의 요인인 원자력의 출현과 그 발달이 지구 전멸 또는 인류의 새로운 미래를 약속할 수도 있는 것으로 괴물화됨에 따라 결과된 오늘날의 불안과 공포, 즉 이러한 위기를 느끼게 하는 심각한 정신 문제와 봉착하자 비로소 시는 새로운 사명을 띠게 되었고 드디어 기술주의 예술가들의 모든 방법론도 과거의 시처럼 찬란한 고전적 가치를 지니게 되었다.

나는 끝으로 평소 생각던 것을 고백할 수밖에 없다. 이러한 고백이 비록 고안자高眼者의 웃음거리가 된다 할지라도 교시教示 있기를 바라지 않을 수 없다.

즉 어디까지나 사물에다 중점을 두었던 산문 문학이 자연주의, 사실주의 이래로 육체와 물질 변화만 추구하던 나머지 천식병에 걸리자 갑자기 반사 작용처럼 정신 문제로, 즉 시에로 접근하고 있다는 사실을 어떻게 보아야 할 것이냐는 것이다.

이와 마찬가지로 정신을 기초하고 출발된 과거의 시가 서정시, 정형시, 자유시를 경과하면서부터, 육신이 처하여 있는 복잡한 현실에서 받는 지배를 무시할 수 없다는 걸 깨닫고, 산문 문학으로 접근하며 있다는 이 엄연한 두 사실을 어떻게 생각해야 할 것이냐는 것이다.

현대 문학은 '형태' 를 무시하고 재래의 사고와 방식을 파괴하면서까지 시는 소설로 소설은 시로 접근하려는 기세를 보인다는 것은 하나의 독단일까.

즉 육체와 정신이 서로 반성기反省期에 이르러 시와 산문의 접근이 만일 앞으로 접맥 합류된다면 그것이 어떠한 현대 시의 형태로, 어떠한 의의로 현대 문학에 혁신을 초래할 것이냐는 것이다.

나는 아직도 이러한 예감과 시도에 괴로울 뿐 아무런 결과에 이르지 못하였다는 걸 고백할 따름이다. 거듭 말하지만 이것은 새로운 것을 원하는 것은 아니다. 다못 과거의 것만으론 필요에 응할 수 없다는 데서 모색하게 된 우리 현대 시의 앞길은 모든 잡착雜錯한 문제를 앞에 놓고 아직 광명을 받지 못한 그대로 있다.

이런 경우에서 우리가 느끼는 것은 인간 이전에 에덴 동산처럼 문학이 분류된 것은 아니고 인간의 가능성과 필요에 의하여 문학에도

'형태'가 생긴 것인 만큼 현대 시인이 이 가열苛烈한 현실을 똑바로 보는 한, 그리고 어디까지나 자유일 수 있는 개인의 시 정신을 안이하게 스스로 규정 짓지 않는 한, 비록 고통은 클지라도 그만큼 지대한 의의를 내포한 것이라고 믿는다.

시인은 일시라도 자신, 생활, 조국, 세계, 인류에까지도 냉정한 동정同情과 비판 없이 시를 써서는 안 될 것이다.

현대 시의 배경은 체험과 정신을 통하여 엄밀하게 인간과 세상을 바라보며 생명을, 미를 찾으려는, 육신 있는 날까지의 여행자며 수난자며, 창조자에게만 그 전체를 분명히 나타낼 것이다.

그것은 항상 내일의 문제가 아니라 이미 오늘에서 시작되고 있는 것이라 하겠다.

1956

현대 문학과 체험

현대 문학은 이야기 줄거리에서 분위기로, 분위기에서 체험으로, 체험에서 인간으로, 인간에서 자아를 찾는 대결로 심화된 만큼 끝없는 변모의 누적으로서 전통의 비碑도 더 높이 솟았다. 또한, 현대 문학은 초극을 지향하니 현대 작가가 어떤 곳에 도달할 것인가는 어디까지나 체험을 기초로 하고 작품을 구축하는 그 가능 정도에서 찾을 수 밖에 없다.

무엇보다 인간이고자 하는 현대 문학의 명제는 피나는 것이었다.

가치 있는 고전 작품이 과거의 어떤 한때에 있어 그 시대의 현대 문학이었던 것과 마찬가지로 현대의 우수한 작품도 미래에 있어 고전으로 길이 남을 것이다. 한 말로 말하자면 현대 문학은 그 시대의 반영이란 점에서 분명해진다. 그러기에 분명한 그 차질점差質點엔 그 시대 사람의 책임이란 것이 내재하고 있다. 작가도 동시대인의 일원으로서 함께 당면하고 있는 여러 가지 사태와 정신 현상에서 붓을 들고 증언하며, 제시하며, 부단히 모색하고 있기 때문이다.

고전을 교재라고 할 수 있다면 현대 문학은 실생활과 당면한 각자의 인생에서 열린다고 하겠다.

그러나 현대의 문은 열리는 것이 아니다. 이미 그들은 나올 수 없는 영역 안에 들어 있는 것이다. 누구나 과거와 똑같은 시대에 살고 있는 사람은 없다. 끝없는 변모의 누적으로 전통의 비도 높이 솟아 있다. 우리는 부정으로써 전통에다 무거운 한 층을 더 쌓아 올려야만 할 어려운 고비에 처해 있다. 우리는 정신이 행동을 잃었을 때 여지없이 붕괴하는 것을 보았다. 또 이해만을 계산하는 행동성이 어떠한 파탄을 가져왔는가도 우리는 구경하였다. 이런 것이 한데 어울려 우리는, 아니 인간은 광무狂舞하는 혼란의 합주에 휩쓸려들었다. 이런 세계의 혼란 속에서 어떠한 개인의 배[舟]가 피안彼岸을 찾을 수 있을까. 어둠처럼 끝도 보이지 않는 풍우風雨 속에서 그 어떠한 등불이 견디어낼 것인가. 이것은 거의 가망 없는 일이다. 문학은 기나긴 역사로부터 진전해 온 고도의 사고력과 고성능의 과학에서 일어나는 여러 가지 현상을 증언하고 있다. 현대 문학의 특질은 세계성으로 현저히 전환하고 있다. 현대 문학의 명제는 인간 위치로 귀결하였다.

우리는 조국 통일조차 우리 맘대로 못하고 있다. 완충선으로 결박당한 우리는 가공할 핵무기 실험 경쟁으로 겨우 지구 폭발이 방지되고 있다는 사실만을 보고 있다. 인간들에 의하여 개인은 상실하였다. 사람은 자유를 중지당하고 있다. 오늘날 문학은 이 어쩔 수 없는 사실을 냉정히 입증하고 있는 것이다. 어떠한 해결은 문학만으로 줄 수도, 주어지는 것도 아니지만, 인간 자각의 20세기 문학 과제는 유례 없는 혼란에서 포기 않고 꾸준히 견디는 새로운 성자적聖者的 모습들이다. 유혈인 것이다. 약자의 것일지 모르나 그것은 귀중한 것이다.

이처럼 대상과 주위가 달라질 때마다 사고에 따라서 표현은 달라질 수밖에 없다. 계절의 변화와 함께 사람들의 의복이 바뀌듯 당연한 일이다. 구세대들은 그들이 젊었을 때 노력하여 경험에서 얻은 바 기성관념만으로 설법說法을 고집하기 일쑤다. 신세대는 그들을 부러워하리만큼 그 뜻을 이해할 수 있다. 그 차差는 그것만으로 되지 않음을 알고 있다는 것이다. 가혹하게 변모하였다. 신세대의 작가나 시인은 환경과 자기 타진打診에서 출발하지 않을 수 없다. 그래서 '항거' 니 '대결' 이니 하는 따위의 말은 구세대 사람의 곡해를 많이 샀다. 그러나 '항거' 와 '대결' 은 지상의 '노력' 인 것이다.

현대 문학은 점차로 그 특징을 분명히하고 있다. 우물 안으로 도피한 개구리처럼 전반에 걸쳐 가능성도 없는 독선적 설법 문학은 종교보다도 도리어 솔직히 자기를 고백할 단계에 이르렀다. 요절한 천재의 동경과 환상과 낭만 같은 것은 곁 사람에게 실례다. 오늘날에 있어 사실성만을 위주한다면 그것은 코끼리를 만지는 봉사에 불과하다. 귀여운 악마적 재능으로도 사람을 경탄시킬 수는 없다. 이러한 지상의 문학사적 교류는 한 바다로 들어와서 검은 공간에 화염의 비말飛沫을 날리며 포효하고 있다. 이러한 변이야말로 전통의 도달이며, 현대 문학이 앞날을 여는 과정인 것이다. 그러므로 소설에 있어서도 이야기 줄거리를 중심으로 한다는 것은 예컨대 마치 인심을 도외시한 정치적 수단과 같은 것으로서 현대 문학에 이르러 그 가치를 인정받을 수 없다. 이야기 중심의 소설은 문무겸전文武兼全의 남주인공과 절대 가인絶對佳人의 여주인공을 내세웠던 고대 유물과 같은 정도로 지나간 시대의 것이다. 누구나 5백 환을 내고 두 시간 남짓이면 끝나는 영화를 버리고 천여 환이라야 입수하는 4, 5백 면 소설의 이야기 내용을 알기 위해 수일을 낭비할 독자는 없어질 것이다. 항상 과거의 모든 요소에 의하여 새로운 현상은 나타난다. 즉 지난날의 한 가지만으로써 처리되지 않는다는 것은 옛 전통과 새로운 창조의 관계인 것이다. 현대 소설은 분위기와 영육靈肉 양면에 있어서의 난관에 부딪쳤다. 현대 시의 혼란도 고민하는 경험이 승화할 창문을 찾지 못해서 더한 심각성만 있다. 풍류風流는 달인의 것이지 패가망신을 초래한 취객의 것일 수 없다. 현대 시인은 어느 시대보다도 혼자서 달인이 될 수 없는 처지에 살고 있다. 현대 시는 자아를 찾는 시대의 수인囚人으로 지위를 바꾸었다. 시인에게 있어 진아眞我는 자기 자신만이 알 것이다.

정확해야 할 필연성을 깨달은 작가는 처방보다도 먼저 진찰에 몰두할 것이다. 어디서나 염원만으론 통과시켜주지 않기에 목적 문학은 이야기 줄거리를 위한 소설처럼 사라져가고 있다. 성실치 못한 것이 함부로 단정을 내리자면 현대 문학은 초극을 지향하고 있다. 현대 작가가 어떤 곳에 도달할 것인가는 어디까지나 체험을 기초로 하고 작품을 구축하는 그 가능성에서 찾아야 한다. 무엇보다 인간이고자 하는 현대 문학의 명제는 건잡을 수 없다.

이런 현대 문학은 독자로부터 난해하다는 말을 듣고 있다. 우리가 살고 있는 이 현실보다 난해한 것은 없다는 정신적 체험을 안다면 독자는 현대 문학에서 많은 흥미를 느낄 것이다. 현대 문학의 난해성은 옛날 귀족의 전유물이었던 예술이 상인에게 있어 난해하였던 것과는 그 성질을 달리하고 있다. 현대 문학의 난해성은 현대에서 인간이 공동 책임을 벗어날 수 없다는 고백인 것이다. 그들은 타인의 공감을 얻을 수 있는 것을 조준한다. 그러기에 시인이나 작가는 과감히 자기 부정에서 출발하기도 하였다. 그것은 참다운 넓은 의미에서 인간성을 찾기 위한 귀결이었다. 언제나 현대 문화인은 '어떻게 해야 좋을지 모르겠다'는 데서 중단하지 않았다. '어떻게 해야 좋을지 모른다'는 것은 그만큼 앞으로의 여러 가지 '가능'을 함축하기 때문이다.

여기에서 가시可視의 세계와 가사可思의 세계는 항상 그 극한을 전개하는 셈이다. 낙엽과 소녀의 손톱과 실직과 부란腐爛하는 시장市場과 살인과 간음과 보석으로 명멸하는 상념의 성운星雲이 혼잡되어 강렬한 공기를 점철하고 있다. 문학이 사회에 참여하였다고 하지만 사실은 문인도 사회에서 벗어날 수 없다는 뜻이다. 여기에는 과거로부터 내려온 여러 가지 방법과 앞으로의 실험에 의하여 예술도 그 종지부를 넘어서야 한다. 그것은 묘사가 아니다. 어디까지나 창조인 것이다. 인간이 처음으로 주택을 짓고 농구農具를 만들던 때부터 계속해온 것이다. 생각만으로, 보는 것만으로 살 수 없듯, 생각한다는 것과 본다는 것과 행동한다는 것에서 일어나는 현상이 그들 사이의 냉정한 초점이다. 후반기 문학에 이르러 각 단어의 지닌 바 절대성이 생각도 못했던 변화와 밀도로써 이미 예감했을 뿐, 아직 표현을 보지 못했던 여러 가지 심상心像을 놀랄 만큼 정확히 전달해준 시대는 과거에 일찍이 없었다. 이야기 줄거리에서 분위기로, 분위기에서 체험으로, 체험에서 인간으로, 인간에서 자아를 찾는 대결로 현대 문학은 심화되고 부각되었다. 이것은 다각적 반영과 종합의 성숙 과정인 것이다.

이러한 특색에 대하여 그 일례를 든다면 평론도 조리 정연한 이론이라든가 판결보다는 먼저 피가 도는 인간의 체취를 요하고 있다. 과학에도 이를 발전시키는 인간의 체취가 생활화되지 않는다면 아무도 냉큼 그 가치를 믿지 않을 것이다. 현대 문학은 그 다양성에서 확장하고 있다. 그 저류는 생활에 집중함으로써 공통하고 있다. 그러나 현대 문학은 한 극점으로서 크나큰 위기를 내포하였다. 전반에 걸친 세심한 관찰망이 개인에 있어 계산될 때 누구나 그 투명성 앞에 당황할 것이다. 그런 난해성이 바로 이해라면 믿지 않을 것인가. 그러나 그것은 솔직한 고백이다. 어느 작가가 아무런 거리낌도 없이 삼각 관계의 결말을 과거와 같은 수법으로 이야기할 수 있을까. 현대 문학은 사실보다도 각자의 해석에 있어서 판이하지 않을 수가 없다. 작가는 등장하는 백 명의 의견을 경청할지언정 그들 백 명 중의 한 사람이 되기를 경계할 것이다. 현대 문학은 허구에 관련된 등장 인물의 각각 다른 처지를 어떻게 볼 것인가. 조망이 아닌 부감俯瞰인 것이다. 현대의 걸작품은 어떤 목적이나 흥분이나 자극에 있지 않다. 자아를 찾으려면 어떤 한 주견主見이나 형식만이라야 한다는 잘못을 거부해야 한다. 혼란 속에서 시야는 넓어졌다. 그러나 그 중심은 인간에의 귀결점이다. 그것은 새로운 위기와의 직면이다. 위기 의식이 작가에게 과중한 압력을 준다. 그러므로 문인은 자기 작품에서 어느 정도의 의의도 찾기 어렵다. 의욕에 비해 결과는 헛수고였던 것이다. 사람은 자기에게 만족할 수 있는가. 개인은 서로를 속박한다. 무엇이 그런 강한 힘을 가졌는가. 따라서 문학도 만족할 것은 못 된다. 그러므로 예술은 예술을 반역하는 것이다. 그들은 급히 서둘렀으나 실패하였다. 그들은 정지하였으나 침몰하였다. 현대 작품엔 이런 발자취가 어지러이 흩어졌다. 그러면서도 다른 점이 있다면 인간들이 자살적 행위로써 세계를 폭파할지라도 작품만은 발광하지 않을 것이다. 작가는 냉정하리만큼 책임의 소재를 밝히기 때문이다. 무력하게 하면 할수록 작품은 반사적으로 인간 본위에 집결할 것이다. 그 본위란 말은 순전히 밖으로부터 얻어지는 것도 아니다. 시인이나 작가는 외부에 의하여 스스로 내부에서 성숙할 따름이다. 그러므로 문인은 대상을 대하는 것과 마찬가지 정도로 자기에도 그만한 책임을 느끼려든다. 이 전도前途를 예측할 수 없는 존재의 불안과 소멸에 대한 반항이며, 노력이며, 변모인 것이다. 그리하여 문학도 역사에 의해서 변형하였다. 노력은 지구가 호흡한다는 증거였다. 난문제難問題는 인간에게 앞날이 있다는 진행이었다. 성공과 실패를 누가 알랴. 그런 여유는 없다. 현대 문학도 다만 불가피한 고민으로 그만한 사명에 놓여 있다. 그것만으로 하나의 종결인 것처럼 생각될지 모르나 종결은 바로 시발始發임을 알아야 한다. 체험을 버리고 문학이 있을 수 없는 한 정신 주제는 어느 지상에서나 끝나지 않는다.

1959

바다로 한계 되지 않는 것

—현대 시의 특색

제2차 대전을 전후하여 절박한 서구 시는 정확성을 자랑하던 그들의 계량기에까지 불신을 표명하였다. 이와 비할 때 한국의 현대 시는 급변하는 생사生死에 휘몰려 전통화한 평화 정신이 붕괴하자 혼란과 타산打算과 신음 속에서 모색하였다. 동양과 서양을 따질 것 없이 지구는 동시에 일광을 잃었다. 모든 시인들의 안목에도 뚜렷한 어둠이 영상되었다. 그러나 비탄할 시대는 과거였다. 모든 시인들의 지성은 빙괴氷塊에다 분노의 화염을 각刻하였다. 2차 대전 후 우리는 세기의 최대 지성인이었던 발레리의 죽음을 들었을 때 그가 생전에 말한 바 정신의 위기를 마치 예언에 대한 회상과 징조로 다시 상기하였고 과거의 종막을 본 듯 서구의 도달한 시대와 그들의 변이를 새삼 이해하였던 것이다. 다음 클로델*의 죽음은 신을 잃은 서구의 현대를 실증하는 듯한 감이 있었고 때를 잃지 않고 실존주의는 노쇠한 지드의 성력誠力과 양심으로부터 이탈시킬 수 있으리만큼 많은 독자를 획득하였다. 이젠 엘뤼아르도 떠났다. 이리하여 모두가 흐르는 물과 함께 과거로 사라졌다.

그러나 2차 대전 후 지금 자라나고 있는 새로움을 아직 그만큼 규정한다거나 속단할 순 없다. 이것이 어떤 고도에의 진행인지 또는 자멸에의 박차인지 더 두고 볼 일이며 머지않은 미래에 결론될 것이다. 왜냐하면 그것은 자율적인 진전이라기보다 상실되어가는 과정과 시대에 영합되고 있는 까닭이다. 그것의 가치는 정확한 진단이었다. 아직 치료를 위한 처방은 나타나질 않았다.

이것은 결코 우리에게 있어 타산지석이 아니었다. 이리하여 특히 2차 대전 후의 서구 사조의 동점東漸과 그 세력은 이 땅의 젊은 시인들로 하여금 스스로 과거의 시를 거부하지 않을 수 없도록 동양에까지도 가열한 혼란을 전파시켰다. 위에서 말한 바와 같이 방법을 지시하던 계량기를 그들은 이제야 불신하였다. 동시에 이 땅의 젊은 시인들은 수천 년 동안 피에 스며온 고도의 동양 정신을 잃었고 찾지 못한 그대로 버리기만 한 혼란을 야기하였다. 서구의 시는 1차 대전 후부터 재래에 대한 전적인 총공격을 일으켰으나 한국은 2차 대전 후에야 선배에 대한, 재래의 시에 대한 항기抗旗를 들었다. 우리는 이러한 현상을 서구보다 뒤떨어진 것으로 간주하여선 안 된다. 이런 것을 후진성으로 자처하는 시인이 있다면 그는 반항은 할 수 있을망정 혼란 속에서 벗어나지 못하고 모방 속에서 매장되고 말 것이다. 그러면 이것은 무엇을 의미하는가. 세계는 공동 과제에 당면하였다는 것이다. 동양이냐 서양이냐의 한계를 넘어 앞으로 현대 시는 인류로써 방법과 정신과 태도를 모색하지 않을 수 없다. 오로지 지구가 똑같은 혼란에 도달하였다는 것뿐이다. 동양과 서양의 모든 젊은 시인들은 현대 시라는 공동 과제에서 서로 주목하며 부조扶助하며 탐구하지 않을 수 없게 되었다.

자고로 시에 정의가 있을 수 없다. 지난 동서의 시 문학사가 이를 증명하듯 미래로 나아가는 현대도 무수한 젊은 시인들이 각기 인류로써 자기의 시를 찾고 있음은 동서에 다름이 없다. 시에 관심을 가진 독자를 위하여 서구 현역 시인들의 이름이나마 소개할까 한다. 영국에선 루이스, 스펜더, 워트킨즈•, 로리스, 그레이브즈•, 개스코인• 등이 정진하고 있다는 걸 그들의 작품에서 짐작할 수 있다. 불란서에선 구노오, 데스노스•, 라도르 · 쥬 · 팡, 베르스, 샤르, 퐁주•, 엠만에르, 그라크• 등이 퇴전退轉할 줄 모르며 시대의 생명을 구성코자 정진하고 있다는 걸 그들의 몇몇 작품과 단편적 소개로나마 찾아볼 수 있다. 그러면 우리 한국에 있어 젊은 시인들은 무얼 하고 있는가. 그들은 반항하며 거부하지 않을 수 없었던 필연점에 이르러 미증유한 혼란의 폭풍우 속에서 모두가 모색과 형상을 위해 다채로이 각고 누심刻苦鏤心하며 혈투하고 있다. 서구의 젊은 시인들도 한국의 젊은 시인들과 다름없이 세기의 운명 아래 인류의 자기自己 시詩를 그 나라 국민으로서 세계성을 찾고자 노력을 기울이고 있을 뿐이다. 현대 시는 국가와 민족과 개성에서 공통된 세계 문제 앞에 놓인 혼란이며 탐구며 생명이다. 인류와 지구와 정신과 물질의 과제를 떠나 창조할 수 없다는 것이 현대 시의 특징이다.

우리의 선배 또는 동지들은 곧잘 우리 한국 시단의 혼란을 지적하기를 즐기지만 그 원인 연구에 등한하고 있다.

혼란의 풍우風雨가 심할수록 낙화하지 않고 맺는 과실이, 즉 미래의 시가 어떤 것인가를 기대할 줄 알아야 한다. 이 혼란이야말로 치러야 할 십자가의 고난이며 보다 또렷한 명일明日에의 약속이다. 이 혼미한 지구에서 혼란을 일으키고 있는 시인들의 양심과 불굴의 노력은 미구에 세계의 위대한 시인들을 배출할 것이다. 우리는 현대에 있어 가장 혼란이 심한 한국의 시에서 앞으로 그만큼 세계에 빛날 시인이 등단하리라고 믿어 의심하지 않는다. 또 일부 문우들 중엔 시를 백안시하고 시를 알 수 없는 언어의 나열이라 하여 모든 시 작품을 일괄적으로 냉소하는 사람도 있다. 그러나 한국 시인들은 그런 자기 문학에 양심도 노력도 체험 못한, 즉 자기 문학에 고행을 단념한 안이를 위하여 실패의 고배를 경원하는 그런 문우의 말을 유의하지 않는다. 동서를 막론하고 시인들은 그들이 만드는 모든 시 작품을 상표 붙는 생산품과 구별하고 있다. 그들은 세기의 현장과 정신과 태도에서 고도의 예술을 만들고자 하는 창조자임을 확신하고 있다. 나는 여기에 우리 한국 현 시단詩壇의 유망한 많은 신세대 시인들의 성명을 영국이나 불란서 사람의 것처럼 들지 않았다. 독자들은 유위有爲한 그들의 작품을 항상 주시하고 있는 까닭이다.

그러나 신세대의 시인들은 이 혼란의 폭풍 속에서 항상 유의해야 할 일이 있다. 영국의 젊은 시인들이, 즉 스펜더나 이미 작고하였지만 젊은 세대에 속하는 딜런 토머스• 등의 사람들이 수백 년 후의 독자들에게 엘리어트보다 높게 평가될 수 있을까 하는 문제이다. 불란서의 현대 시인인 퐁주, 엠만에르, 그라크 등이 수백 년 후에 발레리만큼 높이 평가될 것인가가 문제다.

한국의 젊은 시인들은 우리 나라 대가들에게 영국의 노파 에디스 시트웰•의 갱생 정진更生精進하는 예를 들어 왜 그 정도도 못하느냐고 공격 또는 무조건 멸시하여선 안 된다. 이 나라 젊은 시인들이 오늘날 우리 나라의 대가급 시인들만큼 백 년, 2백 년 후에 높게 평가될 것인가를 자문해보라. 아직도 소월素月의 시가 많이 읽히는 것은 오늘날 젊은 시인들의 작품보다 새로운 까닭은 아니다. 괴테는 그 시대에서 자기의 시를 이루었을 뿐이다. 오늘날 젊은 시인들은 대가들과 뇌동雷同할 수 없다. 그렇다면 젊은 시인들은 그들로서의 자기 시를 이루어야 한다. 동양이나 서양의 젊은 시인들이 지난至難한 현대 시의 명제에서 어느 정도 인류로서의 자기의, 즉 새로운 시를 성취할 것인지 우리는 아직 단정하기보다 매우 관심하고 있다. 어떻든 20세기의 현대 시는 바다로 한계 됐던 과거와 다르다는 데 특색이 있다.

1958

빛은 동쪽으로부터

'빛은 동쪽으로부터.' 서양 사람들의 입에서 이 말이 나오기 시작한 것은 언제부터인지 알 수 없다. 그러나 실제에 있어 서양의 동양에 대한 태도는 동양을 모멸함으로써 그들의 우월감을 만족시키고 있을 따름이다. 그러나 우리들은 이 사실을 분개할 만한 아무런 건덕지도 없다. 8 · 15 후에 국내의 모 대학을 나와 도미渡美하였다가 연구를 마치고 요즘 귀국한 묘령의 여성과 나는 만난 일이 있는데 그때 그 여성은 한국말이 서툴어졌다면서 어색한 제스처와 미소와 발음으로 나를 놀라게 하였다.

그것은 마치 서양 사람으로 태어나지 못한 것이 일생의 한이노라고 동양의 조국에 돌아와 명백히 말하는 표정처럼 나에게 느껴졌다.

과연 동양은 이 지경이 되도록 아무런 가치도 없는 것일까.

국내에서 나오는 잡지와 서적에 비하여 외국 잡지와 서적은 어느 정도로 우리 나라에서 간행되어 팔리는지 알고 싶을 때가 있다.

국내 출판물보다 외국 것이 더 나간다든가 외국 것보다 국내 것이 더 나간다든가, 또는 국내 것과 외국 것이 반반씩 나간다든가를 따진다는 것은 위험한 속단이라 할지라도 이러한 통계로써 어떠한 조류를 짐작한다는 것은 무의미한 일이 아니라고 생각된다.

서양을 이해하기 위하여 노력하는 것은 좋은 일이다. 그러나 서양인이 우리 동양을 아직도 멸시한다면 우리들은 무엇으로 답변할 것인가. 서양의 시선은 동양에 집중되어 있다. 그들은 어디까지나 지도상의 동양을 바라보며 정치적 역량을 기울이고 있을 뿐 이해하기 위한, 탐구하기 위한 동양 정신에 관심을 둔 것은 아니다.

이러한 때를 당하여 동양의 지식인, 학자, 예술가들은 무엇을 생각하고 어떠한 일들을 하고 있는가. 모든 것을 이해한다는 것은 무엇과도 타협할 수 없는 자아의 형성 과정이며 새로운 창조에의 출발점이다.

그리고 진실이란 언제나 전통을 바탕으로 하여 현실의 필요성에서 향상하는 법이다. 과연 그러하다면 동양의 제諸 국가에 대한 우리의 관심은 서양에 대한 것 이상의 성의로 나타나야 할 것이다. 그럼에도 불구하고 현대 서양 문화에 대한 우리들의 지식에 비하여 현대 동양 문화에 대한 우리들의 지식이란 가위 맹목이다.

물론 이런 말을 한다는 것이 내 자신의 무식을 폭로하는 데 그친다면 얼마나 다행한 일일까.

2차 대전 전부터 우리가 알고 있던 중국의 몇몇 작가들 중엔 그나마 공산주의에 물들어 완전히 제정신을 상실한 사람도 있으니 언급할 것도 없지만 지금 자유 중국에 어떠한 작가와 시인과 학자가 있으며 어떠한 작품 활동을 하고 있는지도 알 수 없다.

더구나 필리핀, 버마, 태국, 이러한 아시아 반공 제국에도 지식인, 문학자, 예술가가 없을 리 없건만 다른 분은 모르되 나는 그들의 작품, 서적, 언론이 어떠한 것인지 지금 그들이 무엇을 쓰며 무엇을 생각하고 있는지 전혀 모르고 있다.

기껏 안다는 것이 인도의 타고르 박사와 여류 시인 사로지니 나이두•의 순수한 직관에서 높이 울려 나온 작품을 약간 읽었다는 것이 고작이다. 그러나 인도의 이 두 시인은 2차 대전을 전후하여 세상을 떠났다 하니 그 후의 오늘날 인도 문화에 대하여 도로 캄캄 소식이다.

우리가 비교적 가장 많이 알고 있는 것은 인접하여 있는 일본의 서적이다.

어떤 사람은 일본을 우리 동양에서 가장 문화가 발달한 나라로 간주할 것이다.

광범한 견식이 어느 정도의 격을 이룰지라도 도리어 독특한 자아를 창조하지 못한다는 결함을 우리는 일본 문학에서 알 수 있다. 그렇기에 그들은 오히려 서양 문화의 모방에 급급하며 자아를 타他에게 추종 굴복하려고까지 하고 있다. 우리는 먼저 오늘날의 동양을 알아야 한다. 현금現今은 동양의 문화 교류가 시급하다. 물론 아시아 반공 대회도 필요하지만 아시아 반공 지식인, 학자, 예술가의 친목이 더욱 긴요하지 않을까.

어떻든 서양인이 '빛은 동쪽으로부터!' 라고 한 것은 개인적이며 이해 타산에 예민하며 호전적이며 자부심이 대단한 그들로서는 자못 예외의 일이라 할 것이다. 그러나 여기에는 이유가 있다. 극도로 발달한 개인 관념과 끝까지 추구한 영리 목적은 조화를 상실하여 자아 모순으로 막다른 골목으로 들러빠지고 말았던 것이다.

서양인들이 인간 상실을 통감하고 있는 이때 서양 문명에 무조건하고 동경 추종한다는 것은 우리의 비극이랄 수밖에 없다.

그들은 인도, 버마, 즉 극동極東에 대한 과거의 과오를 자각하지 않을 수 없으면서도 깨끗이 손을 떼지 못하는가 하면 소련은 극동에 대하여 침을 흘리며 기회를 노리고 있는 현상이다. 그들은 수소탄을 만들었으나 그들은 스스로의 자멸을 느끼고 전율하며 있다.

이러한 자가 당착에서 일어난 공포와 이렇게 인간에서 자유가 박탈되었다는 것은 그들의 전통적인 야욕이 스스로의 각성을 촉구함에도 불구하고 그 청산淸算을 주저하는 데서 더욱 심각화하고 있는 셈이다.

이리하여 서양의 선각자, 지식인, 학자, 예술가들은 20세기의 위기를 강조하며 있다.

빛은 동쪽으로부터!

그들의 입에서 어느새 이런 말이 튀어나왔다는 것은 극히 당연한 일이라 아니할 수 없다.

우리는 서양인들이 '빛은 동쪽으로부터!' 라고 중얼거린 말에 응할 의무가 있다기보다 사명을 띠고 있다.

이러한 사명을 완수하기 위하여선 무엇보다 우리는 동양인으로서 서로 친목하고 사색하고 검토하며 상호 부조하지 않으면 안 된다.

정치는 문화보다 때에 따라 강력할 수도 있다. 그러나 우리 동양의 학자, 예술가들은 속히 서로 손을 잡고 문화의 힘 없이 정치가 존속할 수 없다는 신념에 살아야 할 것이다.

1955

동양 문화와 한문

한문을 말한다 하여 우리 국문國文의 진가가 감소되는 것은 아니다. 그와 동시 우리 동양에 서양 문화가 들어오기 이전까지 한문은 절대적 권위로 행세하였다는 사실도 알아야겠다.

우리 나라에선 국문이 날로 정리 발전 중이며 중국 자체가 백화문白話文을 쓰고 일본은 약자를 만들어 쓰고 있으나 극동의 어느 나라도 아직 완전히 한자에서 벗어나지 못하고 있다. 이 한 가지 예만 보아도 문화는 전통을 무시하고 발전할 수 없으며 일조 일석一朝一夕에 이루어지는 것이 아니란 걸 알 수 있을 것이다.

그런데 동양 하면 케케묵고 시대에 뒤떨어졌다는 인상을 받게 되는 것은 어찌된 까닭일까. 오늘날 동양은 외래 문화에 현혹 굴복당하였고 자기네의 고래古來 문화에 무관심한 나머지 모든 저항력을 상실하였다. 우리 나라에 비록 외국 학문을 전공으로 하는 학자가 많을지라도 자기 나라 것을 연구하는 외국 학자보다 훌륭한 저서를 내놓기는 지난한 일이다. 어디까지나 우리가 서양 문화를 필요로 하는 것은 그것을 이해하기 위하여서며 보충하기 위하여서며, 추종하기 위한 것은 아니다. 외래 문화에만 추종할 수 없다면 우리에게 전래되어온 과거의 동양 문화가 과연 무엇인가를 재인식해야 할 것이며 그러기 위하여서는 한문을 알아야 한다는 것이다.

더구나 우리 나라의 과거 문화는 아직도 정리되지 않았으며 학계는 거의 처녀지로서 젊은 학도의 개척을 고대하고 있다. 그러므로 우리는 외국 문자를 무시 않는 만큼 좀더 한문에도 힘을 기울여야겠다. 일제가 우리 나라를 잠시 지배했다는 것보다 일본 사람들이 우리의 향가鄕歌에 먼저 손을 대었고 기타 우리 나라 문화 연구에도 공헌한 바 전혀 없지 않다는 걸 알 때마다 가슴이 쓰라리다.

이제 우리가 해야 할 일을 서양 사람들이 우리보다 먼저 우리의 문화, 동양의 문화를 연구하여 앞으로 세계 문화에 공헌한다면 우리는 그때 무슨 말로써 답변할 수 있겠는가. 여러분은 이러한 생각을 결코 기우라고 하여선 안 된다. 지금 서양엔 무엇보다 한문을 알고자 고심하고 있는 문화인, 학자가 속출하고 있는 것이다.

그런데 모 신문에 게재된 모씨의 글을 보면 불란서 루브르 미술관에 가보았더니 우리 나라 경주 박물관 같은 건 아무것도 아니더라고 이다지도 무지한 소리를 하였는가 하면, T. S. 엘리어트와 에즈라 파운드를 신주神主처럼 섬기는 시인들 중에서도 엘리어트가 범어梵語에 소양 있다는 것과 요즘 파운드의 시에 한자漢字가 튀어나온다는 데엔 무관심하려 하니 딱하다기보다 내 자신부터 초조하고 두려울 지경이다.

그러나 나는 여러분에게 한문을 연구하라는 것은 아니다. 고민하는 세계를 위하여 오늘날 동양 문화를 위하여 자아의 올바른 길을 찾기 위하여 한문에 대한 해독력은 여러분에게 결코 무의미하지 않다는 것을 강조할 뿐이다. 호머의 서사시를 알되 『시전詩傳』을 모르며, 아리스토텔레스니 칸트의 철학을 말하되 『주역周易』을 모르며, 서양 역사를 알되 『삼국사기三國史記』, 『서경書經』을 읽지 못하여 야소교耶蘇教, 르네상스는 알되 유불선儒佛仙과 제자백가諸子百家와 성리학性理學을 모르며, 괴테, 플로베르는 알되 『동문선東文選』, 『고문진보古文眞寶』, 『구운몽九雲夢』을 모른다면 우선 외국인이 우리를 조소천대할 때가 머지않아 올 것이다. 이렇게 주워섬기고 보니 내 자신이 제법 박식한 것 같고 무슨 한학자漢學者인 것처럼 여러분에게 착각될지 모르나 나는 학자도 아니며 남이 알까 부끄러울 정도의 지식밖에 없다.

그러나 이러한 소리를 아니할 수 없음은 내가 못하는 한을 여러분에게 풀어달라는 세정細情에 불과하다.

그리고 이런 말을 할 수 있는 또 한 가지 이유는 20세기 후반에 있어 한 민족이 다른 국토를 영유領有할 수 있는 시대란 이미 지나갔다는 것이다. 이제부터 온 세계가 시정하고 찬양하고 실력대로 발휘할 수 있는 자유의 힘은 오로지 문화에 있다고 믿는다. 무력만이 강국과 약국을 기준하는 것이 아니고 문화는 보다 큰 힘이다. 문화의 힘은 내가 타에게 굴종하느냐 그렇지 않으면 내가 타를 감화시키느냐의 중대한 문제다.

지금 동양의, 우리 나라의 고민은 어디서 기인한 것일까. 그것을 설명하기보다 가장 참혹한 우리의 고민에서 시정되어야 할 새로운 우리 한국 문화의 건립으로 세계의 고민을 풀어주어야 할 단계에 이르렀다는 것부터 믿어야겠다.

그러므로 남을 이해하는 동시에 자신을 알기 위하여 동양을 연구하고 우리의 것을 찾으려면 한문을 무시할 수 없다.

오늘날 세계를 근심하는 각국의 참다운 지식인, 학자, 정치가 들이 우리로부터 고대하는 것은 '셰익스피어 연구도 아니며 실존주의 해설도 아니다. 우리의 고전, 동양의 고전, 그리고 우리 문화의 진로, 동양 문화의 진로가 어떠할 것인가를 그들이 유의하고 있다는 것만 알아주기 바란다.

비로소 여러분의 문화와 한문의 대해大海를 깊이할 수 있다.

동양 문화의 근대적 과제

—서운보화문瑞雲寶花紋이 보여주는 전통

잡지사로부터 받은 '동양 문화의 근대적 과제'는 나 같은 자가 능히 쓸 수 있는 바 아니다. 이 제목은 수천 년의 침묵에 대한 그 생명력을 대하는 것과 같아 너무나 크며 깊기 때문이다.

우리는 지상의 생명인 만큼 어떠한 시대에 있어서나 환경에서 벗어날 수 없다. 지금 가정, 사회, 국가, 세계로 이렇게 개인의 환경은 넓어지고 복잡해졌다. 이러한 '세계의 개인'들은 '개인과의 세계'에 고민하고 있다. 광막 무애廣漠無涯한 문명의 풍우와 노도怒濤에 부침浮沈하는 눈앞에 길은 없었다. 가각街角에 서 있는 인간은 세계의 계절을 반영하고 있는 실재로서 스스로의 능력을 잃고 있었다. 그러나 존재는 끊임없이 외계에 대한 내부를 전개하였다. 가사假使 결과에 있어 어떠한 과오를 범할지라도 대결은 항상 이념의 빛에 싸여 탄생하였던 것이다. 편협한 주관에 의한 배타가 아닌 한 그것은 맹목적 추종에서 다시 이해하며 구별하는 과정일 것이다. '과연 이래서 될 것인가', '이것만으로 만족할 수 없다'는 것은 희망의 시원始源이었다. 소음에 마비되고 있는 것은 '자아'였다. 강박하는 생사의 기로에서 인간은 뜻하지 않은 행위를 하고 있다. 그것이 비록 상실을 의미할지라도 그것은 대상에 의한 '자각'을 일으키는 것이다. 자아는 우주와 동등한 가치에 있다. 이러한 신비와 작용의 숨결은 세계를 바라보는 영역과 동시에 그만한 구심력의 깊이를 요하였다. 자각은 피[血]며, 전통이며, 변화며, 빛이며, 처지며, 생리며, 합류하는 역사의 언덕에 층층이 쌓여졌고, 쌓여지고 있는 탑이며, 존재며, 생명이었다.

항상 동양은 구미 문화에 경탄하면서도 회의를 품어왔다. 인류에 공헌한 과학은 그 자체에 죄악이 없는 까닭에 누구나 그 위력을 찬탄해왔던 것이다. 그러나 그것이 투쟁과 유혈과 탐욕으로 사용되었을 때마다 과학을 우러러보던 눈은 도리어 냉정해졌다.

'우리는 그 은혜를 받고 있다. 그러나 그 대가는 너무나 심하다.'

그러나 그 까닭은 간단하였다. 즉 '우리의 인간성을 박탈하려는 자는 그들 스스로가 이미 인간을 상실하고 있다'는 엄연한 사실이었다.

세계가 평화하지 않는 한, 한 개인의 불안도 그만큼 해소되지 않는다는 사실 앞에서, 진정한 자아의 행복을 찾기 위하여, 인류의 현실을 근심하는 사람은 있을 것이다. 이러한 사람은 양洋의 동서東西를 막론하고 대지가 있는 곳이면 그러므로 언제나 있는 것이다.

밤늦게 집으로 돌아온 그는 아무것도 보이지 않는 캄캄한 방 속에서 눈을 뜨고 가만히 앉아 있었다. 모든 지식과 또는 어떠한 사고도 지금의 그를 감동시킬 수 없었다. 체험 앞에 무력하였기 때문이다. 그는 조금 전에 길을 횡단하다가 권총에 겨누어진 사람처럼 걸음을 멈추고 자기의 위치를 분명히하였다. 그러나 외군外軍 트럭의 헤드라이트는 조금도 비키지 않고 노상 그의 정면을 노리며 달려왔다. 그는 당황하였다. 그가 공포에 사로잡혔을 때 이미 죽음은 육박하고 있었다. 살인

광선을 받고 그는 개, 돼지처럼 어쩔 바를 몰랐다. 하마터면 죽을 뻔했던 그가 부지중에 한 걸음 물러섬으로써 살아난 것은 우연이었다. 트럭은 끝까지 비키지 않고 경적도 울리지 않고 전속력으로 그가 서 있었던 곳을 지나갔다. 그는 이마에 땀을 씻었다. 그는 분노를 느꼈다. 그리고 기계를 저주하였다. 이제 그는 캄캄한 방 속에서 눈을 뜨고 앉아 있으나 아직도 기운을 차리지 못하였다. 그러나 기계 문명에 대한 저주는 그 운전사에 대한 비애로 변하였다. 그는 기계를 미워할 수 없었으며 그것을 사용하는 인간의 태도를 슬퍼하지 않을 수 없었던 것이다. 그는 언제나 마찬가지로, 세계를 정복한 구미 물질 문화의 공죄功罪에 대하여 방황하였다. 그것은 역시 어디까지나 막연하기만 하였다. 그는 전등을 밝히었다. 그리고 책상 위 벽에 걸려 있는 다색茶色 칠판에 끼워져 있는 신라 기왓장의 서운보화문瑞雲寶花紋을 유심히 바라보았다. 바라보는 동안 그것은 이상스레도 그의 혈액 순환을 차츰 순조롭게 해주었다. 이러한 안정은 어디서 오는 것일까. 그것은 수학과 같은 이유가 아니었다.

그는 지구의 한 건물 속의 중간을 가로막고 있는 벽의 위치를 취하였다. 양면하고 있는 두 실내는 가시可視의 사고思考와 가사可思의 표현으로 각각 나누어 있었다. 이것은 결코 동서 양양兩洋의 문화에 대한 우열을 논증하려는 어리석은 의도는 아니다. 누구나 한 인간은 가시의 외계와 가사의 내부로 이루어졌기 때문이다. 동양의 최고시最古詩랄 수 있는 『시경詩經』의 첫머리는 수변水邊의 새소리를 들려준다. 아름답고 그윽하고 착한 여인은 군자의 좋은 배필이란 것을 노래하고 있다. 이와 비하여 서양의 최고시랄 수 있는 호머의 『일리아드』는 그 시초에서부터 '그들의 싸움을, 여신이여 노래하라' 며 부르짖고 있다.

남녀의 사랑이 자연과 동화하여 영원의 호흡으로 정신을 순화시킨 것과 이와 반대로 이해를 위하여 승리냐 멸망이냐의 기로에 서서 피를 흘리며 투쟁하여 상대의 죽음 위에 만족과 건설을 기도하는 행동과를 비교할 때, 가위 숙명적으로 그 방향을 달리하고 있다. 그러나 우리 동양 사람이면 이처럼 상반된 양문화兩文化로 성장해온 세계에 대하여 쉽사리 그 묘리를 공감할 수 있을 것이다. 고층 빌딩, 헤드라이트의 육박, 포구砲口, 분열, 전쟁, 지하 주점, 달을 향하고 있는 기계의 첨두尖頭, 상실, 각종 범죄, 홍등 자연紅燈紫煙, 전선, 절망, 지도, 속력, 정신 병원, 이러한 육체의 물질적 직면은 이미 동양을 포위하고 있다. 우리는 이러한 변화의 까닭을 결코 경시하지 않았다. 다만 우리가 직면하게 된 그것은 그 자체부터가 언제 붕괴할지, 언제 폭파할지 모르는 것과의 대립이었다. 우리만이 아니다. 인간은 모두가 공포와 불안과 각박한 직면에서 벗어나려 필사적이다. 간음하며 이취泥醉하며 광소狂笑하며 자결自決하며 살인殺人하며 난무亂舞하며 밟으며 밟히는 부지중의 행위로 연속되고 있다. 그것은 내일을 예측하지 못하는 인간들의 비극이었다. 단파短波, 중파中波는 여백 없이 보이지 않는 탄도彈道를 그으며 공간을 종횡하고 있다. 포효하는 방송을 들으며, 그는 방 속에서, 위기의 철조망에 보호되어, 전등불에 비쳐진 서운보화문 너머로, 아득한 지점을 더듬었다. 현송絃誦소리가 들리어온다. 타협을 모르는 공자는 실직자로서 기나긴 여로마다 도道를 설하고 있다. 공자는 뜻한 바를 실현하지 못했으나 그 자신은 후세에 길이 광망光芒을 발하였다. 왕위를 버린 석가도 그 외면에 있어 걸인이었다. 그러나 그는 영산靈山에서 염화미소拈花微笑로 불립문자不立文字의 진리를 전하였다. 인간의 참다운 평화와 자유와 행복은 무엇인지, 그렇다면 우리는 그것을 어떻게 구해야 하는지, 또 그것은 어떻게 이루어지는지 그것이 문제였다. 서적은 자기의 말을 기사記寫한 것이지 과거에 대한 지식을 소개하는 데 끝나는 것은 아니다. 석가나 공자나 노자의 말은 무너져가는 향교鄕校나 지하에 매몰된 연화대蓮華臺나 대륙大陸 길거리에서 구걸하는 도사道士들처럼 몰락하였을지언정 수천년래數千年來의 선조祖先의 피를 받아온 육체 속엔 빛나던 그 옛날의 동양이 하나의 전통으로서 우리의 피에 은연히 스며 흐르고 있다. 그러기에 우리 동양인은 독살되어 쓰러져 있는 희랍 철인哲人의 시체라든가 절명絶命한 채 피묻은 십자가에 서 있는 기독基督에 관한 것을 들을 때마다 아연하였다. 우리의 눈앞에 크리스마스는 황음荒淫, 광무狂舞, 낭비로 축하되고 있다. 자아를 잃고 추종만을 일삼는 동양은 아닐 것이다. 우리는 이러한 그들을 쉽사리 이해하지 못할 점도 있다. 우리는 신처럼 진정 괴롭다. 우리의 모습은 신처럼 비참하다. 우리의 주변은 각박하다. 그러므로 동양의 근대적 문화는 반성과 자각에서 그 양상을 밝히기 시작하고 있다.

오늘날만큼 동양이 서구를 이해한 일은 과거에 일찍이 없었다. 특히 우리 나라는 그들 양대 세력의 과오에 의하여 허리를 잘리었다. 그들의 희생인 우리는 그들의 무서운 힘을 보았다. 그들의 전통은 투쟁과 침략과 경쟁과 개척이었다. 이러한 이기利己의 정력精力에서 그들의 문화는 광범한 모색, 교치巧緻한 계획, 자극적인 정력, 심각한 매혹으로 찬란하였다. 그러기에 그들의 고민은 그 계략의 위력을 마술적으로 승화시켰다. 이제 이러한 고민이 우리의 현실로 화하고 있다. 우리의 아취雅趣는 향락으로, 인정人情은 적대시로, 예술은 허영으로,

자기 능력에의 척도까지 잃은 심연의 입을 벌리며 있다. 그는 혼란에서 양립된 극단의 이율배반으로 망연하였다. 이 망연은 불가능에의 가능을 생각는 자세였다. 시비是非보다도 개개箇箇에는 그 존재의 절대 이유가 있다. 동양은 그 조화의 특색을 선명히 해야 할 것이다.

그는 항상 지나친 생각이 과오를 범할까 소심하였다. 그는 무심히 서재를 대하고 있다. 서가엔 맹목적 신에의 신앙으로부터 신을 부정하기까지의 과학적 방법과 기계의 소음과 모색하는 지성의 변모와 냉각한 인간성의 절규와 오뇌懊惱하는 분석이 가득 꽂혀 있는 그 위에 경문經文을 석각石刻한 화엄사華嚴寺 벽면의 한 조각 돌이 놓여 있고 그 위에 창연蒼然한 천여전千餘前의 조그만 금동 불상이 서서 무언의 계시를 나타내고 있다. 완당阮堂의 축자軸子와 피카소의 원색판 그림과 제엔이스 라디오와 석굴암의 11면 관음觀音, 보현普賢, 문수대불文殊大佛의 사진과 파카 만년필과 감지금니경문紺紙金泥經文의 횡액橫額과 서서제瑞西製 시계와 조선 백자는 한문 서적과 함께 한 실내에 모여 있으나 그것들은 서재의 분위기를 조금도 파탄과 분열로 몰아넣지는 않았다. 그의 독서는 아무런 시대적 계통도, 연구적 태도도, 전공적 분야도 없었다. 그는 자기의 말을 찾고자 시야를 넓힐 뿐이었다. 그래서 동서의 문학, 미술, 철학, 역사, 사조思潮, 종교, 풍속 등 생각나는 대로 읽기도 하고 화보畵譜나 음악에서 피로를 풀기도 하였다.

참으로 이상한 일이었다. 현대 문화의 힘으로 세계의 가치 있는 것이 취미에 의하여 개인의 방에 모였으나 그것들은 서로 규각圭角 나지 않고 새로운 조화를 보여주고 있다는 것이다. 그는 한숨도 안도도 아닌 생명의 심호흡을 하였다. 세계의 문화는 동서를 막론하고 그 진실성에 있어서 공통한다는 인류의 기쁨을 발견할 수 있었던 것이다. 근대 동양이 만일 스스로의 전통을 무시하고 구미歐美만을 추종한다면 이는 구미 문화의 효용성마저 이해 못한 것인 만큼 도리어 구미는 동양을 불쌍히 생각할 것이다. 이미 서양은 막다른 정신 면에 있어서도 동양으로부터 활로를 찾고자 우리를 주시하고 있다. 세계의 문화는 어느 곳에서나 그 진실성에서 공통하지만 그 방법과 표현은 각기 그 지역적 조건에 따라 다르다. 그러기에 동양은 그들을 이해하기 위한 진실성을 가져야 하되 결코 그들과 같은 처지일 수는 없다. 새로운 동양 근대 문화의 과제는 오늘날 슬픈 우리 처지의 원인과 결점을 냉정히 진단하여 과거 우리 전통의 광명에 비추어 우리의 지리와 체질과 사고 방식과 혈액까지도 실지悉知한 연후에 침략자들을 경고, 시정하고 나아가야 할 신미래상의 제시에 있다. 어떻든 앞으로 동양이 세계 문화에 이바지 못한다면 우리는 그 존재 가치를 잃을 것이며, 그 책임을 다하지 못한 형벌로서 우리의 자손까지도 구속의 굴욕을 감수하고야 말 지상의 비극을 초래할 것이다. 그러나 지혜로운 동양 사람은 여하한 것도 미래를 위하여 무가치한 것은 없다는 걸 잘 알고 있다. 서양의 문학은 그들의 입지 조건에서 창작되고 있듯 피해자인 우리는 그들의 좋은 점과 결점을 분명히 파악하고 있기 때문에 우리는 보다 유익한 조건에서 문학을 창작하며 있는 것이다. 그들의 결핍이 동양에서는 그와 반대로 수천 년 동안 혈육화血肉化되어왔다는 자각은 그들과의 접선으로 새로운 세계 문화이기를 기원하고 있다. 이 대원大願을 달성하는 것이 동양 문화의 근대적 과제이었다. 비참한 처지에서 자각하는 한국의 모습, 고민하는 중국이 발할 사자후獅子吼, 심각한 과오를 후회할 단계에 이르른 일본, 그 외 동남아 제국諸國이 침략에 대하여 뼈저리게 느끼고 있는 준열한 비판 의식은 근대 문화의 최상最祥이며 성장이었다. 이 동양 근대 문화의 기저基底를 이루고 있는 것은 무력에 의하여 선이 멸하고 간교한 탐욕에 진리가 유린당하고 있다는 걸 알려줌으로써 잃어진 인간성을 찾으려는 데 있다. 서로가 상대를 거울[鏡] 하여 자각할 시기에 이르렀다. 그러나 거울 자체는 동서 어느 일면을 위한 것도 아니다. 전인류를 위한 지구의 위대한 작용일 따름이다.

그는 고요히 서운보화문과 대좌對坐하고 있다. 그는 지난해 경주에서 서운보화문와瑞雲寶花紋瓦와 고대 불상, 이 두 가지를 흔히 도시의 백화점에서 여는 전시회의 사진 한 장 값보다도 싸게 샀다. 희랍이나 애급이나 인도의 고적古跡에선 상상할 수도 없는 일이었다.

'중생衆生의 번뇌가 다하면 나의 원願도 끝나리라. 그러나 중생의 괴로움이 끝나지 않을 새 나의 원도 끝이 없다.' 그는 일출日出의 동해를 향하고 있는 석굴암에서 불보살들과 제諸 대제자大弟子를 우러러보며 중얼거렸던 그 경문을 지금 다시 외고 있는 것이다. 라디오에서 흘러나오는 '운명' 교향악이 방 속을 휩쓸고 있다. 그는 눈을 감고 부동하였다. 그의 귀에 교향악은 성덕왕 신종聖德王神鍾의 음색과 귀일歸一하였다. 그것은 분별을 초월한 것이었다. 하나는 인간의 거룩한 고민과 하나는 인간 염원의 거룩한 승화로 합류하는 이해를 이루었다.

그는 전부터 몇 번이나 번역하려 했건만 그럴 때마다 언어마저 잊었던 종명鐘銘의 첫 구句인 '자극 현상紫極縣象' 부터 다시 생각했으나 어떻게 오늘날 말로 재현시켜야 할지 망연하였다. 그러나 에디스 시트웰의 '눈뜬 송장과 살아 있는 장님이 함께 누워 있다' 는 시구詩

句와 교향악과 함께 그것은 유곽乳廓 내에 있는 9개의 연화문蓮花紋을 그리고 웅려雄麗한 비천상飛天像으로 그의 마음을 전등빛에 비쳐 주었다.

바깥에서 새빨간 소방차가 어둠 속을 달리며 귀신처럼 울며 지나간다. 한 인간의 힘은 주위에 너무나 약하였다. 길을 잃은 세계는 무서웠다. 그는 풀 수 없는 것에 노력하기 위하여 수면 속에서나마 휴식을 취할 수밖에 없었다.

서양은 앞으로 우주 정복을 실현하려 하고 있다. 동양은 과거로 올라갈수록 성자聖者를 목표했었다. 세계는 지금 육체를 잃은 반면과 정신을 잃은 반면으로 되어 있다. 현대에 이르러 인류의 위력은 이를 접근시키고 있다. 인류는 서로 사랑하며 마침내 지구처럼 하나의 원圓을 이룰 것이다. 그들은 마치 남녀가 성격과 체질에 있어 전혀 다르나 하나의 가정을 성취하듯 서로 상대로부터 눈뜰 것이다. 그러고 보면 차질差質은 조화에의 묘며 새로움에의 발단이다. 인간이 과학을 지배할 시대는 온 것 같다. 아직도 과학에게 인간이 지배당하는 시대는 끝나지 않았을까. 동양은 신을 만들고, 신앙하고, 부정하고, 총살하고, 매장한 일이 없다. 그들은 스스로 자아自我가 주님이었던 것이다. '언제나', '어디에서나' 가 바로 진리로 나타났었다. 우리는 빈고貧苦에서 벗어나지 못하고 있다. 그래서 우리는 현실을 무시한 일도 없으려니와 그러나 한 번도 현실만을 전부라고 생각진 않았다. 동양 문화와의 근대적 과제는 거듭 말하거니와 그것은 전통에의 회고와 현실을 버리고 발전할 수 없는 전망展望에서의 각성이라고 하고 싶다. 암담한 동양은 빙설氷雪 속에서 솟아오른 푸른 잎과 꽃들로서 모진 바람에 떨며 청렬淸冽한 음향音香의 손을 내밀고 있다. 그것은 어디까지나 자성自性의 신을 깨달은 그들이 세계를 대하는 사랑의 표정이었다. 고민하는 신을 어떻게 구할 수 있는가. 그것은 원래부터 서운보화를 배경하고 있는 자성에의 정진에 있을 것이다. 과학도 구극에 가면 정신계와 다르지 않다는 그 일치에서, 앞으로 동양의 문화는 실현되리라고 생각되는 때가 종종 있다.

1958

내 시의 발상과 방법

나는 걸작傑作에 대한 정열이 냉회冷灰로 변하여버린 이후부터 이야기해야겠다. 나의 시에 대한 희망이 결국 많은 박수 갈채와 칭송의 꽃다발을 원한 것이라면 무엇보다 우선 순진할 수도 솔직할 수도 없는 내 자신을 재인식해야 할 것이다. 내게 있어 시는 권태며 피로며 변덕이며 분열이다. 나는 비로소 독자와 이별할 수 있었고, 자기 시에 대한 스스로의 비평이 필요했고, 타인의 훼예毁譽를 무시해야만 됐다. 내가 견문見聞할 수 있고 사고할 수 있는 한, 그리고 거짓말을 쓰지 않을 수 있다면 그만큼 백발白髮이 된 후에도, 아니 평생 시를 쓸 수 있다고 자신하였다. 이리하여 아름다운 공상과 가치 없는 정념情念과 정확할 수 없는 찬사와 욕설과 언제나 환멸로 보답된 그 지긋지긋한 자아 도취를 버림으로써 겨우 시와 악수하게끔 되었다. 시는 나에게 있어 식사와 같다. 우리가 밥을 먹는 것은 살기 위해 먹는 것도 아니며 먹기 위해 사는 것도 아닌 까닭이다. 나는 시에 대한 정의가 없다. 시론詩論을 상실하였다는 것이 기본되어 시를 쓰고 있다.

미리 써둔 작품이 없다면 원고 청탁을 받아도 시에 대한 강박 관념에 얽매여 꼼짝 못한다. 이를테면 독자를 중심으로 요구에 응할 수 있는 실력이 없다. 자기를 염오厭惡할지언정 고통을 견디며까지 자신을 달래지 못한다. 계절과 기후에 대한 막연한 느낌 같은 것이 홍시紅柿라든가 풍우風雨를 대하자 우연히도 그 느낌이 명료해질 때처럼, 오랫동안 품고 있던 상념이 어떤 사물을 보고 당함으로써 이상하게도 순간 형상화되는 수도 있고, 그와 반대로 비행기라든가 살인 사건 같은 것을 견문함으로써 신기스러우리만큼 확연한 암시와 계시가 촉발되는 수도 있다. 나의 발상은 끊임없이 완전히 나의 것으로서, 그러나 무수히 기복起伏하며 불규칙하며 난잡하며 혼란하며 명멸한다. 이러한 혼잡을 분류하고 이러한 명멸을 통계한다면 아마 나는 쉽사리 나의 방향과 위치를 측정할 수 있을 것이다.

이것은 주위에 대한 관찰의 밀도와 개성이라든가 기호, 경향을 짐작할 수는 있으나 결코 작품이 되는 것은 아니다. 왜냐하면 모든 발상은 모순의 현미경을 통하여도 핵심조차 발견 못 되는 수가 있고 상반의 용광로에서 정련精鍊되는 부분이 있다 할지라도 극소한 까닭이다. 타인에게서 발효된 행복이란 걸 검토하기도 하고 스스로의 불행이 어느 정도로 일반과 통하는 점이 있는가를 관찰하기도 한다. 나는 이걸 좀더 명확하게 말해야겠다. 나의 시가 발상하는 동기와 초점은 만인萬人과 공통되는 자아를 인식하여 인류와 공통할 수 있는 자아의 탐구에 있다. 진리가 어디에 있는지 알 수는 없으나 자연은 어디고 있다. 참다운 평화가 있는 곳을 모를지라도 지향하는 과정이 나의 시가 된다. 신보다 인간을 중시하고 예술까지도 자아에서 출발시키려는 데 대하여 비난할 사람들이 있을 것이다. 그러나 우리는 물질에만 과학적일뿐 그 반면에 맹목적으로 신을 진리로 상징하는 서양 사람이 아님을 말해야겠다. 우리는 정신에 있어서 과학적이며 마음과 물질과의 합리에서 자아의 신을 찾는 동양인임을 나는 항시 느끼고 있다. 서양 문명의 발전은 침략과 투쟁과 비극과 공포의 조장이었다. 침해侵害되고 노예화되고 자유를 무시당한 우리 동양은 인종人種의 수련에서 각성기覺醒期에 이르렀다. 이것이 나의 편견일지 모르나 각성은 자아의 비판에서 시작된다. 이리하여 나는 역시 누구나 명자名字의 주관으로 시를 보는 것에서 벗어나지 못하고 있다. 나는 추악한 자기를 부끄럽게 생각지 않는 죄인이다. 황폐한 지역에 부정不正으로 장식된 화려한 거리에서 가책도 없이 사기詐欺하되 밤이면 빈한貧寒한 방에 쓰러져 내일을 모르고 있다. 이러한 나에게서 일어나는 발상을 시화詩化한다는 것은 나에게 있어 감당할 수 없는 지난지사至難之事란 걸 고백할 수밖에 없다.

나는 미사여구를 얻으면 그것이 매소부賣笑婦의 작태를 보듯 불쾌해지는 버릇이 있어 결국 지워버리고 만다. 그래서 나의 시는 시도 산문도 아닌 것이 되어버리는 모양이다. 나는 나의 역량 부족을 자인한다. 그러나 교묘하다는 건 생명의 희박을 의미하며 진실은 오히려 평범하고 장구長久하다는 생각을 좀체 버릴 수 없다. 내가 유서를 쓰듯 시를 쓴다면 경박한 과장일지 모르나 적어도 내가 원하는 독자는 사춘기의 소녀도 30대의 청년도 아니며 40, 50 된 교양인이 읽어줄 것을 상대로 하고 있다. 취중醉中에 또는 몽중夢中에 스스로 경이의 눈을 부릅뜰 만한 시구詩句를 얻을 때도 있다. 그러나 이튿날 아침에 맑은 정신으로써 볼 때, 그 시구는 번번이 실망을 갖다주었다. 나는 지성이 결여된 정열이라든가 감정의 노출이 얼마나 큰 과오인가를 알 수 있었다. 판단에서 받는 염오와 의욕이 소재로, 저미고 깎아 시를 이루기까지의 붓이 된다. 내가 보고 듣고 느끼는 것으로서 시 아닌 것이 없다. 특히 우리의 동양, 우리 나라엔 어딜 가나 어디에나 언제든지 세계적인 시가 있건만 이루어진 나의 시는 미족未足하기 짝이 없다. 나는 부단히 그 이유를 알고자, 그 비밀을 찾고자 주시한다. 그러기에 약간이라도 성력誠力을 경주傾注했다면 나의 작품에 대하여 후회하지 않는다. 이것은 답보가 아니며 아직도 나아갈 수 있는 영역이 앞에 있는 까닭이다. 나의 시작 방법은 도달이 아니고 비록 그것이 지지遲遲할지라도 항상 진행할 수 있는 불만과 여백에 있다.

1955

눈은 자아의 창이다
—시를 위한 노트

이것은 평소 시에 대한 생각을 써 모은 것이다. 그러므로 어림없는 독단과 편협에 치우친 점도 있을 줄 안다. 누구나 여기에서 조리 정연한 이론을 위한 이론을 기대해서는 안 된다. 작품과 시인과의 효용 관계는 이론만으로 소득所得된다고 믿어지지 않는 까닭이다. 그렇기에 자기의 지금까지의 범주에서 벗어나고자 하는 소망이 있을 뿐이다.

오후의 생리

비 오는 날 직장에 앉아서 창 밖에 진흙 물을 튀기며 질주하는 자동차를 내다보면서도 역시 생각는 것이 아니라 저절로 생각하게 되었다.

분석과 적응에 전심傳心하던 고도의 체계와 이론을 전개하면서 한편 현저하게 '무無'에 관심을 갖기 시작하였다는 것은 흥미 있는 일이 아닐 수 없다.

이는 일견 종교에의 접근인 것처럼 보일지 모르는 그 성격을 전혀 달리하고 있는 것이다.

그들의 종교, 즉 야소교耶蘇教엔 이론도 체계도 없다. 종교가 신앙이라면 그것은 오히려 절대와 무조건에 통한다. 그러나 서양인들의 현대 사조와 철학이 신에의 불신임이었다는 걸 볼 때 이는 이론과 체험에서 다시 논리와 인식의 구극究極을 감득感得한 그 어떠한 힘을 갈구하고 있는 것으로 보고 싶다.

그러나 부정否定이 존재에까지 초점을 박고 엄연한 절정絶頂과 무한대의 '무'를 대립시키고 있으나 이러한 분별력마저 타파하여버린다면 우리 사고 방식과 어떻게 다른 변모를 보여줄 것인가가 궁금하다.

이것은 동서 양양兩洋을 대조할 때 일어나는 문제라고 생각지 않는다. 보다 더 우리들이 지향해야 할 진로 앞에 누구나 봉착하는, 즉 나 자신의 중대한 당면사란 걸 좀체 잊을 수 없다.

어떻든 문예 부흥의 의의는 신의 쇠사슬에서 탈출한 인간의 존엄에 있었다. 이와 비한다면 오늘날 20세기는 기계의 예속으로부터 해방되어야 할 시기에 놓여 있다.

폴 발레리가 유례없는 지성으로 상징주의를 승화시켜 완벽에까지 성취시켰건만 T. S. 엘리어트가 오늘날 사람들의 입추리에 회자되는 것은 비로소 시가 이 가열한 역사적 사회성을 배경하였다는 데에 의의를 두는 까닭인 것 같다.

T. S. 엘리어트가 고전주의에 근거를 두었거나 발레리가 데카르트의 이지理智에서 힘입었거나 그것은 고사하고 간에 우리가 세밀히 그들을 대조해볼 때 많은 공통점이 그들 시의 내부에 흐르고 있음을 알 수 있을 것이다.

헬레니즘, 즉 고대 희랍 신화에서 취재한 발레리와 전혀 이질적인 종교에서 출발한 T. S. 엘리어트에서 공통점을 발견할 수 있다는 것은 유의해야 할 일이라고 믿는다.

발레리가 인간의 가능성을 확대시키고 가시적 변화를 통하여 모든 자체의 순수성에까지 이르렀다는 것은 T. S. 엘리어트의 업적이 '영원永遠의 서장序章'으로써 결단을 내리지 아니한 그 깊이와 넓이와도 서로 비등되는 까닭이다.

우리들은 항상 과거의 작품과 위대한 시인들을 생각할 때마다 자기의 위치를 돌아보게 된다. 과연 시란 무엇이며 시인은 무엇을 할 것인가 하는 문제이다. 그것은 이 현실에 있어 자기 세계의 창조에 있다.

그것은 극도로 냉정한 폭幅에 건축되며 아름다운 평화의 심도를 수반하고 나타난다. 비평가가 비록 절찬한다 할지라도 자기 작품에 스스로 불만을 느낄 때마다 그 공허감은 메워질 수 없다. 시는 독자를 위한 생산품이 아니며 어디까지나 자아에의 집중이며 극복인 것이다.

그러기에 작품을 위하여 필요한 각 방면에의 세심한 섭취가 있을 뿐 지식에 대하여 도리어 반항하는 경우를 볼 수 있다.

그러기에 시인은 숙련에 앞서 정확을 요한다. 동시에 기술보다 노력을 중시한다. 왜냐하면 노력은 기술을 이미 내포하고 있는 까닭이다.

그러면 작품 목적을 위한 방법은 어디서 시작되는 것인가. 이것이 몹시 중요한 문제라고 생각한다.

부동浮動하는 자기 위치의 설정, 즉 극난極難한 시 정신의 탐구에서 방법론은 자연 발생적으로 동시에 요청된다.

이에 대한 착각은 장구長久한 기현상奇現象을 나타냈었다.

과거에 다다이즘의 창안자들은 다음과 같이 말하였다.

"다다는 아무것도 원하지 않는다. 아무것도 의미하지 않는다. 다다는 다다다."

물론 이런 것은 한 과정에 지나지 않는 것이다. 있을 수 있는 일시의 현상이라 하겠다.

다음 잠재 의식과 몽환夢幻으로 인상적 효과를 노린 초현실주의자들의 현란한 손재주가 얼마나 위대한 낭비였던가를 알 수 있다.

더구나 초현실주의를 맹종한 일본 시인들의 작품에서 더욱 그렇게 느낄 수 있다는 것은 한갓 나의 독단일까.

그들의 공로가 크다면 클수록 그들 자신에 있어서는 그만큼 손실이었던 것이다.

그런데 1차 대전 후 일어났던 이러한 지난날의 시의 조류가 새삼스레 이제야 우리 나라에서 시작되고 있다. 경제적 기반을 요하는 기계문명엔 후진성이란 것이 있으나 적어도 시와 같은 예술에 있어 후진성이란 것은 생각할 수 없다.

왜냐하면 사고와 방법이 접맥되어 이루어지는 문학 예술은 사고할 수 있는 자유와 비약할 수 있는 방법의 창조가 누구에게나 가능한 까닭이다.

작품으론 서양의 과거를 추종하며 입으론 새로워야 한다는 걸 구호口號하는 그들은 사실에 있어 모방에 불과하였다. 전통을 망각한 모방은 남방 의복을 북방에서 착용하려는 것과 같다. 이러한 그들은 언필칭 모더니즘을 내세운다. 그러나 모더니즘이란 말처럼 막연한 것은 없다.

현실을 무시한다면 누구나 현대의 작가나 시인이 아닐 것이다. 이런 의미에 있어 생존하고 있는 현역 작가는 누구나 모더니즘이다.

우리가 삼가야 할 것은 기술을 위한 기술에까지 승화되지 못한 그러면서도 서양인들의 재래在來 관념을 시정할 만한 작품도 없이 모방과 현혹에 침몰하지 말아야 할 일이다.

우리가 유의한다면 포만증이 나도록 전인前人의 공로와 과오를 판단할 수 있을 것이다.

그러므로 과거를 되풀이한다는 것은 현실에 대한 생존을 외면하려는 것과 다름없다. 동시에 미래를 내다볼 수도 없는 것은 물론이다.

시는 그 작자만이 책임지게 된다. 그러므로 시인은 연대 책임이 없다. 우리는 타인의 작품을 읽을 때나 또는 자기가 집필할 때나 이 평범한 상식적 사실을 유의해야 한다.

오늘에 있어서도 세상 사람들은 시인이면 멋쟁인 줄 알고 괴벽한 것인 줄로 착각하고 있다.

그러나 현대 시가 가장 대기大忌하는 것은 허영과 현학이다. 시인은 다못 평범한 자세로 인간성을 파악할 수 있다. 각박 다단刻薄多端한 현실에서 인간성을 재고하기 위하여 원시적 생리를 회고하는 수도 없지 않으나 원시적 감정에 도취하여선 안 될 것이다.

우리의 안정眼睛은 정교한 기계로되 우리는 과거나 현재나 미래에 있어서 얼마든지 자유로이 그리고 무수한 시인들의 개인마다 다르게 쓸 수 있는 정신적인 시의 영역을 냉정히 부감俯瞰할 수 있다.

언제나 시는 여하한 정의定義로도 구명究明할 수 없는 위대성을 스스로 나타내고 있는 것이다.

그런데 시에 있어 이질적 심상心象 또는 물상物象을 배합한다는 것은 많은 효과를 나타낸다. 우리 동양의 문자 그대로 '생성의 묘리'를 발견하게 된다. 이것은 특히 1차 대전 후 많이 실험되었고 더욱 복잡한 관계성에 의하여 앞으로도 심오한 경계境界를 전개할 것이다.

거기엔 의식적인 배합과 무의식적인 배합의 결과로서 발견되는 두 가지가 있다.

결국에 나타난 현상을 취합 결정하는 것은 작자의 시 정신이다. 배우기까지가 법法이다. 탐구는 법을 만들 수 있는 것이다. 자재自在 필치에서 나타나는 합리와 전달은 설명으로 해석되지 않는다.

이런 것은 시인이 작품을 쓸 때 많이 체험하는 일이며 또는 타인의 작품을 면밀히 볼 때 감탄과 선망과 환희를 나누게 된다.

그러나 어떠한 효과도 생각 않고 섬광적閃光的으로 언어를 나열하는 것은 위험한 일이다. 오늘날은 결과를 위한 판단력이 긴요하다. 결과에 대한 판단을 요할 때 지성은 도취에의 몰입 또는 맹목과 투신投身을 제거하게 되는 것이다. 이러한 장구한 누적이 투철한 안목과 작품의 밀도를 가하는 것이다.

동시에 시의 심도와 중압은 난해성으로 나타난다.

이것은 난해한 현실을 이해한 까닭이라 할 수밖에 없다.

이미 재래의 일반적 관념과 이론으로는 분별할 수 없으리만큼 모든 사물은 변모한 까닭이다. 현대의 비극은 시에 있어서도 충분히 그 징후를 나타내고 있다. 즉 생산량과 예술적 가치는 서로 상반되고 있다는 것이다.

우리가 인간성에 입각할 적마다 상실된 자아의 고독을 이 현대에서 느끼는 것과 마찬가지로 시도 역시 소수인의 독자에 의하여 그 가치를 인정받고 있다.

옛날에 있어서 시는 귀족들의 전유로서 명맥을 계속하여왔으나 오늘날에 있어서도 상실된 참[眞]을, 미美를 찾으려는 몇몇 사람들의 관심을 받고 있을 뿐 전혀 대중성이 없다.

즉 시작詩作은 비판적 방법에서 발생적 방법을 경과하여 행위적 방법에까지 이르른 것이다.

우리는 이러한 생각에 대한 증명을 간단히 예거할 수 있다고 믿는다. 냉정히 본다면 우리는 다음과 같은 사실을 쉽사리 알 수 있을 것이다.

모든 사람들은 돈이 필요하다고 한다. 바로 그 사람들은 동시에 애정을 그만큼 필요로 하고 있다.

일찍이 인간은 필요에 대하여 무관심한 태도를 보인 일은 없다. 모든 인간들이 빈곤을 물리치기 위하여 또 고독에서 탈출하기 위하여 오늘날만큼 전력을 기울이고 있는 시대도 없을 것이다. 그럼에도 불구하고 목표와 노력이 결과에 있어 상반하는 시대도 없을 것이다. 이러한 모순, 이러한 반리反理 작용은 예술인의 작품 제작에 있어서도 발견된다. 그러기에 예술은 반드시 상품과 같지 않다.

이것은 자기 의욕과 대상이 되는 목적과의 측정으로 끝나는 것은 아니다. 냉정한 주체가 완전히 객체에 몰입하여 대립을 용해한 하나의 자기 예술을 창조하기까지 승화하도록 제시되어 있다.

이미 위치라든가 각도의 문제가 아니고 태도의 문제가 시작된 것이다.

기차를 묘사한다든지 또는 허공의 7색 무지개를 취재한다든지 이것은 그다지 중대한 일이 아니다. 다못 기차가 되느냐 7색 무지개가 되느냐의 이러한 자유 앞에서 선택할 수 있는 의의를 자각함으로부터 시발始發할 뿐이다.

이러한 비류比類와 변화의 귀결점에서도 모든 것은 각자의 실체성에 있어서 공통한다.

시비도 깊이 들어가면 주관의 차며 선악도 그 입각점에 의하여 의미가 달라진다.

전개하는 색채의 상반 조형이라든가 또는 양류兩流하는 협주의 음악 연탄連彈이라든가 또는 문학에 있어 정신과 육체인 구성된 문장文章이라든가 모든 예술이 우리에게 경이로서 나타나는 것은 인력에 의한 모든 자체의 실상을 파악하는 것이며 누구나 공감할 수 있는 본질을 독창적으로 표상하는 데 있다.

이것은 마치 신비神秘를 바탕하고 비로소 과학이 있을 수 있는 것과 같다. 그러면 시에 있어 그 힘은 어디서 추출되는 것인가.

예술은 완전한 자유 정신 위에 성립할 수 있을 뿐이다.

시인에 있어서는 작품을 만들기까지 취해야 할 자기 태도가 문제일 뿐 일단 이루어진 작품은 그 누구도 첨삭할 수 없으며 변경시킬 수 없는 결과인 것이다.

그런 까닭에 시인의 외부에 대한 응시는 자아에의 집중인 동시 누구보다도 자기 작품에 대하여 준열한 비평을 가할 수 있게 되어 있다.

등화燈火 밑의 사고思考

사람은 늙어서 세상을 떠날 무렵에야 겨우 지각知覺이 난다고 한다. 그러나 어떠한 시대에 있어서도 시인의 눈은 젊었을 때부터 죽음의 저편까지 응시하고 있다.

자아는 주위에 의하여 대결하는 존재로서 실상과 부합하려는 생명을 탐구한다. 그러므로 시인은 오히려 이론에 권태를 느끼고 우연에 예각銳覺해지는 것이다.

우리는 도처마다 기도를 잊는 입술과 대한다.

별을 우러러보며 진리를 생각던 문화는 종언終焉된 듯이 보인다. 혈관을 달리는 피는 태양의 쓰디쓴 광선으로 충만하였다. 즉 필요는 무한한 요구에서 교착되었다. 필요에 몰려 정신도 모발도 생산품도 화염을 형성하고 있다.

요즘은 시론에서 추상적 문자로 이루어진 무슨 기계의 구조 같은 걸 느낀다. 이러한 논설에 혹 경탄할지 모르나 폭과 심도가 결핍될수록 감명을 받기 어렵다는 것은 웬일인가.

삼가야 할 것은 인간의 정신을 함부로 단정하지 말아야 할 일이다. 그것은 모험이라기보다 위험한 장난이다. 단정할수록 정신의 본질은 나타나지 않는다.

즉 시 정신은 오늘날의 현상에서 갈피를 잡을 수 없을 만큼 착잡한 데 근본된 것이 아니라 도리어 단정할 수 없는 영역에 의하여 모든 의의를 보여준다고 생각한다.

그러기에 조직과 형성을 착각하는 수가 있다. 하나의 의미는 그렇게 협착할 수가 없다.

이론과 분석과 조직은 필요일 뿐 전부가 아니다. 작품 행위에 있어 필요를 전부로 착각하는 데 위기와 비극을 흔히 보게 되는 것이다.

육신은 비록 어떤 구속에서 완전히 탈출할 수 없을지라도 정신은 끝까지 자유의 본질에서 사고하게 마련이다.

즉 가사可思의 세계와 가시可視의 세계는 동일하다기보다도 불가분리의 가치 관계에 있는 것이다.

그러므로 시인은 이러한 절박감에서 모든 차이에서 조명하고 포용하는 빛을 찾고자 우선 선입견부터 무시하려 든다.

이러한 즉응卽應은 차이와 존재를 자각한 실상에서 행동한다는 뜻이다.

이러한 생각이 큰 과오를 범하지 않았다면 인간의 힘[力]과 시간의 힘을 동둥시할 수 있을 것이다.

시는 기나긴 시간을 요할수록 여러 가지 묘리를 발현하게 된다. 그것을 간단히 성격 기질 또는 개인의 경험이라고 말하는 사람도 있을 것이다. 그러나 시인의 향상은 다작多作과 과작寡作으로 규정지을 수 없을 것 같다. 시는 인력과 동시에 시간의 힘을 주입시켜야만 성숙하는 듯하다.

조급하지도 완만하지도 않은 태도로 한 편의 시를 1년 동안 마친다면 어떠한 결과가 나타날 것인가. 자못 궁금한 일이다.

왜냐하면 이러한 생각과 계획은 언제나 중도에서 좌절되었기 때문이었다. 그럴 때마다 시인은 자기의 역량을 측정할 수 있었다. 1년이란 시간을 요하기 전에 시는 이루어지거나 아니면 포기하거나 둘 중에 하나였다.

그런데 비교적 노력과 시간이 오래 걸린 시일수록 그만큼 훌륭한 성과를 거둔다든가 또는 호평을 받는 것은 아니었다.

물론 성과와 평評이란 것도 작자가 생각하는 것과는 판이할 때가 많다. 그리고 스스로 생각할 때 말할 수 있는 것은 다음의 사실이다.

비교적 많은 노력과 시간을 소요한 시에서 항상 불만과 배움을 얻게 된다는 것이다.

만일 어떤 사람이 묻기를 "당신이 한 편의 시를 만들려면 어느 정도의 시일이 필요합니까" 한다면 그 말은 바로 "당신은 어느 정도 자기의 과오를 경험에서 시정하였습니까" 의 뜻과 같다.

동시에 "당신의 역량은 어느 정도입니까" 의 뜻으로도 들릴 것이다. 불덩어리가 오늘날의 지구로 변하기까지, 한 알의 과실이 이루어지기까지, 그와 마찬가지로 한 사람의 시가 탈고되기까지는 무형無形한 시간의 힘을 빌리지 않으면 안 된다.

문화는 인류의 역사가 이루어진 거와 마찬가지로 그만한 시간이 소요된 결과라 하겠다.

그러면서도 또 다음과 같은 계절에 위치하고 있다.

즉 일례를 들어 비유하자면 어떤 사람이 허다한 시일을 노력하여 여하한 도적도 침입할 수 없는 자물쇠와 열쇠를 만들었다면 어떠할까. 어느 날 그가 외출하였다가 집으로 돌아왔을 때도 역시 자물쇠는 대문에 걸려 있고 집 안은 잘 보호되어 있었다. 그런데 자물쇠는 들어가려는 주인마저 허락하질 않았다. 그는 부지런히 주머니를 뒤졌으나 열쇠가 없었다. 그는 비로소 열쇠를 실내에다 두고 나왔음을 알았다.

어떻든 그가 노력하여 만든 열쇠와 자물쇠는 도리어 기대를 배반한 결과에 이르렀다는 것이다.

그와 마찬가지로 시는 시인에게 언제 항의할지 모른다.

그것은 이론과 의식의 문제라기보다도 있을 수 있는 사실로 나타나는 것이다.

더구나 현대 시는 예측을 할 수가 없다. 모든 사태는 있을 수 있는 사실로서 지침은 회전하며 출몰하고 있을 뿐 일정한 방향을 보여주지 않는다.

물론 과오는 보상되지 않고 시정是正의 동기로 역할하지만 온 세상이 동기의 충만으로 무질서한 기후氣候에 들지 모른다.

여기에서 시인은 생각하게 된다.

"한 사람의 시인이 어느 정도로 미래에까지 자기 시의 생명을 유지할 수 있을까."

시인은 생명을 파악하기 위해서 냉정한 자세를 취하게 된다.

즉 제작 행위의 중단은 시인에 있어 폐업이 아니라 다음 작품을 위한 고민과 노력의 기간이다.

말하자면 시는 객관과 주관에서 무한과 갈등을 요하는 것이다.

엄밀히 말하자면 시는 타협과 분쟁이 있을 수 없다. 왜냐하면 작자는 모든 것을 용납하지 않으며 작품은 완전히 독립인 까닭이다.

그렇다면 예술에 있어 작자 자신이란 무엇인가. 그것은 극히 중대한 일이다.

여기에서 시는 작자 자신의 생존 시대와 결부되는 것이다.

역사적 시대성과 결부됨으로써 고대의 서사시라든가 또는 낭만주의도 변하였으며 문학사는 이루어졌고 또 이루어지는 중이다.

우리는 서양 문화를 받아들이기 시작한 갑오경장 직후 불행하게도 사색을 위한 현재 주소를 갖지 못하였다. 생각할 여유도 없을 만큼 침략의 폭풍에 휩쓸려 모두가 절망과 비애로 화하였던 것이다. 그러기에 과거를 정리하고 물질 문화를 비평할 여가도 없이 그대로 휩쓸려 들어 바람과 물결 치는 대로 부침浮沈하였다. 타민족의 압박과 처절한 전쟁과 비극적 분열로 인하여 정신은 고독에 마비되었던 것이다.

성급한 자는 외래 문명에의 추종과 모방에 분망하였고 완고한 자는 의연히 당나귀 타고 강산 유람하는 격으로 자연 관조의 서정을 사수하였다.

그러나 시는 이제야 역사적 입장으로 들어섰다.

즉 아무리 가열한 현실이 습래襲來할지라도 시인은 적합한 것을 창조하기 위하여 사고하지 않을 수 없는 자아 모색의 단계에 이르렀다.

그러므로 예술에 있어 자기 자신이라는 것은 모든 것을 무시하여서는 안 될 자아 확대에서 시 정신을 자유로이 형성하는 것이다. 문제는 자신의 일로서 분리되지 않았다.

인간의 가치, 즉 시에 있어 인간의 무한한 가능성이 더욱 존중되었다는 뜻이다. 인간의 가능성에서 시는 자각의 표현을 취할 것이다.

시 정신은 저항을 위한 저항에 떨어져서는 안 된다. 즉 저항의 미美를 발견해야 한다.

자각하고 접촉하는 데서 취재取材와 대결할지라도 미가 발현되지 않으면 그 가치 인정을 유보하게 된다.

그러기에 과학은 발견이며 시는 제작이 아니라 창조인 것이다.

서양 물질 문명은 그들이 자유로이 창조한 신을 매장하기 위해서 많은 흔적을 남기었다. 그러나 앞으로 인간은 그들이 발견한 과학을 올바르게 쓰기 위하여 고민해야 할 것이다.

그러므로 미에 대한 의식은 선으로 나타나는 것이다.

인간이 인간성을 더욱 자각할 때, 그러한 능력이 미와 사랑과 평화를 건설할 때, 그것은 어떠한 것일까. 물론 누구나 그런 것을 구체적으로 말할 수는 없을 것이다. 그러나 시인의 의욕과 감성은 현실에서 가능할 수 있는 미래로 아름다운 날개를 펼 수 있다. 그러므로 시는 자유일 수 있는 정신을 가장 효과적으로 실현할 수 있는 것이다.

말하자면 우리는 문학사상에 찬란한 성좌星座를 이루고 있는 그 많은 시인들의 작품이 천편일률로 동일한 수법, 동일한 정신인 까닭에 그들을 찬탄하는 것은 아니다. 그들과 그들의 작품이 천태만상으로 각기 판이하건만 우리는 다같이 그들을 위대하다고 하는 이유를 알아야 한다. 그들은 우리들이 공감해서 느끼지 않을 수 없도록 그러한 성과를 지상에 남긴 그러한 능력의 소유자였다.

그러므로 정신은 사고思考를 요하며 형상은 실험에 의해 비로소 작품이 성립함은 두말할 것도 없다.

시인은 과학적 작용의 구성과 분석에 의한, 즉 신비를 헤치고 더욱 깊이 파악하려는 수법으로 혼란 무정無情한 사물에서 영원한 실상을 보며 여하히 조잡 추악한 것까지도 투철하게 시로 승화시켜야 한다.

그러니 만큼 항상 주의해야 할 일이 있다.

그것은 '과오를 범하지 아니한 정의定義는 없었다' 는 것이다.

오늘날에 있어 나를 지배하는 것이 무엇인가를 생각하는 때가 있다. 이것은 선입 관념이라든가 또는 어떠한 유행 사상 또는 과거의 어떤 주의의 개념으로부터 벗어날 때 시작한다.

우리는 직시할 때 많은 불안과 위기를 느낀다. 그것은 바로 자기 상실을 부정할 수 없다는 일이다. 자타의 공통점에 맹목인 시는 있을 수 없다.

이에 있어 상실은 반응을 일으킨다. 이 반응의 화염은 동경을 형성한다.

상실은 모든 것이 끝났다는 것과는 다르다. 이제야 정신은 자유를 돌아보는 것이다.

시인은 자유로이 어떤 의의를 현실로부터 추출하여 각각 파악한 바를 작품화할 수 있다. 그러기 위하여 상호 공통한 자기 상실에 대하여 냉정하지 않으면 안 된다.

불변화의 변화, 즉 대립의 일치, 그 일치를 내포한 초탈로써 우주 인류 세계니 하는 것도 자아로서 나타난 것이다.

시인은 여하한 사실에서도 자아를 발견할 수 있다. 이것이 작품에 있어 창작을 가능하게 한 것이다. 과학과 자아가 다른 것으로 분리한 데서 시의 비극도 시작하였다. 그러므로 현대 시는 부정에 의한 자각에 이르려 한다. 그것은 필요한 변화의 연속에 의해서 영속을 가능하게 할 것이다.

자각은 동시에 모든 실상을 파악할 것이다. 시에 있어 변화는 이러한 근본을 표현하는 미로 생각된다.

불안과 위기와 인간 상실은 더욱 창조에 대한 의의를 요한다. 그러므로 자기를 무無 속에 피어난 한 송이 꽃으로도 비유할 수 있는 것이다.

그러나 꽃과 아我와 무無는 실상에 있어 다르지 않다.

어떠한 폭풍과 해충과 또는 병증도 실상에 있어 다르지 않다고 생각할 때 비로소 20세기 후반기의 극심한 가지가지 비극에서 시를 쓸 수 있는 원동력을 생각하게 되는 것이다.

아침의 작업

어떤 사람은 현대는 시의 종언終焉이며 산문의 시대라고 한다.

그런 말은 예술과 대중성과 수입을 혼동한 때문이다.

어느 나라의 문학사나 문학 사조사도 현대의 평론가도 시를 소중히 취급하고 있다. 시 정신은 그 전체를 제시할 수 없는 무한에 내포되어 있다.

더구나 오늘날의 시인은 과거 어떠한 시대에서도 보지 못하였으리만큼 모든 수법을 맘대로 구사할 수 있도록 모든 제약을 거부할 수 있다.

예술은 끝까지 작자의 자유에서 이루어지도록 되었다.

현대는 체계와 이론을 용납하지 않을 만큼 전반적으로 변모하였다. 절대적이었던 모든 성인聖人들도 그 지역, 그 시대로써 이해되고 비판되게 되었다. 오늘날에 있어 사람을 사랑한다는 말은 이웃 사람에 대한 말이 아니라, 세계를 근심한다는 의미로까지 달라졌다.

즉 한국의 한 청년과 머나먼 타국의 청년이 서로 모여 좌담회를 갖는다면 서로 이해할 수 있는 공통 문제가 많을 것이다. 한 국가가 제아무리 평화를 사랑할지라도 다른 나라가 침략한다면 비극을 면할 수 없듯 시도 세계성을 지향하게 되었다. 즉 오늘날 시는 우리의 위기를 정시正視함으로써 변하지 않을 수가 없다. 이는 발전 또는 변천이라기보다도 이미 나타난 결과에서 부정하지 못할 상식이라 하겠다.

시는 기계주의에서 벗어나 기계를 지배하는 인간성을 찾아야 한다. 이는 신의 노예에서 벗어나 신을 매장하는 결과에 이르기 전에 인간이 신과 동등해야 한다는 뜻이다. 시가 인간을 무시한다든지 이러한 자유를 잃는다면 예술은 끝날 것이다.

기계가 이제 인간에게 덕성을 요하듯 오늘날의 시는 정신 문제를 요하고 있다. 그런데 시를 무슨 생산품의 포장처럼 생각하는 사람이 있다. 감정은 판단력을 촉발하게 하는 불가결이건만 기분으로 유희를 일삼는 사람들도 있다.

동서의 문화 교류에서 새로운 세계 문화의 찬란한 아침이 시작될 것이라고 암흑의 폭풍 지대에서 항상 생각하는 것은 정신 문화와 혼연일체할 때 어떠한 해답이 나타날 것인가? 이러한 가상과 예감에서 받는 희망이요 신념이다.

정신에서 소산되는 법보다도 주먹이 가까운 거와 마찬가지로 정신 문화가 물질 문명의 폭력 앞에 여지없이 파괴당하거나 비굴과 모방에 급급하도록 한다면, 또는 물질 문명이 정신 문화에 유의하지 않는다면 그들은 정복에서 다시 승리를 초래할 것이다. 누구나 세계사적 의

미에 있어 이러한 불행이 없기를, 서로가 합력 발전하기를 바라지 않는 예술가는 없을 것이다.

이런 의미에서 시인은 시야를 좁히지 말고 항상 안목을 넓혀야 할 것은 물론이다. 즉 이러한 제반 문제와 고립할 수 없는 만큼 시는 광범성을 갖게 되었다. 진실코자 저항하는 시의 미美가 세상에서 백안시당하는 것은 도리어 당연한 일이다.

경제 혼란과 색정적色情的 위안의 기류에서 시가 용납될 리가 없기 때문이다.

그러나 시인은 어느 시대보다도 시의 가치를 자각하고 있다. 자기 직업에 만족하는 사람은 보기 드물지만 반대로 노력과 수입이 균형되지 않는, 그러기에 남들이 알아주지도 않는 시인이 된 것을 후회하는 사람은 없다. 도리어 그들은 자기의 작품에 대한 불만으로 보상 없는 고민을 하는 것이다. 그들은 소신하는 바 자기 시 정신을 작품화하기 위하여 연마할 수 있는 자유를 무엇보다도 귀중하게 생각하는 까닭이다.

시인은 극락에 가서 살든 지옥에 가서 살든 그가 있는 곳이면 시를 발견할 것이다. 다만 미술을 알 만한 사람은 돈이 없어 못 사고 돈이 있는 사람은 미술을 모르므로 사지 않는다는 그저 그런 정도의 문제일 따름이다. 시인은 자기 충족을 위하여 쓸 뿐 영업과 통할 수 있는 산문가와 다르다. 동시에 시는 시인에 있어 영원한 불만과 미완성일지도 모른다.

그러므로 오늘날에 있어 수입을 위해 시를 쓰는 바보는 없다. 그들은 마치 본능처럼 시를 생각하여 성과를 위하여 노력한다.

흔히 시간이 없어서 시를 못 쓰느니 돈이 없어서 작품을 만들 여가가 없느니 하는 소리를 듣게 된다.

그러나 이러한 여하한 환경도, 처지도, 그들에게 있어 시의 원료 아닌 것은 없다.

그러나 심각한 세태일수록 시는 지향 승화할 수 있는 많은 단서를 안고 있으며 그 힘을 함양할 수는 있다.

현대 시는 인력에 의하여 시를 창조할 수 있는 사명에 놓여 있다.

이 암흑과 폭풍은 멀지 않은 광명과 개화를 전제하고 있다. 시는 장래의 시인들을 위한 수난이요 공헌인 단계에 있고자 한다. 그러나 시간의 해결을 기다리며 앉아 있을 수는 없다. 여기에 어느 시대이고 간에 시인일 수밖에 없는 그들의 숙명이 있는 것이다.

그러기에 현대 시는 신에 대한 죄인의 기도도 아닐 것이며 고민과 불안과 절망만도 아닐 것이다.

역사성에 비추어 모든 실상의 본질을, 묘리를, 평화를, 시대 현실에서 파악하려는 노력으로 예술의 세계를 만드는 데 있을 것이다.

그러기에 시인은 조심스레 이해할망정 함부로 반박하기를 좋아하지 않는다. 그들은 남을 반박하기 전에 배울 수 있는 사람이요 남을 이해하는 까닭에 도리어 자기 작품에 대하여 냉담할 수 있는 사람이다.

시는 변화하는 무한의 세계와 자아의 실상이 분리할 수 없음을 작품으로 보여주어야 한다.

시가 산문과 다른 것은 이론과 체계에 중점을 두지 않는 데 있다. 조리가 정연할수록, 체계가 서면 설수록, 시는 도리어 편협과 과오를 범하게 된다. 나는 새의 날개를 도해圖解하고 형화螢火의 발광發光 작용을 설명하는 것은 좋으나 그러한 구조 분해가 미美일 수는 없다. 그러기에 미에까지 승화하지 못하면 지식은 목적을 잃고 만다.

시는 이론이나 체계를 필요로 할지 모르나 그것이 전부가 될 수는 없다. 즉 전부를 위하여 필요할 때에 그것은 가치를 나타내는 것이다.

우리는 오히려 혼잡한 다양성과 풀이할 수 없는 불명료성을 인정하고 유의하기에 이르렀다. 즉 우리는 환경과 경험과 심상을 해석만으로 규정지을 수 없는 데까지 이르렀기 때문이다.

시에는 전통이 있고 현재에서 이탈하지 않으며 미래를 단정하지 않을 만큼 모든 가능성을 안고 있다. 기계 시대라 하여 시의 기술만을 전심專心하고 또 위기의 시대라 하여 절망만 내세우리만큼 시인은 어리석지 않다.

오히려 현대 시는 시 정신의 가능성과 현실의 불가항력성에서 미래에의 진로를 스스로 개척할 수 있게 되어 있다. 즉 우리는 앞날을 모르기 때문에 희망을 가질 수 있으며, 그러므로 시에 있어서도 말하자면 변화를 평화와 행복과 미를 지향할 수도 있는 것이다. 이러한 지향에서 시는 무게를 갖게 되고 향기를 발하게 된다.

그러나 시는 공중 누각을 지으면서까지 인간에서 이탈하여서는 안 된다. 우리는 알 수 없는 모든 본질을 자아에서 발견해야 할 것이다. 즉 신에게로 회피하기보다는 자아의 미지를 알아야 하는 것이다.

기계 문명이 서양의 업적이었다면 과학은 결국 대자연에서 이루어졌다. 흔히 말하기를 인간은 자연을 정복하였다고 하나 우리는 자연에서 자아의 신을 볼 수 있다. 동양의 시인은 과거부터 자연에서 자아의 실상을 호흡하였다.

아직도 과학의 영역이 자연의 미지에 있는 것과 마찬가지로 인간은 자연으로부터 많은 혜택을 받고 있다.

현대의 비극은 과학을 물질로서 정신과 구별함으로부터 시작되었다. 현대 시는 과학의 기능을 자아의 정신과 결부시켜 인간과 자연을 접맥 융화하는 생명을, 미를 찾아야 할 것이다.

융화에서 분립되었을 때 결과는 과학과 인간의 투쟁을 요하는 참극으로 확대되었다고 생각한다. 그들은 정신과 물질을 상반한 데다 예속시켰다. 그들과 우리의 차가 여기에서 시작되었다.

이제야 정신과 물질은 분립으로부터 인간에 의하여 총화되어야 할 것이다.

시는 공통하는 개체의 참모습을 파악하여 미와 생명이 충만하는 작품에 이르기까지 가능을 위한 성의를 요한다.

인류가 서로 사랑하게 되느냐 또는 미워하게 되느냐에 의하여 세계는 얼마든지 변할 수 있다.

이 세계란 것은 시인에 있어서는 마음의 영역이다. 그러기에 허무주의가 된다든가 탐미주의가 된다든가 하는 것은 지극히 간단한 일이며 자아 포기와 같은 종이 한 장 사이의 문제라고 하겠다.

인간은 항상 과오와 자각과 가능을 되풀이하였다. 이것이 소중한 점이라 하겠다. 이 소중성에서 시의 세계도 전개되는 것이라고 생각한다.

누구나 자기의 시를 위한 교과서는 언제나 발행되어 있지 않다.

시인은 스스로 생명에서 각기 자기 시의 교재를 작성하며 실험하며 창조할 따름이다.

그러나 시인이 지상의 생명을 사랑하듯 시를 사랑하는 한 자기의 과오는 항상 자기 발전의 기저가 되리라고 믿는다.

1957

동양의 향기
—불교에서 취재한 문학

한 말로 불교 문학이라 하면 '아시아'의 고금을 통하여 그 수는 방대할 것이다. 나는 불교 문학을 말할 만한 지식도 자격도 없다. 그래서 불교적인 것을 취급한 우리 나라 문학, 그것도 되도록이면 승려 아닌 세인의 손으로 이루어진 작품에 대하여 제한된 지면에다 간단히 소개하고자 한다. 아무런 조사도 연구도 없이 약간의 기억만으로 이런 소개를 한다는 것은 물론 권위에 대한 모독일지도 모른다. 뻔히 알면서도 쓰는 것은 오늘날의 세대가 동양의 향기를 이해하기도 전에 무시함으로써 비평할 여가도 없이 한 쪽으로만 있는 현상임을 안타까이 생각하는 까닭이다.

오늘날도 시인 서정주 씨는 천여 년 전의 신라에 대하여 비상한 관심을 가지고 작품 세계를 전개하고 있지만, 누구나 알다시피 신라는 우리 나라 역사상에 찬란한 문화를 이루었으며 자못 불교도 성하였던 시대이다.

승僧 균여均如• 대사의 작作인 『보현십원가普賢十願歌』는 고사하고 그 이전의 모든 향가鄕歌도 불교적 요소가 많으나 특히 승려의 작품 이외의 불교 문학으론 광덕廣德 처妻의 작 『원왕생가願往生歌』와 한기리녀漢岐里女 희명希明의 작 『도천수관음가禱千手觀音歌』가 있어 길이 광망光芒을 발하고 있다. 만일 고대 향가가 모조리 전하여졌다면 우리는 하늘의 별과 같은 무수한 불교 문학을 음미할 수 있었을 것이다.

그러나 신라의 불교를 취급한 작품으론 춘원 이광수 씨의 『이차돈異次頓의 사死』, 『원효 대사元曉大師』, 『꿈』 등이 있으며 특히 『원효 대사』에서 씨의 화엄경에 대한 안목을 볼 수 있음은 기쁜 일이다. 다음 원숙한 예술적 작품으로 빙허憑虛• 현진건玄鎭健 씨의 『무영탑無影塔』이 있다. 또 월탄月灘 박종화朴鍾和 씨의 시집 『청자부靑磁賦』에 수록된 석굴암에 대한 일련의 시들은 높은 예술적 향기와 망국민의 한으로 교직交織된 작품으로 명성을 떨치고 있다. 서정주 씨의 시집 『귀촉도歸蜀道』에 수록된 「석굴암 십일면관음十一面觀音」의 시는 씨의 시 정신을 알기 위하여서도 잊지 못할 작품이며 그 후 신문에 연재한 「신라新羅」와 작금昨今 씨의 작품을 이해하기 위하여서도 주목할 만한 작품이다. 또 청마靑馬 유치환柳致環 씨가 신라 불교를 제재하여 웅건하고도 영롱한 걸작들을 발표하였고 초정草汀• 김상옥金相沃 씨도 놀랄 만한 작품을 보여주고 있으니 이들은 비단 불교 문학으로서만 아니라 길이 전하여지리라고 믿는다.

고려조는 불교의 전성기였다고 하되 필자의 과문寡聞한 탓인지 여요麗謠만 볼지라도 「쌍화점雙花店」, 「수정사水精寺」에서 불교적 문구를 볼 수 있으나 다 남녀 관계를 노래한 것일 뿐 불교 문학이라고 할게 없다.

「관음찬觀音讚」이 있기는 하되 「무초無礎」와 함께 승려의 작일지도 모른다고 하니 한학자의 비문碑文, 기문記文, 한시漢詩 등에 출몰하는 불교적 언어를 제외한다면 오늘날에 전하여진 것 중에서 결국 나말 여초의 균여 대사의 『보현십원가』 11수를 여대 불교 문학의 백미라고 할 수밖에 없다. 이는 『화엄경』 속에 있는 『보현보살행원품普賢菩薩行願品』을 예술화한 작품들이다.

이와 마찬가지로 현대 작가로서 여대麗代 불교를 취재한 작품도 극히 드물다. 이것 역시 필자의 무지한 탓이겠지만 비단 불교 문학이라기보다 여대를 취재한 것으로서 월탄 박종화 씨의 『다정불심多情佛心』은 오늘날까지의 대표작이 아닌가 생각된다. 승 신돈辛旽이 등장하는 이 여말麗末의 화려하고 다한多恨한 말로末路는 씨의 종횡무초縱橫無礎한 필치에 의하여 일대 화폭一大畵幅으로 부각되어 있다.

조선조에 이르러 불교는 여지없이 탄압되었으나 불교 문학은 그치지 않았다. 제경諸經 언해諺解는 고사하고 『월인천강지곡月印千江之曲』, 『월인석보月印釋譜』, 『석보상절釋譜詳節』 등이 나타났다. 특히 『월인천강지곡』은 세종대왕의 어제御製로서 일찍 유례를 보지 못한 불교 문학의 황금탑이다.

이번 사변통에 우리 나라의 많은 사찰 문화재가 소실되었다는 말을 들을 적마다 누구를 원망해야 좋을지 모를 심정이었으나 선산善山 도이사桃李寺가 사변에 타게 되어 『월인천강지곡』의 목판마저 한회寒灰로 변하였다는 소문을 들었을 때 통탄하지 않을 수 없었다.

『옥루몽玉樓夢』, 『사씨남정기謝氏南征記』, 『구운몽』 등 기타 고대 소설에도 불교적인 것이 없지 않으나 서포西浦 김만중 선생의 『사씨남정기』에 있는 「관음찬」은 유명하다.

필자가 기억하는 한 함허* 선사涵虛禪師의 『금강경』 서문은 승속僧

俗을 따질 것 없이 천하의 명문名文이거니와 고승高僧의 어록들을 제하고도 매월당 김시습 선생(말년에 삭발하였지만)의 『법화경』 서문은 문학으로서도 높은 경지에 있다. 이 이외에도 세인世人으로서 연담蓮潭•의 비碑를 쓰고 백파白坡•의 영찬影讚을 짓고 초의草衣•와 친교하고 영산影山 허주虛舟와 동시대였다는 완당 김정희 선생은 많지 못하나 시문詩文으로 금옥金玉 같은 불교 문학을 남기었으며 '아미타불비나한阿彌陀佛非羅漢' 이라 갈파喝破한 강추금姜秋琴• 거사도 불교 문학에서 뺄 수 없을 것이다.

조선조 말에 경허 선사鏡虛禪師 작인 『참선곡參禪曲』은 국문國文으로 된 순수한 불교 시가의 시초로서 찬연한 바 있으나 그 후 이런 것으로써 형식으로나 내용으로나 하등의 진전이 없었음은 승려간에 후계자가 없는 까닭이었다.

현대 작가로서 조선 불교를 배경으로 하고 쓴 작품을 말한다면 춘원 이광수 씨의 『세조대왕世祖大王』이 가장 높다고 생각된다.

신문화가 들어온 후 한용운韓龍雲 씨는 승려로서 시집 『님의 침묵』을 남기었고 문학을 하다가 입산하여 침묵하고 있는 이로는 김일엽金一葉• 씨가 있다.

이 이전의 것으로 육당六堂 최남선崔南善 씨의 시조집 『백팔번뇌百八煩惱』가 있고 그 후 공초空超• 오상순吳相淳 씨가 불교적인 시를 오늘날까지 보여주고 있다.

자연주의와 경향 문학의 시대에 이르자 불교를 취재한 문학은 아주 끊어지는 듯한 감이 없지 않았으나 이런 중에서도 『무상無常』의 저자 노산鷺山• 이은상李殷相 씨가 불교에 대한 산문급 작품을 간혹 썼고 춘원 이광수 씨가 시로, 소설로, 불교에 제재한 문학을 꾸준히 발표하였다.

그러나 역사는 과거를 무시하고 공간에 이루어지지 않는다. 김동리金東里 씨의 작품 『솔거率居』는 예술에 대한 정연精姸을 구도 정신에까지 승화시키는 동시 당시의 고민을 강렬하게 묘파描破하였다. 그 후 김동리 씨가 불교에서 취재한 작품은 그리 많지 않으나 『진달래』, 『원왕생願往生』 등이 있고 허민許民, 최인욱崔仁旭 제씨諸氏가 불교에서 취재한 것도 있다. 그 무렵 등장한 조지훈趙芝薰• 씨는 불교에 대한 안목도 깊으므로 우리는 씨의 작품에서 불교의 향기를 왕왕이 맡을 수 있다. 그리고 박목월朴木月, 이동주李東柱 씨도 역시 불교적인 시와 산문을 기회 있을 적마다 발표하였다.

지금 우리 나라 문단엔 지난날 산사山寺에서 문학 공부를 하였다든가 또는 거주하였던 분들이 많으니 필자가 알기에도 오상순, 서정주, 김동리, 최인욱, 조지훈, 최재형崔載亨, 조영암趙靈巖, 홍영의洪永義, 최인희崔寅熙 제씨가 있고 필자도 그 중의 한 사람이다. 전번에 『환희 속에서』를 쓴 박용구朴容九 씨는 요즘 불교에서 취재한 작품을 쓰고자 역사를 공부한다고 하며, 요즘 불교를 제재한 문학 작품으로서 백미白眉 편은 작금에 발표된 신석초申石艸 씨의 장시 『바라춤』이라고 생각한다. 또 평론가 김종후金鍾厚 씨가 지금 오대산 월정사에서 불교 철학을 연구하고 있으니 앞으로 불교 문학에 대한 기대도 크다.

그러므로 중국의 『서유기西遊記』, 인도 타고르 박사의 작품들, 불란서 클로델의 『종鍾』, 독일 헤세의 『싯달타』, 영국 아놀드의 『아시아의 빛』, 이런 불교 문학에 지지 않도록 외국 사람들이 동양의 향기를 우리보다 앞서 형상하기 전에 우리 나라에서 먼저 위대한 불교 문학의 거작巨作이 속출하기를 바라는 것은 비단 필자 하나만이 아닐 것이다.

1956

앙지미고仰之彌高

—유교와 사회

1

성인聖人을 말하는 것은 어려운 일이다. 왜냐하면 '성인이라야 사능지성인斯能知聖人이라' 는 말도 있다. 그러므로 여러 가지 과오를 범하지 않고, 옛 성인을 말할 수는 없을 것이다.

이는 마치 총구의 조준 앞에 선 거나 다름없이 위험한 일이다. 한마디의 잘못된 규정은 돌이킬 수 없는 일발一發의 자기 폭로를 야기하고야 만다.

더구나 공자孔子는 '모의毋意 모심毋心 모고毋固 모아毋我' 한 성인聖人이었다. 그러기에 좁은 소견으로 그 전체를 본다는 것은 불가능한 일이다.

어느 성인이나 간에 그가 생존시에 자기가 천추만고千秋萬古의 교조敎祖로서 길이 빛나리라고, 즉 오늘날의 후생後生까지도 그를 성인으로서 숭배하리라고 그렇게 자기의 사후 미래까지 짐작하신 분은 없었을 것이다. 왜냐하면 인류 역사는 항상 변화하였고 시대와 환경에 따라 교조에 대한 해석마저 구구 각설區區各設로 뻗어 나가 마침내 근본 원리마저 왜곡되는 수도 있기 때문이다. 즉 종교에도 흥망성쇠의 역사가 있다는 것은 무엇을 의미하는가. 종교사는 그 시대성에 의하여 특히 집권자, 정치가들이 어느 성인聖人을 어느 정도로 어떻게 이용하였는가를 표현하여준다. 그 성인의 근본 원리엔 변화가 없건만 고려 때엔 불교가, 조선조 때는 유교가, 신개화新開化 이후는 기독교가 흥성한 것으로 보아도 이를 짐작할 수 있다. 더구나 현대인으로서 타교他教를 이단시하여 만일 불교도가 기독교도를 무시한다든가 야소교인이 유교를 멸시한다면, 그 사람의 교양마저 의심할 수밖에 없다. 20세기에 있어 감정과 맹신과 반목은 매우 어리석은 일이다. 그러므로 어느 성인을 무조건 찬양하거나 논박하는 시대는 이미 지났다. 막연한 맹신보다도 분명한 이해를 필요로 한다. 그리고 이러한 이해는 결국 현실에 대한 정당한 판단을 위하여서만 그 가치를 발휘하게 된다.

우리는 종교간의 반목보다도 일반 인사人士의 성인에 대한 기분적氣分的인 말을 들을 때 쓰게 웃지 않을 수 없다. 그것을 일종의 멋으로 들어 넘길지라도 교양 없는 해학은 천하다. 어떤 사람은 『논어』에 있는 '父在觀其志 父沒觀其行 三年無改於父之道 可謂孝矣'[2]라든가 또는 '父母在 不遠遊遊必有方'[3]이란 구절을 들어 "이것이 오늘날 세상에 합당할 수 있는 소리냐"고 한다.

그러나 이런 말은 공자를 입초리에 올리되 그 뜻을 모르고 하는 소리다. 이런 사람일수록 유교는 케케묵은 것이라고 논단論斷할 수 있는 축들이다.

무지한 자일수록 논단은 용이하다. 그들은 공자 당시의 시대에 유의하지 않는 까닭에 공자의 말에 내포된 연유緣由와 정신마저 이해 못하고 만다. 어느 시대보다도 오늘날은 툭하면 과학적이니 사회적이니 분류 비교니 경제적이니 통계적이니 역사성이니 하는 소릴 곧잘 하면서도 공자가 재세在世하던 그 시대에 비추어 이 동양 대성大聖을 이해하려 않는 것은 어찌한 일인가. 서양의 사고 방식과 논법이 서양에만 합당하고 동양에 합당치 않다면 그런 사고 방식과 논법은 아무 가치도 없을 것이다. 우리가 서양 문명에서 유익한 것을 얻었다면 그 유익한 소득을 동양 것에 실험하고 연후然後에 그 가치를 따져야 할 것이다.

이런 점으로 미루어본다면 어느 성인聖人들보다도 공자는 인간에 중점을 두었다. 즉 유교는 항상 사회와 연결되어 있다. 왜냐하면 공자는 '不語 怪 · 力 · 亂 · 神'[4] 하였고 '我非生而知之者 好古敏以來之者'[5]라 하였고 '學而時習之'[6] 하고 '溫故知新'[7] 하였던 것이다. 공자의 이러한 말을 태양에 비긴다면 서양의 문예 부홍 같은 것은 지구의 크기밖에 안 된다.

오늘날 진실로 인도주의에 관심을 가진 사람이라면 유교를 비난하기 전에 도리어 동양의 성자인 공자로부터 큰 의의를 느낄 것이다.

지상에 유사 이래로 어찌 사대 성인만 있었으리요. 무수한 성자들이 있었으리라고 믿는다. 가장 암담한 시대에 태어나 일생을 박해당하고 불우하였던 성인들만이 후세에 높이 남게 되었을 따름이다. 이러한 의미에서 공자의 불행은 그만큼 후세에 광명을 주었던 것이다.

2

공자는 주周 영왕靈王 때 탄생하여 주 경왕敬王 때 졸卒하였다. 73년간의 생애는 매우 불우하였다. 누구나 시대와 사회를 벗어나 홀로 살 수 없듯 공자도 춘추 전국 시대에 태어나 피비린내 나는 폭풍우 속에서 득의得意하지 못하였던 만큼 그 불행으로 더욱 빛나는 존재를 이루었는지 모른다. 본래 정직하고 선하였던 인간이 여하히 악화되고 여하히 멸망하는가를 뼈저리게 자기 자신으로부터 느낄 수 있다면 그러한 점에서 즉 20세기 후반기의 혼란과 투쟁과 부조리와 상실과 비할 수 있는 것으로 우리는 춘추 전국 시대를 한목 들 수 있다. 그 당시 수백 년을 두고 내려온 군웅群雄간의 끊임없는 전쟁과 상호 관계와 시국의 변화는 오늘날 국제 정세처럼 복잡 다단하였다.

오늘날 구미 문학에 몰입하여 사실주의니 자연주의니 외치며 그걸 새로운 지식으로 과시하며 동양이라면 무조건 냉소하는 극소수의 문학가들에게 『열국지列國志』부터 읽기를 권하고 싶다. 오늘날 흔히 말하는 공포, 불안, 퇴폐, 음란, 파괴, 상실이란 의미가 참으로 어떤 것인가를 『춘추春秋』나 『열국지』를 읽음으로써 다시 한 번 크게 느끼고 다시 한 번 오늘날 현실에 몸서리칠 것이다.

그러므로 우리는 춘추 전국 시대를 상상함으로써 더욱 공자에 대한 존경을 새롭게 할 수 있다. 왜냐하면 오늘날을 근심하고 고민할 때 오늘날과 흡사한 시대에 탄생한 공자의 일생에 대해서 유의, 친근하지 않을 수 없기 때문이다. 어제까지의 친선이 오늘날의 적이 되고 내일에 친선하는 반복 무상한 열국은 끊임없이 내려온 전쟁을 여전히 되풀이하여 시체와 유혈은 세월의 힘으로도 종막을 짓지 못하고 더욱 공포와 황폐를 조장하였다.

이에 공자의 '君子喩於義 小人喩於利'[8]라든가 '君子懷德 小人懷土 君子懷刑 小人懷惠'[9]라든가 '好勇疾貧 亂也'[10]라든가 '邦有道 貧且賤焉 恥也 邦無道 富且貴焉 恥也'[11]라든가 이런 말씀을 읽을 때 현대인은

해부도解剖刀에 찔린 듯한 이해와 고통을 느낄 것이다.

춘추 전국 시대엔 자식이 부모를 죽이고 혈육간의 살육도 허다하였지만 신臣으로서 시군 탈위弑君奪位하는 것쯤은 예사였다. 이런 일이란 오늘날 사람으로 믿기 어려운 사실이나 그러니 만큼 공자가 충과 효를 부르짖은 것도 마땅한 일이라 하겠다.

그러기에 공자는 정치에 유의하였고 말하되 '近者說遠者來'[12]라 하였고 '惟仁者 能好人 能惡人'[13]이라 하였고 그러므로 증자曾子는 '夫子之道 忠恕而已矣'[14]라 하였다.

이러한 전화戰火와 혼란에 퇴폐 음란은 항상 따르는 법이니 실로 패륜상간悖倫相姦에 이르러서는 그 예를 일일이 들 수 없을 지경이며 이로 인한 애증 살인의 첩출疊出은 암흑에 난무하는 화염을 방불하게 하였다. 공자가 '已矣乎 吾未見好德如好色者也'[15]라고 탄식한 것만 보아도 짐작할 수가 있다. 인간 세상이란 다소 차이는 있겠지만 원래가 그렇지 않냐면 할말 없다. 공자의 시대는 회뢰賄賂, 간계奸計, 시군弑君, 횡령橫領, 도주逃走, 모략謀略, 살부殺父, 음황淫荒, 배신背信, 전란戰亂의 갖은 인간성과 악의 총집성總集成인 지옥도地獄圖라 할 수 있다. 더구나 그 시대는 오월吳越간의 싸움이 격렬하던 때니 오서伍胥, 서시西施, 범려范蠡, 손무孫武 등도 다 이 무렵 사람들이었다. 이러고 보면 유교가 삼강 오륜三綱五倫을 내세우고 지상의 안정, 사회의 평화, 민중의 행복을 이상으로 삼은 크낙한 하나의 인본주의란 것도 짐작할 수 있다. 이러한 전란, 암흑 시대에서만 유교는 생겨날 수 있었고 그러므로 오늘날 암담한 현실과 비하여 볼 때 우리는 아득한 옛날의 공자를 여러 각도로 생각하게 된다.

비록 장소와 시간은 다르나 인간의 고민 자체에 있어 문제의 핵심은 일반이다. 왜냐하면 이런 혼란기일수록 전체를 위한 의義보다도 개인을 위한 이利가 권력 싸움을 하도록 마련되는 까닭이다. 스스로 양심과 외면하고 자기에게 불리한 자면 철면피를 쓰고도 싸우며 자기에게 이로운 자면 체면도 없이 성군成群하는 것도 다만 살기 위하여서라면 인간인 이상 그 까닭을 무시할 수 없지만 그러나 동시에 비극임을 수긍하지 않을 수도 없다.

3

이러한 때에 있어 성자聖者 공자는 어떻게 그 일생을 행동하였던가. 이것은 누구나 앞날을 위하여서도 많은 참고가 되리라 믿는다. 그러한 시대였던 만큼 공자는 지상의 평화와 인간성의 확립을 기하고자 정치에 뜻을 두었고 도道를 위하여 호학好學하였다.

그러기에 공자는

'政者正也 子帥以正孰敢不正'[16]

'子爲政 焉用殺 子欲善 而民善矣'[17]

'道之以政 齊之以刑 民免而無恥 道之以德 齊之以禮 有恥且格'[18]

'視其所以 觀其所由 察其所安 人焉廋哉 人焉廋哉'[19]라고 하였다.

참으로 공자는 확고한 신념과 능력이 있었다. 그러나 의를 버리고 이만 따르는 시대가 대성大聖을 용납할 리 없었다. 하지만 공자는 성력誠力을 다하였다. 그러나 공자가 탄생한 노국魯國도 이 대성을 알아주지 않았다. 공자는 도를 펼 수 있는 곳을 찾고자 끝없는 유랑의 길을 떠났다. 공자는 위衛에 갔고 다시 진陳으로 가다가 광인匡人에게 봉변까지 당하고 다시 위로 돌아왔으나 보는 것마다 한심한 것뿐이었다. 다시 조曹를 지나 송宋에 갔고 다시 정鄭으로 갔고 그 후 진陳, 채

蔡, 엽葉으로 갔고 초楚에 갔었다. 이렇게 정치로 도를 펴고자 열국列國을 돌아다녔으나 공자는 굴욕과 박해와 모략과 냉대만 받았을 뿐이었다. 모두 목전의 사리사욕에만 급급하였을 뿐 아무도 공자를 등용하여주지 않았던 것이다.

자공子貢이 말하기를 '夫子道至大 天下莫能容'[20]이라 한 것은 저간這間의 소식을 표현하고 있다.

이 말을 듣고 안자顔子가 '불용하병연후견군자不容何病然後見君子'라 함은 도리어 기막힌 감을 준다.

공자는 성자로서 끝까지 불우하였다. 천하를 두루 다녔으나 마침내 뜻을 펴지 못하고 노국魯國으로 돌아왔던 것이다.

'鳳鳥不至 河不出圖 吾已矣夫'[21]

'富而可求也 雖執鞭之士 吾亦爲之 如不可求 從吾所好'[22]

'歲寒然後 知松柏之後彫'[23]

'朝聞道 夕死可矣'[24]

'甚矣 吾衰也 久矣 吾不復夢見周公'[25]

공자의 이 말을 들을 때 누구나 무심할 수 없을 것이다. 그러나 이때부터 공자의 참다운 반항은 이미 시작되었던 것이다. 오늘날 걸핏하면 자못 요령부득인 대결이니 저항이니 규탄이니 항거니 하는 소리를 함부로 외치고 있지만 참다운 반항 정신은 무엇인가.

공자는

'不患無位 患所以立 不患莫己知 求爲可知'[26]

'興於詩 立於禮 成於樂'[27]

'飯疏食飮水 曲肱而枕之 樂亦在其中'[28]이라 하였다.

과연 공자의 저항은 어떻게 표면화하였던가. 공자는 제자들을 교이

불권敎而不倦하고 고시古詩를 산정刪定하고 위편삼절韋編三絶하고 『춘추春秋』를 짓고 오로지 교육과 학문과 저작에 힘을 기울였다. 어떠한 방법으로든지 자기의 도를 위하여 할 수 있는 힘을 성誠으로써 다하는 것, 이것이야말로 위대한 반항이다. 즉 그 반항은 '志於道 據於德 依於仁 游於藝'[29]로 발휘되었던 것이다.

세상은 공자를 냉대했으나 공자의 도는 더욱 높고 더욱 깊어졌을 뿐이다. 제자 삼천이라니 얼마나 거룩한가. '身通六藝者 七十有二人'[30]이라 하였으니 그 공적 얼마나 높은가.

만년에 이르자 공자는 상한 기린麒麟을 위하여 비읍悲泣하였다. 자로子路의 육장肉醬을 받고 통곡하였다. 인생의 황혼에 선 노인의 심정이 어떠하였을꼬.

공자는 경천애인敬天愛人 하였건만 하늘과 인간들은 그의 일생을 실패로 몰아넣었고, 그 대가로 만고 불멸의 성좌聖座에 오르게끔 하였다.

참으로 공자는 '吾十有五而志于學 三十而立 四十而不惑 五十而知天命 六十而耳順 七十而從心所欲不踰矩'[31]한 인간이요 성자였다. 그러나 한 인간을 후대의 성자로 만들기 위하여 진실하고 선한 인간들을 박해하고, 마침내 악화 멸망케 하여서는 안 될 것이다. 20세기는 그러한 옛 과오를 되풀이할 수는 없다.

인류는 발전하기에 투쟁으로 유교 정신을 찾을 수 있다고 믿지 않는다. 인류는 다 함께 행복을 누릴 수 있음으로써 비로소 대성大聖 공자를 이해하고 위안할 수 있을 따름이다. 그러므로 유교는 인간성과 사회와 불가분리의 관계에 있다. 왜냐하면 지상의 평화야말로 대성 공자의 근본 정신이 아니었던가.

후생後生이 대성을 어찌 말할 수 있으리요. 그러나 대성 공자를 생각할 때 현실은 더욱 복잡 미묘하다는 느낌을 어쩔 수 없다.

1956

남명 조식 선생의 『유두류록遊頭流錄』

남명南冥 조식曺植 선생을 『한국 인명 대사전』은 이렇게 소개하였다.

1501(연산군 7)~1572(선조 5). 조선 학자, 삼가三嘉 출신, 어려서부터 학문 연구에 열중하여 당시 유학계의 대학자로 추앙되었다. 지리산에 은隱하며 성리학을 연구, 대가大家의 서적을 섭렵 독특한 학문을 이루었다. 성명性命을 닦은 후의 실행實行을 주장하고 경의敬義를 신조로 하여 반궁 체험反躬體驗과 지경 실행持敬實行을 학문의 목표로 삼았다. 1552년(명종 7) 경상도 관찰사 이몽선李夢先의 천거로 전생서典牲署 주부主簿에 임명되었으나 취임하지 않았고, 1552년 단성丹城 현감縣監, 1566년 상서원尙瑞院 판관判官 등에 임명되었으나 모두 사퇴, 이해 왕의 부름으로 왕을 찾아가 치국治國의 도리를 건의하고 돌아왔다. 만년에 두류산頭流山 덕산동德山洞에 들어가 학문 연구와 후진 양성에 전념했고 수차 조정에서 벼슬이 내렸으나 모두 사퇴했다. 문하에서 김효원金孝元•, 곽재우

郭再祐• 등 저명한 인물들이 배출되었다. 선조宣祖 때 대사간大司諫에 추증追贈, 광해군光海君 때에 영의정이 더해졌다. 시호는 문정文貞.

退溪已爲松菊主
南冥長作白鷗群

이는 봉래蓬萊• 양사언楊士彦 시구詩句니 퇴계 선생과 남명 선생은 당대의 쌍벽雙璧이었다. 두 선생을 비교로써 논할 일이 아니라, 앞으로는 두 특성을 각각 밝혀야 할 것이다.

請看千石鍾
非大叩無聲
爭似頭流山
天鳴猶不鳴

남명 선생 시를 읽으면 그 기우氣宇의 뛰어남을 느낄 수 있다.

선생의 『유두류록』 첫 시작 부분을 보면 『남명 문집南冥文集』(고종高宗 갑오甲午 개정판)에 수록된 글보다 글자 수가 더 많다. 즉 『유두류록』이 오늘날에 남긴 유일한 수고手稿가 아닌가 한다.

선생이 가신 지 4백여 년, 후생後生은 선생의 친필을 절하여 뵈올 적마다 만감이 오며 가며 한다.

글씨와 그 사람 됨됨

노상 붙박여 일에만 열중할 수는 없는 노릇이다. 누구나 휴식이 필요하다. 필요처럼 중요한 것은 휴식도 일도 아닌 때의 공백을 무엇으로 메우느냐는 것이다. 그러므로 누구나 취미가 있게 마련이다. 직업에 불만을 느끼는 사람은 허다하지만, 자기 취미만은 자랑한다. 맘대로 선택한 자유며 얻은 기쁨이기 때문이다. 여학생들에게 이런 말을 한 적이 있다.

"상대의 직업도 중요하지만 그 사람의 취미가 무엇인가를 경솔히 생각해서는 안 된다. 직업은 생활 수단이지만 취미는 그 사람의 생활이다. 다행히도 생활고로 이혼하는 예는 비교적 드문 것 같다. 가정 파탄은 평소의 버릇 때문에 일어나는 편이 아닐까."

세상에서 말하는 '취미'와 '버릇'은 전혀 무관한 사이가 아니다. 이 두 가지 말이 엄연히 있는 이상 그 말뜻은 다소나마 다를 것이다. 그러나 막연한 차이점을 따지기보다는 되도록 선의善意의 취미를 말하는 편이 쉬울 것 같다. 남의 취미를 존경하는 동시에 자기 자신의 취미를 강요할 생각은 없다. 다만 낭비와 소모라면 모르되, 그것이 오늘날에 없는 일종의 기쁨이라면 그 취미에 우열과 귀천을 따질 필요는 없다. 누구나 없는 기쁨을 찾아서 제 나름대로의 기쁨을 길러야 할 것이다.

친구들은 '저 사람은 글씨가 취미니까 아마 좋은 글씨도 많이 가지고 있을 것이라' 추측할지 모른다. 모르면 추측이란 커지게 마련이지만 알고 보면 별것이 아니다. 이 기회에 내 회상이 담겨 있는 필적들을 두서 없이 뒤져볼까 한다.

춘원 이광수 필적으로는 일정日政 때 받은 편지가 있다.

惠書感荷 鷄龍秋色 宜於道心耶 光病勢累月 日夜在家.如有枉駕 敢不歡迎 而至於談道則 焉能之 石顚老師頃還龜岩寺 耘虛堂在奉先寺 漢岩駐月精寺 滿空坐定慧寺 兄旣志道 胡不尋眞乎 四和尙耶 昭和癸未 香山行者光拜[32]

심방하겠다는 한 문학 청년의 뜻을 거절한 답장으로는 좀 뜻밖의 내용이었다. 봉투의 붓글씨는 달필이다. 『춘원 시가집』은 책마다 붓으로 쓴 친필이 있는데 그 한 권을 골동 가게에서 사기는 환도還都 후였다.

心卽佛時 是心是佛 是心作佛 春園[33]

매우 단아한 초서다. 나는 결국 춘원을 보지 못했기 때문에 그 글씨를 유심히 대하는 때가 있다.

내가 현대문학사에 있었을 때 박재삼과 함께 취재차 육당 최남선 댁을 찾아간 일이 있었다. 우리 나라 신문학 초창기의 회고담은 흐르는 물처럼 도도하였다. 그러나 그 큰 몸은 손님들이 만좌한 방안에서 이미 반신을 제대로 쓰지 못하고 있었다. 나는 요점만 받아쓴 다음, 휘호를 청할 수도 없어서 "친필 원고나 몇 장 주십시오" 하고 청했다. 육당은 불편한 몸으로 손수 서랍을 뒤져 구고舊稿 네 장을 골라주었다. 지금은 조연현, 박재삼, 성춘복에게 각각 한 장씩 가 있고 내게는 한 장만 남아 있다. 다 펜글씨였다. 내게 있는 4백 자 원고 내용은(「서울의 노래」라고 들었다) 이러하다.

1. 나라의 배꼽이오 서울을 가져/정치와 산업 교통 중심인 경기京畿/우임진右臨津 좌한강左漢江의 한 쌍 백룡白龍이/움키는 보주寶珠 같은 삼 시市 이십 군郡
2. 삼랑성三郎城 새벽바람 송악松岳 푸른빛/유유한 반만 년의 역사도 길사/이새에 생긴 문화 이러난 인물/꼿보담 향기롭다 별보담 만타
3. 진보의 배를 씌워 바라는 압헤/세계로 터진 큰길 여덟미[八尾] 바다/향상의 신끈 매고 우러러 보면/하늘을 뚤코 소슨 백운白雲과 용문龍門
4. 구족具足한 자연 환경 풍부한 자원/힘씀과 부지런에 맛겨져 있다/놉히자 생활 의식 느리자 실력/겨레의 압잡이 된 우리 아니냐

제1연 3절은 애초에 '1천리(양양한) 한강 임진 비단을 편데' 라고 쓴 것을 줄을 그어 지웠으며, 역시 1연 4절을 '열린 들 이룬 고을 구슬

헤치듯' 을 줄을 그어 지웠으며, 제3연 4절 끝 부분 '백운과 관악과 백운' 을 줄을 그어서 추고推敲한 흔적이 완연하다.

어효선과 함께 정구창• 한테서 백당白堂 현채玄采• 붓글씨 조각을 얻었는데

本年度(八年)에 朝鮮各道에 亘한? 去來 五千八百名이 罌粟을 栽培하얏는딕 其耕作面積이 四千八百餘丁步라(下略)

또 하나는

신문 단편 五, 대정大正 八년 四월 二十五일 시始

이상 두 조각이다. 백당의 붓글씨는 고서화 가게에 간혹 나오기 때문에 구하기 어렵지 않다.

부산 피란 당시 홍영의洪永義 수필집 『보리수』 출판 기념 때였다. 마침 필筆, 묵墨이 갖춰 있어서 공초 오상순께 청하여 글씨를 받았다. 간단한 불교 문자였다고 기억하는데 그 후 어디에다 뒀는지 없어졌다. 에피그램 비슷한 자작 시구를 쓴 공초 펜글씨 한 장을 C에게서 구했는데 그때는 공초가 열반한 지 여러 해 후의 어느 가을이었다.

김안서金岸曙• 원고 글씨는 장만영• 이 준 것이다. 붓글씨 원고는

근영近詠 삼수三首 김안서金岸曙

빛이언/지내가고 나날이 봄빛이언/무엇을 새음하야 흰눈이 내리는다/두어라 철그른 치위 오랠 줄이 있으리.

님에게 드리과저 맘 고이 기른 물이/겨우내 찬 치위에 이리도 어단 말이/입춘도 좋은 바람엔 녹아녹아 주소서.

또 하나 펜글씨 원고는

나의 문학적文學的 자서自敍와 문학관文學觀
김안서金岸曙
이즘엔 웬심인지 나도 모르게 머리 속을 번개같이 휘돌다가 스러지는 저 당시인唐詩人 장구령張九齡이
젊었을 제 큰뜻은 어디로 가고 히근히근 귀밑에 남은 이 백발 거울 속 어린꼴을 들어다보며

이 외에도 한 장이 더 있었던 것 같다. 어느 문우에게 주었는지 생각이 나지 않는다.

가람 이병기李秉岐 붓글씨 원고 두 장을 나에게 준 이는 R부인이다. 밝히기 싫어서가 아니라 R부인 이름이 기억이 나지 않을 정도로 오래 전 일이다. 내가 아는 한 그 원고 내용은 활자화되었기 때문에 소개하지 않는다. 가람의 컬컬한 음성이 들린다. 곧잘 하던 해학에 비해 글은 깔끔하기가 이를 데 없다. 가람은 일기를 많이 남긴 걸로 안다. 미발표 유고 일기가 빠짐없이 출간되기를 바란다.

횡보橫步 염상섭廉想涉 수필 원고는 『현대 문학』지에 발표된 「오자誤字 노이로제」의 첫 장이다. 얼마나 원고를 썼는지 꼭 집필하는 자세로 늘 등이 굽어 있었다. 횡보는 길을 걸을 때도 그러하였다. 사실주

의에 대한 집념은 대단하였다. 대가의 풍모가 눈앞에 삼삼하다. 우리 나라 사실 문학의 거악巨嶽인 그 필적을 볼 적마다 염상섭 전집이 왜 나오지 않는지 알 수가 없다.

해방한 지 몇 해 후였다. 겨울 밤 삼랑진 주막에서 자는데, 뒤쫓아 내려온 특급 열차에서 내린 손님들이 들어와서 내 몸을 마구 넘었다. 나는 분노를 느끼면서 자는 체했다.

"동국대학에 들어갔다면 불교과를 다니는 게 좋지 않을까. 더구나 아버지가 스님이라면서! 하기야 일본의 고남高楠이도 대장경을 잘못 구독한 데가 더러 있더군. 큰 발원發願이 없고서야 함부로 못하지."

이런 말을 할 수 있는 분은 누구일까. 나는 일어나지 않을 수가 없었다. 그분은 검은 두루마기에 옥빛 토수를 끼고 앉아 있었다. 나는 물었다.

"선생님 존함은 누구십니까."

"나야 이름을 댈 만한 사람이 못되오."

그분은 제지하는 데도 수행원인 듯한 넥타이 차림의 젊은 청년이 대신 대답했다.

"국학대학 학장님이십니다."

바로 위당爲堂• 정인보鄭寅普였다. 잠자는 길손들에게 방해가 되어서는 안 된다 하여 주막 뜰을 거닐며 밤늦도록 많은 말씀을 들었다. 겨울 달은 너무나도 밝았다.

"제가 듣기로는 선생님이 상해에 계셨을 때 고서점에서 책을 보는데 읽지는 않고 책장만 넘기셨다더군요. 책집 주인이 그러고도 무슨 얻은 바가 있느냐고 묻자 선생께서 그 책을 좔좔 외우셨다지요. 그게 사실입니까."

"그건 귀신이나 할 짓이지 사람이 어찌 그럴 리가 있겠소. 다 헛소문이오."

하고 위당은 웃었다. 나는 그날 밤 주로 단재丹齋, 백범白凡, 호암湖岩•에 관해서 묻고 들었던 것 같다. 초청이 와서 노루 피를 잡수시러 간다는 위당은 이튿날 마산 역에서 내리면서 누누이 말하였다.

"서울 오거든 내게 오우. 우리 다시 만납시다."

자상한 어른이었다. 내게 있는 위당 붓글씨는 '천일호모공업사장이군기념비天一護模工業社長李君紀念碑' 초고로서 강신항姜信沆• 박사에게 청해서 받은 한지 바탕이다. 위당 필적을 볼 때마다 삼랑진 겨울 달밤이 생각난다. 그 후로 다시 뵈온 적이 없다.

외솔 최현배 필적으로는 '유님. 밤사이 어떻습니까'로 시작하는 편지 한 장과 그 봉투이다. 원고지 뒷면에 횡서한 펜글씨는 유창하고 우아한 편이다. 내가 정음사에 자주 드나들었을 때 구했던 걸로 안다.

나는 민세民世• 안재홍安在鴻이 소장했던 국사에 관한 사료 책과 필적을 몇 가지 우연한 기회에 입수했다. 민세를 본 적은 없다.

조연현趙演鉉이 이상李箱 자필 '시 노트'를 입수한 때가 있었다. 거개가 일본말로 쓴 것이어서 내가 그 중 몇 편을 번역하게 되어, 그 중 몇 장이 내게로 넘어왔다. 그때 육당 최남선 글씨 한 장과 이상 글씨 한 장을 맞바꾸었다. '淸水ノ音モ遠ク耳ニ入ラナイ'로 시작되는 제목 없는 산문시였다. 별로 추고도 하지 않은 그러면서도 누구나 알아볼 수 있는 자디잔 글씨이다.

노천명盧天命은 시와는 다르게 쌀쌀해서 나는 별로 가까이하지 못했다. 다정다감의 반면인 의지였으리라. 그분이 자기 저서인 기증본에 쓴 펜글씨 한 장이 있다.

졸업 논문으로 「노작露雀 연구」를 쓰겠다는 학생이 있어서 그 학생에게 노작• 홍사용洪思容 붓글씨 한 폭을 얻었다. 끝은 '제 三학년 六十二번 洪思容' 이고, 담당 선생이 주필朱筆로 점수를 매긴 10이 있다. 그 당시로는 최고 점수일 것이다. 그 깔끔한 필법은 노작의 소싯적 사진을 연상하게 한다. 『청산백운첩靑山白雲帖』도 보았지만 학생 때 이 정도로 썼다면 대단한 글씨였을 것이다.

장張!
오랑주 껍질을 벗기면
손을 적신다,
향香내가 난다.
三九 新正 吳

첫번에 나오는 장張은 장만영張萬榮이다. 시집 『성벽』에 나오는 시구라고 기억한다. 한지에 먹빛으로 쓴 펜글씨다. 이 연하장은 산호장 주인 장만영이 준 것이다. 노천명에게 기증한 시집 헌사獻詞에 쓴 저자 글씨도 있다. 최진원崔珍源 교수가 나에게 준 것이다.

학생들과 함께 경주에 갔을 때 청마 유치환 댁에 들렀었다. 교장(청마)은 서울 출장 가고 없었다. 방안을 들여다봤더니 벽에 '청마 산방靑馬山房' 횡폭橫幅이 붙어 있었다. 정지용鄭芝鎔• 붓글씨였다. 한 폭이 더 있었다고 하나 보지 못했다. 홍윤선洪允善 댁에 초청되어 여럿이 간 일이 있었다. 주인이 청해서 각기 붓글씨를 썼는데 그때 청마도 썼다. 서명이 없어도 알아볼 수 있을 정도로 청마의 펜글씨는 특색이 있지만 붓글씨도 독특했다. 그렇게 술을 좋아하면서도 취태를 보인 적이 없는 청마가 세상을 떠난 지 여러 해 후였다. 우연히 홍윤선을 만나 청마 붓글씨를 잘 보관하고 있는가 물었더니 없어졌다는 대답이었다. 웬일인지 청마의 붓글씨는 그것밖에 없다는 그런 생각이 들어서 서운하였다. 내게 시고 세 장이 있었는데 김영태金榮泰에게 한 장 주고 두 장이 남아 있다. 「황혼」 첫 장과 「좌사리 제도佐沙里諸島」 첫 장이다. 「황혼」은 내가 부산에서 기자 노릇을 했을 때 직접 받아서 잡지에 실었던 시고이다. 어제 쓴 글씨 같다.

신석정辛夕汀 필적으로는 편지며 책 보내온 포장지의 붓글씨까지 다 보관되어 있다. 시고로는 「이속離俗의 장」 첫 장과 「조용한 분노」 전문 네 장이 있다. 이참에 편지도 다 소개했으면 좋겠으나 다른 기회에 미루기로 한다. 석정은 문단인 행세를 않는 분이어서 내가 직접 인사를 드린 것은 오래지 않지만 매력 있는 분이었다. 붓글씨는 흘림체에 가까운 편이며 필력이 다양하다. 그 대신 원고 글씨는 흘린 데가 없어서 딴사람 글씨 같다. 내 졸필에 대한 답으로서 전주에서 보내온 합죽선合竹扇이 있는데 선면에는 친필 붓글씨로

김구용 아형金丘庸雅兄 청상淸賞 신석정辛夕汀(백문白文 · 주문인朱文印이 찍혀 있고 수인首印은 '산고수장山高水長' 주문朱文이다.)
내 마음/속에는/山같이 山같이 하는/내가 있다/오늘도/山같이/山같이/늙어가는/내가/있다

곁에는 토림土林이 담묵淡墨으로 그린 산도 있다.

김광주金光洲가 필자에게 한 메모지 한 장이다. 부산 피란 당시 기계소리 요란한 2층에서 묵묵히 신문 소설을 쓰던 그 모습은 인상적이었다.

청천聽川• 김진섭金晋燮은 영국 신사풍이면서도 동양 군자였다. 희로애락을 좀체 나타내지 않는다. 시험 감독으로 강의실에 들어와서는 창으로 돌아앉아 책만 본다. 학생들이 무슨 짓을 하건 끝나는 종이 울릴 때까지 돌아보지도 않는 양반이었다. 내게 있는 원고는 신아사 사장 정석균鄭石均이 준 것인데 「우화寓話 문학 이야기」 전문이 4백 자 원고지 앞뒤로 두 장에 걸쳐 깨낱같이 적혀 있다.

김일엽金一葉이 출판사에 보낸 편지 한 장이 있으니 최남백崔南伯이 나에게 준 것이다.

유치진柳致眞 필적으로는 '연길淵吉(총을 실경에서 내리며) 아주머니 조금도 걱정 마세요(하략)' 이런 대문이 있는 원고 한 장이 있다. 허백년許栢年에게서 얻은 걸로 기억한다.

주요섭朱耀燮• 원고로는 『죽음과 삶과』의 첫 장이 있을 뿐 그분을 본 적은 없다.

전영택田榮澤• 필적으로는 「내가 아는 김명순金明淳」 원고 첫 장이 있다. 졸필이 전영택 묘비를 쓰게 될 줄이야 생각도 못한 일이었다.

김말봉金末峰 친필 엽서를 소개한다.

먼길을 떠나시니까 바쁘신 까닭이었겠지요만 너무 섭섭했습니다. 인사말이 아니라, 모두들 애석하게 생각했습니다. 내가 지금 하고 싶은 말은 그 사이 도회에서 묻혀 갔던 먼지가 거의 다 씻겼을 상싶으니 하루라도 속히 나오시기를 간망합니다. 이번에 나오시면 좀더 기꺼이 이야기라도 하였으면!

필자가 부산을 떠나 산속에 가서 있었을 때 받은 편지다.

조지훈 붓글씨 '고정자명古鼎煮茗 병오중추丙午仲秋 지훈芝薰'. 수인首印 주문朱文은 '침우당주인枕雨堂主人 삼십후인三十後印', 또 하나의 주문인은 '지훈芝薰'. 취하면 함께 외웠던 반야심경. 그 낭랑한 목소리가 들리는 듯하다. 격 있는 글씨다. 옥사玉史 김경창金慶昌이 필자에게 준 것이다.

부인과도 알 만큼 그 댁에서 문인들과 함께 여러 번 대접을 받았으나 김내성 글씨로는 부산 피란 때 받은 그분 저서에 필적이 한 조각 남아 있을 따름이다.

강소천姜小泉•이 어효선에게 보낸 편지다. 만날 때마다 검은 얼굴에 떠오르던 착한 웃음. 함께 술을 마신 일이 있었는지 없었는지도 생각나지 않으니 술을 좋아하지 않았던 것 같다.

원고 '설수집屑穗集 계용묵桂鎔默•' 첫 장이다. 제자들이 도와드리려고 간청하는데도 끝내 거절한 분이다. 그게 종로 어느 다방에서였는데 다방 이름은 잊었으나 그때의 광경만은 생생하다.

원고 '문학 연구 방법론 서설(一) 최재서' 첫 장이다.

김용호金容浩가 어효선에게 한 편지다. 어느 날 전화가 왔었다. 우리 나라 현대 문학을 강의할 만한 사람을 추천해달라는 것이었다. 나는 유망한 젊은 문우들을 일러주었다. 그 후로 다시 음성도 듣지 못하게 됐다.

내게 김수영金洙暎• 필적이 있나 없나를 몰라서, 어느 날 뒤져봤더니 그의 시고가 두 장이나 나와서 반가웠다.

부산 피란 당시와 5·16 이전까지만 해도 문인들은 날마다 다방에 모였었다. 두꺼운 종이를 아주 다방에 맡겨놓고 사인을 받은 것이 두 장 있는데 어느새 빛깔이 제법 변했다. 다시 만날 수 없는 분들의 자필 사인도 더러 볼 수 있다. 두서 없이 적어보면 정태용, 김동명, 염상섭, 임상순, 임희재, 장기은(조각가), 이광래, 김용호, 최인희, 강소천, 김수영, 김말봉·홍효민, 김종후, 원응서, 전영택, 조지훈, 김내성, 유치환, 오상순, 김광주, 김환기다. 다 기억에 남는 분들이다.

그림에 관한 것은 빼고 이 정도만 소개한다. 감출 것도 자랑할 것도 아니기에 원고 청탁에 의해서 썼다. 문인 필적 모으는 것을 그만둔 지도 오래됐다. 지난날과 달라서 많은 신예新銳들과 인사할 기회도 없고 잡지사에 가는 일도 드물어서 쓰고서 버리는 원고를 얻어올 수 없기 때문이다. 그러나 귀중한 저서들이 오면 거기엔 기증한다는 육필 글씨가 있어서 저절로 모인다.

언제든지 구할 수 있었기에 믿었다가 그분이 세상을 떠난 후에야 후회하는 경우도 있다. 이를테면 김범부金凡父, 황석우黃錫禹•, 변영로卞榮魯•의 필적은 얼마든지 받을 수 있었는데, 내게는 없다. 고서화 가게에서 살 수 있느냐 하면 그렇지도 않다. 일정 때 우리 나라 문인들 글씨는 오늘날 구경조차 하기 힘들다. 예컨대 언젠가는 한용운 유묵을 구할 수 있으려니 하고 기다릴 따름이다. 나이로나 문단으로나 거개가 나의 선배들이신지라 어디까지 선생을 붙이고 누구를 씨로 해야 할지 복잡할 것만 같아서 본의 아니게도 존칭은 생략했다.

안복眼福

훌륭한 옛 서書·화畵를 보게 되면 안복眼福이 있다고 한다. 여간 해선 보기 어려운 것을 보았을 때 옛사람들이 그 기쁨을 표현한 말이다. 인쇄술이 발달하고 박물관이 늘어나고 연구가 세분화한 오늘날에 와서 안복이란 말은 사라져간다. 이런 낡아빠진 말을 아직도 즐겨 쓰는 사람이 있다면 그 나름대로의 이유가 있을 것이다. 자기磁器, 고화古畵, 옛 조각, 옛 수공예 등은 생각만 내키면 박물관이나 전시회나 도록圖錄에서도 비교적 볼 수 있다. 그런데 옛 글씨만은 보고 싶대서 언제고 볼 수 있는 장소도 없거니와 그 방면의 기호嗜好를 위로해줄 만한 인쇄물도 없다.

옛 글씨가 유사 이래 이처럼 도외시당하기는 처음이다. 이 점에 관해서 백 사람이면 백 사람이 다 한마디씩 말할 만한 여러 가지 이유는 있을 것이다. 그러나 여기서 이유를 캐고 원인을 따질 생각은 없다.

나 같은 사람이 낡아빠진 안복이란 말을 왜 아직도 써야 하는지를 이만하면 짐작하실 것이다. 오늘날도 훌륭한 옛 글씨를 보기란 그만큼 어렵다는 뜻이다. 없는 것이 아닐 것이다. 사장死藏되어 있기 때문이다.

글씨에 있어서 안복이란 말은 어서 없어져야 한다. 그러려면 우리의 조상들을 존경해야 하며 그 정신들을 높이 평가해야 하며 그 필적들을 소중히 여겨야 한다.

이런 풍조가 팽창하면 도록이 쏟아져 나올 것이며 누구나 뜻만 있다면 서도書道에 관한 안목을 높일 수 있을 것이다.

돌이켜보건대 나는 안복이 없지 않았다. 첫째는 좋아하기 때문이고 둘째는 그런 기회가 많았던 것을 감사한다. 소위 묵연墨緣이 있었다고나 할까. 내가 보아온 옛 글씨들을 나의 안복으로만 돌릴 것이 아니라, 그것이 다 도록이 되어 모든 분의 안복이 되었더라면 얼마나 좋을까. 이런 의미에서 내가 본 옛 글씨들을 추려 지면이 허락하는 한 기록해둘까 한다.

1. 김정희 글씨 『노홍루묵묘첩老紅樓墨妙帖』(첩 곁에 붙은 제자題字는 후인後人의 글씨였다). 한 면에 두 자씩 쓴 해서楷書로서 내용은

> 淨儿橫琴曉寒 梅花落在弦間(자색紫色 종이 바탕이 낡았고) 我欲淸吟無句 轉煩門外靑山[34](붉은 종이 바탕이었다)

소장자所藏者**의 말** "나의 백부伯父가 자기 회갑 해(정해丁亥)에 나에게 주신 첩입니다. 원래는 청산靑山 곁에 조그만 도장이 두 개 찍혀 있었지요. 보시다시피 글씨 쓴 바탕이 붉은빛 종이이기 때문에 인주빛이 잘 살아나지 않겠기로 직접 찍지를 않으셨더군요. 붉은 종이 바탕을 도장 사이즈만큼 도려내고 그 밑에다 따로 백지白紙 두 조각에 '추사秋史', '김정희인金正喜印'을 찍어서 넣고 칸살을 맞추어 바

른 정교한 배려였어요. 부산 피란 후 돌아와보니 바로 그 부분이 이처럼 찢겨져 나가고 없었습니다. 글씨가 상하지 않은 것만도 다행이었지요. 이 '추사秋史', '정희正喜'는 내가 예산禮山 선생 고택故宅에 갔을 때 찍어온 인문印文으로서 첩을 족자로 꾸밀 때 새로 보전補塡한 것입니다."

표구한 솜씨가 부족했다.

2. 권돈인權敦仁 글씨 횡폭橫幅

중국 냉금지冷金紙 바탕으로서 내용은

須山(횡서 대자大字) 天申自號如此 要書之 因試病腕 老爪(이재彝齋라는 주문인朱文印이 찍혀 있다. 주문朱文 수인首印은 죽의竹意??)

소장자의 말 "백부가 『노홍루묵묘첩』과 함께 나에게 물려주신 서폭입니다."

추사 선생 양윤養胤 김상우金商佑의 호號가 수산須山이라, 무슨 연관이라도 있는지. 그러나 천신天申이 누구인지 모르겠다.

3. 김홍도金弘道 그림 「입승도笠僧圖」

종이 바탕에 젊은 스님을 그린 묵화다. 먹물 옷을 입고 육바라밀六波羅密을 신고 서 있다. 머리에 쓴 삿갓이 특이하다.

소장자의 말 "이것도 백부가 자기 회갑 해에 나에게 주신 것입니다. 이와 똑같은 크기로 한 폭 더 있었는데 고사高士가 동자童子를 거느리고 계변溪邊을 소요하는 것으로 기억합니다."

족자가 옛날 표구라서 좋았다. 단원檀園 밑에 홍도弘道라는 백문인

白文印과 단원檀園이라는 주문인朱文印이 찍혔다. 그러나 나로서는 처음 보는 도서圖書였다. 전문가에게 한번 보였으면 싶었다.

4. 미불米芾• 글씨 시축詩軸

시 네 수首를 쓴 긴 권축卷軸인데 '將軍甓爲南州借 海上平倭舊有名', '一報先聲俱破膽 鯨鯢誰敢犯潮來', '海門不獨防倭急 誰識東南更一籌, '馬上爲軍張草檄 白頭自倚丈夫雄 米芾' 등 구절을 볼 수 있고 조금 떨어져 붙은 별지別紙에는 '(중략) 殊有唐人筆法 乃閱名印 及知爲米南宮所書 則是高出平日本色書一等矣 宜淸容表公之寶之 過於他卷也 鐵良右'[35](주문인朱文印 2개)의 제발題跋과 '襄陽運筆妙如神 此卷揮毫更逼眞 當日米公難再摹 令人直欲擬蘭亭 石田 沈周'[36](백문인 · 주문인)의 찬贊이 있었다.

소장자의 말 "역시 백부님 회갑 해에 고향에 갔을 때 받은 것인데 진眞 · 가假는 고사하고 글씨가 웅혼雄渾해서 내가 소중히 간직하고 있습니다."

바탕은 종이고, 이어 붙인 곳마다 조그만 인印이 찍혔고 휘갈겨 쓴 행서行書였다.

5. 동기창董其昌• 글씨 시축詩軸

첫머리에 ?상재賞齋라는 인印이 찍혔고 내용은 유도루국십만사猶道樓菊十萬師로 시작하여 불용대득만송당不容待得晩松堂으로 시는 끝나고 기창서어래주루중其昌書於來仲樓中(백문인 2개)이었다.

소장자의 말 "이 또한 백부께서 주신 것입니다. 진 · 가는 알 수 없으나 글씨가 아담하고 격이 높아서 내가 아끼고 있습니다. 백부 말씀에 의하면 중국에 갔던 어떤 분이 미불 글씨와 함께 선물로 사왔더라는 것입니다. 이 외에도 그때 백부께 청하여 『완당 선생 전집』과 옛 간찰簡札 세 폭을 받아왔습니다."

바탕은 노란빛 비단이고 초草를 섞은 행서며 긴 권축卷軸이었다. 현재진적玄宰眞蹟이라는 후인의 겉표제가 붙어 있었다.

6. 이삼만李三晩• 글씨 대폭對幅

한지에 쓴 2폭인데 하나는 '경운耕雲' 또 하나는 '조월釣月'.

소장자의 말 "백부의 구장舊藏이었습니다."

각 폭마다 인이 찍혔고 경운耕雲은 윗부분이 조금 상했다. 창암蒼巖의 해楷에 가까운 독특한 글씨였다.

7. 정학교丁鶴喬• 글씨 횡폭

내용은 '동여사同余社', 백문인이 찍혀 있다. 글씨는 예서隷書.

소장자의 말 "백부가 거처하시던 연당蓮堂 처마에 걸린 목각 현판의 원본입니다."

뜻이 같은 사람 둘 이상의 모임을 사社라 한다.

8. 허목許穆• 글씨 첩

두 폭으로 된 첩이었다. 첫째 면의 폭은 해楷에 가까운 행서, 내용은 '梅頌其樹槮而吉 其花郁而潔 其花遠而彌長 噫 君子之表 君子之操 君子之德 闇然日章'.[37]

둘째 면의 폭은 과두서科斗書 4행인데 글을 밝힌 세서細書가 밑에 있어 누구나 글자를 알아보게 되어 있다. 내용은 '風戶月軒 明窓靜儿

圖書一室 尙友千古'.[38]

소장자의 말 "일제 말기 때였지요. 고향을 다녀오신 고모부님이 '내 먼 외척外戚 되는 사람 집안에 전해 내려오는 서화書畵가 많은데 허목과 이삼만 글씨를 팔겠다더라' 고 말씀하더군요. 내가 듣고 간청했더니, 어머님께서 무리하셔서 사주신 것 중의 하나입니다."

지질은 약하고 갈색으로 변해 있었다.

9. 작자 미상 옛 묵화墨畵

두 폭 중 하나는 '秋水寒潭 惟爾潑潑'[39]이란 화제畵題를 쓴 해하도蟹蝦圖로서 수초水草를 곁들인 능숙한 솜씨였다. 또 하나는 '時有故人栽酒成'[40]이란 화제를 쓴 포도葡萄로서 솜씨에 비해 담담한 편이었다.

소장자의 말 "그때 어머님이 고모부께 부탁해서 나에게 사주신 것 중의 하나입니다. 원래 몇 폭 침병枕屛감이었는지는 모르겠으나 시골서 올려온 걸 보니 한 솜씨로서 두 폭뿐이더군요. 그린 사람의 낙관이 마지막 장에 있었을 텐데, 애석한 일이었어요. '다른 폭은 다 팔았고 두 폭만 남았다기에 그냥 덤으로 얻어왔다' 는 것이 고모부님 대답이었습니다."

10. 허목 과두서科斗書 6폭

소장자의 말 "고모부께서 가지고 온 바로 그 미수眉叟 선생 과두서 여섯 폭인데, 뒷장마다 적힌 숫자 순서를 보면, 여덟 폭 중에서 두 폭이 빠진 것을 알 수 있습니다.

고모부 말씀에 의하면 '첫째 장과 낙관이 있는 마지막 여덟번째 장은 내놓지를 않더라. 집안이 궁색은 하지만 대대로 내려온 가보家寶를 몽땅 팔 수는 없다는 거야. 그래 할 수 없이 이것만 가지고 왔다' 는 것이었습니다. 동양 서도사書道史상에 특이한 창조와 높은 품격을 부여한 선생의 과두서를 해독하려고 했으나, 나로서는 다음 몇 자를 알아낸 데 불과합니다.

두번째 장은

水流無彼此/墟勢有西東/若?分?異/方知??同

세번째 장은

松栢入冬青/方????/聲須風裡?/嗟更雪中看

네번째 장은

倚杖臨?水/披襟立?忠/相逢數君子/??說濂翁

다섯번째 장은

南溪抱山流/凋氣滋林麓/夢破午窓陰/淸風在寒竹

여섯번째 장은

落日下大野/江邊漁事收/小舟橫斷岸/長笛一聲秋

일곱번째 장은

虎?風?壑/龍壯氣吐雲/??勿高臥/西??氤?

선생 과두서에 있어서는 '入과 納', '冬과 終과 寒', '說과 悅', '氤과 壹' 이 한 자형字形으로 공용되기도 합니다. 내가 알아낸 글자는 홍대숙洪大叔이 간추려 임모臨摹한 『전운편람篆韻便覽』과 선생의 '동해섭주비東海涉州碑' 와 영인본 『금석운부金石韻府』 단권짜리에 의해서 찾아낸 것입니다. 선생의 과두서를 판독하려면, 선생이 손수 써서 모았다는 『고문 운율古文韻律』 5책冊이 필요한데, 혹 그 책을 가진 분이 계시면 후학을 위해서 세상에 발표해주시기 바랍니다. 또 『미수

기언眉叟記言』을 가진 분이 계시면 상기한 시구를 해독하는 데 혹 참고가 될 수 있는지의 여부를 살펴주기 바랍니다. 또 이런 기회에 첫번째 장과 마지막 여덟번째 장이 나타나서 서로가 만났으면 하는 기대도 걸어봅니다."

네번째 장 뒷면에는 대사동大寺洞이라는 세자細字가 적혀 있었다.

11. 이삼만 행서 소폭 9장

초草를 섞은 행서였다. 각 장마다 '창암蒼巖 이삼만李三晩' 백문인 두 개가 찍혔거나, 아니면 '이삼만李三晩' 하나만 찍힌 폭도 있었다. 치자빛 종이에 쓴 것이 7장이고, 흰 종이에 쓴 2장은 각각 '가인괘家人卦' 라는 협서脇書가 적혔다. 그 글은

ㄱ. 妻子好合 如鼓瑟琴

ㄴ. 起以介福 萬壽無疆

ㄷ. 既醉既飽 小大稽首

ㄹ. 朱芾斯皇 室家君王

ㅁ. 神其歆食 使君壽考

ㅂ. 聽於無聲 視於無形

ㅅ. 風和日暖 讀聖經於山亭

ㅇ. 旡攸遂在 中饋貞吉(家人卦)

ㅈ. 家人利女貞 閑有家悔亡(家人卦)

소장자의 말 "역시 그때 고모부께서 가지고 온 것인데, 원래는 열네 장이었습니다. 그 후 다섯 장은 다른 분들에게 선사도 하고 바꿈질도 하고 신세진 분에게 드린 폭도 있어서 지금 내게 없습니다."

12. 신위申緯• 간찰簡札

'乙未 正月初三 弟 申緯' 찰札이니 '弟悲瘁中 腰脚俱不利 甚妨運用 而亦不暇自憐 只恨老不知死 又見此罔極之時也'[41]라는 글귀가 들었다.

소장자의 말 "그 당시 고모부께서 가지고 온 것 중의 하나입니다."

맨 아랫부분 글자들이 약간 잘려 나갔다. 자세히 보면 후세 사람이 친필 글씨 몇 자에다 덮어서 쓴 먹빛도 보인다.

13. 허연許鍊•의 모란 묵화

화제畵題는 '東君封作萬花王 更賜珍華出尙方'[42]. '소치小癡' 주문인이 찍혔다.

소장자의 말 "일제 때 큰형님이 공주公州에서 구입한 모란 여덟 폭 침병枕屛감이었는데, 일곱 폭은 셋째형님에게로 넘어갔고, 그 중에서 내게로 넘어온 한 폭입니다."

옛사람이 병풍으로 꾸밀 때 덮어 발랐기 때문에 아랫부분 약간은 변색하지 않았다.

14. 옛 사경寫經 상上 · 하下 첩帖

감지紺紙에 금니金泥로 쓴 『금강반야바라밀경』. 원래는 완전한 절첩折帖이었을 텐데 산실散失되고 남은 경문經文 조각들을 모아서 장첩裝帖한 것이었다. 상첩上帖은 '於意云何 東方虛空 可思量不' 에서 시작하는 경문 조각들이 17면에 걸쳐 붙어 있는데, 끝부분은 '卽非具足 是名諸相具' 였고, 하첩은 '於意云何 是諸恒河沙 寧爲多不' 에서 시작하여 19면에 걸쳐 붙어 있는데 끝부분은 '如來說非衆生 是名衆生' 이었다.

글씨는 면마다 대체로 5행씩이며 글씨체는 한 솜씨였다.

소장자의 말 "일제 때였어요. 귀주사歸州寺가 본사本寺라는 한 노장님이 가졌던 법보法寶였습니다. 그 노장님 법명法名은 잊었습니다만 함경도 사투리가 심한 분이었습니다. 나에게 말하기를 '고려 때 사경寫經'이라 했고 아무 증거도 없는데 '나옹懶翁, 무학無學 스님의 구장舊藏이었다'고 우기더군요."

상첩 첫 부분에 '정定, 기氣, 사射' 그리고 끝 부분에 '각刻', 하첩 끝에 '채蔡, 원元' 등 글자가 한 자씩 붙었는데 다 모사模寫였고 그 지질紙質로 보아 오래된 장첩은 아닌 듯했다. 상·하 첩은 자紫 및 견絹으로 장정되어 있었다.

15. 필자 미상 시폭詩幅

'瀟湘一枝竹 聖主筆頭生 山僧香爇處 葉葉對秋聲 祥山?? ??'[43]이라 쓴 제법 큰 폭이었다.

소장자의 말 "나에게 이 시폭을 가지고 왔던 사람은 '자기 조상께서 어느 절에 있던 것을 구한 서산• 대사 친필'이라고 했습니다. 끝의 글씨들이 난초亂草여서 아직도 필자筆者를 짐작할 수가 없습니다.

사실이라면 서산 대사의 친필『석왕사釋王寺 사적기寺蹟記』필적에 속하는 기이한 서체라고나 할까요. 이 서폭은 뒷면에 배접을 아니 해야 합니다. 언뜻 보기에 모사한 글씨 같다는 느낌이 들기 때문입니다. 글씨 뒷면을 들고 햇빛에 비쳐 봐야만 개칠한 곳이 없는 일필휘지一筆揮之라는 것을 알 수 있습니다."

16. 경허鏡虛 스님 글씨 2책冊

내용은『상설 고문진보대전詳說古文眞寶大全』•을 베낀 책서冊書.

상권은 (상결) 여여동汝予同 여수상여汝遂相予(평회서비平淮西碑)에서 시작하여 백이전송伯夷傳頌의 소호일월불昭乎日月不(하결)에서 끝나니 도합 72면이고, 하권은 송서무당남귀서送徐無黨南歸序에서 시작하여 능허대기凌虛臺記에서 끝나니 도합 94면이었다. 누구나 단박에 알아낼 수 있는 딴사람 글씨도 약간 섞여 있었다.

소장자의 말 "일제 때 동학사 경담鏡潭 노장님이 가졌던 것입니다. 노장님 말씀에 의하면 경허 스님이 동학사에 와 있었을 때 쓴 책서라고 합니다. 노장님은 그 절에서 경허 스님을 직접 봤다는 단 한 분의 생존자였습니다."

17. 백초월白初月 스님 난초 2폭

높이 솟은 괴석怪石에 난초를 곁들여 그리었고 화제는 '萬年巖下萬年枝 花發春風一萬年 最勝'[44] 그 아래 '白初月和尚墨蘭也 得於鷄龍山彌陀庵壁中 佛紀二九七一年甲申 石月居士'[45]와 '도봉道峰', '석월石月' 이란 주문인이 찍혔다.

소장자의 말 "최승最勝은 백초월 스님의 별호며, 스님은 독립 운동을 하다가 옥살이를 했고, 심한 고문을 받아 정신 이상 비슷한 버릇도 있었다 하며 결국은 애국 열사로서 사형을 당하신 분입니다. 동학사 미타암 방벽房壁 도배지에 누르스름한 서화 폭이 내비치기에 벽을 뜯어봤더니 이 석란도石蘭圖가 나왔습니다. 스님이 글을 짓고 쓴 『동학사 사적기』와 몇 영정影幀의 찬讚이 남아 있는데, 특히 시·문과 글씨에 뛰어났고 난·죽 그림도 격이 있습니다."

또 한 폭은 벼랑에 난 난초를 그린 그림인데 화제는 '(상결) ?時 (중결) ?春竹弄姿 蝴?黃鳥睡春風 落花絲 最勝道人' 이었다.

소장자의 말 "미타암 쌀 채독에 붙어 있기에 뜯어낸 것입니다. 잘못 뜯어낸 것이 아니고 채독에 바를 때 벌써 많이 상했던 듯 글과 그림이 완전하지가 못합니다."

18. 김정희 서書 탁본拓本

소[牛]를 그린 그림이 있고 계속하여 '惜比畵本 罕有傳於世者 幾爲烏有 良可太息也 阮堂'[46] 그리고 '완당阮堂' 인印.

소장자의 말 "일제 때 공주 어느 일본 사람 치과 병원에 걸려 있었던 목각 현판을 탁拓한 것입니다. 이젠 유일의 고본孤本일 것 같아서 아끼고 있습니다."

19. 이삼만 글씨 탁본

내용은 목각 현판 '동학사東鶴寺'를 탁拓한 것.

소장자의 말 "이외에도 동학사 불동운루不動雲樓(신관호申觀浩 글씨) 영각影閣에는 옛날에 금강산 만화萬化* 스님이 동학사로 이석移席했을 때 가지고 왔다는 추사 선생 족자 두 폭이 걸려 있었습니다. 하나는 호봉虎峰(대서大書) '우차노호해인권속吁嗟老虎海印眷屬(도난당했다가 다시 찾았을 때 글씨 몇 자가 없어졌다고 하며 이 방서傍書는 그 남은 부분이라고 한다) '노과작老果作 삼십년후서三十年後書(도장은 없다. 이상 방서는 내게 임모臨模한 것이 있다) 도둑이 가위로 오려간 것을 되찾았기 때문에 조각들이 나 있었습니다. 또 하나는 '용암대선사龍巖大禪師(대서) 以慈悲觀說不二門 其福德如四方'[47](이상 방서는 내게 임모한 것이 있다) '사리일립 만이천봉舍利一粒萬二千峰 병제幷題'(역시 방서)였다고 기억합니다. 또 매월당 김시습 상

像(베 바탕)에 김수항金壽恒*이 찬贊을 쓴(글씨는 팔분八分) 소폭 족자도 있었습니다."

20. 이삼만 글씨 탁본

내용은 목각 현판 '등운암騰雲庵'을 탁한 것이다.

소장자의 말 "계룡산 연천봉連天峰 등운암騰雲庵 목각 현판을 내가 탁한 것입니다."

21. 김정희 예서隷書 '향지香至' 탁본/이삼만 '영각影閣' 탁본

소장자의 말 "계룡산 신원사新元寺에 걸려 있는 목각 현판을 탁한 것입니다. 원래는 두 분의 글씨가 나란히 붙어 있었는데 옛날에 원님이 와서 보고 '한 분은 대감이요 하나는 아전인데 어찌 함께 나란히 걸 수 있단 말이냐' 하고 신원사 스님들을 아프게 때렸다 합니다. 신원사 스님이 둘 다 떼어서 버린 것을 속리산 스님이 가져가 그곳 절에 걸어뒀었는데 개화 후에 신원사에서 도로 찾아와서 걸었다는 이야기가 전하고 있습니다."

22. 김정희 예서 탁본

소장자의 말 "첫째 자는 비比로 되어 있고 가운뎃자는 기이해서 알아보기가 힘든데 '개린거皆隣居'가 아닌가 하고 생각합니다. 일제 때 산 것인데 아마 고본孤本일 것입니다."

23. 목각 용龍 2편片

나무에 용과 구름과 여의주를 반투각半透刻한 것이다.

소장자의 말　"일제 말기 때 어느 절에 갔다가 구한 것입니다. 원래는 대웅전 탁자에 놓았던 상감님 축수祝壽 목패木牌의 가장자리 장엄莊嚴으로 옛사람이 새긴 것이라는데 다 없어지고 두 조각만 남았더군요. 그나마 하나는 상한 데가 많습니다."

24. 대원군• 난蘭 목각 현판

괴석 한가운데 꽃이 두 개 핀 석근石根, 주문인朱文印 '석파石坡'도 새겨 있었다.

소장자의 말　"일본 사람 골동 가게에서 산 것인데 각刻도 일본 사람 솜씨가 아닌가 합니다."

25. 김정희 예서 탁본

소장자의 말　"동학사에 있던 목각 현판을 탁拓한 것입니다. 자묘암慈妙庵(예서) 승연거勝蓮居, '완당阮堂' 인도 새겨 있었습니다. 옛날은 그렇지도 않았는데 요즘은 탁본을 소홀히 취급하는 편입니다. 인식을 새로이 해야겠습니다."

26. 보살상 2위位

관세음보살은 목각 좌상이며 좌우 보처補處로서 짐작할 때 목각 입상은 대세지보살大勢至菩薩이었다. 조성 연대는 알 수 없고 채분彩粉이 낡았다. 관세음보살 좌상 밑바닥엔 CHINA라고 적혀 있다. 누구나 옛 중국 보살상임을 알아볼 수 있을 것이다.

소장자의 말　"해방 직후 서울에 갔던 아우가 사온 두 보살상입니다. 어머님께서 다시 사서 관세음보살상은 나에게 주셨고 대세지보살상은 원불願佛로 모시다가 나에게 남겨주셨습니다. 6 · 25 때 이북 아이들이 내려와서 던졌기 때문에 관세음보살상은 목이 부러지고 감로병甘露甁과 손가락 등 외에도 두 부분이 파손되었는데 그 후 보수했습니다. 대세지보살은 상한 데가 없습니다. 일제 때 일본 사람이 모셨던 보살상으로 알고 있습니다."

27. 다산茶山 화조도花鳥圖 족자

노란 꽃들이 핀 나무에 꼬리가 긴 주朱빛 새와 모란도 같고 부용芙蓉 같기도 한 꽃이 두 송이, 그 밑에 수초水草 비슷한 풀들이 나 있다. 견絹에 그린 채화彩畵이다. 화제畵題는 '秋風江上憶年年 雲外天香許結綠 今日鳳池濡翰墨 莫將富貴傲人前 茶山寫'[48] 백문白文은 인문印文미상未詳, 주문인朱文印은 '다산茶山'.

소장자의 말 "해방 직후 대전에 갔다가 정약용 선생 작품인 줄 알고 샀던 것입니다. 보시다시피 중국 그림에 중국 표구입니다."

28. 박윤묵朴允默• 서書 「청담이조가淸潭異鳥歌」 첩

효자 박태성朴泰星에게 준 '高陽之山靑寂寞 澄潭一曲搖寒玉'[49]으로 시작되는 장시長詩로서 도합 10면이며 끝면은 '完山李星慶橋 戊戌仲冬 小子 允默敬書'[50]였다. 주문인은 '존재 거사存齋居士'며 백문인白文印은 '박윤묵장朴允默章'.

소장자의 말 "해방 직후 대전에서 입수한 것입니다."

29. 김구金九 서書 족자

내용은 함허 선사涵虛禪師 서문 1절 '有一物於此 先天地而無其始

後天地而無其終 丙戌 春 金九 石月居士 正之'[51]. 주문인은 '김구金九'.

소장자의 말 "선생이 공주에 오셨을 때 내가 받은 글씨입니다."

30. 정구鄭逑* 서찰

'임백력대첩록仍白歷代捷錄 몽낙구의蒙諾久矣', '구곡시모출지송상九曲詩模出紙送上' 등 구절이 있는 정미丁未 8월 19일자 간찰.

31. 사명* 대사 글씨 2폭 반

폭마다 운韻이 '암巖, 남嵐, 담談, 삼三, 감甘' 인 것으로 보아 여러 사람이 시회詩會한 것을 알 수 있다. 송운松雲은 사명 대사며 구원九畹은 이춘원李春元*이며 남은 반 폭은 후반이 결缺해서 애석하게도 누구 시인지 알 수가 없다. '小築茅齋面翠巖 百年心事托山嵐'[52], '曾於戊子遊中見 莫以壬辰年後談'[53] 등 구절로 보아 그들이 찾아갔던 풍경과 대사大師를 위한 시회였음을 짐작할 수 있다. '逍遙象外人誰健 此老方知此味甘'[54]은 공성 은거功成隱居한 대사의 선경禪境이다.

여러 사람은 대사를 위해서 시를 지었다. 대사는 자기를 주제로 한 여러 사람의 그날 시와 자작시를 친히 휘호揮毫했음이 그 글씨로 보아 분명하다.

소장자의 말 "송운松雲 시폭詩幅과 작자 미상 시 반 폭은 C씨 소장이며 구원九畹 시폭은 나의 소장입니다. 그 경과는 지난날 일기에 써뒀으므로 생략합니다. 여기 소개한 2폭 반 외에도 몇 폭인가가 산재해 있을 줄로 믿습니다. 혹 가지고 계시거나 혹 발견할 경우에는 그것이 누구의 시이건 간에 실은 사명 대사 글씨라는 것을 참조해서 잘 보관해주기 바랍니다."

한국 서도사書道史

어떤 글씨를 취택할 것인가

예술 분야 중에서도 글씨를 특히 서도書道라고 하는 데 대해서 유의하기 바랍니다. 서예書藝라는 말도 있지만 서도라는 말이 가진 함축성은 일반 예술 분야와 좀 다른 뜻이 있습니다. 글씨는 그 쓴 사람의 도道, 즉 인간성이 잘 나타난 것을 취합니다. 현대에서는 서예라는 말이 적당할지 모르나 과거의 글씨는 오늘날 말하는 서예 전문가의 글씨만을 취급하고 있지는 않았습니다. 어떤 의미에서는 그런 전문가가 옛날에는 따로 있지 않았던 것입니다. 예를 들면 세종대왕이나 임경업林慶業 장군은 서도 전문가가 아니었습니다. 그러나 그 친필 글씨를 가졌다면 글씨 애호가가 아니라도 누구나 보물로 간직할 것입니다. 그러므로 우리 조상의 글씨는 예藝만도 아닌 도道(인격 또는 개성)를 염두에 두고 말하지 않을 수가 없습니다. 서양 사람도 저명한 명사의 사인을 받듯이 서도는 간판 글씨나 대서소 글씨와는 차원이 다른 세계를 지니고 있습니다. 예술 하면 반드시 기술, 기교가 따라야 하지만 전문가가 아니라도 누구나 할 수 있는, 해야만 하는 동양 사람의 예술입니다. 그러기에 글씨를 취택하는 데는 대략 세 가지 경향이 있습니다.

1. 글씨를 예술로서 취하는 것. 말하자면 명필 글씨를 감상하는 것.

2. 자기가 존경하는 명현名賢의 인품을 그 친필에서 느끼고자 하는 것.

3. 혈연血緣과 친교親交 간의 것, 조상이나 부모나 동시대 사람의 글씨, 나아가서는 자기 나라, 자기 민족의 옛 것을 애호하는 것.

대체로 글씨를 이상 세 가지로 취택하지만 그러나 이런 분류로 정확히 구분되지 않는 데에 묘妙가 있습니다. 이 묘는 서도의 가변성可變性입니다. 오늘날도 풀리지 않으면 필적 감정이 있듯이 서도는 쓰는 사람마다 글씨체가 다 다른 데에 그 특질이 있습니다.

고대와 삼국 시대의 서예는 어떤 양상을 띠고 있는가

편의상 제일 기간이 짧았던 백제百濟 때 글씨부터 소개합니다. 백제 글씨로 남아 있는 것은 매우 희귀합니다. 와문瓦文과 목관木棺에 더러 남아 있지만 한 자字 아니면 두서너 자씩이어서 그런지 무한 회고懷古의 느낌을 줍니다.

좀더 분명한 것을 연대순으로 살피면 일본 석상 신궁石上神宮에 있는 백제칠지도百濟七支刀에 새겨진 명銘(근초고왕 14년으로 추정)과 계미명癸未銘 금동삼존불金銅三尊佛(위덕왕 50년으로 추정) 명문銘文과 병진명丙辰銘 금동삼존불(위덕왕 43년으로 추정)에 새겨진 명문 글씨 등이 있으나 이는 다 주물鑄物에 남은 세자細字들입니다. 석문石文 글씨로는 부여 박물관에서 백제사택지적비百濟砂宅智積碑(의자왕 2년으로 추정)가 있습니다. 비록 단비斷碑이지만 글씨가 근검하고도 고와서 옛 마음씨를 대하는 듯합니다.

이외에 중국 낙양洛陽 출토인 백제 부여융묘지扶餘隆墓誌가 있으나 우리 나라 사람 글씨는 아닙니다.

백제 멸망과 함께 남은 대당평제탑大唐平濟塔의 탑은 우리 옛 조상의 조성造成이나 회소懷素가 썼다는 그 글씨와 유인원비劉仁願碑 글씨는 외국 군대가 이 땅에 들어와서 남긴 당나라 사람 필적입니다. 자고로 그 글씨에 대한 칭찬이 자자하지만 옛 도읍을 찾는 나그네에게는 홍망성쇠의 비애와 허무감만 감돕니다.

고구려의 전塼은 오늘날 벽돌의 일종이니 대개는 무덤에서 나온 것들로서 상당히 오랜 고대 글씨가 있습니다. 그 중 대표적인 것으로는 고구려 시대 고분古墳이 많기로 유명한 만주 집안현輯安縣 광개토왕릉廣開土王陵 출토인 원태왕릉願太王陵 안여산安如山 고여악固如岳과 천추만세영고千秋萬歲永固와 황해도 봉산군鳳山郡 출토로서 글자 수가 많은 보고건곤상필保固乾坤相畢 등 글이 있고 대방태수帶方太守 장무이張撫夷 등 글이 있는 전이니 글씨가 고졸古拙하고 굳세어서 격이 높습니다.

봉니封泥는 편지나 문서文書를 나뭇조각으로 덮고 진흙을 놓고 그 위에 도장을 눌러 봉한 도장 자국이니 평양 토성土城에서 많이 발견된 낙랑 시대 유물입니다. 낙랑태수장樂浪太守章 조선우위朝鮮右尉 등 글씨는 중국 한인漢印의 영향을 보이는데 목인木印, 도인陶印도 역시 전서篆書풍이 짙습니다.

또 옛 무덤에서 나온 칠서漆書에는 직접 옻[漆]으로 쓴 것과 칠판漆板에 새긴 글씨의 두 종류가 있습니다.

조상명造像銘에 나타난 글씨는 고구려 평원왕平原王 13년으로 추정하는 신묘명辛卯銘 금동삼존불과 영강永康 7년 명銘이 있는 광배光背와 옛 신라의 땅인 의령군宜寧郡에서 근년에 출현한 연가延嘉 7년 명銘이 있는 고구려 독존여래상獨尊如來像이 있는데 다 육조풍六朝風 해서楷書에 가깝습니다.

와문瓦文으로는 낙랑예관樂浪禮官 낙랑부귀樂浪富貴 등이 있고 경명鏡銘 등도 있어 중국 한漢 것에 비해 손색이 없습니다.

기명류器銘類에서는 해방 다음해 경주 출토인 고구려 호태왕好太王 호우壺杅 글이 있는 양각자陽刻字가 있으니(고구려 장수왕長壽王 3년으로 추정) 예스럽고 아담합니다.

그러나 대표적인 것은 두 비석이며, 이는 동양 서도의 보물입니다. 평안남도 용강龍岡에 있는 점제현秥蟬縣 신사비神祠碑는 가장 오래된 우리 나라 비석이니(고구려 태조太祖에서 동천왕東川王 사이의 건립으로 추정) 글씨는 예서隷書이고 산신님께 제사하고 그 덕을 칭송하고 백성의 행복과 풍년을 기도한 내용입니다. 발견한 이래로 혼고정제渾高整齊, 고아 혼박高雅渾樸하다는 정평 있는 글씨입니다. 또 하나는 우리의 자랑인 고구려 광개토왕릉비입니다. 이제는 남의 땅 만주 집안현에 서 있는 광개토왕릉비는 고구려의 웅장한 기상 그대로의 큰 비석으로서(서기 414년) 내용은 대륙을 치고 일본을 누르고 만주를 장악한 영락대왕永樂大王의 공적을 찬양한 것입니다. 청淸 때 중국 학자는 방엄 질후方嚴質厚 또는 순고 정제醇古整齊한 글씨라 평했지만, 특이하고, 예스럽고, 위대하고, 장엄한 신품神品입니다. 이 외의 것으로는 역시 집안현 출토인 관구검毌丘儉 기공석각紀功石刻 단편이 있으나 실은 중국 것이기에 논외로 합니다.

고구려 때 직접 먹으로 쓴 글씨가 남아 있다는 것은 놀랍고도 다행한 일입니다. 역시 집안현 옛 무덤 속 벽에 있는 모두루묘지牟頭婁墓誌는 장수왕 말년 것인데 근 9백 자字 중에 마멸이 심해서 알아볼 수 있는 글자는 4분지 1 정도입니다. 한진漢晋 시대의 목간木簡 해서풍楷書風과 흡사하나 자세히 살펴보면 천연 기력天然氣力이 넘치고 있습니다.

석각石刻 중에서도 해서로 가장 오래된 글씨로 전하는 것은 고구려 평양성 성벽城壁 석각 세 가지입니다. 병술丙戌, 기축己丑년 3월 21일, 기축년 5월 28일 간지干支가 있는 세 가지이니 그 중 기축년 것은 평원왕平原王 11년으로 추정하는데, 다 예서隷書가 변하는 초기의 해서체로서 귀중합니다.

이외에 중국 낙양 출토로 고구려 고자묘지高慈墓誌와 고구려 천남생묘지泉男生墓誌가 있으나 다 당唐나라 사람 글씨이므로 제외합니다.

이상 백제 고구려의 글씨를 소개했으니 삼국 시대를 한데 묶자면 삼국 통일 이전의 신라 글씨도 여기서 다루어야겠습니다.

신라 시대의 서예는 어떤 양상을 띠고 있는가

통일 이전의 신라 시대 통일 이전의 신라 때 금석金石 글씨로는 임신서기석각壬申誓記石刻과 남산신성비南山新城碑가 있어 옛 신라의 편린片鱗을 보여주지만, 대표적인 것으로는 진흥왕眞興王이 세운 네 개의 비석을 손꼽아야 합니다.

1. 경상남도 창녕군昌寧郡에 있는 진흥왕 척경비拓境碑(진흥왕 22년)는 글자 수효가 많으나 상한 곳이 태반이며,

2. 함경남도 이원군利原郡에 있는 진흥왕 순수비巡狩碑(진흥왕 29

년)는 마운령비磨雲嶺碑라고도 하며, 최남선의 소개로 세상에 널리 알려진 비석으로서 마멸된 글자가 별로 없는 고풍의 해서이며,

3. 함경남도 함흥군咸興郡에 있는 진흥왕 순수비는 마운령비와 같은 해에 세운 것인데 일명 황초령비黃草嶺碑라고도 하며 네 개의 비석 중에서 가장 유명합니다. 육조六朝의 고조古調 짙은 해서楷書, 행서行書가 곁들여 있어 그 건실하고 온화한 품격은 높이 평가되고 있습니다. 이 비석은 조선 숙종肅宗 때의 낭선군朗善君에 의해서 발견되었고, 그 후에 추사 김정희가 세밀한 고증을 하고 직접 진흥북수고경眞興北狩古竟이라 예서하여 현판한 것이 비각에 걸려 있습니다.

4. 양주楊州의 진흥왕 순수비는 서울 북한산 비봉碑峰에 지금 서 있는 바로 그것이니 추사 김정희가 처음으로 증명했을 때는 남은 글씨 86자를 알아보았다고 하지만 워낙 비바람에 깎이어서 오늘날은 거의 알아보기 어려울 정도입니다.

경주 무열왕릉비武烈王陵碑는 무열왕인 김춘추金春秋의 둘째아들 김인문金仁門이 글을 짓고 글씨를 쓴 것으로서 수액首額의 태종무열대왕지비太宗武烈大王之碑 여덟 자 전서篆書는 장중하기 이를 데 없습니다. 글 쓴 사람의 이름이 전하는 최초의 비석이라 하겠습니다.

통일 이후의 신라 시대 경주 사천왕사비四天王寺碑는 단석斷石만 남았는데 열 자 중에 일곱 자만을 읽을 수 있습니다. 사천왕사는 문무왕文武王 19년에 세운 절로서, 당나라 군사를 누르기 위한 나라의 기원 도량祈願道場이었습니다. 글씨는 이미 당나라 구양순체歐陽詢體와 흡사하여 매우 정제整齊 고아高雅합니다.

지리산 화엄사華嚴寺 법당 안벽은 원래 의상 대사義湘大師가 당나

라에서 들여온 진본晋本 60권 『화엄경華嚴經』을 새긴 사방 석경벽石經壁이었는데 임진왜란 때 병화兵火로 소실, 수많은 조각만 남아 있습니다. 김임보金林甫, 김일金一의 글씨로서 사경체寫經體의 해서이며, 필치가 힘있고 맑습니다. 정강왕定康王 때의 것으로 추정하고 있습니다.

경주 감산사甘山寺 미륵보살彌勒菩薩 · 미타여래彌陀如來 조상기造像記는 성덕왕聖德王 18년 때 석 경융釋京融, 김취원金驟源이 쓴 행서인데, 매우 건실하며 글은 설총薛聰•이 지었다고 합니다.

평창平昌 상원사종上院寺鐘은 성덕왕 24년에 만든 것으로 현존하는 종 중에서 연대가 가장 오랜 것이며 그 명銘을 쓴 사람은 미상이나 옛 운치가 있습니다.

유명한 경주 성덕왕 신종聖德王神鐘의 명銘은 경덕왕景德王 8년, 조성인데 김○완金○畹, 홍단洪端이 썼고 돈후한 고풍古風의 필치입니다.

이두吏讀 문구의 오랜 점에서 또 힘찬 필획筆劃과 기품 있는 행서로는 경덕왕景德王 17년에 세워진 개녕開寧 갈항사葛項寺 석탑기石塔記를 들 수 있습니다.

김육진金陸珍•이 진晋 때의 왕희지王羲之 글씨를 모아서 새긴 것으로 유명한 무장사鍪藏寺 아미타여래阿彌陀如來 조상비造像碑(애장왕 2년 건립으로 추정)는 조선 영조英祖 때 사람 홍양호洪良浩•가 처음으로 그 단석斷石을 발견했고 그 후 김정희가 단석 두 개를 더 발견했는데, 왕희지 글씨를 집자하여 새긴 것으로는 동양 최고最古의 것으로서 중국 송탁宋拓 따위로는 비교도 안 될 유일의 보물입니다. 이외에도 왕희지 집자각集字刻으로는 양양襄陽 사림사沙林寺 홍각선사탑비弘覺禪師塔碑(강정왕 1년 건립) 단석이 있고 고려 충렬왕忠烈王 21년에 세운 의흥義興 인각사麟角寺 보각국존普覺國尊 정조탑비靜照塔碑가 있고, 역시 고려 명종明宗 15년에 세운 김천 직지사 대장전비大藏殿碑가 있어 모두 네 개나 되는 셈입니다.

다음 당간幢竿 석주石柱에 새긴 글씨로는 흥덕왕興德王 2년에 세워진 시흥始興 중초사中初寺 당간석주기幢竿石柱記가 있고, 탑지塔誌 글씨로는 문성왕文聖王 6년에 된 원주原州 흥법사興法寺 염거화상廉巨和尙 사리탑지舍利塔誌가 있고, 또 석문石文 아닌 금문金文으로 된 조상기造像記로는 철원鐵原 도피안사到彼岸寺 비로자나불毘盧遮那佛 조상기造像記가 있어 다 귀중한 옛 일면을 보이고 있습니다.

헌강왕憲康王 10년에 세워진 장흥長興 보림사寶林寺 보조선사普照禪師 창성탑비彰聖塔碑는 그 탁본拓本이 청조淸朝 학계에도 소개되어 한 비석에 두 사람이 글씨를 썼다고 했듯이 곤미현령昆湄縣令이던 김원金薳•의 해서는 고질 주건古質遒建하고 병부시랑兵部侍郎 김언경金彦卿•의 행서는 풍도 수발風度秀發하다는 정평이 있습니다.

진성왕眞聖王 4년에 건립된 제천提川 월광사月光寺 원랑선사圓朗禪師 대보광선탑비大寶光禪塔碑는 스님 순몽淳蒙의 글씨인데 구양순체에 가까우나 엄연한 옛 뜻은 당나라 글씨보다 나은 편입니다.

역시 스님 글씨로는 경명왕景明王 8년 건립이요, 최치원崔致遠•의 글인 문경聞慶 봉암사鳳巖寺 지증대사智證大師 적조탑비寂照塔碑를 쓴 분황사芬皇寺 스님 석 혜강釋慧江을 들어야 하니, 83세 때 쓴 글씨이지만 예스럽고 아담하고 맑고 특이합니다.

역시 스님 글씨로 오래되고 매우 유명하기로는 헌덕왕憲德王 5년에 세워진 지리산 단속사斷俗寺 신행선사비神行禪師碑입니다. 글씨는 스님 영업靈業의 행서인데 힘차고 유려하기로는 중국에서도 그 예를 보지 못할 정도로서 청淸나라 학자 유희해劉喜海는 저서 『해동금석원海東金石苑』에서 '하늘의 힘에 의하여 마음대로 운필한 것이라'고 격찬하였습니다. 필자가 생각건대 이 말은 결코 과찬이 아닙니다.

다음은 신라 시대 사람으로서 이름이 널리 알려진 김생金生, 최치원, 최인연崔仁渷의 글씨를 소개하기로 하겠습니다.

김생(성덕왕 10년~원성왕元聖王 7년)은 우리 나라 서성書聖으로 너무나 유명한 데 비하여 그 일생은 자세히 전하지 않고 있습니다. 중국 왕희지를 서성이라 하듯이 우리 나라도 김생 이전에 명필이 없었던 것은 아니겠지만, 80 평생을 노력한 김생의 필적은 서성이라는 칭호를 받고도 남음이 있습니다. 『삼국사기三國史記』에는 송宋나라 양구楊球, 이혁李革이 김생의 글씨를 왕희지의 글씨로 착각했다는 기록이 있습니다. 같은 서성이로되 왕희지와 김생은 전혀 다릅니다. 왕희지는 현성玄聖이라면 김생은 은산 철벽銀山鐵壁에 나부끼는 깃발입니다. 이차돈異次頓에 관한 경주 백률사栢栗寺 육면석당기六面石幢記(헌덕왕 9년으로 추정)와 원화元和 13년 글이 있는 묵탁첩墨拓帖 등은 김생의 필적이라는 데 그만한 이유가 있겠지만, 강진康津 만덕산萬德山 백련사액白蓮寺額과 금강산 유점사楡岾寺 편액扁額과 강진 전유암서田遊岩序와 계림鷄林 대로원액大櫓院額과 홍린거興隣居 인본印本과 해미海美 강당비講堂碑는 다 김생의 글씨라 전합니다. 심지어는 옛 사경寫經이면 언필칭 다 김생의 글씨라지만 서성 김생의 참 면목을 보여주는 것은 김생의 글씨를 집자각集字刻하여 고려 광종光宗 5년에 세운 봉화奉化 태자사太子寺 낭공대사朗空大師 백월서운탑비白月栖雲塔碑가 유일한 것이니 자고로 신품神品이라는 정평을 받고 있습니다.

최치원의 호는 고운孤雲이니(문성왕文聖王 18년~신덕왕神德王 4년) 12세에 당에 유학하여 그곳에서 과거 급제하고 문명文名을 떨쳤으며 28세 때 귀국하여 뜻을 펴려 했으나 국운은 기울어지고 때는 난세라 마침내 해인사로 들어가서 그 일생을 마친 우리 문학으로나 학자로나 숙명적이며 전형적인 최초 인물이었습니다. 그의 고민은 일종의 전통이 되어 오늘날 책들에도 완전히 벗어나지 못하고 있습니다. 세칭 최치원의 사산비四山碑는 그가 지은 비문碑文까지 합쳐 말하는 것인데, 하동河東 쌍계사雙溪寺 진감선사眞鑑禪師 대공탑비大空塔碑는 글도 글씨도 전액篆額도 최치원의 작품으로서 가장 대표적인 것입니다. 이 비석은 진성왕 원년 건립이며 웅건하고 특이한 해서이나 외국의 영향을 받아서 김생의 창조적인 기풍과는 대조적입니다. 해인사 홍류동紅流洞에도 그의 석각 글씨가 남아 있습니다.

최인연(경문왕景文王 8년~고려 혜종惠宗 원년)은 당나라에 가서 문과에 급제하고 귀국하여 명망이 높았으나 신라가 망하자 고려 태조 밑에서 벼슬을 살았으니 그의 종형從兄 되는 최치원과는 역시 대조적인 일생이었습니다. 그의 글씨는 두 가지가 있으니 하나는 경명왕景明王의 비문을 쓴 창원昌原 봉림사鳳林寺 진경대사眞鏡大師 보월능공탑비寶月凌空塔碑(일설에는 석 행기釋幸期의 글씨라고도 함)와 또 하나는 최치원의 비문을 쓴 남포藍浦 성주사聖住寺 낭혜화상朗慧和尙 백월보광탑비白月葆光塔碑이니, 전자는 글씨가 강한 편이고 후자는 부드러운 편입니다.

진필眞筆 글씨는 김생의 사경寫經이 상당수 전한다지만 어느 정도가 진짜인지 모르겠습니다. 김정희는 그의 잡저雜著에서 "내 일찍이 경주 옛 탑 속에서 나온 광명다라니경光明陀羅尼經 먹 글씨를 본 일이 있는데 어제 쓴 것 같았고 김생보다도 6, 70년 전 이상 되는 사람의 필적인데도 어찌나 고아古雅한지 김생보다 훌륭하더라" 고 한 것이 있습니다. 또 연전에 불국사 무영탑無影塔에서 나온 경문經文은 목각경판木刻經板을 찍은 것이라 하니 그렇다면 세계 인쇄사상印刷史上 큰 자랑이라 아니할 수 없습니다.

금년에 영천永川에서 병진명丙辰銘, 정원명貞元銘이 있는 청제비菁堤碑 발견과 또 고고미술동인회의 귀한 노고로 간행된 『금석 유문金石遺文』에는 해방 후 발견 수집한 신라 금석문金石文이 다수 소개되어 있으니 비록 편각 단자片刻斷字일지라도 귀중한 자료임에 틀림없습니다.

우리 나라 서도가 한예漢隷의 영향에서 시작하여 위魏, 육조, 당의 영향을 받은 것은 사실이며 신라 때 당나라 명필 대가들의 체가 성행했다고는 하지만 중국 것을 소화하여 우리의 독특한 서도를 이룬 점도 특히 유의해야 할 것입니다.

고려 시대의 서예는 어떤 양상을 띠고 있는가

고려 시대로 내려오면 전하는 글씨 자료가 많아집니다. 더구나 불교가 홍했던 만큼 현존한 비석 묘지만도 근 5백은 될 것이며, 그 외 종명鐘銘, 금구명禁口銘, 향완명香垸銘, 도문陶文, 인각印刻, 기명器銘, 특히 사경寫經, 진적眞蹟까지 언급하려면 한이 없습니다.

고려 태조 때 상주국上柱國 벼슬을 한 이항추李桓樞*(일명 이환상李奐相이라고도 함)가 쓴 비문으로는 해주海州 광조사廣照寺 진철대사眞澈大師 보월승공탑비寶月乘空塔碑(태조 20년 건립)와 보리사菩

提寺 대경대사大鏡大師 현기탑비玄機塔碑(태조 22년 건립)가 있는데 구양순체를 터득하여 정연하고 엄숙합니다.

역시 태조 때 글씨로는 구족달具足達•(또는 仇足達이라고도 썼음)이 쓴 지장선원地藏禪院 낭원대사朗圓大師 오진탑비悟眞塔碑와 정토사淨土寺 법경대사法鏡大師 자등탑비慈燈塔碑(태조 26년)가 있는데 자고로 '북조北朝의 뜻이 있어 필력이 기이하며 위대하다'는 찬사를 받고 있습니다.

이 외에도 쓴 사람의 이름이 분명한 석문石文으로는 유훈율柳勳律이 쓴 강진 무위사無爲寺 선각대사先覺大師 편광탑비遍光塔碑와 김원金遠이 쓴 용두사龍頭寺 당간기幢竿記(광종 13년)와 김거웅金巨雄이 쓴 원주原州 거돈사居頓寺 원광국사圓光國師 승묘탑비勝妙塔碑(현종 12년)와 백운예白雲禮가 쓴 직산稷山 홍경사興慶寺 개창비開創碑(현종 12년)와 최윤崔潤이 쓴 영월寧越 흥녕사興寧寺 증효대사澄曉大師 보인탑비寶印塔碑와 국문박사國文博士 홍협洪協이 쓴 지리산智異山 지곡사智谷寺 진관선사비眞觀禪師碑와 한윤韓允이 쓴 해미海美 보원사普願寺 법인국사法印國師 보승탑비寶勝塔碑(경종 3년)와 고세이高世儞가 쓴 개성開城 흥왕사興王寺 대각화상大覺和尙 묘지墓誌와 유공권柳公權•이 쓴 서봉사瑞峯寺 현오국사비玄悟國師碑(명조 15년)와 김효인金孝印•이 쓴 청하淸河 보경사寶鏡寺 원진국사탑비圓眞國師塔碑(강종 13년)와 순천順天 송광사松廣寺 진각국사眞覺國師 원조탑비圓照塔碑 등이 있어 중국 구양순체의 묘를 체득하고도 다양합니다. 고려 때는 구양순체가 성행하였음을 알 수 있습니다.

역시 이름이 분명한 것으로서 자기 세계를 이룬 글씨는 일찍이 문경 봉암사鳳巖寺 정진대사靜眞大師 원오탑비圓悟塔碑(광종 16년)를 쓴 장단열張端說•의 글씨인 여주驪州 고달사高達寺 원종대사元宗大師 혜진탑비惠眞塔碑(광종 26년)가 단정하고 아담해서 일종의 청신한 기운이 돌고, 현종왕顯宗王 어필御筆 전액篆額 채충순蔡忠順 글씨인 개성開城 영축산靈鷲山 현화사비玄化寺碑(현종 12년)는 근엄 청수하고 비음碑陰 글씨는 변화 자재합니다. 임호林顥가 쓴 부석사浮石寺 원융국사비圓融國師碑(문종 8년)는 청조淸朝의 조지겸趙之謙•, 유희해劉喜海도 이를 언급하였습니다. 안민후安民厚가 쓴 원주原州 법천사法泉寺 지광국사智光國師 현묘탑비玄妙塔碑(선종 8년)는 운필이 명확 독특한 경지입니다. 이원부李元符•가 전篆하고 쓴 합천 반야사般若寺 원경왕사비元景王師碑(인종 3년)는 우세남虞世南•의 영향이 보이나 원융 무애하고 초범 온화超凡溫和하며, 인종仁宗이 전액篆額하고 문공유文公裕•가 쓴 영변 묘향산 보현사비普賢寺碑는 전부가 행서로서 송宋의 채양蔡襄•, 미불체米芾體도 가미된 듯 특이한데도 청수한 경지를 개척하였습니다. 오언후吳彥候가 쓴 개성 영통사靈通寺 대각국사탑비大覺國師塔碑(인종 3년)는 단엄 수려합니다. 이자림李子琳•이 쓴 고성高城 발연사鉢淵寺 진표율사眞表律師 장골탑비藏骨塔碑(신종 3년)는 기이한 편입니다.

다음 스님 글씨로는 석 현가釋玄可가 쓴 옥룡사玉龍寺 동진대사洞眞大師 보운탑비寶雲塔碑를 위시하여, 석 선경釋禪扃이 쓴 장단長湍 오룡사五龍寺 법경대사法鏡大師 보조혜광탑비普照慧光塔碑(혜종 원년)는 구양순•, 안진경顔眞卿•의 장점만을 취한 듯 특이한 체를 보입니다. '신라 때 스님 명필은 단속사斷俗寺 신행선사비神行禪師碑를 쓴 석 영업釋靈業이요, 고려 때 스님 명필은 춘천春川 문수원文殊院 중수비重修碑(인종 8년)를 쓴 석 탄연釋坦然•이라' 고 손꼽듯이 문수원 중수비는 신행선사비만은 못하지만 우리 나라 옛 행서의 쌍벽이라 일컫습니다. 이 외에도 스님 연의淵懿가 쓴 예천 용문사龍門寺 중수비重修碑(명종 12년) 등이 있습니다.

글씨 쓴 분을 알 수 없는 글씨로는 정토사淨土寺 홍법국사弘法國師 실상탑비實相塔碑(현종 20년 전후)와 사자빈신사獅子頻迅寺 석탑기石塔記와, 옥천 영국사寧國寺 원각국사비圓覺國師碑(명종 10년) 등이 있어 유명합니다. 외국 사람 글씨로는 당唐 태종太宗의 글씨를 집자각集字刻한 원주 흥법사興法寺 진공대사탑비眞空大師塔碑(고려 태조 23년 건립)와 글은 고려 태조 어제御製나 그저 막연히 옛 글씨에서 집자集字하여 새겼다고만 밝힌 풍기豊基 경청선원境淸禪院 자적선사慈寂禪師 능운탑비凌雲塔碑와, 원元나라 비서랑秘書郎 게굉揭浤이 쓴 임천林川 보광사普光寺 원명국사비圓明國師碑(공민왕 7년)와 신라 시대에서도 이미 언급했지만 왕희지 집자각으로서 의흥義興 인각사麟角寺 보각국존普覺國尊 정조탑비靜照塔碑(충렬왕 21년)와 김천 직지사直指寺 대장전비大藏殿碑(명종 15년)가 널리 알려져 있습니다.

역시 신라 시대에서 언급했지만 김생 글씨를 집자하여 새긴 봉화 태자사 백월서운탑비는 고려 광종光宗 5년에 세운 것으로서 너무나 유명합니다.

다음은 수많은 묘지를 등한시할 수 없지만 글을 지은 사람은 대개 밝혀 있어도 글씨를 쓴 사람의 성명은 거의 없으며 또 워낙 그 수효가 많아서 정리 언급하기란 쉬운 일이 아니기에 제외합니다.

차라리 내력이 비교적 자세히 알려진 비석 글씨를 좀더 소개하면 선봉사仙鳳寺 대각국사비大覺國師碑(인종 3년)는 석 린釋璘의 글씨이고, 춘천 문수사文殊寺 장경비藏經碑(충숙왕 14년)는 해서, 행서,

초서 삼절의 고려 명필 이군해李君侅•(뒤에 이름을 이암李嵒으로 고쳤음)의 글씨이고, 보은報恩 법주사法住寺 자정국존慈淨國尊 보명탑비普明塔碑(충혜왕후 3년)는 전원발全元發•의 글씨이고, 과천果川 조평양사당기趙平壤祠堂記(충혜왕후 5년)는 왕수성王守成의 글씨이고, 양주楊州 회암사檜巖寺 지공대사指空大師 부도비浮屠碑(우왕 4년)와, 여주驪州 신륵사神勒寺 보제존자普濟尊者 나옹화상懶翁和尚 석종기石鐘記(우왕 10년)는 고려 말기를 대표하는 명필 한수韓脩•의 글씨이고, 신륵사 장경비藏經碑(우왕 9년)와, 창성사彰聖寺 진각국사탑비眞覺國師塔碑(우왕 12년)는 권주權鑄•의 글씨이고, 회암사 선각왕사비禪覺王師碑(우왕 3년)는 권중화權仲和•의 글씨입니다.

이 외에도 수많은 무명씨의 석문石文 등 그 다양한 개성과 전통미를 일일이 언급할 수 없어 유감입니다.

좀 특수한 금문金文으로는 개성 연복사演福寺 종명鐘銘(충목왕 2년)이니(일제 때 개성 남문南門에 걸려 있었음) 예문각藝文閣 검열檢閱을 지낸 성사달成師達•의 글씨인데 그 종에는 또 범자梵字와 몽고문자가 있어 특이합니다. 역시 이색적인 것으로는 개성 선죽교善竹橋 불정다라니석당佛頂陀羅尼石幢의 범자梵字라 하겠습니다.

고려 시대의 글씨를 말함에 해인사海印寺 팔만대장경八萬大藏經을 빼놓을 수는 없습니다. 현종顯宗 때 시작된 부인사符仁寺 장경각판藏經刻板은 몽고 침입으로 병화에 다 타버렸고, 고종高宗 24년에 다시 시작하여 15년 만에 8만 6천6백86장의 대장경판大藏經板을 완성하니 우리 나라의 자랑만이 아닌 세계의 보물이며, 특히 애국 발원에서 이루어진 한민족 정신의 결정結晶이었습니다. 그 근엄하고 정성어린 한 자 한 자에 옛 마음이 스며 있어 보는 이의 옷깃을 여미게 합니다.

이처럼 고려가 불교를 숭상한 만큼 여러 가지 경판經板 판본板本, 사경寫經이 전하는데 감지紺紙에 금니金泥, 은니銀泥로 쓴 것, 백지白紙에 금니로 쓴 것, 다지茶紙에 은니로 쓴 것, 자지紫紙에 금니 또는 은니로 쓴 것 등 각각이지만 공통점은 글씨에 지극한 정성이 들어 있습니다. 거개가 '대방광불화엄경大方廣佛華嚴經' 아니면 '실상묘법연화경實相妙法蓮華經'을 쓴 것인데 서書가 도道와 직통하는 사경寫經 앞에서 그것이 당대唐代 사경체寫經體와 비교해서 어떻다느니, 송판宋板과 비교해서 어떻다느니 하고 말하기는 쑥스러운 노릇입니다.

다음 친필 진적眞蹟으로는 상주尙州 정솔사淨率寺 오중석탑五重石塔에서 나온 조성형지기造成形止記가 가장 오랜 것이 아닌가 합니다. 현종 22년에 쓴 그 먹 글씨는 당唐 시대 글씨풍을 벗어나 새로운 경지를 개척한 점에 있어서 송광사에 있는 고종高宗 제서권制書卷과 함께 쌍벽을 이뤘습니다.

이 외에도 태조太祖, 인종仁宗, 명종明宗, 유신柳伸•, 스님 충희冲曦, 순백純白, 혜소惠素, 영근英僅, 도휴道休, 시랑侍郎 박효문朴孝文, 윤징고尹徵古•, 소성후邵城候 김거실金居實•, 장유탄蔣惟誕, 오성悟性, 요연了然 등 글씨 잘 쓴 분들이 있었다고는 하나 글씨를 금석문金石文으로 남긴 그 외 분들의 친필이 과연 어느 정도 전하는지는 알 수 없는 형편이니 고려 중기, 말기를 통하여 필적이 전하거나 또는 글씨로 유명한 분들의 이름만 열거하기로 합니다.

최충崔沖은 문종文宗 때 분인데, 나라에서 대사상주국大師上柱國으로 대우했고, 동방東方 공자孔子라는 말을 들었는데 그의 기필설소가진豈筆舌所可盡 간찰을 온화한 군자풍이라고 한 것은 적당한 평인 듯 흔히 보는 조선 선비 글씨체가 이미 나타나 있습니다.

이규보李奎報•는 고종高宗 때 분으로서 『동국이상국집東國李相國集』을 남긴 고려조의 대문장이니 왜정 때 다산多山 소장所藏이던 간찰 글씨는 건실하면서도 힘찹니다.

문극겸文克謙•은 명필 문공유文公裕의 아들이며 충숙왕忠肅王 때 벼슬은 평장사平章事에 이르고 매사에 성실 공손하여 일세의 존경을 받았습니다. 그의 글씨로서 단 하나 전한다는 초서 귀인승야정歸人乘野艇 폭은 유창하면서도 고귀하니 지봉芝峯은 문공유, 이암, 석 탄연, 석 령釋靈, 문극겸을 고려 5대 명필로 꼽았습니다. 명종왕明宗王은 글씨도 그림도 잘했다고 하나 전하는 작품이 없습니다.

이인로李仁老•는 유명한 『파한집破閑集』 저자이니 초서, 예서도 잘 썼을 뿐만 아니라 그림도 잘 그렸다고 하지만 필자는 사진판도 본 일이 없어서 무엇이라 말할 수가 없습니다.

최선崔詵•은 문학으로 이름이 높으니 용수사龍壽寺 개창비開創碑와 분황사芬皇寺 정국사비靜國師碑 등 비문 글씨가 남아 있습니다.

유공권은 벼슬이 참지정사參知政事에 이르고 초서, 예서를 다 잘했다고 하나 글씨는 용인龍仁 서봉사瑞峯寺 현오선사비玄悟禪師碑가 전하고, 김인경金仁鏡•(혹은 양경良鏡이라고도 함)은 고려사에 예서를 잘 썼다고 나와 있으나 전하는 필적이 없는 듯합니다.

기홍수奇洪壽•는 고려사에 글씨를 잘 썼다고 나와 있습니다. 장자목張自牧•은 이규보, 이인로도 그의 초서를 크게 칭찬했으나 전하는 필적이 없는 듯합니다.

안치민安置民•은 『파한집』에 글씨가 기이하고 묘하다고 나와 있습니다. 최우崔瑀•도 옛 글에 명필이라 하였으나 전하는 것이 없습니다. 이주李湊•도 글씨가 전하지 않는 필가입니다.

곽예郭預•는 글씨가 마르고 맑고 건전하고 스스로 일가를 이루어서 그 시대에 많은 영향을 준 명필이었다는데, 아깝게도 전하는 것이 없습니다. 석 탁연釋卓然•은 『보한집補閑集』에 재상의 아들로서 필봉절륜筆鋒絶倫이라 소개되었을 뿐입니다.

이조년李兆年•은 문장가요, 벼슬은 예문藝文 대제학大提學에 이르렀는데, 전하는 곡종인불견曲終人不見 초서는 뇌락磊落합니다.

이제현李齊賢•(호는 익제益齊)은 원元나라 명필 조맹부趙孟頫(호는 송설松雪)와도 친교가 있었고, 학문과 시문詩文과 인품이 그 시대를 대표하였으며, 여러 가지 체를 다 잘 썼는데 특히 행서를 잘 썼습니다. 처음 우리 나라에 조맹부체를 들여온 분으로서 장차 조선 시대 선비들이 쓸 초서체의 전형을 남겨주었습니다.

이암은 고려 말기의 대표적 명필로서 벼슬은 좌정승左政丞에 이르고, 원나라 조맹부 필법의 정수를 체득한 단 한 사람이라고도 합니다. 뿐만 아니라 조맹부와 서로 겨룰 수 있는 명필이라는 평도 있습니다. 강남비불호江南非不好 시폭詩幅의 친필을 보면 조맹부의 영향이 강하게 나타나 있으나 오마계방할五馬鷄方割 폭 친필 글씨는 진대晋代 송대宋代의 특징을 마음대로 혼합 구사하고 있어 다양한 필법과 높은 안목을 여실히 보여줍니다.

최성지崔誠之•는 해서楷書로 유명하고, 석 종고釋宗古가 쓴 오대산五臺山 월정사月精寺 사시장경비社施藏經碑 행서는 원숙하다는 평이 있고, 한수韓脩는 비석 글씨를 남겼기 때문에 위에서도 언급했지만, 서법 절륜書法絶倫하여 일세가 존중하였다는 명필입니다.

스님 나옹懶翁•, 혼수混修•, 이문정李文珽 외에도 원나라 사람으로서 고려에 귀화한 설장수偰長壽• 등이 또한 글씨로 이름이 높았다지

마는 전하는 필적이 없어 유감입니다.

서·화를 다 잘한 공민왕恭愍王의 필적은 안동웅부安東雄府 현판 외에 속리산에도 현판이 있으나 지정至正 2년 3월부 교서敎書 친필은 필력이 자유 유창하여 비범합니다.

이강李岡•은 이암의 아들로서 부자 명필로 유명한데, 글씨체가 깨끗하고 아름답다는 평이 있습니다.

신덕린申德隣•은 서·화를 다 잘 했으니 특히 초서와 예서를 잘 썼고 필법이 기이하고 절묘하다는 평이 있습니다.

이 외에도 오늘날에 전하는 희귀한 고려 친필 중에는 강감찬姜邯贊•, 김부식金富軾•, 윤관尹瓘•, 안유安裕•, 이곡李穀•, 민사평閔思平•, 정몽주鄭夢周, 이색李穡, 길재吉再, 이숭인李崇仁•, 이종덕李鍾德•, 원천석元天錫• 등의 진적이 있어 혹은 뛰어난 기상으로, 또는 독특한 개성미로, 또는 높은 인품으로 각기 특색을 이루고 있기 때문에 개괄적인 총평을 내리기는 불가능합니다. 특히 이 중에서도 이종덕의 고일高逸한 고풍古風과 정몽주의 돈후 근직敦厚謹直한 글씨는 매우 특이합니다.

고려의 서도를 전기 후기로 나누어보면 전기는 거개가 금석 문자만 남았고 후기는 희귀한 친필과 금석 문자와 옛 서평書評에 의해서 윤곽을 짐작할 수가 있습니다.

고려가 대체로 중국 송·원 시대와 동시대이면서도 금석 해서는 당대唐代의 우세남虞世南, 저수량褚遂良체에서 벗어나지 못했고 더구나 구양순체를 압도적으로 답습한 원인은 무엇일까요.

진晋이 법첩法帖의 절정기였다면 당은 해서의 극칙極則을 완성한 시기였습니다. 송·원은 행서를 발전 대성시킨 시기인 만큼 고려만이 아니라 중국의 송·원도 해서만은 당풍唐風에서 벗어나지 못했던 것입니다. 그러나 고려의 금속 문자에서도 행서는 중국과 시대를 함께 하여 송의 소동파蘇東坡, 미불米芾, 채양蔡襄처럼 개성적 기상이 다양하게 나타나 있습니다. 원의 조맹부체도 들어와서 한마디로 표현할 수 없는 각인 각색의 준수한 필법을 전개하였습니다(참으로 소동파 글씨를 이해한 이는 완당이었으며 당대의 안진경, 송대의 황정견黃庭堅체가 우리 나라 글씨에 작용하기 시작한 것은 개화기 이후 근자의 일이니 시대의 역행逆行이라고나 할까 주목할 일입니다).

이렇듯 고려는 당의 해서를 지키고 시대와 더불어 송·원의 행서를 받아들이면서도 독특한 우리 나라 서풍書風의 기초 작업을 닦아 조선 시대로 넘겨주었습니다. 그러나 고려 후반기의 후기부터 시작하여 조선 시대 서도에 큰 영향을 준 것은 아무래도 원나라 조맹부의 송설체松雪體라 하겠습니다.

조선 시대의 서예는 어떠했는가

고려는 불교로 시종했으나 조선은 유교 숭상으로 접어들었습니다. 중국도 이미 원나라가 망하고 명明나라가 섰던 것입니다. 조선의 서도는 친필 글씨만으로도 논할 수 있으나 곤란한 것은 가짜도 상당히 많다는 점입니다.

친필 글씨는 대개 첩책帖冊으로 전하는데 그 이유는 건물 구조가 크지 못해서 대작大作이 드물기 때문이며 좀 큰 작품이 있다 해도 보관하는 데 편리하도록 조각조각 오려내어서 첩에 붙인 만큼 역시 간찰簡札 글씨가 많은 편입니다.

간찰 외에도 물론 건물에 건 큰 현판 글씨와 대작 병풍 등이 있으며 그림보다도 글씨를 매우 소중히 여긴 것도 사실이나 전하는 것이 비교적 흔하지 않은 원인은 자고로 그러하였듯이 거듭한 전란으로 많이 없어진 때문입니다.

우선 건국 당시의 글씨로는 이태조의 진적眞蹟이 서울대학교와 함흥 귀주사歸舟寺에 남아 있는데 웅건 뇌락합니다. 문종文宗은 특히 해서를 잘 썼는데 진대晋代의 진수를 체득했다 기록에 남아 있습니다.

그런데 국초는 거개가 고려의 유신遺臣으로서 조선을 섬긴 사람들의 글씨가 대부분입니다.

정도전鄭道傳(호는 삼봉三峰)의 송경松京 서폭 등은 기상이 준수합니다. 권근權近•(호는 양촌陽村), 이첨李詹•(호는 쌍매당雙梅堂)은 다 필명이 높으며, 신장申檣•(호는 암헌巖軒)은 김정희도 높이 평가했지만 그의 친필 건칭부乾稱父 폭은 명필 한석봉韓石峯의 선구가 됨직합니다.

성임成任(호는 일재逸齋)의 복봉하찰잉서伏奉下札仍書 간찰은 조선 간찰체의 본색을 보입니다. 하연河演•(호는 경재敬齋)의 화연봉구지華筵逢舊識 서폭은 특이한 일가를 이루었습니다. 황희黃喜(호는 방촌尨村)의 안화비송岸花飛送 폭과 욕비욕주欲飛欲走 폭은 관후 웅대합니다. 정난종鄭蘭宗•(호는 허백당虛白堂)은 건실합니다.

이 외에도 스님 만우卍雨•, 조말생趙末生•, 변계량卞季良•, 조준趙浚•, 맹사성孟思誠•, 정인지鄭麟趾•, 고득종高得宗•, 성개成槪, 성염조成念祖•, 안숭선安崇善•, 정창손鄭昌孫•, 안맹담安孟聃•, 이석형李石亨• 등이 유명합니다.

그러나 조선 서도에 절대적 영향을 준 첫번째 대명필은 안평대군安平大君•입니다.

세종대왕의 셋째아들 안평대군 이용李瑢의 자는 청지淸之요 호는 비해당匪懈堂, 매죽헌梅竹軒, 낭간 거사琅玕居士라고도 하니 당대의 모든 학자 선비의 존경을 한 몸에 받았습니다. 그는 단종端宗의 슬픈 역사에 또한 희생당하여 36세로 일생을 마친 그야말로 천상天上 인간이었습니다.

『용재총화慵齋叢話』에는 '서법 기절書法奇絶 천하제일天下第一이라' 하였고 이원교李圓嶠•는 그 서결書訣에서 '역대 어필御筆은 안평대군 글씨체를 익힌 것이다. 안평대군의 서풍書風은 국속國俗이 되었다' 고 한 그대로 대군의 글씨체는 영英 · 정조正祖를 전후하여 실학實學이 일어나기까지 조선 전반에 걸쳐 영향을 끼쳤습니다. 명나라 예겸倪謙과 사마순司馬恂이 '안평대군 글씨는 조맹부체에서 나왔지만 조맹부보다도 훌륭한 글씨라' 고 한 것은 정당한 평입니다.

명나라 명필 문징명文徵明•, 축윤명祝允明•, 동기창董其昌도 조맹부에서 그다지 벗어나지 못했다는 사실을 감안해야 합니다. 안평대군의 글씨는 행서, 초서, 해서, 예서, 금자사경金字寫經도 전한다고 하지만 동활자 경오자庚午字도 대군의 글씨인데 예를 들어 대군의 친필 글씨인 「몽유도원도夢遊桃源圖」 서문序文은 극히 고귀하여 신운神韻이 표묘하는 절세絶世 보물입니다.

역시 「몽유도원도」 서문 뒤에 잇달아 쓴 성삼문成三問, 박팽년朴彭年, 이개李塏, 이현로李賢老, 신숙주申叔舟의 글씨는 조선다운 기풍이 짙습니다.

이 외에도 유성원柳誠源• 등 생 · 사육신과 서거정徐居正•, 성희成熺•, 강희안姜希顔•, 강희맹姜希孟•, 김종서金宗瑞•, 김종직金宗直•, 허종許琮•, 안침安琛•, 박효원朴孝元•, 유호인兪好仁•, 임사홍任士洪•, 이숙감李淑瑊 등이 글씨로 유명하지만, 김시습은 험한 초서 등 여러 가지 체를 남겼고 성종成宗과 월산대군月山大君(성종의 형)은 일반과 다른 글씨 특색으로 쓴 것도 있습니다.

김굉필金宏弼•의 제자인 조광조趙光祖(호는 정암靜庵)가 38세로 쓰러진 사화士禍는 조선의 가장 순수한 정화精華를 꽃피우기 위한 선혈의 터전이 되었으니 그 뒤를 이어 도학道學이 나라에 찬란한 빛을 폈습니다.

주세붕周世鵬•(호는 신재愼齋), 이언적李彦迪(호는 회재晦齋), 서경덕徐敬德(호는 화담花潭), 성수침成守琛(호는 청송聽松), 이황李滉(호는 퇴계退溪), 조식曹植(호는 남명南冥), 서기徐起•(호는 고청孤靑), 송익필宋翼弼•(호는 귀봉龜峯), 이이李珥(호는 율곡栗谷), 기대승奇大升•(호는 고봉高峰) 등 도학자들이 속출하여 실로 조선 유교의 황금 시대를 이루었습니다. 이 위대한 분들의 필적을 살펴볼 수만 있다면 그 당시의 높은 정신 문화를 짐작할 수 있을 것입니다.

조광조의 필적은 건실하며 이언적의 필적은 너그러운 것도 있으나 동기창 행서풍行書風도 있으며 비교적 단일체를 쓴 서경덕은 청수 유려淸秀流麗하고 이황은 단정 온아하며 조식, 서기의 필적은 사진판도 본 일이 없어 뭐라 말할 수 없고 이이는 두세 가지 체를 썼습니다.

그러나 글씨에도 도학道學이 있다면 성수침의 필적은 동양에서도 그 짝을 찾을 수 없는 높은 품격을 완성하였습니다. 사람이 도달할 수 있는 순고淳古한 경지로서 예스럽고 창경하고 치졸하고 무심하고 검소하고 질박하여 마치 서법書法에서 벗어난, 그러나 그 인품이 아니면 아무도 흉내낼 수 없는 서도書道를 개척했습니다. 『해동호보海東號譜』에는 성수침을 평하여 '뜻을 기르되 충결沖潔하여 멀리 사물事物에 초탈하고 필법은 기고奇古하고 시詩도 또한 남산 유연南山悠然

의 홍취가 있다' 하였고, 이퇴계는 성수침의 묘갈墓碣에 쓰기를 '행서 초서를 잘 썼는데 필법이 웅건 창고雄健蒼古하여 스스로 일가를 이루었으며 그 득의한 바 운필은 비바람 치는 듯해서 세상이 보물로 삼고 있다' 하였고, 이율곡은 성수침 행장行狀에 쓰기를 '그 글씨는 아름다움을 구하지 않고 다만 기고 노창奇古老蒼함을 주로 삼아 붓끝은 신속하고 그 묘妙는 조화를 이루어 평하는 자 당대 제일이라 하며 그 글씨를 가진 자는 다 집안 보물로 삼고 있다' 하였습니다.

이퇴계보다 39세 연장인 농암聾巖* 이현보李賢輔의 자필 귀전록歸田錄에 있는 자작 시조 3수는 우리 나라에 전하는 한글 친필 글씨 중에서 가장 연대가 오랜 것이 아닌가 합니다. 또 하나 특히 말해둘 것은 양사언楊士彦(호는 봉래蓬萊)의 초서는 천의 무봉天衣無縫을 구현하고 있어 성수침과는 아주 대조적인 명필입니다.

이 외에도 조위曹偉*, 신종호申從濩*, 소세양蘇世讓*, 김안국金安國*, 김구金絿*, 김정金淨*, 노수신盧守愼*, 정유길鄭惟吉*, 황기로黃耆老*, 이해李瀣*, 박순朴淳*, 송인宋寅*, 김인후金麟厚* 등이 그 당시 글씨로서 유명하였습니다.

그러나 국초國初의 풍상과 건실한 노력에서 꽃핀 조선의 정수精髓 도학은 그 기간이 너무나 짧았습니다. 임진왜란이 이 강산을 여지없이 파괴해버렸던 것입니다.

그 당시 명현들은 거개가 국난을 겪었으니 윤두수尹斗壽*(호는 오음梧陰), 정철鄭澈*(호는 송강松江), 고경명高敬命*(호는 제봉霽峯), 유성룡柳成龍*(호는 서애西厓), 이원익李元翼*(호는 오리梧里), 이항복李恒福*(호는 백사白沙), 곽재우郭再祐(호는 망우당忘憂堂), 조헌趙憲*(호는 중봉重峰), 이산해李山海*(호는 아계鵝溪), 차천로車天輅*

(호는 오산五山), 김성일金誠一•(호는 학봉鶴峯)의 글씨는 건실하였습니다.

이때에도 놀라운 명필이 나왔으니 그는 학문이나 또는 외적과 싸운 공로에 의해서 유명해진 사람이 아닌 예술가였습니다. 한호韓濩(호는 석봉石峯)는 오로지 붓글씨 하나로 명성을 획득한 서도사書道史에 특출한 천재입니다. 그는 중국의 조맹부, 축윤명을 소화하고, 다시 나아가 우리 나라 고유미의 서도를 완성했습니다. 한호의 해서, 행서, 초서는 신라의 곡옥曲玉, 고려, 조선의 자기磁器와 견줄 수 있는 아담하고 건전하고 성실한 기품을 발휘하고 있습니다. 한호의 글씨는 이 나라의 미를 단적으로 제시하였습니다.

임진왜란 당시의 국서國書는 거개가 그의 글씨이며 명나라 제독提督 이여송李如松, 마귀麻貴 등과 유구琉球의 사자인 양찬梁燦 등도 글씨를 받아갔으며 당시의 명나라 한림翰林 주지번朱之蕃•은 '왕희지, 안진경과 서로 우열을 다툴 수 있는 명필이라' 평하였고, 중국 학자 왕세정王世貞•은 평하기를 '성난 고래가 돌을 쪼개고 목마른 용마龍馬가 샘물로 달리는 격이라' 고 격찬하였습니다. 그가 조선 서도에 끼친 공로는 결코 안평대군만 못하지 않아 조선 글씨체에 큰 영향을 끼쳤습니다. 즉 우리 나라 국민성에 맞는 글씨체였던 것입니다.

또한 그 당시를 전후한 글씨로는 성수침의 아들 성혼成渾•(호는 우계牛溪)이 부친의 필법을 잘 이어받아 격조 높은 경지를 유지했고 이의건李義健•, 배삼익裵三益•, 이제신李濟臣•, 윤근수尹根壽•, 이정귀李廷龜•, 백광훈白光勳•, 김여물金汝岉•, 이호민李好閔•, 우성전禹性傳•, 오억령吳億齡•, 신흠申欽•, 이명한李明漢• 등 외에도 많은 분들이 글씨로 유명하였습니다.

특히 충무공 이순신李舜臣 장군의 필적, 예를 들어 『난중 일기亂中日記』는 글씨가 하나의 도道로서 높이 평가되는 본보기라 하겠습니다.

고려가 원에 시달렸듯이 조선도 청淸을 겪게 되니 병자호란丙子胡亂은 외우 내환에 박차를 가하여 나라를 고식 인순枯息因循으로 몰아넣었습니다.

명에 대한 숭배는 향수鄕愁로 남고 새로운 기운을 여는 청에 대해서는 아니꼽다는 생각만 했으니 문화는 답보 상태로 침체하고 당쟁은 점점 고질이 되었습니다.

그래도 인조 반정仁祖反正을 겪고 병자호란에는 거국적 기상이 넘쳐 최명길崔鳴吉•(호는 지천遲川), 김상용金尙容•(호는 선원仙源), 김상헌金尙憲•(호는 청음淸陰) 형제, 이경석李景奭•(호는 백헌白軒) 등의 필적은 혹은 온화하고 혹은 씩씩하고 혹은 집착력이 있거나 아니면, 같은 솜씨라도 때에 따라 활달 무애한 기품이 있습니다.

연원을 따지면 송익필(초서가 비범하다)의 제자 김장생金長生•(호는 사계沙溪), 김집金集•(호는 신독재愼獨齋) 부자父子 글씨는 독특합니다. 그 제자 송시열宋時烈•(호는 우암尤庵)의 후중厚重한 별체와 송준길宋浚吉•(호는 동춘당同春堂)의 온아한 글씨는 매우 대조적이며 윤증尹拯•(호는 명재明齋)의 질박한 무게와 권상하權尙夏•(호는 수암遂庵)의 깨끗하고 강직한 글씨 또한 어느 모로나 대조적입니다.

소위 세도 집안을 형성한 김수항金壽恒, 김수증金壽增• 형제의 글씨는 기상이 맑고 곧고 김창집金昌集• 형제의 글씨도 각기 특색이 있어 보는 이의 취미에 따라 취사 선택이 각각 다를 것입니다.

그러나 이런 때에도 조선 서도를 대표할 동양의 명필이 출현하였습니다. 바로 허목許穆(호는 미수眉叟)이니 그의 전서, 행서, 해서, 초서는 타의 추종을 불허하는 특이한 세계입니다. 즉 중국, 일본에도 그 계열을 찾아볼 수 없는 글씨체를 창조한 것입니다. 청조淸朝의 등완백鄧完伯•이 옛 전서를 새로 쓴 제일인자라 하지만 명조明朝에 대한 향수만으로 시대의 변화와 진전을 외면하던 당시에 일찍이도 허목이 우비禹碑에서 배웠다는 고전古篆을 만들고 높은 인품과 예술성을 부여한 것은 동양 서도사에 특기할 일입니다. 홍양호는 허목이 쓴 동해척주비東海陟州碑에 대해서 다음과 같이 말하였습니다. '동방東方의 글은 허목이 가장 고古하여 때로는 진비 한정秦碑漢鼎에 속하고, 필법은 주周나라 태사太史를 본받아 스스로 새로운 체를 창조하였다. 그 형태는 휘감고 엉키어 천세千歲의 고등古藤과 같다' 고 하였습니다. 그런가 하면 홍길주洪吉周•는 그의 저서에서 '허목의 글씨는 결정파돈缺鼎破敦류인 은殷 · 주周 시대 고기古器의 문자라고 억지를 부리는 것 같다. 어리석어 기이한 것을 좋아하는 자는 왕왕이 현혹당한다' 고 혹평하였습니다. 이는 허목이 얼마나 침체한 인습을 타파하고 놀라운 창조를 감행했는가를 도리어 반증反證한 데 불과합니다. 당시 판서 이정영李正英•은 '허목이 그런 전서를 쓰지 못하도록 금하십시오' 하고 상감에게 고했습니다. 허목은 자기에 관한 그 소문을 듣자 '아침 해가 동쪽 산에 솟으니 안개가 거처하는 집 주위에 일어나도다. 내 창 바깥 세상 일은 알지 못하거니 먹을 찍어 옛 글씨를 쓰는도다' 하고 시를 지어 심정을 읊었습니다. 허목을 고고孤高한 인격에서 우러나온 뛰어난 명필이니 정조는 그를 '선풍도골仙風道骨이라' 평하였습니다.

그 후로 윤순尹淳•, 강세황姜世晃•, 이원교가 무던히도 서도에 노력했으나 결국 놀랄 만한 경지를 개척하지 못한 채 뒷사람을 자각自覺

시킨 밑거름이 되었습니다. 이들을 전후한 오준吳竣•, 조문수曹文秀•, 송민고宋民古•, 박세채朴世采•, 윤순거尹舜擧•, 김좌명金佐明•, 신익전申翊全•, 이정영, 박태보朴泰輔•, 윤두서尹斗緖•, 조태억趙泰億•, 조윤형曹允亨•, 유한지兪漢芝 등 이외에도 많은 사람이 글씨로 유명했습니다.

한구 활자韓構活字를 쓴 한구韓構•의 글씨와 한자리에서 말하기는 좀 뭣하나 남구만南九萬•, 박문수朴文秀•, 이인상李麟祥• 등이 각기 독특한 글씨를 남겼습니다.

그러다가 영·정조간에 이르러 실학 사조實學思潮는 마침내 침체한 우리 나라에 도입되어 새로운 기풍을 일으켰으니 글씨로 말하면 우선 영조와 특히 정조는 왕가王家의 재래 전통인 안평대군 체에서 벗어나 독자적인 체를 여러 가지로 구사했고, 박지원朴趾源•(호는 연암燕巖)의 글씨는 호방 준수하고 박제가朴齊家•(호는 초정楚亭)의 글씨는 부드러우면서도 대륙적입니다. 정약용丁若鏞(호는 다산茶山)은 서너 가지 체를 자유자재의 필법으로 구사하여 참신한 기풍을 일으켰습니다. 신위申緯(호는 자하紫霞)는 든든하고도 부드러우면서 높은 격조를 보여주었습니다. 그러나 동양 서도사상 그 유례를 찾을 수 없는 일대 명필은 김정희입니다.

김정희(호는 추사秋史, 완당阮堂 등 많음)는 전무후무하고 변화 무궁한 조화의 명필입니다. 박규수朴珪壽는 추사를 평하기를 '모든 대가의 장점만을 따서 일가를 이루었으니 그 신기神氣는 바다 같고 조수 같아 용이 솟아오르고 범이 뛰는 듯 기이하고도 특수한 추사체를 완성하였다' 하였으며 이상적李尙迪•은 '선생은 진秦·한漢 이전의 글씨까지 모조리 연구하였다' 고 밝혔습니다. 추사를 말할 때에 흔히 공전 절후空前絶後니 청고 호매淸高豪邁니, 고고 특절高古特絶이니, 순진 무사純眞無邪니, 창울 경건蒼蔚勁健이니 하는 문구를 인용해서 예찬하는데 이는 조금도 과찬이 아닙니다. 추사는 실로 위대한 예술가며 학자며 스승이었습니다.

추사와 당대 중국 일류 학자들과의 교분까지 소개하려면 한이 없기에 이 정도로 줄입니다. 추사체가 그 당시 모든 인사에게 얼마만한 영향력을 주었는가는 권돈인權敦仁(호는 이재彝齋), 허연許鍊(호는 소치小癡), 조희룡趙熙龍(호는 우봉又峯), 신헌申櫶*(호는 위당威堂), 대원군大院君 등의 글씨를 보면 곧 짐작할 수 있을 것입니다. 그러나 아무도 김정희를 능가하지 못했다는 데에 김정희의 위대함이 있습니다.

그들 외에 조광진曺匡振*(호는 눌인訥人), 이삼만李三晩(호는 창암蒼巖)이 북쪽과 남쪽에서 평생 적공하여 각기 큰 업적을 남겼습니다. 둘은 출세하지 못한 지방 사람이었습니다.

추사의 후배인 이상적(호는 우선藕船), 김석준金奭準*(호는 소당小棠), 오경석吳慶錫*(호는 역매亦梅) 등은 용하게도 김정희 추사체에 걸려들지 않고 각기 안목 높은 글씨를 남겼으니 또한 대견한 일입니다.

그러나 이런 실학 기풍은 서구 문명을 받아들여 근대화하려다가 조선은 끝났습니다. 일제 36년을 지나 해방과 더불어 국토는 양단되었습니다. 그러므로 비교적 근자의 서도에 관해서 판단을 내리기는 너무나 이른 감이 있어 생략합니다.

끝으로 여류 글씨를 들자면 신사임당申師任堂과 왕가 출신인 이원李媛의 필적이 희귀한 존재로서 전해집니다.

조선 시대 서도에 큰 영향을 준 명필은 위에서도 말한 바와 같이 안평대군, 이용, 석봉 한호, 추사 김정희입니다. 연대를 떠나 홀로 높은 경지를 창조하여 동양 서도에 독보를 이룬 분은 청송 성수침, 미수 허목, 추사 김정희라 하겠습니다.

우리 나라는 자고로 거듭된 전란 때문에 다른 문화재와 마찬가지로 전하는 옛 글씨가 많은 편은 아닙니다.

일본 사람과 그 외의 외국 사람이 얼마나 많이 가져갔는지 모르겠고 6 · 25 동란 때만 해도 얼마나 없어졌는지 알 수가 없습니다.

비록 늦은 감이 없지 않으나 사적史的인 방대한 우리 나라 글씨 전집과 빠짐없는 김정희 작품 전집 등 대가급 명필 작품을 계속 영인 출판하여 옛 조상의 정신을 찾아내야 할 것입니다. 툭하면 중국 영향만 받았느니 아니면 중국 누구누구를 모방한 것이니 하는 비판을 버리고 독특한 우리 나라 서도의 발전 과정을 종횡으로 구명해야 합니다.

글씨는 한 사람이 쓴 것이라도 나이와 환경과 심리 상태에 따라 글씨체가 달라질 수도 있느니 만큼 불충분한 자료와 식견으로 정확한 판단을 내리기란 거의 불가능합니다. 더구나 나는 이 글에서 많은 과오를 범했을 줄로 압니다.

조선 민화와 도자기

옛 민화民畵와 도자기는 서로 통하는 점이 있습니다. 누가 그렸는지, 누가 만들었는지를 알 수 없습니다. 자필 서명과 또는 도장이 찍힌 그림이나 글씨라면 작품에서 종합적으로 연구도 할 수 있습니다. 작자에 대한 지식으로서 작품에 대한 이해도 넓힐 수가 있습니다. 그러나 민화와 도자기는 작자를 모르는 것이 특징입니다. 시대에 따라 서민층에서 생겨난 것입니다. 작품에 따라 시대 차이도 있습니다. 같은 시대에도 종류가 많습니다. 어떤 시대의 어떤 것을 좋아하느냐는 것은 사람에 따라 다르며, 특색 있는 것이면 다 좋아하는 분도 있습니다.

말하자면 작자 미상의 작품은 작품 자체가 전부입니다. 그 이상도, 그 이하일 수도 없습니다. 민화는 옛 서민 정서를 전합니다. 도자기는 옛 우리 조상의 가정 생활 정서를 전합니다. 조선 민화와 도자기를 안다고는 할 수 없지만, 그러나 한마디로 요약할 수 있습니다. 세계에서 우리 나라만이 만들었고, 다른 나라에서는 만들 수 없었던 것입니다. 흔히 말하는 민족 유산이 특색입니다.

우리는 조상이 남긴 물건에서 여러 가지를 배웁니다. 보다 이해할 줄 아는 핏줄이 이어 있습니다. 자고로 우리 나라는 강대국도 아니며, 오늘날 북구北歐의 몇몇 조그만 나라처럼 우울한 낙원樂園도 아니었습니다. 우리 조상은 어떻게 살았으며 자손을 길렀을까요. 옛 일반 서민 예술인 민화와 가정 정서의 표현인 도자기에서 좀더 찾아볼 수가 있습니다. 겨레는 이웃 나라로부터 늘 타격을 받았건만 착한 의지意志로 살아왔습니다. 민화에서 예를 든다면, 흔히 보는 범은 거개의 경우 까치와 함께 있는데, 그들은 친구간입니다. 사나운 범도 착하고 유머러스한 정신으로 표현되었습니다. 범은 산신령님에게 복종하고 횡포를 물리치고 억울한 자를 돕는 선善과 웃음으로 나타나 있습니다. 소위 민요民窯 도자기에서 풍기는 꾸밈없는 인간성과도 상통합니다. 가난과 불행에서 조형된 인정은 거룩하였습니다. 세계가 물질 문명으로 잃은 인간의 고향을 누구나 옛 우리 도자기에서 돌아볼 수 있습니다. 또한 민화는 어떤 역경에도 고독하지 않는 소박한 꿈이었습니다. 화훼花卉, 조수鳥獸, 문방 도구文房道具 등 그 외에도 여러 가지가 있습니다. 어느 정도 중국 미술에 영향을 받았으면서도 독자獨自의 숙달한 경지를 발휘한 화원畵員의 전문 그림과 또는 인격과 기상氣像을 주로 한 문인화文人畵를 낮게 평가하려는 것은 아닙니다. 민화는 전문 화가나 지식층의 작품과 다릅니다. 서로가 매우 다르기 때문에 서로의 가치를 발견할 정도입니다. 전문 화가의 표현 기교 숙달과 개성 개발에 비교하면, 민화는 서툴지만 순진한 정성이 스며 있습니다. 일반 서민을 위한 서민 예술입니다. 백성들의 소망이며 위안이었습니다. 민화를 요약해서 말하면 얼마나 평화를 사랑하고 웃음을 좋아한 백성인가를 알 수 있습니다. 불신, 증오, 기만, 질시, 야욕, 침략 따위는 전혀 찾아볼 수가 없습니다. 집안의 소재消災를, 자손 번영을, 수복강녕壽福康寧을 비는 인간성이 밑바닥에 깔려 있습니다. 서로서로 경사慶事가 있도록 돕고, 축복하는 원색原色을 곧잘 썼습니다.

그러나 도자기는 민화와 좀 다른 점이 있습니다. 역시 상민의 손으로 이루어진 점은 같습니다만, 도자기에는 궁중용, 양반용, 서민용, 의식용, 또는 종교용, 안방용, 사랑방용, 그 종류와 계층을 이루 헤아릴 수가 없습니다. 신라 토기土器의 건실성과 고려 청자의 순수한 꿈을 제외하고도, 조선 백자는 흙으로 살결을 만들었나 하면, 불 속에서 백의관음白衣觀音을 이루어놓기도 하였습니다. 그 형태로 말할지라도 건전한 기질과 절묘한 착안着眼과 고귀한 기품과 청초한 서정 등이 보는 이를 압도합니다. 진사辰砂, 철사鐵砂, 청화靑華로 그린 그림도 정교한 것과 뇌락한 것과 해학적인 것과 추상적인 것 등 다양합니다. 그러나 특히 일반 서민용이었던 도자기를 주목해야 합니다. 무기교無技巧의 기교라는 높은 차원, 평생 고생만 하신 어머님의 땀내와 젖냄새가 절은 것 같은 사랑의 빛깔, 착하고 불행했던 인간의 어진 마음씨, 담담한 한恨에서 번지는 도덕적 광명…… 이런 내용을 무슨 말로 표현해야 할지 모르겠습니다. 거듭 말하지만 옛 도자기와 민화는 우리 조상의 마음씨였습니다.

현대식으로 꾸민 실내에 옛 민화를 걸어두고 보십시오. 양서洋書가 많은 서재에 옛 도자기를 놓아봅시오. 세계 어떤 곳에 두어도 언제나 크게 어울리는 데에 깊은 감명을 받을 것입니다. 공해公害에 직면한 오늘날일수록 인간 본성의 고향은 너무나 귀중하기 때문입니다. 물질문명의 부작용과 허탈에서 너그러운 인정은 너무나 아름답기 때문입니다. 우리 민족 문화를 사랑한다는 단순한 의미가 아닙니다. 우리도 세계에 이바지해야 할 양식良識과 아름다움이 흐른다는 자각自覺이 있습니다.

1972

고려 팔만대장경

고려 8대 왕인 현종顯宗 2년은 서기 1011년이다. 그해에 계원군契圓軍은 고려 송경松京으로 쳐들어왔다. 나주羅州로 몽진한 현종은 부처님께 이 나라 수호를 빌고 모든 신하와 함께 대장경을 조판하기로 서원하였다.

과연 일대사 인연이 동토東土에 있었음인지 한 달도 못 되어 거란군은 스스로 물러갔다.

이에 고려는 거족적인 대장경 조판을 시작하였다. 나라를 위한 그들의 힘은 삼천대천세계를 위하는 자비와 통하였다. 거창한 불사는 모든 업고業苦 중생을 위하는 보리심菩提心이기도 하였다.

현종, 덕종德宗, 정종靖宗, 문종文宗, 4대 만에 마침내 송나라 신역新譯의 경 · 율 · 논까지도 완비한 대장경이 이루어졌다. 이를 초조初彫 고려 대장경이라 한다.

그 6천 권 경판經板은 대구 팔공산八公山 부인사符仁寺에 모시었다. 부처님의 과거세 다겁多劫 수행은 다난多難하였다. 그와 마찬가지로 고려가 세계의 대광명大光明을 성취하기에는 더 많은 시련을 겪어야 했다.

고종高宗 19년은 서기 1232년이다. 이번엔 몽고군의 침입으로 고종은 강화로 도읍을 옮겼다. 옛날에 4대 만에 완성했던 초조 대장경 경판은 그때 외적의 병실兵失로 잿더미가 되었다.

광고曠古의 국난을 당한 고려는 무엇을 했는가. 고종 23년은 서기 1236년이다.

왕은 부처님께 빌어 적군을 물리치고자 고해苦海를 구제하고자 옛 현종 때의 일을 본받아 모든 신하와 함께 또 일대 서원을 세웠다.

강화에 도감都監을 두고 진주晋州 부근에 분사分司를 두고 거국적인 대장경 조판에 또 착수하였다.

고려는 몽고군과 끝없이 싸우면서 피비린내 속에서 계속 경판을 새겼다. 거룩한 비원이었다.

빛나는 불퇴전不退轉이었다. 세상의 평화는 모든 개인의 행복에서 이루어지며, 한 국가라도 비참하면 천하의 모든 평화는 무너진다는 책임감이었다.

수심에 싸인 고려는 대지가 불토佛土임을 알고 있었다. 도탄에 빠진 민족은 너나없이, 물론 적군까지도 다 함께 불도佛道를 성취할 수 있음을 우러러 믿었다.

이리하여 16년 만에 재조再彫 고려 팔만대장경, 경 · 율 · 논 삼장三藏은 드디어 완성하였다.

이때가 고종 38년 9월이요 서기로 말하면 1251년이다. 재조 대장경은 8만 1천2백58판이며 앞뒤로 새겼으니 16만 2천5백16면의 거질巨帙이다.

이들 경판은 거제목巨濟木을 3년간이나 바다에 담갔다가 소금물에

삶고 그늘에 말리고 다듬어서 옻칠을 한 것이라 한다.

자고로 그 글씨는 육신지필肉身之筆이 아니요 선인지필仙人之筆이라고도 한다. 어느 시대, 어느 국토에도 흥망성쇠는 있지만 일단 지나고 보면 그뿐이다.

그러나 난리 속에서 세운 그들의 무상 대원無上大願은 그것으로 끝나지 않았다.

그들이 조성한 대보大寶는 국가와 민족과 시대와 공간을 초월한 불멸이었다.

7백 수십 년이 지난 오늘도 신라 고찰인 합천陜川 해인사海印寺 수다라장修多羅藏 법보전法寶殿에는 세계 최고最古 최완最完의 팔만대장경 경판이 그대로 봉안되어 있다.

기와 지붕에는 날짐승이 앉지 않고 나무 뿌리도 비키어 뻗는 곳이다.

한 자 한 자가 무량광명無量光明이다. 고려는 중생 고苦를 대신한 바로 보살들이었다.

1971

내가 보는 20대의 문학

부모가 자녀의 앞날에 대해서 신경을 쓰듯이 선배는 후배들의 진로와 태도를 주목하게 마련이다. 모든 선배가 그들의 선배와 다른 길을 취하였듯이 모든 후배는 그들의 선배와 다른 길을 취하지 않을 수 없는 여건 하에 놓여 있다. 여건이란 시대의 변천에서 오는 세대 차이를 말하는 것이다.

여러분은 우리 나라 1910년대, 20년대, 30년대 문학의 놀라운 변모를 알고 있듯이 해방 후 20년간 돌아볼 때, 그리고 자기가 처해 있는 현실을 둘러볼 때, 앞날에 대한 새로운 길을 모색하게 될 것이다.

나는 10년이면 문학 조류가 달라진다는 말을 믿는다. 지금 문단의 분포 상황을 볼 것 같으면 60대와 20대가 같은 시대에서 활약하고 있다. 50대 이상은 그들 문학의 원숙기에 접어들고 40대, 30대는 각자의 개척 지대를 넓히기에 경쟁 중이고 20대는 선배들의 주목을 받으면서 증가 일로에 있다.

흐뭇한 일이 아닐 수 없다. 왜냐하면 나는 영원한 걸작이란 걸 믿지 않는다. 한 사람이 그 시대에서 인간으로서의 그의 가능성을 다하는

데 중점을 두기 때문이다. 비근한 예를 들자면 우리 나라에 기욤 아폴리네르•가 있을 수 없었듯이 불란서에 육당이 있을 수 없었던 것과 같다.

그러나 오늘날, 더구나 20대에 있어서는 사정이 다르다. 하나의 문제는 세계적 문제이며, 한 사람의 과제는 모든 나라 사람의 관심이 될 수 있다. 그러므로 우리 나라의 20대의 문학관을 말하는 것은 시기 상조로 알지만 그들의 작품에 나타나는 몇 가지 점을 내 나름대로 주의하고 있다.

시에 있어서는 의식 세계를 탐험하기 전에는 볼 수 없었던 놀라운 기교를 몇몇 젊은 시인이 구사하고 있다. 어떤 우수한 작품은 선배들의 이론적 실험 단계를 벗어나 거의 완벽에 육박하고 있다는 것이다. 그런가 하면 이와는 반대로 생활과 체험을 통한 고발 정신을 심화한 20대 시인들이 있다.

그들이 선배들보다 다른 점은 사고思考 처리가 매우 세련되어 있다는 점이다. 이들 몇몇 시인의 우수한 작품은 다루기 어려운 고독, 슬픔, 부르짖음까지도 생경生硬하지 않다. 그들이 20대의 나이에 비해 정신 연령이 훨씬 높다는 것은 특기할 만한 일이다.

다음 20대 소설가를 언급하기 전에 미리 말해둬야 할 것이 있다. 소설가는 시인처럼 도중에 그만두는 사람이 비교적 드물다. 그들에게는 다행히도 대중 소설로 전향할 수 있는 길이 열려 있다. 그러므로 나는 20대 소설가를 말하기 전에 과연 그들 중 몇 사람이 그들의 새로운 문학관을 앞으로 발전시킬 수 있을까 하고 의심하는 편이다.

그러나 내가 20대 소설가에게 기대하는 바는 크다. 잘 알다시피 우리 나라 신문학 이래의 소설은 다양한 발전 과정을 겪어왔다. 그렇게 엄밀히 말해서 얼마든지 지금까지를 분류할 수도 있을 것이다.

그러나 내가 알기로는 사실주의에서 벗어나지 못한 것이 우리 나라 소설의 실정인 것 같다. 그런데 이 넓은 의미에서의 사실주의 소설의 아성이 요즘 20대 몇몇 소설가에 의해서 흔들리기 시작하지 않았을까 생각한다. 그들은 일상 생활을 취급하는 데 있어서도 있을 수 없는 믿을 수 없는 거짓말을 전개시킨다. 이것은 무엇을 의미하는 것일까. 즉 소설에서 말하는 바 허구의 차원이 달라졌음을 우리는 지적할 수 있다.

몇몇 우수한 젊은 작가는 사실로는 현실조차도 따라갈 수 없다는 사실을 알고 있다.

나는 소설의 위기가 20대 소설가에 의해서 타개될 때가 왔음을 믿는다.

사실주의적 이야기 줄거리를 알기 위해서 소설을 읽는 시대는 지나갔다. 그러한 욕구는 영화나 라디오 드라마나 TV로 짧은 시간에 책보다 싼값으로 얼마든지 즐길 수 있다.

이러한 여러 가지 점에서 볼 때 몇몇 20대 소설가의 새로운 시도는 다음날 우리 나라 문학사에 중대한 위치를 차지할 것이다. 또한 차지해야만 할 것이다.

20대 소설가 중에서 이러한 징조가 나타난 이상, 우리는 그들을 논단論斷하기 전에 그들의 성장을 지켜주어야만 한다.

논평에 대해서도 간단히 몇 마디 할까 한다. 20대 논평가 중 몇 사람은 선배들과 다른 특색을 나타내었다. 그들은 논평과 욕설을 삼간다. 그들은 논쟁 대신 그들의 문학관을 신중히 말하거나 욕설 대신 논평할 작품을 신중히 선택하는 편이다. 재래식 비평론에서 벗어날 것인가는 기대할 만하다.

부산 피란 시대 때 문인들 간에는 이런 말이 있었다. 우리 나라는 세계적 작품이 나올 충분한 바탕이 구비되어 있다. 그런데도 왜 작품이 저조하냐는 것이었다. 그들은 스스로 변명하기를 전쟁 중에는 걸작이 안 나오는 것이 통례라 하였다. 세월이 지나가서 어느 정도 냉정을 돌이켜야 쓸 수 있다는 것이다.

과연 그럴까. 부산 피란 시대 때 발표된 우리 나라 작품이 다 저조했다고 단언할 만한 용기는 없다. 몇 해 전에 어느 분이 이런 말을 했다. 우리 나라 현대 작품에는 왜 『일리아드』나 『전쟁과 평화』 같은 대작이 안 나오느냐는 것이다. 오늘날 시인이나 작가들 중에 그런 대작을 모방하기 위해서 그런 대작을 읽는 사람은 아마 없을 것이다. 이와는 반대로 철없는 20대 후배의 작품을 예의 주목하는 이유는 알아야 할 것이다.

여기서 말한 대표적 20대 시인, 작가, 평론가의 이름과 작품을 실제로 들지 않았기 때문에 너무 막연하다고 할 분도 있을 것이다.

'20대의 문학관' 이라고 제목을 단 것은 남을 납득시키려는 것보다도 보아온 관점이 맞는가 틀리는가를 다음날에 스스로 가늠해보기 위해서였다.

누구나 자기가 못한 점이 있으면 자손에게 기대하듯이 문학에 있어서도 후배에 대한 기대는 언제나 과중하다.

1967

못 잊으면 오나 보다

『한국 인명 대사전』에 나오는 황현黃玹 선생을 그대로 옮긴다.

황현黃玹. 1855(철종 6)~1910. 조선 학자. 우국지사. 자는 운경雲卿. 호는 매천梅泉. 본관은 장수長水. 시묵時默의 아들. 전남 광양光陽 출신. 어려서 구례求禮로 이사했다. 시문詩文을 잘 지어 어른들의 칭찬을 받았으며, 1885년(고종 22) 생원시生員試에 장원했으나 시국의 혼란함을 개탄하고, 향리鄕里에 은퇴했다. 1910년(융희 4) 한일 합방 때 국치國恥를 통분하여 절명시絶命詩 4편을 남기고 음독 자결했다. 이듬해 『매천집梅泉集』이 영남 · 호남 선비들의 성금으로 출간되었고, 한말의 역사를 쓴 『매천야록梅泉野錄』은 1955년 국사편찬위원회 사료 총서 제1권으로 발간되어 한국 최근세사 연구에 귀중한 사료가 되고 있다. 1962년 대한민국 건국 공로 훈장 복장複章이 수여되었다.

매천 선생은 오랜 우리 나라 한시사漢詩史를 마무리지은 대시인이

시다. 선생 절명시의 시구 '秋燈掩卷懷千古 難作人間識字人'[55]은 나 같은 사람도 일찍이 들어서 알고 있었다. 그래서 『매천집』을 구해볼 생각을 품어왔었다.

서화상하는 이가 고서古書들을 보러 갑시다기에 따라갔더니 가난한 판자집이었다. 볼 만한 책이 없었으나 뜻밖에 『매천집』이 있기에 값을 물었다. 선비의 후손이라는 가난한 판잣집 주인은 나를 어떻게 보았는지 너무나 엄청난 값을 불렀다. 판잣집을 나올 때 하 섭섭해서 할머니 품에 안겨 있는 그 집 손자아기에게 과자나 사 먹으라며 지화紙貨를 쥐어줬다.

그 집 식구들이 놀라는 상이었다.

언젠가는 최남백崔南伯 씨 댁에 초청을 받아 갔더니 『매천집』이 있기에 빌려와서 읽어본즉 돌려줄 생각이 나지 않았다. 몇 해가 지나도 아무 말이 없기에 다행으로 여겼건만 그는 내 집에 와서 받아갔다.

다시 세월이 흘렀다. 결국은 통문관通文館 이겸노李謙魯 옹이 『매천집』 상 · 하 두 권을 구하여주었다. 뭐건 잊지 않고 기다리면 구하여지나 보다.

책을 구한 후로 매천 선생 친필을 구할 생각이 났다. 다시 세월이 흘러 어느 날 매천 선생 친필 몇 폭이 첩에 끼여 내 집에를 찾아오셨다. 값을 따질 처지가 아니었다. 선생의 자작시 친필을 소개한다.

讀書長眼力
能識靈山址
不恨來者少
數家自一里

出門卽樵漁
入室有經史
種花莫種桃
恐有花浮水
　　梅泉

독서는 긴 안목의 힘이라서
능히 영산의 터를 아네.
찾아오는 사람이 적으면 어떠랴.
몇몇 집이 저절로 한 마을을 이루었다.
문을 나서면 바로 초동樵童과 어옹漁翁이요,
방에 들어오면 경권經卷과 사적史籍이로세.
꽃을 심되 복숭아나무는 심지 말게나
꽃이 물에 뜰까봐 시름하노라.
　　매천

나를 위하여 쓰신 친필 같기만 했다. 표구사에 맡겨 액자에 넣어 방에 걸면 좋겠다는 생각이 들고는 했다. 그러나 함부로 풀칠을 하기도 아까워서 전하여진 그대로 간직하고 있다. 뭐건 잊지 말고 기다리면 언젠가는 이루어지나 보다.

당나라 때 두보보다도 매천 선생의 시를 더 가까이 느낀다. 그럴 수밖에 없는 것이 선생과 두보 사이는 근 천여 년의 시차가 있는데다가 더구나 선생은 우리 나라 대시인이다. 조선 왕조의 녹祿을 한 톨도 잡숫지 않았건만 나라가 망하자 자결하셨다.

구례 화엄사 가까이 매천 선생 고택故宅이 있다는 말을 들은 지 오래이다. 언제고 내가 갔을 때는 선생 고택에 사당과 시비詩碑라도 서 있을까.

뭐건 잊지 말고 기다리면 언젠가는 이루어지나 보다. 그렇게 믿는 수밖에 별 도리가 없다.

1979

미래의 고전

이 글을 쓰기 위해서 전화를 건 것은 아니었다. 몇 달 전에 귀국한 남관南寬 화백을 몇 해 만에 만나보고 싶었던 참이다.

"내일 오후 3시쯤 놀러갈까 합니다. 혹 지장이나 없을지요."

"좀 큰 작품을 하는 중인데 화실이 따뜻하지 못한데다 무리를 해서 건강도 좋지 못합니다. 1주일 후면 콤포지션이 정해질 듯하니 그때 함께 천천히 놉시다. 그쪽 사정은 어떻습니까."

1주일 뒤면 원고를 넘겨야 한다. 이런 원고 청탁을 받았다는 말은 하지 않았다.

다음주에 방문하기로 약속하였다. 우선 작품 활동에 방해가 되어서는 안 되기 때문이다. 물론 만나지 않고서 쓰는 편이 자유로울 것이다.

남관 화백을 생각하면 생각나는 일이 더러 있다. 환도 후 유일한 문예 잡지가 창간된 지 몇 달 지나서였다. 당시 기자였던 나는 의논했다.

"다음달 표지는 남관 화백에게 부탁하면 어떻겠습니까."

모씨의 대답은 간단하였다.

"그림이야 좋지만 상품 효과가 별로 없어요."

듣기에는 뭣할지 모르나 바꾸어 말하면 다수에게는 어렵고 극소수만이 좋아할 작품이라는 뜻이다. 남다른 일면을 지적한 대답이었다. 그러나 다수와 영합하려 않는 태도를 고집이라고 본다면 속단이다. 자기 세계만을 성실히 추구한 데 지나지 않는다. 바로 남관 화백의 작품이 주는 저력인 것이다. 그 점은 본인의 온화한 미소와 음성을 대하면 알 수 있다. 근 30년 전에 본 남관 화백은 그 동안에 변한 데가 없다. 관찰 방식만이 당시에는 상상도 못하였을 정도로 변화를 거듭하였다. 불변성이 변모를, 조화를 이루어놓은 것이다. 변할 때마다 자기 자신으로 다시 살아나서 찾아낸 확인이었다. 그래서 인간 남관 화백은 자기 자신의 모든 작품과 다르지 않다.

솔직히 말해서 나는 미술을 모른다. 안다면 자고로 시와 그림은 서로가 관심을 가져왔다는 정도이다. 다른 분야에 간섭할 자격은 없으나 무관심할 수는 없는 사이다. 현황과 전망에서 당면한 예술 과제는 함께 유의하도록 되어 있다. 더구나 경쟁의 성패가 심한 시기에는 그래서 안이한 거부가 유혹하는 사태를 걸작으로 착각하는 것이다. 반대로 주기 위한 진실이 외면당했을 때가 소재素材인 것이다. 이러한 계기는 의식이라는 미명 아래 흔히 허공에서 유리하지마는 발상이 형상으로 창조되기에는 허다한 시련을 겪게 마련이었다. 남관 화백의 경력에는 이러한 상대적 명제가 극명하게 다루어져 있다. 그런 경우 대결적 난해성은 진실해서 작품은 보는 이를 압도한다. 탈락脫落은 조화로 지향하겠지만 그러나 물질과 정신은 인간에서만 하나였다. 그러므로 만남은 늘 증명證明의 편이었다. 가치가 예술을 애호하지 않는 한 생명은 황폐하였다. 난제難題란 그런 본보기에 불과하였다. 똑같은 것은 널리 사용되어야만 했다. 개성은 각기 다르기 때문에 영향을 주었다. 어떤 형태이건 간에 생명화를 위한 원칙은 서 있었다. 따라서 반응은 가능의 모태母胎였던 것이다. 기교의 함정은 있어도 표현을 무시한 과정은 없었다. 모방은 금기로되 표현은 주어진 특권이기 때문이다. 착상이 시효時效적이거나 명성인 줄로 안다면 작품은 스스로를 구제하지 못했을 것이다. 한마디로 말해서 화가란 어려운 색감色感임을 남관 화백은 일방적으로 통고하고 있다. 단절이 무진장한 자원임을 알기도 한다. 그래서 단절을 치료하는 자세를 택한 것이다. 이런 순화 작용은 비정을 위로하였다. 때로는 파열과 침체로써 힘을 불어넣었다. 그래서 나처럼 문외한에게는 남관 화백은 미래의 원초적인 고전으로 느껴지는 때가 더러 있다.

임시 수도 부산 피란 때였다. 남관 화백의 그림과 글을 잡지에 싣기로 했다. 받아낼 수 있을지가 염려였다. 함부로 그리지 않는 성격을 알기 때문이었다. 졸라보는 수밖에 없다는 속셈으로 교섭했다. 뜻밖이었다.

"마감 날이 며칠입니까."

가 첫대답이었다. 그 후 게재지와 화고료를 드렸더니 이번에는 남관 화백이 뜻밖이었는지

"거기도 넉넉지 못할 텐데 웬 고료를 많이 줍니까."

하고 대답 아닌 걱정을 하였다. 반대의 경우도 있었다. 수화樹話 화백의 그림과 글을 곧 받아낼 줄로 알았다. 기자들이 받아가는 것을 몇 번 보았기 때문이다. 뜻밖이었다.

"그런 형편없는 잡지에는 안 그려요."

하고 수화 화백은 솔직 호방한 웃음을 웃었다. 조르지도 못하고 거절을 당했다. 두 분을 잘 아는 문인들일지라도 그럴 리가 없는데 하고 의

아해할 것이다. 미술을 논하는 수화 화백과 작품을 말하지 않는 남관 화백의 태도는 내 나름대로 두 분을 이해하는 데 도움이 되었다. 왜 이런 묵은 얘기를 하는가 하면 남관 화백을 오해하는 경우가 있기 때문이다. 비사교적인 점을 고집으로, 탐구를 오만으로 짐작하기는 쉽다. 외국에서의 고행苦行이 없었다면 남관 화백에 대한 개념이 달라졌을까. 국내에서 계속 사귈 수 있었다면 더 빨리 이해했을까. 떠나기 전이나 돌아온 후나 인간 남관 화백은 변한 데가 없다. 언제나 어디에서나 작품 생활이 생명이었다. 문단과는 친한 사이로되 글을 쓰는 짓도 삼간다. 이론은 시대적 구분이 있겠지만 늘 심정에 민감하였다. 전자 제품이 겸재謙齋를 무시한다면 세상은 삭막할 것이다. 외국에서의 오랜 각고刻苦는 놀라운 성과를 거두었다. 분노와 절망, 탐구와 혼란, 영감과 좌절이 때로는 꾸밈없이 압축되었다. 그러한 어두움과 아픔에서 원숙한 빛이 탄생하였을 것이다. 불변과 변화는 어떤 연결일까. 대답으로써 남관 화백의 정체正體가 드러나고는 한다. 그러나 그 정체는 곧 모호해지며 때로는 사라진다. 방법과 설정에 관한 자기 부정이 그런 것이다. 부정을 부정하는 구극의 발견은 무엇일까.

몇 해 전이었다. 화실인지, 작품들만 두는 창고인지, 야릇한 건물로 따라 들어간 적이 있었다. 하 허름하고 어수선해서 작품들만 없다면 곧 나오고 싶었을 것이다. 남관 화백은 유화 한 폭을 보여주었다. 나는 아무 말도 하지 않았다. 작품 자체가 나의 대답을 거부하고 있었다. 남관 화백 작품으로는 믿어지지가 않을 정도였다. 세심한 친화력, 확고한 추구, 승화된 성실, 비현실의 체취마저 없었다. 정확히 없는 것을 바로 표현한 내용이었다. 다른 사람이라면 누구를 떠보려는 속셈인가, 아니면 그리다가 버린 것인가, 아니면 기본을 포기한 짓인가 하고 곡해했을 것이다. 미술 이전이나 미술 이후의 작가가 있다면 이런 것일까 하고 생각하였다. 남관 화백은 근 30년 전에 내가 처음으로 보았던 그 부드러운 미소를 짓고 있었다. 누구나 아는 형상과 색채로는 미의 본질을 모른다는 자기만의 만족 같기도 하였다. 원시와 동심童心마저 버린 차원이었다. 대담하게 끊어버린 자각의 세계인지도 모른다. 나로서는 잡히는 데가 없어서 이끌렸다. 어느 모로 보아도 남관 화백은 서양화가가 아니었다. 역시 동양화가이다. 특히 한국의 화가임이 분명했다. 세계에서 단 한 사람밖에 없는 남관 화백이었다. 서구 생활에서 무슨 이론을 터득했는지는 모른다. 이질적인 외국 작품들에서 느끼는 것과는 다른 공감을 우리에게 준다. 정신 세계는 선진 후진이 없었다. 도리어 반대일 수도 있었다. 외국에 다시 가서 전시한 작품들을 보지는 못했으나 그리고 몇 달 전에 귀국한 남관 화백을 아직 만나지는 못했으나 전화로 부드러운 목소리만 들어도 온화한 미소가 보이는 듯하였다. 그 면모는 칭찬하거나 비난하거나 간에 확실한 신념이었다. 화가로서 자기 세계를 이해시키려는 사명의 순례였을 것이다. 그러나 감동을 잃은 생명을 감동시키기란 지난한 노릇이다. 뭐가 뭔지 두루뭉수리가 된 원점에서 어떤 태도를 취하느냐는 것은 책임을 요한다. 그래서 보이지 않는 미세한 점도 본다. 그러나 이해만으로는 작품이 되지 않는다. 활력소를 주어야만 존재 가치가 성립하는 것이다. 하늘을 나는 것으로써 해소될까. 목적은 대지에서 만나는 일이었다. 아름다움 없이는 살기 어려운 시간이었다. 없을수록 감동하려는 목마름은 더하였다. 자기 자신을 구제하려는 노력이 남을 돕는 근원이었다. 노고를 위로함은 귀중한 매력에 감사하는 일이다.

마침내 작품 체온이 귀중하다는 증명을 제시한 것이다. 거시적인 빛은 새로워만 간다. 한국 미술사에서 남관 화백이 어떤 위치인가는 후세가 지적할 것이다.

1979

고도의 예술과 인간성

한 사람이 떠나면 세상은 시간과 더불어 그를 잊게 마련이다. 반대로 세월이 멀리 흐를수록 분명해지는 분이 있다. 세상을 떠난 그분으로는 이런 일을 알 리가 없으니 만큼, 우리에게도 그분은 타인인데 지나지 않는다. 그러면서도 점점 관심을 갖는다는 것은 예삿일이 아니다.

추사 선생이 세상을 떠난 지가 금년이 1백20년이다. 금년처럼 선생에 대한 또 다른 대우는 전에 없었다. 마침내 최완수崔完秀 씨에 의해서 『추사집秋史集』 번역과 세주細註가 비로소 나왔다. 간송澗松• 미술관 편찬으로 선생 서화書畵를 도록한 그처럼 호화판 『추사 명품첩』 상 · 하 일함一函이 나오기는 처음이다. 문공부는 선생의 신안新安 고택故宅(『추사 명품첩』에 예서隸書 '신안 구가新安舊家'가 수록되어 있음)을 인수하여 복원 · 정화淨化에 착수하였다. 추사연구학회가 발족한다는 소문을 듣기도 올해의 일이다. 이런 대망待望했던 일들로 선생에 대한 관심이 끝난 것은 아니다. 선생에 대한 관심이 시작된 데에 뜻이 깊다.

당시에도 중국 학자들로서 젊은 선생을 한 번 본 어른들은 평생 선생을 잊지 못했다. 선생을 못 본 어른들은 선생을 한 번 보기가 원이었다. 일본 사람들도 선생을 열심히 연구하였다. 어느 나라 사람이건 간에 선생의 진면목이 소개되면 크게 주목할 것이다.

그래서 이런 관심이 마땅하다는 것은 아니다. 망각의 시간을 거슬러 부활하는 이유가 문제이다. 이처럼 분명한 사실은 실은 막연한 것이다. 왜냐하면 보이지 않는 정신에서 서로의 통로가 나 있다. 한 인간이 남기고 간 능력과 학문과 예술과 안목과 불행이 뒷날과 무관하지 않음을 재인식한 것이다. 막연한 재인식이 요망되는 한 그것은 관심사며 연구 대상이다. 선생은 없으나 시간에 있어서 빛이 되었다.

누구나 옛 명현들의 전철을 되풀이할 수는 없다. 선생과 같은 실사구시實事求是 학파들이 당시에 불우하지 않고 각양 각태로 한 문화권을 이룰 수 있었다면 그 뒤는 좀더 달라졌을 것이다.

선생의 학문을 존경함은 남북 10여 년의 유배 생활을 동정하는 것이 아니다. 과학적 연구 태도 때문이다. 선생의 시 · 문을 감탄함은 출중한 인격 때문이 아니다. 삼동三冬에 핀 연꽃다운 정신 세계를 보여주었기 때문이다. 선생의 서화를 귀중히 여김은 천재를 부러워하는 것이 아니다. 어떠한 역경에서도 투철한 힘이 주는 감동 때문이다.

그러므로 서화는 선생의 전부가 아니며 한 분야에 지나지 않는다. 따라서 선생을 이해하는 데 필요한 시각 예술이다. 화가는 따로 있지만 서書는 누구나 쓴다. 글씨를 보면 그 쓴 사람의 마음가짐이 나타나 있기에 예술인 것이다. 또 글씨는 시 · 문을 동시에 감상하는 장점이 있는 대신 문자는 누구나 알아보도록 모양이 규정되어 있어 그만큼 어려운 분야이다. 어떤 이는 서書는 숙달로써 이루어지니 예藝가 될 수 없다고 한다. 활자나 간판 글씨나 타자打字나 기껏해야 서사관書寫官의 글씨나 소위 달필達筆 따위를 두고서 하는 주장일 것이다. 그렇다면 모든 구상화具象畵는 자연을 모사한 것이니 사진만도 못하다는 말밖에 안 된다. 고금의 수많은 서書를 보면 다양한 시대 반응과 심리 감응에 놀랄 것이다. 문자의 제약은 사람의 한없는 뜻을 서書로도 반영시키고 있어 신비스럽기조차 하다. 명필이란 업무용 등사가 아니라 개성에 민감한 승화임을 조금만 유의하면 알 수 있을 것이다. 이런 뜻에서 본다면 한글 글씨도 쓰는 사람의 마음 자세에 따라서 무한한 가능성을 지니고 있다.

박학 정통한 선생은 중국의 고금 학문과 서 · 화를 엄격히 비판하고 찬탄하였다. 그러나 결국은 우리 나라 금석金石을 연구한 우리 나라 실증학의 비조鼻祖로서 빛나고 있다. 그 대신 동국東國의 글씨를 칭찬하는 데는 인색한 편이었다. 우리 나라 개유미個有美의 일면을 구현한 한호韓濩의 글씨와 독특한 전서篆書를 창안해서 쓴 허목許穆의 기골氣骨과 순후 단아淳厚端雅한 이황李滉의 글씨와 구투舊套에서 탈출하려 애를 쓴 이광사李匡師의 노력과 통달 유려通達流麗한 정약용丁若鏞 글씨와 독실篤實한 이삼만李三晩 글씨와 고박古樸한 성수침成守琛 글씨와 천상인天上人이 쓴 듯한 안평대군安平大君 필적(안평대군 글씨 중에서도 특히 「몽유도원도夢遊桃源圖」 서기序記를 두고 하는 말이다)조차 거들떠보지 않았다. 사대事大 사상으로 우리의 특색들을 무시했다면 섭섭한 일이다. 겸재謙齋에 이르러 우리의 것을 찾기 시작한 그림을 본 체도 않았다. 제자들을 송宋 · 원元으로 지도한 점은 오늘날 입장에서 볼 때 이해하기 어려울 것이다.

그러나 선생은 사대 사상이 아니었다. 모든 기준은 가치 판단에 있었다. 냉정한 태도는 근역槿域의 참신한 창조성을 갈구한 안목이었으며 격려였다. 예로 거슬러 올라간 점은 타성적인 손재주만 부리지 말고 인간의 근본에 눈을 떠서 본질적인 힘을 얻어야 한다는 신념이었다. 시대사적으로 작품을 생각하기보다는 감동적인 작품들과 대결하면서 새로운 경지를 찾아 정진하였다. 그래서 학문을 모르는 예술과 정신의 향기가 없는 글씨는 일고의 가치도 없는 찌꺼기며 고루한 것으로 지나치게 몰아세웠다. 이런 엄격한 모순이야말로 선생의 학문과 예술을 동시에 가능케 한 비밀이 아니었던가 싶다. 그 비밀이야말로 작품과 학문이 양립할 수 있는 관계였다.

청淸의 학풍學風과 작품을 소화하는 동시 동국東國의 서書에 냉담했던 이유는 중국 글씨의 아류亞流들과 모방들과 맹목적인 추종들을 싫어한 때문이었다. 대륙 문文·물物에 대한 연구는 기실 자아 탐구의 과정이었다. 그러므로 한마디로 말해서 선생의 작품은 어느 곳에도 전에 없었던 선생의 예술이다. 그 후에도 없었던 우리 나라 서체였다. 가치의 진수를 배우면서 그들을 흉내내지 않았던 깨달음이었다. 『추사 명품첩』을 보면 촉예법蜀隸法으로 썼다는 '且呼明月成三友 好共梅華住一山'[56] 대련對聯과 또 서경고자西京古字, 동경예지미변자東京隸之未變者와 서경고법西京古法 등을 임서臨書한 것이 있지만, 누가 보아도 그것은 선생의 작품일 뿐 모조품은 아니다. 일찍이 보았던 중국 필적들을 회상하고 행한 것이 더러 있는데 『추사 명품첩』에 수록된 '凡物皆有可取 於人何所不容'[57]과 '康成階下多書帶 董子篇中有玉杯'[58] 등을 보아도 그것은 중국 글씨가 아니며 놀라운 우리 나라 예술이다. 선생은 배타를 꾸짖고 추종을 멸시한 달관이었다. 모방과 영향력과 독자성과 고루固陋를 분별하는 데서 출발하였다. 금강산이 동국의 것이듯이 선생의 붓글씨는 유일한 특색이다. 그러기에 중국도 일본도 존경하였다. 거유巨儒의 안광眼光과 뛰어난 천품과 불굴의 노력과 선禪의 대오大悟와 고졸古拙한 인간 본성으로 이루어진 혼자만의 세계였다. 말하자면 특절特絶한 독창이었다. 선생 글씨에서 우리의 힘과 믿음과 아름다움과 재능과 인정과 고민과 착함을 발견하고 감동한 나머지 모방한 사람들은 많았다. 그들은 개인으로서 감동하였을 뿐 사람들에게 감동을 줄 만한 경지에 들어서기란 쉬운 일이 아니었다. 선생 글씨의 준엄峻嚴은 인간의 의지意志며 선생 글씨의 감명은 생명의 순수純粹며 선생 글씨의 결구結構는 미래 예술이었다. 고금과 미래를 관통한 정신은 불계교졸不計巧拙의 진수를 보여주기에 이른다. 진솔의 극치란 무엇인가를 거듭 반성하게 한다.

동양에서는 신운神韻에 접하고자 옛 글씨를 임서臨書한 보물들이 많다. 그것도 진품은 없어지고 금석金石이나 목각이나 명가名家의 임서 등만 전할 경우에 연구 대상이 되어왔다. 문화를 자아화自我化하고 자국화하여 차별 없이 영향을 끼칠 때 그것은 창조인 것이다. 서예는 쓰는 사람 자신을 수양시키기 때문에 인간을 섬기는 점에서 솔직한 편이다. 이와는 별도로 세상에는 선생 글씨를 응작膺作한 것이 많다고 들었다. 응작을 미워하는 나머지 거기에 담긴 선생의 글이나 서구書句마저 버리는 일이 없도록 유의해야 할 것이다.

동양에는 자고로 유어예游於藝란 말이 있어 인성을 도야하는 필수조건으로서 예술을 발전시켰다. 시·서·화 삼절이란 말은 흔히 듣던 말이다. 따라서 기술적인 예술가와 정신적인 예술가로 나누어 엄한 차별을 하였다. 때문에 서는 오랜 전통 존중에 비끄러매이기 쉬워서 옛것을 뛰어넘고 미래를 내다보는 눈이 없으면 의사 전달의 도구에 지나지 않았다. 『추사 명품첩』에 '畵法有長江萬里 書藝如孤松一枝'[59] 라는 선생 서구書句가 있어, 보는 이로 하여금 거듭 음미하게 한다. 서는 시 · 문을 함께 감상하기 때문에 그림과 다르다고 위에서 말한 바 있다. 오랜 전통을 터득하고 벗어나서 어렵고 놀라운 창조가 어떻게 이루어졌는가를 직접 대할 때 누구나 감명을 받는다. 천연 탈수天然脫手의 힘이 무엇인지를 눈으로 보고도 말로써 표현하지 못할 때 우리는 감탄한다.

선생 만년의 불운은 자기 자신을 부활시킨 산고였다. 59세 때 작인 「세한도歲寒圖」에서 선생은 권리와 송백松柏을 논하고 있다. 생사의 관두關頭에서 명문 갑족名門甲族 출신은 좋건 싫건 간에 불멸의 힘을 깨달아야만 했다. 각고정려刻苦精勵로 이열치열以熱治熱한 재출발이었다. 불덩어리가 되어 인력권引力圈을 벗어나는 자아 초탈이었다. 한 인간을 그처럼 승화시킨 시대란 어떤 것이었을까. 한 인간을 공연히 그처럼 위대하게 만든 이면이란 복잡하였을 것이다. 그러기에 선생 명필은 사람을 위로하며 사람에게 힘이 되며 아픔을 대변해주는 지순한 것이다.

그러므로 관심 있는 분들은 선생 묵적墨蹟을 많이 보기가 원이다. 왜냐하면 선생의 글씨는 무궁한 조화가 있어 일정하지 않다. 사장품死藏品이 다 도록되어 세계에 알려지기를 바란다. 이런 숙원이 우선 『추사 명품첩』으로 나온 것이다. 굳이 말한다면 『추사 명품첩』에 해서楷書가 없어서 좀 섭섭하였다. 선생의 근엄 단정한 기우氣宇가 해서에 잘 나타나 있기 때문이다. 해는 변화를 일으키기가 그처럼 어려운 비밀이 있다. 일반이 아는 선생 전서篆書는 『주역周易』 상 · 하권이 남아 있는 정도이다. 엄격히 말해 전예篆隸를 섞어서 쓴 작품도 희귀한 편이다. 그러므로 임서 아닌 전이나 난초亂草까지 보고자 원한다면 과욕일까. 『추사 명품첩』은 널리 알려진 명품들인 만큼 친근할 수 있는 계기가 되었다. 각각 실물 대로 영인해서 족자 또는 현액懸額으로 꾸며 취향대로 입수케 하거나 형편 따라 사서 모으게 하는 것도 좋을 성싶다. 희귀한 난화첩蘭畫帖이 수록되었음은 『추사 명품첩』을 더욱 빛내고 있다. 첫 성사를 거듭 축하한다. 그러나 이로써 끝난 것은 아니다. 선생의 영묵零墨, 단간斷簡, 탁본拓本, 목각木刻 현판 유품과 가짜 글씨인 선생 진짜 시 · 문까지도 남김없이 도록되어 나와야만 문집은 저절로 보완될 것이며 따라서 번역과 연구가 쏟아져 나올 것이다. 그러는 것이 후손을 위한 오늘날의 책임인 것이다.

명필이 있는 집은 재난이 없다는 벽사설辟邪說이 전할 만큼 우리 조상들은 붓글씨를 존중했다. 글과 글씨에는 얼이 담겨 있다. 정신 문화재인 역대 명현明賢들의 필적을 찍어서 펴내기란 현대 기술로 매우 쉬운 일이다. 우리 나라만이 가지고 있는 것이기 때문에 세계적으로 귀중하다는 뜻이다. 소장자들의 요구를 보장해주고서라도 사라져가는 옛 서자향書字香을 영인해서 집대성하는 일이 시급하다.

『추사 명품첩』을 넘길 적마다 간송澗松 전형필全鎣弼 선생에게 감사한다. 간송 선생은 누구나 아시다시피 세계적인 우리 나라 문화를 사랑했던 애국 정신이었다. 지식산업사에서 간송 미술관 편찬인 『추사 명품첩』이 나온다는 소문을 내가 처음 듣기는 뜻밖에도 독일 사람에게서였다. 출간까지 애쓴 문인 김우정金宇正 벗님으로부터 사실임을 알았고 최하림崔夏林 시인으로부터 제작에 근 2년이 걸렸다는 고심담을 듣기는 그 후의 일이었다.

『추사 명품첩』에는 김상기金庠基 박사의 간결 압축된 서문과 최완

수崔完秀 씨의 정밀한 추사 선생 연구 논문과 수록된 한문 서구書句 해석이 갖추어 있으니 나로서 사족을 이 이상 달 필요는 없다. 감각화 규격화하는 발전에서 갈증을 느끼는 때가 있다. 고도의 예술과 인간성에 대한 목마름이다. 당시 이상적李尙迪이 스승인 추사 선생의 하세下世를 당했을 때 지은 시를 인용한다.

江潭憔悴采芙蓉
不復歸聞長樂鍾
斗牛無靈韓吏部
龍蛇入夢鄭司農
名高祗是天應忌
才大難爲世所容
知己平生存手墨
素心蘭又歲寒松

선생은 떠났으나 우리에게 착잡한 심정을 불러일으키면서 빛나고 있다.

1976

김동리론

내가 그 어른을 처음 뵈었을 때가 어제 같은데 금년에 꼭 30년째가 된다. 30년 동안 내가 느낀 것은 예나 지금이나 오로지 존경한 선생님이라는 사실뿐이다. 내가 그 어른 덕에 문단에 등단했는데, 회상컨대 그 어른이 만일 없었다면 내가 과연 문단에 설 수 있었을까 하는 의심이 들곤 한다. 그런데 흔히 후배를 양성하는 데 대개의 경우 자기 닮은 작품을 추천하고 다른 경향의 작품은 과소 평가하는 분들이 적지 않았으나, 그 어른은 여러 방면의 우수 작가 발굴에 서슴지 않으셨다. 내가 알기로는 한국 문단에 유망한 작가, 다양한 작가들이 거의 선생님 발굴이라 해도 과언이 아니다. 그런데 선생님께서 소설 하시니까 소설만 알고 시를 모른다고들 세인世人들은 이야기하는데, 선생님께서 끌어주신 김춘수金春洙•, 김윤성金潤成, 그리고 나 같은 시인도 발굴하심을 보면—내가 포함되어 말하기가 뭐하지만—보시는 안목이 투철하다는 것을 알 수 있다. 투철한 안목이 넓은 이해에 기여된다는 것은 말할 필요도 없겠지만, 예를 들어보면 선생님께서 아무리 화가 나는 경우에도 남의 단점, 결점을 지적해서 공격하는 일이 없고, 옆에서 정확하게 결점을 지적하더라도 그런 게 아니다 하고 이해 깊은 면을 보이시니 선생님께선 결점도 좋게 보시는 면이 있다.

내가 알기로는 그 어른은 소설은 물론 시의 수준도 소설 못지않는 분이시고 평론에 있어서도 넓은 통찰력, 수필에 있어서도 높은 격조, 그래서 희곡 이외에는 다 하시는 분 같다.

30년 동안에 가장 강렬하게 느낀 것은 언제 뵈어도 내가 들어서 깨칠 바가 많고, 그리고 그 변함없는 돌보심을 세월이 가도 잊을 수가 없다.

자세히는 모르지만 선생님의 작품을 보면 한없이 정이 많으신 어른이고 그러면서도 정에 흐리지 않고 엄격한 구성과 그 철저한 분석을 하신다. 이것이 다 어디서 나왔는고 하면 이런 게 있다. 선생님께서는 뭘 부탁드리면 그저 쾌히 대답하시는 일이 없다. 모르는 사람들은 별로 관심이 없으시나 보다 하는데 나중에 알고 보면 허술하게 들으신 게 아니라 가장 철저히 하심이었다. 그래서 소설가로서는 참 말을 아끼시는 분이라 기억되고 그래서 그 어른 말씀을 들어보면 그 표현에 함축력이 있어서 어떤 때는 그 말씀을 그 즉석에서 못 알아듣고 나중에 가면 어느 때고 간에 바로 그 말씀이시구나 하고 알게 된다.

또 내가 알기로는 선생님은 집념이 대단하신 분으로 많이들 알고 있는데, 지금 생각해보니 집념 쪽이 아니고 신앙, 신념 쪽이었다. 이것도 선생님 작품에 보면 그 신앙과 신념이 늘 놀라운 문제점을 제시하고, 그래서 선생님 작품은 대개가 문제작이다. 그런데 그 신념이 어디까지나 인간에 근본을 두고 있고 인간 이상을 벗어남이 없다. 인간이란 단순하지 않아서 선생님께서 다루는 세계는 가히 끝이 없다.

내가 학교에서 오랫동안 선생님 작품을 강의하던 중 느끼고, 또 굳이 선생님 작품을 강의하게 된 동기는 — 시도 어느 것을 한 번 읽어서 더 이상 설명할 게 없는데 — 선생님의 작품은 강의 때마다 새로운 면을 나름대로 발견할 수가 있어서 다루고 싶었고, 또 선생님의 소설을 이야기 줄거리만 알고 읽는다는 게 나로서는 섭섭했기 때문이다. 그 무한無限에다 초점을 다루는 치밀한 문장 표현 속에 담겨 있는 여러 가지 의미를 조금만 유의해 읽으면 '읽기 위한 소설' 이 아니라 독자로 하여금 '생각' 하게끔 하는 그런 '동리 문학' 의 특질을 대번에 알 수 있으니까 말이다.

나는 전에 소년 때부터 선생님의 작품을 읽어온 사람인데 한때는 이런 생각도 있었다. 선생님의 소설을 한 중간쯤 읽으면 '아, 그렇게 끌고나가는구나' 하는 그런 짐작을 해왔었는데 그게 아니었다. 그것은 왜 그러냐 하면 내가 선생님을 이해했다 생각할 때마다 선생님은 그것만이 아니라는 것을 늘 보여오셨기 때문이다. 그 첫 경험으로 내가 『윤사월』이란 작품을 읽어가면서 내 나름대로 이렇게 결말이 나려니 짐작했는데 다 읽고 보니 내 짐작과는 하나도 맞지 않고 말았다.

지금도 내가 모르는 작품이 있는데 『늪』이 당시 황홀감만 느꼈지 솔직히 말해서 미지수인 채로 개운치 못하여 이것을 내가 선생님께 직접 여쭤보고 싶은데 선생님의 대답을 내가 알기 때문에 여쭈지 못한다. 선생님께서 알아듣게 설명하려면 고통이 올 테고 한마디로 설명할 수 없게 쓰셨는데, 그렇게 친절히 작품화해주어도 모르는 것을 그걸 설명까지 하라면 나로서는 실례라고 느껴진다. 내가 학교에서 강의하다가 이런 어려움을 겪는 일은 소설에서는 거의 없는 일이고 더구나 시 하는 사람이 소설에서 막히는 것은 드문 일인데, 답답해서 선생님께 한번 여쭤 "선생님, 그건 어떻게 된 겁니까" 하니 대답은 이러신다.

"어떻게 보았든지 간에 김구용 씨가 본 게 옳을 거요."

그래서

"판단이 서지 않아서 그렇습니다."

했더니, 나로서는 이런 의미에서 썼다 하고 말씀하시는데 그게 한 문장이었다. 그 어른의 얘길 듣고 보니까 그 속엔 줄거리만한 이야기가 깔려 있는 것이었다. 그런데 그 줄거리를 그렇게 생략하고 아무런 강조도 없이 넘어갔다는 것 역시 대가大家의 모습이라 할 수 있다. 생략과 함축성이라는 것이 소설에서 어느 정도 가능한 것인가 그런 것을 생각해본 사람이 있다면 나의 이 말을 쉽게 수긍할 수 있을 것이다.

한편, 이건 선생님 작품을 논할 능력도 없거니와 선생님과의 그 오랜 접촉을 말하는 자리니 하는 말이지만, 나는 선생님을 알기 때문에 한 번도 변명을 해본 일이 없다. 그럴 수밖에 없는 것이 선생님에게는 오해가 없다는 것을 오랜 세월을 두고 내가 알았기 때문이다.

사소한 얘기를 하나 해보겠다. 술이 과다히 취하고 보면 제자가 존경하는 선생님께 실례하는 수가 있지만……

환도 후 명천옥明泉屋 시절이다. 무슨 말 끝에,

"전 여기 와서 다시 술 안 먹겠습니다."

하고는 분연히 술잔을 놓고 나와버렸다.

술이 깨고 나니 죄송한 생각, 후회하는 마음이 종일 나를 괴롭혔다. 그 당시는 누구나 그랬듯이 할 일이 없어도 다방을 한번씩 들르게 되는데, 해가 저물고 발걸음은 무겁기만 하니 내가 어떻게 선생님을 대해야 하나, 그 어른의 꾸중을 내가 어떻게 받아야 할까가 머리를 치고 지나갔다. 그래서 남들의 눈에 잘 띄지 않는 다방 구석에 죽치고 앉아 있으려니 선생님이 들어오신다. 나는 못 본 체하고 우울한 눈으로 바깥만 보는데 누가 내 옆에 와서 앉았다. 선생님께서 먼저 일부러 찾아오신 거다. 나는 아무런 말도 못하고 있는데 그때 선생님 첫 말씀이 이랬다.

"김구용 씨, 이게 뭐라고 썼는가 보세요. 뭡니까?"

선생님은 신문을 들춰 보이면서

"눈이 나빠서 잘 안 보여요" 하신다.

그렇게 선생님은 내 심중을 다 아셨고 나를 편안하게 지도하셨다. 이런 이야기를 다 하려면 한이 없지만 모두가 잊을 수 없는 감명이 되었다.

선생님께 어리광 비슷하게 내 나름대로의 소견을 드리거나 또는 물을 때마다 선생님의 대답은 내가 미리 생각했던 대답과는 전연 다른 것이었다. 그럴 때마다 천재라는 말보다는 높은 안목이라는 것을 다시 생각하곤 했다.

한 가지 생각나는 것은 30년을 모신 입장이지만 나는 선생님께 여러 번 편지를 드릴 기회가 있었는데도 한 번도 답장을 받은 일이 없다는 사실이다.

선생님은 함부로 말하거나 허투루 글을 쓰시는 분이 아니다. 그런데 금년에 우편물을 받았다. 붓글씨 한 폭 써줍소사 하고 말씀드렸더니 여러 달 만에 우편으로 보내주셨는데, 역시 편지는 들어 있지 않았다. 내게는 문인들의 편지가 상당수 있는데 선생님 것만 소유하고 있지 않다. 그래서 나는 너무나 많은 낭비를 하는구나 하는 나의 반성도 선생님 때문이 아닌가 한다.

누구보다 선생님을 잘 안다면서도 말하기가 주저되는 것은 나타난 그 일부만을 이해하고 그 본질을 이해하는 데 오히려 지장이 될까 해서 맥이 잘 풀리지 않아서다. 하지만 표현이 부족할지라도 말씀드리는 것은 혹 과오를 범했다 한들 반드시 언젠가는 누가 바로잡아주리라 믿기 때문이다.

신앙과 인간, 신념과 고민, 이해력과 인정, 이 끝없는 문제에 대한 진지한 추구, 이것은 막연한 말이라고 할지 모르나 '동리 문학'의 본질이다. 그런 만큼 우리가 아는 '동리 문학'보다도 '동리 문학'은 언제든지 새로운 출발점에 서 있다. 남에게 자상하시고 자신에게 엄격한 인간미를 잊을 수가 없다.

끝으로 믿음직스럽고 기쁜 것은 연로하시면서 더욱 맑고 더욱 꿋꿋하시고, 말씀이 보다 더 모든 것을 포용하는 도량이라고나 할까, 아니면 그 정신 세계에 의지하게 되었다는 점이다.

위에서도 말했지만 '동리 문학'은 결론이 아니라 늘 출발점이요, 새로운 데에 있다는 것을 말할 수 있음이 나 하나만의 독단인지……

(이 글은 죄송하게도 내가 직접 쓰지를 못했다. 여기자 이유경李有卿 양이 나의 구술을 받아쓴 것이다.)

1980

마음의 눈으로 천지天地를 담는 운필運筆
—겸재 정선의 산수도

혜원惠園 신윤복申潤福의 산문 문학성과 단원檀園 김홍도金弘道의 천재도 좋지만 겸재謙齋 정선鄭敾은 보다 감동을 준다. 감동이란 말은 감동을 표현하기가 쉽지 않다는 고백이다.

생각했던 것보다도 겸재가 취급한 소재는 광범위하였다. 그러나 겸재 하면 흔히들 진경 산수眞景山水를 말한다. 물론 그럴 수가 있다. 그러나 그의 진경 산수는 사실寫實이 아니라 이 나라에 태어난 사람이 마음의 눈으로써 우리에게 보여준 정신 세계이다. 우리 나라 사람은 세계 어느 나라 명화名畵보다도 겸재의 가치를 잘 이해할 수 있는 체질이다. 동양화이지만 중국 그림과도 다르다. 그의 그림에서는 흔히 소리가 난다. 들리지 않건만 자세히 보면 분명히 들린다. 간혹 그 소리는 체취로 번진다. 그 체취는 친밀감을 자아낸다. 때로는 우리들을 조화造化의 묘리妙理로 안내한다. 그러나 위에서도 말한 바이지만 겸재는 진경 산수만이 아니다.

허다한 고사故事를, 또는 인물들을, 명승 건물들을 가지가지 초목과 영모翎毛를 그렸다. 그러하대서 방황할 필요는 없다. 무엇을 그렸건 간에 겸재의 개성은 매우 독특하다. 아무도 흉내내지 못할 그런 예술을 불멸이라고들 하기 때문이다.

그가 그린 고사 중에는 인물들이 있어 선비와 학문을 존경한 성의가 보인다. 겉보기보다 안으로만 기른 능력이었다. 그래서 명승 건물은 때로는 적막한 힘으로 나타난다. 초목과 영모에 이르러서는 강호 문학의 운치를 자아낸다.

그러므로 작품을 많이 보아야만 여러 가지를 발견할 수 있는데 그런 안복眼福이 없을 바에야 사진판이라도 많이 보아두는 편이 좋다. 사진으로 익히 보았던 작품을 언젠가 실물로 대했을 때 예술과 인간에 비교해서 기계와 사진이 어떻게 다른가를 크게 깨달을 수 있기 때문이다.

겸재는 온건, 건전, 질박, 건실해서 기운은 무거우나 그 기상은 표일飄逸하여 둔탁과 청수가 조화造化를 빼앗는다. 그 깊이는 조화를 다시 조화시킨다. 서민다운 소박과 화가로서의 성실과 자연에의 영혼과 과장 없는 진실로서 손바닥만한 폭에도 천지天地가 다 들어간다. 그가 본 실물은 그가 창조한 진물眞物이 된다. 모방에서 벗어난 자아 발견이라고나 할까. 겸허謙虛만이 자연 섭리와 통하며 어떤 도량 없이는 짙은 인간성을 이처럼 풍길 수 없음을 우리는 배우게 된다. 웅혼한 난삽미難澁味와 세선細線의 신운神韻은 자신의 확고한 발로였다. 다투지 않는 독보獨步요, 과장 없는 극기는 그의 한평생이며 정진이었다. 소폭小幅에도 더러 찍혀 있는 '천금물전千金勿傳'(천금으로도 팔지 말라) 백문인白文印은 이해도 영욕도 훼예毁譽도 고락苦樂도 극복한 자부自負인 듯싶다.

천부의 소질을 타고났으면서도 교巧를 버린 예술은 흔하지 않다.

고문갑제高門甲第에 태어난 추사秋史와 몰락한 양반의 가난한 집에 태어난 겸재는 이런 점에서 귀중하다. 추사처럼 못난 글씨를 쓴 정신도 없듯이, 겸재처럼 손쉬운 재주와 타협하지 못한 화가도 없으니 말이다. 거처하는 방에 추사 글씨 한 폭과 겸재 그림 한 폭이 있어 수시로 볼 수 있다면 위안을 받을 것이다. 어느 시대를 막론하고 참다운 예술은 인간을 위로한다.

겸재의 작품을 보노라면 『주역周易』을 좋아한 나머지 저서著書 하는 겸재가 보인다. 동動 · 정靜의 묘리妙理를 체득한 격조가 하 높기에 그만큼 적막한 사람이었을지 모른다. 3백 년 전에 태어나 84세의 상수를 누렸으니 세상 풍파를 얼마나 겪었겠는가. 남다른 기골氣骨로도 불행한 사람이었을지 모른다. 아니 겸재라는 늙은 소나무의 호흡은 맑은 바람이었을지 모른다. 세밀하기로는 보이지 않는 것도 보여준다. 필력은 깜깜한 밤에 천동天動소리를 들려준다. 명산 대천을 두루 찾아다니는 고단한 나그네가 보인다. 허무를 달래는 겸재는 허술한 데가 없다. 그래서 근검한 인품이 이루어졌을 것이다. 생략의 정확한 신뢰감은 단순한 건전만으로도 인간미를 끌어낸다. 겸재는 우리 조상들의 좋은 점만을 보여주어서 보기에도 소금빛 결정結晶이나 맛은 짜다. 분명한 별로서 멀기만 하다.

1979

영성零星한 고대시古代詩
—여옥麗玉의 「공후인」

시대에 대한 양설兩說

전래된 근역槿域의 최고시最古詩를 말할 때 많은 사람들은 거개 「공후인箜篌引」을 든다. 그러면 「공후인」은 어느 때 이루어진 작품인가. 그나마 두 가지 설이 있어 그 시대의 차가 매우 막연하다.

『해동 역사海東繹史』「본국시本國詩」 공후인조箜篌引條를 보면 기자 조선箕子朝鮮 때 지어진 것으로 되어 있다. 그런데 동서同書 「낙지樂志」엔 '按朝鮮컨대 卽漢時니 樂浪郡 朝鮮縣也라 麗玉所制箜篌引은 古詩紀에 載其詞하니 亦曰公無渡河라 又琴操九引에 有箜篌引하니 皆本於麗玉也라'[60] 하였다.

그리고 『대동 시선大東詩選』엔 그저 고조선古朝鮮 때의 작품으로 되어 있다.

만일 기자 조선 시대라면 백성들의 송가頌歌였다는 「지덕가至德歌」와 함께 소개해야 할 것이나 또 한사군漢四郡 때라면 점제현秥蟬縣 신사비神祠碑와 함께 소개할 수밖에 없다.

이 양설兩說이 다 고조선에 속할 수도 있지만 그러나 고조선만으론 사면의 바다를 보는 것 같아 그 위치를 대중할 수 없다.

고대에 무수한 시가詩歌들이 있었을 것인데 왜 하필이면 기자 전설의 진가眞假는 차치하고라도 기자 조선이라든가 또는 한사군이 설치되었던, 즉 외래 세도外來勢道의 지배를 받던 때의 작품만이 전래되고 있는가.

무슨 왕화王化니 사대事大니 하는 말을 듣는 것만 같아 께름하다.

어떻든 이뿐만 아니라 독자는 여러 가지 의혹을 「공후인」에서 느낄 것이다.

점제현 신사비

만일 「공후인」이 낙랑군 조선현縣 때의 작품이라면 한때 망국민亡國民의 빠저린 경험이 있었던 오늘날 우리인 만큼 그 시에 대하여 많은 공명共鳴과 애수를 금할 수 없다.

마침내 한무제漢武帝의 공략으로 위만 조선衛滿朝鮮은 백 년 미만에 망하고 근역에 외국의 정책이 자리를 잡았던 것이다.

일제 때 평안남도 용강군에서 발견된 점제현 신사비는 근역에다 사군四郡을 설치하고 본토인을 지배한 한인들이 세운 유물이다.

참고로 그 전문全文을 보면 '元和二年四月戊午秥蟬長涍興建丞屬國 會議無衆神祠 刻石離曰 太平山君 德配代嵩威如□□ □祐秥蟬 興甘風雨 惠潤土田 □□壽考 五穀豊成 盜賊不起 □□蟄臧 出入吉利 咸受新光'[61]이라 하였다.

그러나 이는 비록 신사神祠의 송명頌銘일망정 엄청난 자존 망대自尊妄大의 자화자찬에 불과하다.

왜냐하면 민심을 무시하고 민정民情을 유린하는 집권자의 독재가 심하면 심할수록 그들의 간탐慳貪과 자찬自讚은 그만치 상식을 벗어나 야릇한 빛을 발하는 까닭이다. 그러므로 이 신사의 석명石銘은 송축이라기보다 스스로 항상 불안한 권력을 자부하며 그만큼 맹목적 복종을 강요하는 침략자들의 상투적인 수단이었다. 그런 만큼 그 당시 본토인들의 심정은 어떠하였을까. 한사군 중에서도 특히 낙랑군만은 4백여 년 동안 외래인의 장구한 지배를 받았다 하니 더 말할 나위도 없다.

「공후인」의 소재

그리고 또 여옥麗玉이 낙랑군 조선현의 여성이었고 그녀의 작품이 한인漢人에 의하여 번역까지 되었다면 그 당시만 하여도 모든 사람들에게 「공후인」이 애창되었을 것은 물론이다.

일제 때엔 일어로 시를 쓴 사람도 있고 오늘날은 영어로 시를 쓰고 싶어하는 사람도 있듯이 「공후인」이 한문으로 지어진 것인지 또는 한인이 동토인東土人의 말로 된 것을 한문으로 번역한 것인지 알 순 없으나 어떻든 고대의 소박하고 단순한 정조가 잘 나타나 있어 오늘날 도리어 많은 문화에 매몰된 우리의 인간성을 헤쳐주는 듯하다.

요는 어느 시대에 누가 지었으며 어떻게 전하여졌는가를 따지느니보다 그 작품에 나타난 지은 사람의 심정을 귀중히 음미해야 할 것이다. 그것만이 작품의 가치를 나타낸다.

그러기에 그것을 파악하기 위하여선 여옥이 「공후인」을 짓게 된 동기부터 알아야 한다. 그 동기를 알 수만 있다면 작품을 이해하는 데 그 이상의 큰 도움은 없다.

고대의 어느 시골 강변에서 일어난 일인 듯하다. 즉 『고금주古今

注』에 다음의 이야기가 있다.

朝鮮津卒인 霍里子高妻 麗玉所作也라. 高晨起剌船而濯할새 有一白首狂夫가 被髮提壺하고 亂河流而渡라. 其妻隨呼止之나 不及하여 遂墮河水死하다. 於是에 援箜篌而鼓之하며 作公無渡河之曲하니 聲甚悽愴이라. 曲終者投河而死하다. 霍里子高가 還以其聲으로 語其妻麗玉한대 玉傷之하여 乃引箜篌而寫其聲하니 聞者莫不墮淚飮泣焉이라. 麗玉其以曲으로 傳隣女麗容하고 名之曰箜篌引이라 하다.

조선 나룻가 뱃사공인 곽리자고의 아내 여옥이 지은 바다. 자고가 새벽에 일어나 배를 저어 물살을 헤치고 강심江心을 가는데 뱃머리의 한 미친 사나이가 모발을 풀고 손에 두루미를 들고 허둥지둥 흐르는 물 속으로 뛰어들어 건너는지라. 그 미친 사나이의 아내가 뒤쫓아오며 소리쳐 말리었으나 이르지 못하여 마침내 그 미친 사나이는 물에 빠져 죽었다. 이에 남편이 목전에서 죽는 꼴을 본 그 아내는 공후의 줄을 퉁기며 님이여 건너지 마소서(公無渡河)의 넋두리를 시작하였으니 그 소리 매우 처창하였다. 그녀는 구슬픈 넋두리를 마치자 남편의 뒤를 따라 몸을 물에 던져 또한 죽고 말았다. 이 자초지종을 보고 들은 곽리자고는 집으로 돌아오자 보고 들은 바 그대로를 아내인 여옥에게 이야기하였다. 이 말을 듣자 여옥은 몹시 애달파하였다. 이에 여옥은 공후를 이끌어 탄주하며 그 넋두리를 노래로 옮겼으니 이를 듣는 사람이면 누구나 눈물을 흘리며 울음을 머금지 않는 자 없었다. 마침내 여옥은 이 가歌와 곡曲을 이웃집에 사는 여용이란 여성에게 전하고 그것을 공후인이라고 이름하였다.

이 작품이 생기게 된 제재는 죽음을 각오한 불행한 여인의 마지막 단장斷腸의 넋두리였다. 그리고 천성이 다정하고 아름다운 여옥은 사詞와 곡曲으로써 이를 작품화시켰다. 그리고 이웃집의 여성인 여용麗容이 물려받으면서부터 이 가歌와 곡曲은 널리 동토東土에서 애창되었다.

그러므로 「공후인」은 세 여성과 광부狂夫와 사공이 관여되어 있다. 만일 여옥의 지은 「공후인」의 원시原詩가 근역 고대의 말이며 오늘날 전하고 있는 것은 식민지 관리로 또는 지배급에 있었던 중국인의 한문 역이라면 어찌하여 이 가와 곡은 그만치 유명하도록 성행 풍미盛行風靡하였을까.

언제나 민중은 권력층의 자화자찬보다도 자기네의 심중을 묘출描出 대변代辯하여주는 예술에 공감한다. 그렇다면 「공후인」의 소재가 된 그 비극은 바로 외국인에게 권한을 빼앗긴 본토인의 비극과 일맥상통하지 않을까. 우리가 일제 때 입이 있어도 맘대로 말하지 못했던 그 슬픔으로 인해 「아리랑」과 같은 애조哀調를 많이 불렀던 것처럼 그 당시의 본토인들도 외래 세력에게 반항하지 못하고 쥐어 지내던 그 슬픔이 「공후인」의 애곡哀曲을 많이 부르게 했는지도 모를 일이다.

고대의 심정

그러면 「공후인」의 작자 여옥과 이를 물려받았다는 여용은 어떤 여성이었을까. 유감스럽게도 우리는 그것을 자세히 알 수 없다.

『고금주』는 두 여성을 소개하되 다만 「공후인」은 朝鮮津卒 霍里子高妻 麗玉所作也니 以其聲으로 傳隣女麗容이라고 하였을 따름이다.

우리는 다만 여옥의 「공후인」이 『고시기古詩紀』에 전해진 것을 그나마 만행萬幸으로 생각한다.

箜篌引

公無渡河

公竟渡河

墮河而死

將奈公何

님에게 물을 건너지 말랬는데

님은 마침내 물은 건너는도다.

아으 물에 빠져 죽으니

앞으로 내 님을 어이하을꼬.

단순하고 직접적인 고대인의 심정이 독자의 혈관 속에 풍긴다. 오늘날의 작품들처럼 수식도 기교도 강조도 없다. 바로 적나라한 인간성 그대로의 은은한 발로다. 이것이야말로 현대가 상실한 고대의 그윽한 체취다.

무한한 황진黃塵의 공간을 더듬는 듯 까마득한 저 고대로부터 구슬픈 이야기와 더불어 우리 앞에 단 한 송이 피어남은 이 「공후인」에 대하여 이제 그 시대와 작자를 또는 원시原詩냐 한역漢譯이냐를 따지기에 분분할 필요는 없다. 오직 한 편이 전하여지고 있다고 해서 덮어놓고 귀중하다는 뜻만도 아니다.

우리는 「공후인」에 비애가 있다는 걸 알면 그만이다. 그 이유는 이 작품에 인생이 있는 까닭이다.

영성한 상고시上古詩

기祈와 주呪

우리는 단군 신화를 전후한 상고대의 시를 알 수 없다. 그 원인은 문자의 미비未備로 문헌이 없는 까닭이다. 자고로 이 동토東土에도 잔존할 만한 문화 발생은 있었을 것이다. 단군 신화에 대하여 각 설이 있으나 『삼국유사三國遺事』에 보면 단군은 '御國一千五百年하고 (중략) 後還隱於阿斯達하여 爲山神하니 壽一千九百八歲라'[62] 하였다. 또 『팔역지八域志』에는 '檀君與唐堯는 同日而立'[63]이라고 하였다.

이의 진가眞假는 고사하고 중국의 『우서虞書』를 보면 이미 '詩言志하고 歌永言하고 聲依詠하며 律和聲이라 然則詩之道가 放於此乎아'[64] 하고 시를 논하였다. 또 중국의 유언화劉彦和는 그의 『문심조룡文心雕龍』의 「명시편明詩篇」에서 '在心爲志며 發言爲詩니 舒文載實이로 其在玆乎아 (중략) 人禀七情에 應物而感하고 感物吟志하나니 無非自然이라'[65]고 시를 말하였다. 그러나 동양 시의 기원을 단적으로 표현한 것은 심약沈約•의 『송서宋書』에 있는 다음의 말일 것이다.

'歌詠所興은 宜始生民이로다.'[66]

그러므로 언어는 있으나 문자가 없었기에 문학이 전래되지 못하였을 뿐 우리 나라 상고 때에도 가歌는 있었을 것이다. 근역의 시는 씨족사회 이전까지 소급해야 할 일이지만 애석하게도 알 길이 없다.

다만 다음의 기록이 중국 문서에 전하고 있다. 『후한서後漢書』「동이전東夷傳」에 '夏後氏太康이 失德하니 夷人始畔이라 自少康已後로 世服王化하고 遂賓于王門하여 獻其樂舞하다'[67]. 이것만 보아도 상고의 근역에 악樂과 무舞가 있었으니 가歌도 있었을 것은 당연하다.

그러기에 『삼국유사』의 단군 신화를 보면 '時有一態一虎하여 同穴而居하며 常祈于神雄이라'[68] 하였고 또 '態女者가 無與爲婚할새 故로 每於檀樹下에 呪願有孕이라'[69] 하였으니 오지칠정五知七情이 있고 언어가 있는 한 무릇 모든 원시인의 기祈와 주呪도 일종의 시가 아니었을까.

어떻든 시는 인간이 지상에 생기면서부터 시작된 것임에 틀림없다.

지덕가

단군 조선이 끝나고 기자箕子 조선이 시작되었다는 것은 누구나 다 아는 바다. 그러나 만일 중국인인 기자가 와서 동토東土를 교화하였다는 것이 사실이라면 그것은 도리어 근역이 외래 지배를 받게 된 비극의 시초라 하겠다.

『사기史記』「송세가宋世家」에 '於是에 乃封箕子於朝鮮하고 而不臣也하다'[70]는 것이 있어 단段의 유신遺臣이며 후세의 공자도 경앙하였다는 현인인 기자가 근역에 와서 인정仁政하였다는 기록이 있다. 그러나 오늘날 학자들은 그것을 사실이 아니라고 극력 부인하고 있다.

그런데 고문서를 뒤져보면 소위 기자 시대의 시란 것이 두 수 전하여지고 있다.

하나는 기자의 시로서 사기에 '箕子朝周하여 過故殷墟할새 感宮室毁壞에 生禾黍하고 箕子傷之하여 麥秀之詩以歌之라'[71] 하고 그 시가詩歌를 전한 것이니 그 「맥수가麥秀歌」를 참고로 인용한다면 '麥秀漸漸兮 禾麥油油 彼狡童兮 不與我好'[72]란 것이다. 기자는 중국인이며 근역에 와서 인정하였다는 것도 무근지설無根之說인 듯하며 더구나 그 시의 내용은 동토와 하등의 관계도 없다.

그러므로 『해동 역사海東繹史』 권47 '예문지藝文志' 에 있는 「지덕가至德歌」만 소개하겠다. 『청구풍아青邱風雅』에 '箕子旣封朝鮮에 敎民以禮樂하고 厥陋用化하니 百姓懷之하여 作至德歌以頌이라'[73] 하였다. 이것 역시 기자의 덕을 칭송한 백성들의 시가로 되어 있다. 좌우간에 동토의 백성들이 지었다는 「지덕가」를 게시하겠다.

河水潑潑兮
曷維其極兮
日月休光兮
維后之懿德兮
항상 뛰놀며 흐르는 강물이여
어찌 그 끝이 있으리오.
해와 달의 큰 공훈이여
이 임금님의 아름다운 덕이로다.

그런데 최남선崔南善 설說처럼 기자箕子는 기자奇子를 오전誤傳한 것이며 이병도李丙燾 박사 설처럼 기자箕子 조선이 아니라 한씨韓氏

조선이란 것이 정확하다면 어떠한가.

그렇다면 이 「지덕가」는 기자를 칭송한 시가라 할 수 없다.

더구나 이 시가詩歌가 너무나 지나치게 한시적漢詩的인 데 대하여 의혹을 품는 분도 있을 것이다.

그러나 결국 「지덕가」를 동토의 어떤 위대한 고대 왕에 대하여 그 태평성세의 민중들이 지은 송시頌詩라고 생각한다면 이는 지나친 과욕일까.

민멸泯滅한 시가詩歌

세칭 기자 조선은 근 천 년 만에 위만衛滿에게 망하고 위만 조선衛滿朝鮮이 시작되었다. 최남선은 위만을 '진역震域에 외국인이 들어와서 주권자가 된 처음이라' 하였고 이병도 박사는 위만의 국적을 의심하되 '위만의 국적은 비록 연인燕人일지라도 그 근본은 요동방遼東方에 오래 공착工着하였던 조선인이라' 고 하였다. 이는 어쨌든 간에 중국은 육국六國이 진秦으로 통일되고 곧 한漢에게 망하고 한은 아직 국가적으로 공고鞏固치 못하던 때에 위만은 시기를 이용하여 간계로써 진역을 침략 지배하였다.

단군 기원 1년에서부터 2140년 동안 어찌 동토에 무수한 시가詩歌 발전이 없었으리오. 그러나 이렇다 할 시가 한 편도 전하여진 게 없으니 수치스러운 일이다. 그러니 만큼 3대 80여 년으로 망한 위만 조선에 대하여 더더구나 시가 문헌을 바란다는 것은 어리석다.

약소 민족의 비애는 자연적 조건인 국가의 대소와도 관계 있으나 그 비애는 문화의 저조低調에서도 나타난다. 비록 그것이 약소국일지라도 고도의 예술과 학문과 기록이 풍부한 국가라면 또 그 민족이 조국의 문화를 사랑하고 아낀다면 비록 곤궁할지라도 자랑을 가질 것이며 외국의 존경도 받을 수 있다.

1958

인멸湮滅한 고대시古代詩

—부여 · 옥저 · 예 · 삼한

동토東土의 많은 고시가古詩歌가 인멸하여버린 가장 큰 원인을 돌아볼 때 일찍이 이 땅에 고유 문자가 없었음을 생각할 것이다. 그러므로 중국 문헌인 『삼국지三國志』, 『후한서後漢書』, 『진서晋書』 등에서 그나마 어느 정도로 정확한 것인지 비교 고찰할 길마저 없는 동토 고대古代의 대략을 엿보는 수밖에 없다. 이제 여러 가지 억설臆說을 면할 길 없는 후생後生들의 안타까움이 이를 증명하고 있다. 그러니 더더구나 우리 고조상古祖上들의 시가를 말한다는 것은 일종의 망발일지도 모른다. 그런 만큼 우리 옛 조상들의 정서는 과연 어떻게 발로되었을까. 이제 알 수 없음에도 불구하고 그러니 만큼 옛 이 강산과 인간성에서 결정한 그 향기는 무엇이었던가에 대하여 더욱 궁금증을 느끼게 마련이다.

이러한 이 나라 고대 시가의 인멸과 오늘날 우리의 자아 상실은 언뜻 보기에 아무런 관계도 없는 것 같지만 기실 중대한 원인을 이루고 있다. 그 나라의 풍토 없이 고유한 민족은 있을 수 없다. 그러하듯 문화는 일조일석一朝一夕에 이루어지지 않는다. 그러기에 한 민족의 역사는 타국에게 영향을 주기도 하고 외래 문화를 섭취하는 것으로 나타난다. 그런데 오늘날 우리는 맹목적으로 외래 문화에 추종 동화하며 있다. 우리의 것이 우리에게 전하여지지 않았기 때문이다. 자고로 특색이 없었던 것은 아니다. 조상의 정신이 후인에 의하여 계승되고 올바로 발전하지 못하였을 따름이다. 우리의 시가는 아득한 고대로부터 있었으나 인멸하였다. 이 이상 스스로를 동정해야 할 국민은 없을 것이다.

부여

부여夫餘는 방方이 약 2천 리, 민호民戶가 약 8만이었다. 부여에서도 시가詩歌는 성행하였다. 그 증거로 『위서魏書』를 보면 부여는 '以殷正月祭天 國中大會 連日飮酒歌舞 名曰迎鼓'[74]라 하였다. 이것만으로도 그들이 제천祭天하던 영고迎鼓의 풍경을 상상할 수 있다. 그들은 연일 술을 마시며 즐기며 춤추며 노래하였다. 생을 즐기는 모습들이었을 것이다.

『후한서後漢書』를 보면 부여인은 체격이 크고 강용强勇하고 근후謹厚하고 읍양揖讓하는 사람들이라고 하였다. 특히 주목을 끄는 것은 '行人無晝夜 好歌吟音聲不絶'[75]이란 구절이다. 『삼국지』는 이것을 '行人晝夜 無老幼皆歌 通日聲不絶'[76]이라 하였다. 그들의 가무歌舞는 제천 때만이 아니다. 평상시 달 없는 밤일지라도 남녀들은 다 노래하였다. 설한풍雪寒風에도 노유老幼 없이 노래하였다. 이러고 보면 그들의 노래 수는 실로 헤아릴 수 없을 정도로 많았을 것이다.

그러면 그들의 노래엔 어떤 정신과 정조情調가 있었을까. 『삼국지』에 있는 '男女淫 婦人妬 皆殺之'[77]란 걸 보면 음란 부화淫亂浮華하지는 않았던 것 같다. 또 '水旱不調 五穀不熟 輒歸咎於王 或言當易 或言當殺'[78]이라고 한 걸 보면 그들의 기질로써 그들의 노래도 짐작할 수 있다. '형사처수兄死妻嫂', '우증투尤憎妬'와 연관된 노래도 있었을 것이다. '用刑嚴急 殺人者死 沒其家人爲奴婢'[79]에서 볼 수 있듯 그들의 기강紀綱을 잃은 데서 일어나는 비극을 노래하였을 것이다. '土地宜五穀 不生五果'[80]라 하였으니 농가農歌도 있었을 것이며 '其俗善養牲'[81]이라 하였으니 목가牧歌도 있었을 줄로 안다.

제천, 반頒, 도禱 등 이 이외에도 이런 가지가지 노래를 불렀을 것이다. 오늘날 우리에게 남은 것은 무엇인가. 그들의 가사歌詞에 대한 추측만이 우리를 안타깝게 할 뿐이다.

옥저

옥저沃沮는 방方이 약 천 리며 민호民戶가 약 5천이었다. 오늘날 함경도 일대라고 한다.

내가 널리 섭렵 못한 탓이겠지만 아직도 중국 기록에서나 우리 나라 문헌으로부터 옥저의 시가에 관한 것을 보지 못하였다.

『후한서』에 '東沃沮 有邑落長帥 人性質直强勇 便持矛步戰 言語飮食居處衣服 有似句麗'[82]라 하였다. 고구려와 흡사한 점이 많았다면 옥저에도(고구려의 시가에 대해선 다음 기회에 소개하기로 하고) 가歌와 악樂과 무舞는 동시에 발전하였을 것이다. 읍락엔 장수長帥가 있었다는 걸로 보아 그들 부족 사회 사이에서 일어난 노래는 질직 강용質直强勇한 그들의 성격을 잘 나타내었으리라고 믿는다. 또 옥저는 동해를 낀 위치이므로 어염魚鹽과 해물에 종사한 그들간에 바다의 노래도 많았을 성싶다. '世世邑落 各有長帥'[83]라 하였으니 아직 왕제王制도 성립되기 이전이므로 비록 사회 발전은 늦었으나 그들의 강직한 기상과 순박한 천성은 그만큼 원시적 색채로 그 당시의 시가詩歌에 나타났을 것이다. 이런 질박한 원시적인 색채야말로 현대인에게 있어 실로 귀중한 보고寶庫일 수 있다.

『위략魏略』에 '其嫁娶之法 女年十歲 已相設計 婿家迎之 長養以爲婦 至成人更還女家 女家責錢 錢畢乃後還婿'[84]라고 하였다. 오늘날 생각한다면 좀 이상야릇한 풍속이지만 이런 혼인 형태에서도 많은 노래가 생겨났을 것이다.

그러나 동옥저에도 비가悲歌는 많았을 줄로 믿는다. 그들은 한사군漢四郡의 하나로서 외래 세력에 매여 지내다가 고구려의 힘을 입어 한漢의 지배에서 해방되었다. 자력으로 자유를 찾지 못하고 타력에 의하여 해방된 옥저는 고구려의 신흥 세력 아래 또 예속의 쓰라림을 겪을 대로 겪었다. 그뿐만도 아니다. 그 후 고구려가 유주幽州 자사刺史 모구검毋丘儉에게 정벌되었을 때 옥저는 많은 전화戰禍를 입었다. 고래 싸움에 새우 등 터진다는 격으로 옥저의 읍락들은 양대 세력의 싸움 사이에서 본의 아닌 쑥대밭으로 화하였다. 인강隣强들의 정세에서 자주성을 잃고 그들의 채찍과 말굽 아래 유린당한 옥저인들의 원한은 어떠한 시가의 형식과 내용으로 불려졌을까. 더구나 강직한 그들의 성격이 어떻게 그러한 비애를 표현하였을까. 이 점은 특히 우리에게 있어 몹시 궁금한 일이다.

예

진한辰韓, 고구려, 옥저 그리고 동해와 접한 지역이었다는 호수戶數 약 2만의 예濊에 대하여 진수陳壽의 『동이전東夷傳』은 다음의 기록을 보여주고 있다.

'其耆老舊自謂 與句麗同種'[85]이라 하였다. 또 옥저처럼 예의 '言語法俗 與句麗同'[86]이라 하였다. 그러나 이제 알 길마저 없는 그들의 시가를 짐작이나마 하려면 그 당시 그들의 기질로써 미루어볼 수밖에 없다.

그러면 그들의 성질은 어떠하였던가. 『후한서』는 '其人性愚慤 少嗜欲 不請丐'[87]라 하였다. 『삼국지』도 역시 마찬가지로 '其人性原慤 少嗜欲 有廉恥 其俗 不以珠玉爲寶'[88]라 하였다. 이상의 문자로써 그들의 성격을 볼 때 예인들의 성격은 좋게 말하면 공손하고 조심성 있고 점잖고 염치 있고 과욕 담연寡慾淡然하달 수 있으며, 나쁘게 말하면 좀 우매하고 노둔魯鈍하고 미련하고 소극적인 미개인이었다고 할 수 있다. 이런 그들의 성격은 『후한서』의 '其俗重山川 山川各有部界 不得妄相干涉 多所忌諱 疾病死亡 輒損棄舊宅 更造新居'[89]라고 한 상기 구절로도 짐작할 수 있다. 그러기에 보수적이며 온건한 그들은 심지어 범을 끔찍이 모셨으니 『삼국지』에 '濊祠虎以爲神'[90]이라 한 것을 보면 범에 대한 송頌 · 축祝의 노래도 많았을 것이다.

이러고 보면 '有麻布蠶桑 作緜'[91]이라든가 '曉候星宿 豫知年歲豊約'[92]에서 상전桑田의 처녀들간에 불려졌을 노래와 밤 하늘의 무수한 별을 우러러보며 풍년을 기원한 그들의 노래가 모두 다 곱고 영롱하였으리라고 생각된다. 농업, 목축, 어업, 수렵에 종사한 그들간에 허다한 가요 재료가 많았으리니 어이 추측만으로 그 일단이나마 엿볼 수 있으리요. 『동이전』의 일절을 옮기는 동시 인멸된 상고시를 더욱 애달파하는 수밖에 없다. '常用十月節祭天 晝夜飮酒歌舞 名之爲儛天' 이라 하였다. 『문헌통고文獻通考』도 이에 관하여 역시 '穢常用十月祭天

晝夜飮酒歌舞 名爲儛天 其作樂大低與夫餘同 特所用月異耳'[93]라 하여 역시 마찬가지 내용을 보여주고 있다. 그들은 시월에 제천祭天할새 이 무천儛天 날은 주야晝夜를 가리지 않고 모두 다 춤추고 노래하였다. 참으로 장관이었을 것이다. '무천' 날은 주야 없이 노래하였다니 평소부터 얼마나 시가가 많았으며 또 많이 불려졌던가도 상상할 수 있다. 그러면서도 그들은 살인자가 있으면 사형死刑에 처하였다. 우매한 고대인古代人들이 오늘날보다 더욱 인명을 존중하였다는 것도 그럴싸한 일이다. 도적이 적었다는 것은 아직 발전하지 못한 사회를 말하는 것이지만 그만큼 그들은 모험보다도 근면하였다는 것을 알 수 있다. 여러 가지로 이렇게 그들의 성품과 생활을 생각해볼 때 비록 그들의 시가詩歌는 알 수 없으나마 오늘날 사람으로 하여금 많은 흥미와 매력을 갖게 한다.

삼한三韓

요즘 학자들은 옛 마한馬韓의 지역을 충청·전라 양도에 구하고 있다. 이러고 보면 총 호수 10여 만의 50여 부락 국가에 어찌 가무가 없었으랴. 『삼국지』에 '無城郭 不知跪拜'[94], '不知乘牛馬'[95]라 하였다. 마한은 자연 그대로의 부락으로 시작된 듯하다.

그들에게도 많은 가무가 있었으리라는 것을 『후한서』의 '常以五月田竟 祭鬼神 晝夜酒會 群聚歌舞 舞輒數十八 相隨蹋地爲節'[96]에서 추찰推察할 수 있다. 마한의 특산물로서 문헌은 배[梨]처럼 튼 밤[栗]이니 세미계細尾鷄 등을 들었으나 '其民土着種植 知蠶桑 作綿布'[97]라 하였은즉 그 기조는 농경에 있었다. 그러기에 5월에 하종下種이 끝나면 귀신을 제祭하고 주야로 주회酒會하며 모두가 모여 노래하고 춤추었다.

그 노래는 어떠한 것이었을까. 그들의 일상 생활에 '무남녀지별無男女之別'이라 하였으니 상기의 '군취'란 것은 남자와 여자가 다 모여 서로 섞여서 서로 가무하였을 것인즉, 홍분과 향락의 노래도 있었을 것이다. 그때만 하여도 남녀의 성이 어떤 제도라든가 또는 도덕율에 의하여 얽매여지기 이전이었던 것 같다. '제귀신祭鬼神'이라 하였으니 천염天炎에 대한 쓰라린 경험과 항상 미지에 대한 불안에서 풍작을 기원하는 장중한 노래도 있었을 줄 믿는다. 또 '其舞數十人俱起 相隨踏地 低昂手足 相應節奏 有似鐸聲'[98]이라고 하였으니 원무圓舞, 윤무輪舞, 열무列舞 하며 손짓 발짓 하였다는 그들의 춤으로 미루어 생각할 때 그들의 노래는 경쾌한 것도 있었을 것이다. 부락 전체를 위한 그런 행사의 노래가 있었으니 만큼 여러 가지 개인의 심정을 노래한 것도 있었을 것은 물론이다. 이러한 집단적 가무 행사는 5월 하종 후만이 아니었다. '十月農功畢 亦復如之'[99]라 하였다. 그들은 수확 후도 귀신에게 감사하는 걸 잊지 않았다. 그들이 믿은 귀신이란 도깨비 등의 잡신이 아니다. 그들이 신앙한 바로 대상인 것이다. 신앙은 간절히 소망하는 성심이다. 그러기에 문헌엔 '천신天神'이란 말을 쓰고 있다. '國邑各立一人 主祭天神 名之天君 又諸國 各有列邑 名之爲蘇塗 立大木懸鈴 鼓事鬼神'[100]이라 하였으니 이 귀신이란 천신이며 대목大木을 세우고 방울을 걸고 종사從事하였다는 것은 그들의 성심에서 발로된 의식이다.

물론 이런 것은 오늘날에서 볼 때 일종의 원시상原始相임에 틀림없다. 그러나 이 강산에 대륙 사상이 들어오기 이전의 시가들을 만일 오늘까지 갖고 있다면 이런 고대 토착민들의 모든 시가에서 우리는 보다 더 우리의 것이며 올바르며 본질적인 원천과 계시를 받을 수 있지나 않을까.

요즘 학자들은 진한辰韓의 위치를 오늘날 경기도로 간주하고 있다. 진한은 지역적으로도 그러하지만 대륙의 외래 세력에 몰려서 들어온 유이 부족流移部族과 혼성混成을 이루었다. 그러므로 그들의 한인漢人에 대한 증오는 강렬하였다.

『위략』에 보면 낙랑樂浪에 와 있던 한인들로서 벌목하다가 진한에 붙들려 단발斷髮을 당하고 노예로 심한 노동을 하다가 불과 수년 동안에 5백 인이 죽었다는 기록이 있다. 그들은 이렇듯 이민족의 침략을 증오하였다. 어쨌든 일찍부터 이 땅의 고대인들은 외래 세력에 시달렸다. 그들 중엔 한인의 앞잡이 노릇을 한 사람도 없지 않았겠지만 그러나 이민족의 지령이나 나팔소리에 맞추어 거족적擧族的으로 동포들끼리 상살相殺한 유혈의 참극을 연출하진 않았었다. 이러한 그들의 강한 자주성은 어디서 이루어진 것일까. 『후한서』를 보면 진한인들은 '嫁娶以禮 行者讓路'[101]라고 하였다. 이러한 그들의 돈후한 예법과 겸양의 미덕에서 그들의 강한 자주성은 나타났으리라고 믿는다.

강유强柔를 겸전兼全한 그들이 격조 높은 여러 가지 가무를 즐겼을 것은 당연한 일이다. 그러기에 중국 고문헌도 '辰韓俗喜歌舞 飮酒鼓瑟'[102]이라고 하였다. 그들은 불의의 이민족을 증오하고 동족간엔 서로 예의를 지키고 서로 겸양하였으며 모두가 가무를 즐기고 주회酒會를 열고 기악技樂을 듣기도 하고 탄주彈奏하였던 것이다. 이러한 그들의 시가야말로 훌륭한 것이었으리라.

그 옛날 변한弁韓의 지역은 조령鳥嶺 이남 경상도 일대였다고 한다. 그들은 특색 있는 빙거지를 썼으므로 중국 문헌은 그들을 변한인이라고 기록하였다.

『후한서』는 그들을 표현하되 '其人形 皆長大美髮 其國近倭故 頗有文身者'[103]라고 하였다. 그들은 풍채가 좋았을 뿐만 아니라 그 늠름하고도 아름다운 모발에 걸맞은 복색으로 '의복 결청衣服潔淸' 하였다고 기록되어 있다. 훌륭한 풍신風身에 깨끗한 복색을 입은 그들에게 풍류와 시가가 없었을 리 없다. 허지만 그들의 시가에 대하여 역시 뚜렷한 문헌은 전하는 게 없지만 『후한서』에 '弁韓與辰韓 法俗相似 祠祭鬼神'[104]이라고 한 걸 보면 변한에도 제정祭政의 법규와 아울러 그들의 신앙에 대한 행사가 많았을 것이다. 따라서 변한에도 의식적儀式的 가무는 일찍부터 발달한 셈이다. 상기한 바로 미루어 생각할 때 그들에게도 평소부터 시가가 있었을 것은 뻔한 일이다. 『문헌통고』에 보면 '弁韓國有瑟 其形如筑 彈之有音曲與胡琴類'[105]라 하였다. 이것은 『해동역사海東繹史』에 '三國志及通典 皆作辰韓琴 卽伽倻瑟也'[106]라 한 바와 같이 가야금이란 고유의 악기가 있었을 정도니 가무인들 어이 적요하였으리요.

좌우간에 이것만으로도 이 나라 민족은 고대로부터 가歌와 악樂과 무舞를 몹시 좋아하였다는 걸 알 수 있다. 그만큼 그들은 다감하고도 선한 사람들이었다. 비록 부여, 옥저, 예, 마한, 진한, 변한을 분별하여 쓰긴 했으나 서로 공통되는 위緯와 연관되는 경經으로써 전체적인 계절과 그 곳에서 우러난 시가를 추찰해야 할 것이다.

오늘날도 상가喪家의 곡성을 들어보면 일종의 가곡歌曲으로 들리며 상여를 메고 가면서도 노래를 부르는 이 나라 국민들이니 자고로 이 나라 전통은 기쁘나 슬프나 간에 노래로 심정을 표현한 셈이다.

이러한 선량한 백성들에게 어찌하여 애조의 노래가 많은가. 고대의 그 많은 시가가 인멸하였다는 바로 그것부터가 이미 우리 나라의 비애를 대변하고 있는 것이다.

1959

한시漢詩에 나타나는 함축성
—상슬湘瑟

때때로 과거의 문화를 회고한다는 것은 도리어 미래를 위한 현재의 태도일 수 있다. 오늘날에 있어 동서 양양兩羊의 위대한 작품 유산들을 감상 찬탄할지언정 그것을 모방코자 하는 예술가는 없을 것이다. 선인先人들이 그 시대에 충실하였던 거와 마찬가지로 우리는 오늘날의 현실에서 가능한 최선을 창조하고자 하는 데에 의의를 두기 때문이다.

다음에 소개하고자 하는 한시가 우리에게 어떤 가치를 줄 것이라고 속단할 순 없다. 그것은 어디까지나 읽는 사람에 의하여 각각 그 의미를 달리할 수 있는 까닭이다. 나는 점점 낮보다 길어지는 가을 밤에 때마침 찾아온 친구와 더불어 담소하는 그러한 심정으로 이야기하고 싶다.

산가山家의 법사法師들이 게송偈頌을 읊을 때

曲終人不見

江上二峰青

이란 시구를 간혹 인용한다. 그러나 그들에게

"이 한시의 전문全文은 무엇인지요."

하고 물어볼라치면 거개 다 모른다는 것이 대답이다. 그 후 한문을 잘 아는 몇몇 분에게 그 시의 전문全文과 작자를 물었으나 이 시의 두 구를 알고 그 제목과 출처를 들려주는 분은 없었다.

여기에서 무슨 연구라든가 또는 죽은 시인들에 대한 조사 같은 것을 늘어놓을 생각은 없다. 그것은 학자들이 할 일이며 때로 시를 좋아하는 사람으로선 분외分外의 일이기 까닭이다. 그저 시의 끄트머리 두 구절만으론 그 전체를 이해할 수 없었기에 궁금하였다.

그런데 매우 오래 전 일이지만 어느 해 겨울에 나는 힘들이지 않고 우연히도 어느 노인으로부터 그 전문을 들었다.

바깥엔 면화棉花 같은 백설이 나리고 있었다. 아亞 자 창의 조각 유리로 바깥 설경雪景을 내다볼 수 있는 촌가村家의 방은 노인의 말씀을 홍취 있게 들을 수 있으리만큼 뜨듯하고 한적하였다. 그 집 안에서는 점심 대접 별미로 칼국수를 한다며 부산하였다.

"그 시는 귀신이 지은 걸세. 왜냐하면 사람 힘으로 표현할 수 없는 조화造化가 들어 있단 말이네."

나는 오랫동안 기대했던 것을 처음으로 보기나 한 것처럼 조용히 귀를 기울였다. 그 시를 이해하는 데 필요한 노인 말씀은 대략 이러하였다.

지나支那 고대 때 요堯는 천하를 순舜에게 선위禪位했고 아황娥皇, 여영女英 두 딸까지 순에게 주어 배합配合시켰다. 순이 요로부터 '允執厥中 惟精惟一'[107] 하라는 부탁을 받고 마침내 '帝力이 何有於我哉'[108]

하고 칭송을 듣기까지 성군聖君으로서 책임을 다한 것은 누구나 아는 바이다. 『사기史記』에 있는 대로 그 후 순은 창오蒼梧에서 붕崩하였다. 이에 아황과 여영은 남편인 순이 남순南巡하다가 죽은 곳, 즉 창오에 가서 미망지한未亡之恨을 통곡하였다. 그 후로 아황과 여영은 소상강변瀟湘江邊을 배회하며 죽은 순을 사모하고 비파를 탄주彈奏하며 울음으로 세월을 보냈다. 그 눈물이 묻은 곳마다 청죽靑竹은 반점斑點을 이루었다. 그러므로 소상반죽瀟湘斑竹을 두 비妃의 누흔淚痕이라고 한다. 드디어 두 비는 곡제 극애哭帝極哀 하다가 그곳에서 세상을 떠났다. 후인後人이 죽은 두 비의 매운 절개를 위로하고자 황릉묘黃陵廟를 짓고 그녀들을 상수湘水의 신으로 모셨다. 그런데 『초사楚辭』에 볼라치면 '사상령고슬혜使湘靈鼓瑟兮' 이라는 구가 있다. 밤이면 두 비의 묘에서 비파소리가 일어났던 것이다.

뜰 앞 메마른 매화나무에 쌓이는 백설에서도 향기가 풍기었다. 노인은 장죽長竹의 담배를 화롯불에 붙인 후 말씀을 계속한다.

"해가 지면 두 비의 묘에서 일어나는 비파소리를 두고 후세 사람들은 시를 지었지. 자네가 물은 시가 바로 그것이야. '상군湘君의 비파소리' 를 두고 짓는다는 뜻에서 '상슬湘瑟' 이란 그 시의 제목이네. 오언절구五言絶句 20자 속에 이 어마어마한 내용을 다 넣고도 오히려 남음이 있었으니 이걸 귀신의 작이 아니고 어찌 사람의 솜씨라 하겠나. 글쎄 작자는 미상이래도 그러는군 그래!"

여태껏 몰랐던 그 시의 첫 구절은 이렇게 시작되었다.

落日下平楚

떨어지는 해는 넓은 초楚(중국 남쪽 지방)에 나리고

광막한 강변 지대에 해가 저문다는 것은 음陰과 어둠을 말한 것으로서 부지중에 귀기鬼氣를 느끼게 한다. 이런 풍경은 무섭다. 무거운 압력과 깊은 적막에서 무엇이 나타날 듯 보이지 않는 풍경이다. 어둠 속엔 두 비妃가 생전에 거닐며 눈물을 뿌린 소상 죽림마저 무슨 유명계幽冥界처럼 나타났을 것이다. 우리는 소리를 삼키고 눈을 흡뜨게 된다. 무엇이 나올 것만 같다. 그러나 별것이 아니었다.

孤雲生洞庭

외로운 구름이 동정호洞庭湖에서 피어 오른다

외로울 고 자는 전체에 박력을 준다. 즉 있을 수 없는 구름, 그런데 피어 오르는 저 구름, 사방은 어두운데, 보는 눈을 의심하게 하리만큼 하얀 구름, 그것은 무슨 생명의 동태動態일지도 모르며 형용된 영혼의 변화일 수도 있다. 이 오언五言에서 시인은 귀신이란 말을 쓰지 않고 두 비의 혼령을 묘파描破하였던 것이다. 그것만이 아니다. 그렇다면 무엇이 또 내포되었는가. 우리는 다음 구에서 비로소 '고운생동정孤雲生洞庭'의 보이지 않는 표현을 알 수 있을 것이며 경탄하게 된다.

曲終人不見

곡조는 끝나고 사람은 보이지 않는데

'고운생동정孤雲生洞庭'의 전구前句 속에서 우리도 모르는 사이에 이미 비파소리는 무종지음無終之音처럼 완전히 표현되었다는 걸 曲

終人不見에 이르러서야 비로소 알게 된다. 이는 예술이 언제나 도달하고자 하는 극치다. 이리하여 상령湘靈의 고슬鼓瑟은 끝났다. 그런데 사람은 어느 곳에도 보이지 않는다. 이리하여 두 비의 영혼은 나타남이 없이 드러났다. 우리는 이에 이르러 일종의 도취에서 깨어날 때 다시금 경탄하게 된다. 그러면 마지막 절, 즉 다섯 자로써 어떻게 이 작품은 지금까지의 균형을 유지하며 결구結句를 이룰 것인가. 자못 궁금한 일이다.

江上二峰靑

강 위에 두 봉우리가 푸르고나

누가 비파를 탄주하였나 하고 사방을 둘러본다.

아무 곳에도 사람은 없다. 그런데 뜻하지 않게 강 위로 솟은 두 산봉우리를 보았다는 것이다. 이럴 때 두 산봉우리는 보는 사람의 마음에 어떤 심리 작용을 일으켰을까. 왜 하필이면 두 산봉우리가 보였다는 것일까. 둘이란 무엇을 의미하는 것일까. 저것이 아황, 여영의 혼령이나 아닐까. 이에 이르러 우리는 여러 가지로 분별한다기보다 도리어 어떤 진리의 힘을 느낄 수 있을 것이다.

정庭, 청靑의 압운押韻도 놀랍지만 마지막 청靑 자는 실로 오묘 중화奧妙衆化의 경지라 하겠다. 해는 바야흐로 대지에 지려 하고 음암陰暗한 기운이 일어나는 중이다. 그런데 어찌 색채 선명한 청 자를 놓을 수 있는가. 그러나 산봉우리가 푸르렀다는 그 푸를 청 자로 시인은 두 산봉우리에 영혼을 넣었다. 즉 생명을, 진리를, 본성을, 황연怳然히 계시하였다. 이러한 예술의 조화를 무어라 설명할 수 있을까. 이는 실로 위대한 오성悟性과 천재를 겸전兼全한 사람만이 다못 이룰 수 있는 일이다. 어찌 귀신의 작품이라 할 수 있으리요. '강상이봉청江上二峰青' 은 언어도단이요 심행처멸心行處滅의 경지라 할 수 있을 것이다. 이것은 이심전심할 수 있을 뿐 설명이나 해석으로 구명할 수 없는 동양의 본질이다.

落日下平楚
孤雲生洞庭
曲終人不見
江上二峰青

이는 시도일여詩道一如의 극치다. 동양에선 자고로 걸작을 일컬어 신필神筆이라고 한다. 이런 의미에서 범용凡庸한 소객騷客들이 작자 미상의 이 작품을 귀신의 작이라고 한 것이지 결코 유령의 작품이란 뜻은 아니라고 생각한다. 이 시인은 묘妙하되 교巧하지 않았고 진리를 보여주되 묘사하지 않았으니 이러한 것을 가위 신품神品이라 하겠다.

요즘 태서泰西 사람들로서 한시를 번역한 것이 많다고 한다. 나는 그들의 번역을 보지 못했으나 표의 문자表意文字로 이루어진 만큼 가장 함축성이 많은 이런 한시의 신품들을 어떻게 그들의 언어로 옮겨놓았는지 궁금하다. 필자가 섬문閃聞한 바에 의하면 미국의 시인 에즈라 파운드는 『시경詩經』을 번역하였다고 한다. 우리는 무한한 기대와 흥미로 그를 칭송하지 않을 수 없다. 동서양에서 이루어진 모든 과거의 위대한 시가 서로 번역되고 교류되고 영향되어 앞으로 인류의 보물로서 세계의 새로운 시 문학이 건립된다면 참으로 기쁜 일이라고 아니할 수 없다.

1956

한국 시에 대해서

육당六堂 선생이 별세한 것은 수년 전 일이다. 우리는 명동에 나가면 공초空超 선생과 만날 수 있다.

꼽아보면 우리 나라 신시新詩의 연령은 백 년도 못 된다.

짧은 동안이었지만 한국 시를 살펴보면 60년 동안 우리 나라가 겪어온 그것처럼 복잡하다.

서구엔 낭만주의 시대가 있었고 상징주의의 변천 과정이란 것이 있어서 그 발전과 그 시대를 대략 나눌 수 있다. 그러나 우리 나라는 그런 것들이 한꺼번에 들어왔기 때문에 그 영향을 받은 시인들이 동시에 난립하였다는 데에 유의하지 않으면 안 된다.

처…ㄹ썩, 처……ㄹ썩 척, 쏴……아
따린다 부순다 무너바린다
(최남선崔南善 작「해海에게서 소년에게」)

내 영원히 비밀한 생명의 역사를 새긴 기념비!

올연兀然히 창공을 꿰뚫어 버티고
(오상순吳相淳 작 「해바라기」)

아 너도 먼동이 트기 전으로 수밀도水蜜桃의 네 가슴에 이슬 맺도록 달려오너라
(이상화李相和 작 「나의 침실로」)

'현대現代' 라는 옷을 입고
'제도制度' 라는 약을 발라
(김형원金炯元 작 「숨쉬는 목내이木乃伊」)

이런 동시 난립은 오래 가질 못하였다. 서구의 과거 것에서 영향들을 받는 동안도 서구는 쉴새없이 변해갔던 것이다. 그 당시 시인들은 많은 작품을 남기지 못하였다. 그 이유를 알아야 할 것이다.

현대는 속력의 표현이었다. 시인은 10년만 지나면 후배로부터 낡았다는 소릴 들었다.

과학은 세계의 거리를 단축시켰다. 그런데도 우리 나라는 일본의 식민지였다.

전선電線은 운다 카렌다는 날린다
갈갈이 흐트러진 미친년의 산발처럼 기상대 위 기旗폭은 악을 쓴다
(김해강金海剛 작 「동방여명東方黎明」)

공장의 지붕은 흰 이빨을 드러내인 채 한 가닥 꾸부러진 철책이 바

람에 나부끼고

그 위에 세로팡 지紙로 만든 구름이 하나

(김광균金光均 작 「추일서정秋日抒情」)

제일第一의 아해가 무섭다고 그리오

제이의 아해가 무섭다고 그리오

웃을 수 있는 시간 가진 표본 두개골에 근육筋肉이 없다

(이상李箱 작 「오감도烏瞰圖 · 정식正式」)

연경원명원호동燕京圓明園胡同에 사는 노무老巫

'마드리드' 의 창부唱婦

(이한직李漢稷 작 「황해黃海」)

놀라운 변모라고 아니할 수 없다. 선배들 중엔 붓대를 꺾거나 소설로 전향한 이도 있었다.

여기서 한 가지 사실을 알아야겠다. 우리 나라 최초의 신체시新體詩라고 하는 육당 선생 「해海에게서 소년에게」가 1908년에 발표됐을 때 불란서에선 이미 큐비즘cubisme이 일어났던 때다.

그런데 사회적 퇴폐가 우리 나라에 나타나기 시작한 것은 1930년 전후였다.

이런 말을 하는 것은 시 감상을 위해 우리 나라 시 문학이 변모한 과정을 알아둘 필요가 있기 때문이다. 그러나 눈물 나는 선배들의 처지와 빼저린 그들의 노력은 결국 한국 시를 이루어놓았던 것이다. 청록파靑鹿派는 일제 말기의 신흥 세력이었다.

나그네 긴 소매
꽃잎에 젖어 술 익은
강 마을의
저녁노을이여
(조지훈趙芝薰 작「완화삼」)

모란꽃 해으름 청모시 옷고름
(박목월朴木月 작「모란여정」)

해방 후 우리 나라는 세계 정세와 직접 연접連接된 셈이다. 남북은 나눠지고 6 · 25 참극이 일어났다.

많은 시인들이 나왔다. 모방할, 추종할 여유도 없이 우리 나라 시도 세계와 함께 똑같은 문제와 당면하였다. 무서운 상실에서 인간을 찾으려는 혼란이 우리를 세계 문학사의 일선에 서게끔 하였다.

외로운 나의 투영投影을 깔고
질주하는 트럭은
과연 나에게 무엇을 가져왔나
(김경린金璟麟 작「태양이 직각으로」)

돌아설 출항지出港地도
가야 할 입항지入港地도
보일 리 없고
바다 한복판에 기항寄港한

현재의 공간
(김종문金宗文 작 「파선破船」)

이런 젊은 시인들의 절규는 대단하였다.

그러나 젊은 시인들은 포성이 끝나자 다다이스트dadaist들처럼 새로운 길을 찾지 않으면 안 되었다.

꽃, 천상天上의 악기樂器 표범

이것은 전봉건全鳳健 씨의 작품 제목이다.

한국 시는 불과 60년이란 거의 동시대에 있으면서 더욱 변모하고 난립하고 혼잡을 이루고 있는 실정이다.

이런 변천, 난립, 혼잡을 고찰한다는 것은 우리 나라 시를 감상하기 위해선 필요한 준비이다. 신문은 이튿날이면 휴지로 쓰게 된다. 첨단을 걷는 시만이 다 가치가 있는 것도 아니다.

문제는 누구의 시가 후세까지 오래도록 읽히느냐에 있다.

어째서 두보杜甫, 괴테, 아폴리네르가 오늘날도 읽히고 있는가를 알아야 한다.

시 감상의 구극究極 목적은 그 가치 판단에 있다.

나는 우리 나라 시인들 중에서 후세에 오래 남을 분들이 있다는 걸 믿는다. 그러나 그분들의 이름을 말할 순 없다. 나의 지적이 정확할지 어떨지 모르기 때문이다. 다만 후세 사람만이 그것을 증명해줄 것이다.

그것을 적확히 예언할 수 있다면 시 감상에 있어 그분은 뛰어난 분이라 하겠다.

여기에선 시 감상의 예비 지식으로서 알아야 할 우리 나라 시 문학의 변모, 난립에만 소정所定의 매수를 허비했다.

가치 판단은 각자가 발견해야 할 일임을 말해둔다.

세상은 계속 변한다. 그러나 세월이 흘러갈수록 빛나는 작품들이란 어떤 것일까.

1961

문학 연구

‘레몽’에 도달한 길—이상李箱 연구

'레몽' 에 도달한 길

* 본문 중〈 〉로 된 것은 이상李箱의 글의 인용한 것이다.

서론

그는 한일 합병이 있은 1910년에 출생하여 바다 건너 일본 동경에서 28세로 별세하였다. 생전에 본명은 김해경金海卿이었으나 이상으로 자칭하였다. 그의 생애는 망국민亡國民이었다. 그럼 여기서 '레몽에 도달한 길' 이라고 한 그 '레몽' 은 무엇인가.

'숨을 거두기 직전에 이상은 레몽을 사달라고 했다. 동경에 있던 벗 몇 사람이 거리로 달려가 주머니를 털어 모아 레몽을 사가지고 왔을 땐 이상은 새 옷을 갈아입고 숨을 모으고 있었다. 레몽을 손에 쥐자 이상은 벗들의 얼굴을 둘러본 후 숨을 거두었다.'[1] '레몽을 갖다달라고 하여 그 향기를 맡으면서 이상은 죽어 갔다고 한다'

[2] 그러나 '레몽' 은 표현을 절絶한 아쉬움이 아니다.

'레몽' 은 그의 최후였다. 도달점이었다. 말없는 유언이었다. '레몽' 은 그의 일생을 내포하였다. '레몽' 을 알기 위한 가장 좋은 방법은 그 뒤를 따라가보는 일이다.

그러나 이런 것이 참으로 필요할까. 문학을 한 그가 왜 최후에 가서 언어를 사용하지 않았을까. 그의 일생이란 나무에서 결정結晶한 '레몽' 은 유의할 만한 일이다.

1930년대와 '구인회九人會'

상箱의 작품을 소급해가면 1931년에서 출발한다.[3] 우리 나라 문학사에 있어 이 30년대란 것은 획기적인 분수령을 이루고 있다. 상이 〈나는 19세기와 20세기의 어중간이〉라고 한 이렇게 의식하게끔 된 그 일면에도 이 분수령은 반영되어 있다. 누구나 시대에서 탈출할 순 없는 것이다. 가속도로 굴러떨어지는 현실은 암담하기만 하였다. 그는 〈공지空地가 없는 이 세상에 어디로 갈까〉 하고 반문한다. 아버지의 아버지들 세대가 우국憂國하던 개화 정열開花情熱, 합병 후의 노호 애상怒號哀傷, 가취 가광加醉加狂하였던 항쟁 준론抗爭峻論은 개념적인 것으로서 막 너머 기억으로 흩어졌다. 그 다음에 온 것은 보다 무서운 인간 몰락이었다. 사람들은 현실에서 점점 눈이 멀어갔다. 눈물이 마르면서 비정을 보았다. 인정이 메마르면서 복잡해갔다. 더구나 2차 대전의 예고 같은 파쇼의 대두는 세계 위기를 촉진하였다. 1931년은 만주 사변이 폭발한 해이다. 착취만 당하는 이 나라 사람들은 모든 기능을 상실하였다. 고갈해가는 덤불들이었다. 그런데 지구의 코는 벌써 초연哨煙 냄새를 예감하고 있었다. 매국賣國하면 영귀榮貴할 수 있었던 것도 옛날 이야기였다. 조국이란 말은 한없이 아름다운 꿈에 불과하였다. 그러기에 식민지 민족들은 침략자에게 요주시要注視 인물로 혹은 사상범으로 혹은 본의 아닌 영합을 하며 전전긍긍했다. 물론 이 땅 사람들에게 취직이란 가망 없다는 뜻으로 통하였다. 이상의 다음 글은 이런 시대의 각박성을 초점화하고 있다. 〈가족은 미만未滿 14세의 딸에게 매음賣淫시켰다. 두번째는 미만 19세의 딸이 자진自進했다. 아— 세번째는 그 나이 스물두 살이 되던 해 봄에 얹은 낭자를 내리우고 게다 다홍댕기를 들여 늘어뜨려 편발 처자處子

로 위조하여서는 대거大擧하여 강행强行으로 매끽賣喫해버렸다〉 또 그는 〈도시의 인심은 어느 만큼이나 박하고 말려는지 종잡을 수가 없다〉고 하였다. 그 당시는 1925년경부터 내려온 프로 문학이 아직도 행세하던 때였다. 그러나 상은 오만하였다. 그는 무엇에도 존경할 줄 모르는 허무와 지성과 공포 사이로 말려 들어갔다. 그는 인간과 지상이란 것이 어떠한 일방적인 것만으로 해결할 수 있도록 도저히 그렇게 단순하지 않다는 걸 병든 육신으로 체험하고 있었다. 언제나 단정과 규정의 심도는 그 종언을 폭로하였다. 가지가지 현상이 내부에서도 일어나고 외부에서도 엄습해왔다. 그 가지가지 현상은 모태인 여백까지 살해하려 하였다. 상은 교착하는 현상에 칠전팔도七顚八倒하면서 그것들이 쏟아져 나오는 그 공간의 바탕까지를 직시하였다. 그는 갈피를 잡을 수 없는 사물에서 전체, 즉 생명을 추구하였다. 어떤 부분이 될 순 없었다. 철칙일 순 없었다. 그의 입술은 무지한 열중熱中을 냉소하였다.

이러한 그가 '구인회'에 든 것은 놀랄 만한 일이 아니다. '구인회'의 특색이 색채와 경향을 갖지 않았기 때문이다.[4] 그러므로 그가 그 일원이 된 것은 수긍할 수 있는 일이다. 그의 지성은 결론보다 고찰을 더 중시하였다. 미와 창조와 sex는 그에게 가능과 미래를 제시하였고 그만큼 그를 배반하기도 하였다. 우리는 그에게서 한계를 거부하는 분열을 볼 수 있다. 썩어가는 전신으로 그는 지상을 고발하였던 것이다. 이러한 검진檢診의 정신은 경향 문학일 수 없었다. 사실에 있어 경향 문학의 붕괴는 흥분이 퇴조한 데서 시작하였다. 흥분해야만 감동한다는 것은 예술이라기보다 이미 문학 이전이기 때문이다. '구인회와 예술파의 신흥'[5]이 1930년의 의의意義를 가져온 것은 당연하다.

그것은 우리 나라 문학사의 획기적인 새로움으로써 참담한 위관偉觀을 드러내었다. 그 일생도 불행하였지만 사실 이상은 문인으로서 가장 중요한 시대에 산 사람이다. "구인회를 끌어나가는 중심은 구보仇甫와 이상이었다고 한다." 이것은 그 당시를 잘 알고 있는 조용만趙容萬의 말이다. 그러나 상은 '구인회' 에 대해서 많은 불평을 말하였다. 〈'구인회' 는 인간 최대의 태만에서 부침浮沈 중이오. 잡지 2호는 흐지부지요. 게을러서 다 틀려먹을 것 같소〉〈'구인회' 는 그 후로 모이지 않았소이다〉〈어쩌다 예회例會라고 모이면 출석보다 결석이 더 많으니〉〈『시와 소설』[6]은 회원들이 모두 게을러서 글렀소이다. 그래 폐간하고 그만둘 생각이오. 2호는 (중략) 내 독력獨力으로 내 취미 잡지를 하나 만들 작정입니다. 그러든지 '今까라데모 遲꾸나이', '스미야까니' 원고들을 써오면 어떤 잡지에도 지지 않는 버젓한 책을 하나 만들 작정입니다〉 인간 최대의 태만이란 말은 어떤 이해를 갖게 한다. 그러한 속에서도 불평을 늘어놓을 만큼 문학을 몹시 사랑하였다. 결국 그는 짧은 문단 생활 동안에 많은 작품을 남겼다. 이상이란 이름은 '구인회' 와 아무 관계가 없었대도 괜찮다. 그는 스스로의 가치를 지니고 있다. 세월이 갈수록 분명해질 것이다. 〈이 향토鄕土는 이 향토이기 때문인 이유만으로 해서 초목근피草木根皮로 목숨을 잇는 너무도 끔찍끔찍한 이 많은 성가신 식구를 가졌다〉고 한 그도 그들 속의 한 일원이었다. 그러나 그는 1930년을 전후한 일원만은 아니다. 〈어느 시대에도 그 현대인은 절망한다. 절망이 기교를 낳고 기교 때문에 또 절망한다〉고 한 그는 해마다 때가 되면 '레몽' 이 점두店頭를 장식하듯이 그 이전에도 살아 있었고 오늘날도 살아 있다.

형태 변혁

발전이란 변화하는 일이다. 〈절망이 기교를 낳고 기교 때문에 절망한다〉는 말은 종말 또는 정지와 반대로 영속하는 양상이다. 이상의 시와 산문이 우리 나라 문학사상, 전에 볼 수 없었던 특이한 문체임을 누구나 수긍하는 바이다. 신문지상에 연재된 「오감도烏瞰圖」가 10회로 중단하지 않을 수 없었다는 사건은 유명한 이야기가 되었다. 그의 시가 난해한 것으로 인상되어온 지난날 다행히도 이 나라 독자들이 어느 정도로 뒤떨어져 있었느냐의 거리다. 그가 죽은 지 근 30년이 지났건만 이 문제를 둘러싸고 필봉筆鋒들은 성황 중이다. 귀재鬼才에 관한 보고서를 작성하고들 있다. 이상은 '주피터'[7]도 되었다가 '나르시스'[8]도 되었다가 '해사적解辭的(paractic)'[9]이란 해설로 나타났다가 '모험자인 반어(아이러니)로서 비합리한 절망을 다시 합리화한 방법'[10]으로도 풀이되고 '다다Dada 현상'[11]으로 연결되기도 하고 '프로이트Freud의 성설性說에 의한 작품 분해'[12]도 당하고 '결국 한국 최초의 〈슈레알이스트〉'[13]로도 해부되기까지 근 30년을 경과하였다. 김춘수金春洙는 이상의 시 형태를 ① 띄어 쓰기와 구두점句讀點을 무시한 것, ② 삽입구挿入句(소활자小活字)를 가진 것, ③ 수식數式으로 된 것(혹은 수식을 삽입한 것), ④ 도표를 삽입한 것, 이상 네 가지로 분류하였다. 필자는 여기다 ⑤ 일어로 된 것을 하나 더 첨부한다. 김상일金相一은 ① 상상력의 예술이다, ② 의식적인 시의 방법을 확립하였다, ③ 내면의 조형造形, ④ 환상적이다, ⑤ 인간의 조건에 대한 반항 등 다섯 가지로 분석하였다. 상기한 바와 같이 직접 또는 간접으로 이상을 연구한 분들의 많은 노고를 치하하지 않을 수 없다. 과연 이상은 많은 후배들이 장구한 동안 분석하였을 만큼 그런 일면을 다 구비하였다. 이상이 육성을 문학 테이프에 의해 직접 들어보기로 한다. 「오감도」가 몰이해한 독자들의 투서投書로 말미암아 연재 중단된 데 대하여 그는 다음과 같이 말하였다. 〈왜 미쳤다고들 그러는지 대체 우리는 남보다 수십 년씩 떨어져도 마음놓고 지낼 작정이냐〉 이상은 우리 나라 시가 얼마나 뒤떨어졌는가를 알고 있었다. 몇몇 가지만 비교해봐도 이상이 말한 바 수준의 차이는 드러난다. 우리 나라 최초의 신체시新體詩라는 최남선 작 「해海에게서 소년에게」가 발표되기는 1908년이었다. 그런데 큐비즘이란 것이 불란서 화단畵壇 방면에서 나타나기는 1907년이었으며 신대륙에서 이미지즘이 일어난 것은 1910년경이요, 기욤 아폴리네르Guillaume Apollinaire에 의해서 입체시立體詩가 쓰여진 것은 1913년부터였다. 그럼 1931년에 이상이 「이상한 가역 반응異常の可逆反應」을 발표했을 때의 외국 시단은 어떠하였던가. 1916년 서서瑞西에서 세계 1차 대전의 전화戰火와 더불어 퍼져 나간 다다이즘을 겪고 1930년 이후에는 이미 쉬르레알리즘이 준비기를 지나 영웅 시대를 거쳐 이론의 시대를 벗어나 자치 시대로 들어섰던 때였다. 그러니까 이상의 시가 처음으로 발표된 1931년은 바로 초현실의 이론 지도자였던 앙드레 브르통André Breton과 초현실 이론을 작품화하는 데 많은 공로를 세운 폴 엘뤼아르Paul Eluard가 공산당에서 제명 처분을 당한 때와 맞먹는 셈이다. 우리는 이런 비교만으로도 족하다. 여기에서 현대의 여러 가지 시론을 말할 필요는 없다. 이런 구미歐美와의 비교로써 우리 나라 시가 비굴할 필요는 없다. 학자들은 이 차이를 '아시아적 근대성'이라고 지적한 것처럼 전통 아닌 급변에서 일어난 현상이었다. 말하자면 서구의 현대가 동양에선 근대로 시작하였다는 것이다. 그만큼 각기 조건과 입장

이 달랐을 따름이다. 조건과 입장은 다르지만 각기 노력을 다한 점에서 고찰하면 피차의 업적은 귀중하다. 그러나 과학 문명에 의해서 세계의 거리가 가속도로 단축되는 시대임을 외면할 수도 없지만 외면해서는 안 된다. 따라서 문학 조류도 급속도로 지구에 퍼져 고유의 것을 변질시켰다. 그 당시 바다 건너 일본은 가지가지 현대 시론을 구라파로부터 직수입하기에 활발하였다. 일본의 시 전문지 『시와 시론詩と詩論』은 서구를 추종하고 논의하고 모방화하기에 야단들이었다. 이상은 「오감도」에 대한 군중의 몰이해를 혼자말로 중얼거린다. (다음 말은 써만 놓고 발표되진 않았다.) 〈모르는 것은 내 재주도 모자랐지만 게을러빠지게 놀고만 지내던 일도 좀 뉘우쳐보아야 아니 하느냐. 열아문 개쯤 써보고서 시 만들 줄 안다고 잔뜩 믿고 굴러다니는 패들과는 물건이 다르다. 2천 점點에서 3천 점을 고르는 데 땀을 흘렸다. 31년, 32년 일에서 용대가리를 떡 끄내어놓고 하도들 야단에 배암 꼬랑지커녕 쥐꼬랑지도 못 달고 그만두니 서운하다〉 〈이것은 내 새 길의 암시요. 앞으로 제 아무에게도 굴하지 않겠지만 호령하여도 에코가 없는 무인지경은 딱하다. 다시는 이런—물론 다시는 무슨 다른 방도가 있을 것이고 위선 그만둔다. 한동안 조용하게 공부나 하고 따는 정신병이나 고치겠다〉 그의 이러한 울화와 질타는 자신에 빛난다. 현대는 〈굴하지 않는〉 신념을 스스로 분형焚形 하였다. 그 비참한 불빛은 '레몽' 의 향기처럼 아름다웠다.

그가 한 입에 세계 수준을 소화하고 나아가서 이바지한 데는 몇 가지 이유를 들 수 있다. 이 땅도 정신적 퇴폐에서 변화적 사회의 상황이 나타났던 것이다. 식민지 백성으로서 생활을 잃은 목숨에 파괴적 충격과 미래에의 불안과 냉정한 허무가 자랐다. 동시에 그의 벽이 바로 다다적 상황을 내부로부터 분비하였다. 그의 천재가 모든 현대 시론을 소화하였고 항거가 작품을 발아시켰다. 그 이전까지 평면적인 시(탄조嘆調, 감상感傷, 19세기 말적 퇴폐, 관념)에만 젖어온 독자들이 상의 새로운 예술에 입각한 시에 당황한 것은 무리도 아니다. 시도 한 사람의 힘에 의해서 평지돌출 격으로 발전하는 것은 아니다. 이상은 어떤 요건에 처해 있었다. 당시의 전후를 통하여 시단은 다채로웠다. 「백록담白鹿潭」의 신감각新感覺을 위시하여 모더니즘 이론 창도자唱導者가 내놓은 「기상도氣象圖」와 언어 감각을 회화화繪畵化한 「와사등瓦斯燈」과 데카당티즘적인 「성벽城壁」과 원죄原罪의 형벌을 뱉어놓은 「화사집花蛇集」 등 오늘날까지도 영향을 준 작품들이 다 그 무렵의 소산이었다. 상기한 외에, 1930년경에서 1940년경까지 여러 가지 성질의 것이 우리 나라에서 동시에 피어난 것과 같은 예는 외국에서도 볼 수 있다. 제임스 조이스James Joice의 『율리시스*Ulysses*』와 토머스 스턴 엘리어트T. S. Eliot의 『황무지*The Waste Land*』와 폴 발레리Paul Valery의 『매혹*Charmes*』이 출판되고 라이너 마리아 릴케R. M. Rilke의 『두이노의 비가*Duineser Elegien*』가 완성된 것은 같은 해 1922년이었다. 그 무렵 많은 시인들에 비해서 상의 시 형태는 다분히 최신 계열에 속하고 있다. 설명 대신 그의 시를 직접 예시한다.

1. ▽ノ目ハ冬眠テアル

2. 光が人であると人は鏡である

3. 快晴ノ空ニ鵬遊スルZ伯號 蛔蟲良樂ト書イテアル

4. 速記를펴놓은床几위에알뜰한접시가있고접시위에삶은鷄卵한개포크로터뜨린자위겨드랑에서난데없이孵化하는勳章型鳥類—푸드

덕거리는바람에方眼紙가찢어지고永原위에座標잃은符牒떼가亂舞한다.

5. 濃緑の扁平ナ蛇類ハ無害ニモ水泳スル硝子の流動點は無害にも半島でも無い或る名の山岳を島嶼の様に流動せしめるのでありそれで驚異と神秘と又不安をも一緒に吐き出す所の透明な空氣は北國の様に冷くあるが陽光を見よ鴉は恰かも孔雀の様に飛翔し鱗を無秩序に閃かせる半個の天體に金剛石と毫も變りなく平民的輪廓を日沒前に曆せて驕ることはなく所有しているのである

6. 卷煙에피가묻고그날밤에遊廓도탔다.

7. 大理石ノ女ガポーヅヲ變ヘルタメニハ少クトモ肉ヲ削リ落サネバナラナイ

8. 爆筒の海綿質塡充(瀑布の文學的解說)

참고로 고석규高錫珪 말을 첨부한다. '이상 시의 형태상 변혁은 무엇보다도 그가 전문한 설계(기하)학에서 빌린 기호와 수식들을 구사하여 표현의 시각적인 반응을 목표하는 데서 시작되었다' 는 말은 다음에 한가지 더 중요한 상의 시구를 들기로 한다. 〈數字のcombinationをかれこれと忘却していた若干小量の腦髓には砂糖の様に清廉な異國情調故に假睡の狀態を唇の上に花咲かせながらいる時繁華な花共は皆イッコへと去りえを木彫の小さい羊が兩脚を喪ひジット何事かに傾聽しているか〉

이걸 읽으면 엘리어트T. S. Eliot의 『황무지』의 2부 「체스 게임A Game Of Chess」의 처음 부분이 연상된다. 나만이 그럴까. 이건 그의 초기인 1931년 6월 18일 작이다. 그는 애초부터 이처럼 넓은 시인이었다. 우리 나라 시 문학사에서 상은 현대 시를 이루어놓은 최초의 공로자였다. 그럼 상은 단지 쉬르레알리스트였던가. 그 무렵 쉬르레알리스트는 지구 전면에 하늘의 별만큼이나 많았다. 현대 시와 그 이론은 퇴색하여도 상은 소멸하지 않을 만한 자기대로의 특색을 지니었다. 20세기 시단의 3대 거성적巨星的 존재의 한 사람인 엘리어트의 완숙하다는 작품 「네 개의 사중주Four Quartets」가 세상에 공간公刊된 것은 1944년이다. 엘리어트의 이 장시長詩는 다음 구절로서 시작한다.

Time present and time past
Are both perhaps present in time future,
And time future contained in time past.

그런데 상이 1931년 9월 12일에 쓴 「선에 관한 각서線に關スル覺書5」의 한 부분인 다음 시

未來へ逃げて過去を見る 過去へ逃げて未來を見るか, 未來へ逃げることは過去へ逃げることと同じことでもなく未來 へ逃げることが過去へ逃げることである

速度を調節する朝人はオレを集める, オレらは語らない, 過去らに傾聽する現在を過去にすることは間もない, 繰返される過去, 過去らに 傾聽する過去ら, 現在は過去をのみ印刷し過去は現在と一致することはそのことらの複數の場合においでも同じである

聯想は處女にせよ, 過去を現在と知れよ, 人は古いものを新しいものと知る健忘よ, 永遠の忘却は忘却を皆救ふ

를 읽으면 상이 이것을 쓴 지 10여 년 후에야 나온 엘리어트의 「네 개의」 시중주의 첫 부분이 머리에 떠오르는 것은 웬일인가. 그의 작품은 예언적 깊이를 가졌다. 또 이상의 상기 시 바로 옆엔 다음과 같은 목소리가 있다.

人は再びオレを迎へる, 人はより若いオレに少くとも相會す人は三度オレを迎へる, 人は若おれに少くとも相會す, 人は適宜に待てよ, そしてファウストを樂しめよ, メエフイストはオレにあるのでもなくオレである

괴테Goethe는 불멸의 존재가 된 사람이라 한다. 이상도 이 지상에서 깊이의 깊이를 본 사람이다. 이런 시를 쓴 상은 그때 약관 22세였다. 상은 주체할 수 없이 썩어들어가는 육신으로 다음과 같은 말을 한다. 〈'내가 일어나기만 하면……' 그에게는 단테의 『신곡神曲』도 다 빈치의 「모나리자」도 아무것도 그의 마음대로 나올 것만 같았다〉 여기에 나오는 그가 이상 자신임은 설명할 필요조차 없다. 이상은 '레몽'을 쥐고서 떠나갔다. 그렇다면 '레몽'은 이상의 월계관이다. 누가 준 것은 아니다. 그가 마땅히 가졌을 뿐이다. 이 지상에서 과실이 없어지리라곤 생각할 수 없다. 사람들이 일생을 걸려도 잡지 못한 시를, 상은 일찍부터 그 없어지지 않는 시를 파악하고 있었다. 그가 〈나는 내 비범한 발육을 회고하여 세상을 보는 안목을 규정지었〉다고 한 말은 당연하다.

그의 자화상

이상을 그린다면 피카소의 기욤 아폴리네르 초상보다 새로울 것이다. 그의 「자상自像」을 들어보기로 한다. 〈여기는어느나라떼드마스크다. 떼드마스크는盜賊맞았다는소문도있다. 풀이北極에서破瓜하지않던이수염은絶望을알아채리고生殖하지않는다. 千古로蒼天이허방빠져있는 陷井에遺言이石碑처럼은근히沈沒되어있다. 그러면이곁을生疎한손짓발짓의信號가지나가면서無事히스스로와한다. 점잖던內容이이래저래구기기시작이다〉 누구나 세상에 태어났을 때는 적나라해도 상의 생활은 〈점잖던 內容〉의 상실 과정이었다. 그는 상실에서 언어마저 닫고 '레몽'을 따기까지 사투하였다. 지상은 한 인간을 완숙시키기에 가혹하지 않으면 안 되던가. 가혹함이 없이는 아무것도 완숙시킬 수 없을까. 그 의문에서 결실한 '레몽'은 짧은 생애와 무서운 시련을 요하였다. 바로 '레몽' 나무 스스로가 겪은 대가였다. 누구나 말하고 싶은 슬픔을 말한다. 〈슬퍼? 응— 슬플밖에— 二十世紀를 生活하는데 十九世紀의 道德性밖에는 없으니 나는 永遠한 절름발이로다〉 20세기와 도덕성, 이는 세계적인 문제였다. 이런 의미에서 절름발이의 슬픔은 인간만이 느낄 수 있었다. 그에게는 가장 인간다운 인간이 될 수 있는 불행과 역경이 골고루 부여되었다. 태중胎中에서부터 자동적으로 식민지 백성이었다. 식민지에 대한 이상의 글을 들어보기로 한다. 〈한겨울을 두고 이 荒凉하고 醜惡한 벌판을 바라보고 지내면서 그래도 自殺悶絶하지 않는 農民들은 불쌍하기도 하려니와

巨大한 天痴다〉〈이 貧村에는 盜賊이 없다. (중략) 盜賊에게는 이 마을은 盜賊의 盜心을 盜賊맞기 쉬운 危險한 地帶리라〉〈戶ト窓ハ深ク閉サレテイタ ドウシテ彼等ハ彼等ノカビノ生ヘタ微密ヲ日光ニ曝サナイノデアラウ 陰慘ナ傳統ヲ. 古イ古イ祖先ガソノ鈍重ナ窓戶ノ裏デ病ンデイル 骨髓ヲ一不潔ヲ〉〈'아스팔트'를 구르는 蒼白한 工場少女들의 蛔箂 같은 손가락을 연상하여봅니다〉〈電燈一이곳 村民들은 ××行 自動車 '헤드라이트' 外에 電燈을 본 일이 없습니다〉 그는 〈개들은 天賦의 守衛術을 忘却하고 낮잠에 耽溺하여 버리지 않을 수 없을 만큼 墮落하고 말았다〉고 개탄하며〈'사구라'라는 꽃을 나는 그렇게 장하게 여기는 者가 아닙니다. 然而 이 '사구라'가 가을에 眞짜 단풍보다도 훨씬 丹楓답게 紅葉이 지는 것을 보고 거 제법이라고 여겼습니다〉로 함축 있게 말한다. 〈コノ宇宙ノ汚點ヨリモ更ニ 憎憎シイ不幸ナ子ラノ誕生ヲ私ハ呪フ〉 저주도 하였으며 〈우리에겐 生活이 없다. 도야지가 아니었다는데서 悲劇은 出發하였다〉며 호소하기도 한다. 그의 집은 〈生活이 모자라는〉 곳이었다. 〈돈도 없어지고 疲困한 過去가 멀거니〉 앉아 있었다. 〈門을 열려고 안 열리는 門을 열려고〉 그는 〈그냥 門고리에 쇠사슬 늘어지듯 매여달렸다〉 즉 집안은 〈壽命을 헐어서 典當 잡히〉었다. 〈어떻게 하면 돈을 버나요. 못 법니다. 못 법니다〉 그는 거듭 강조한다. 그는 〈第二次의 喀血이 있은 후〉부터 〈어슴푸레하게나마 (自己) 壽命에 대한 槪念을 把握〉하였다. 〈그저께는 그저께보다 여위고 (중략) 내일은 오늘보다 여윌 터이고―〉 그 다음은 말을 계속하지 못한다. 전 우주에 해당하는 자기 생명을 위해서는 싸워야만 했다. 너무나 일찍부터 결국 세상을 떠나기까지는 부절不絶히 태어난 데 대한 고문을 받았다. 〈허―너는 잊었구나? 네 復讐

가 畢하는 것이 네 落命의 날이라는 것을. 네 一生은 이미 네가 復活하던 瞬間부터 祭壇 위에 올려놓여 있는 것을 어쩌누?〉 이런 불행이면서도 그는 남에게 동정받는 것을 싫어하는 총명과 고집과 오만으로 버티었다.

〈내게서 버림받은 계집이 賣春婦가 되었을 때 나는 차라리 그 계집에게 銀貨를 支拂하고 다시 賣春할망정 姦淫한 계집을 용서하지도 버리지도 않는 殘忍한 惡德은 犯하지 말아야 한다고 나는 나 自身에게 타이른다〉 그는 〈나 自身의 峻嚴 앞에 哀乞하기까지 하였다〉며 고백한다. 동시에 그는 자기 자신을 지탱할 수 없을 정도로 뛰어난 재능이었다. 〈古往今來 某某한 天才의 風貌에 비겨도 조금도 遜色이 없으리라〉 그는 〈떼가마귀의 罵言 속에서 蕩兒中에도 蕩兒 術客中에도 術客〉이었다. 이러한 그는 식민지 백성으로, 가난한 집 장자로, 나날이 수척해가는 폐병 환자로, 게다가 세상과 타협하지 못하는 안목과 탐미적 기질과 놀랄 만한 천재를 겸하였다. 이렇게 되면 어떻게 되는 것일까. 설상가상의 정도가 아니라 자신을 매몰하거나 불태워버릴 수밖에 없다. 불행은 기적처럼 불행하였다. 이런 기적이 출중한 시를 낳았다.

현대 시에 있어서 포멀리즘formalism의 시도는 아폴리네르 이래 근자에는 딜런 토머스Dylan Thomas에 이르기까지 예거例擧할 수 없을 만큼 많다. 그런 시도는 대개 독자에게 재치 있는 경박감을 주었다. 그렇지 않으면 그런 필요성을 의심할 만큼 시의 품위를 손상시키는 형태가 고작이었다. 그러나 이상의 시 형태에선 어떤 중압감과 어떤 단면을 보는 진실로 이상을 느낀다. 많은 사람에 의해서 여러 가지로 논의되어온 「오감도」 '시 제4호' '시 제5호' 등은 죽음과 싸우는 이상의 자화상이었다. 〈나는銃쏘으드키눈을감으며한방銃彈대신에 나는참나의입으로무엇을내어뱉었더냐〉 내뱉은 것은 그의 전 작품이다. 객혈喀血이었다. 대개의 경우 현대 시론에 의한 시인들의 초기 작품들이란 이유야 여하튼 간에 대개가 경박한 기지나 서투른 색채나 어색한 조립 때문에 그 원래의 가치마저 희박케 한 경우가 많다. 당시 일본의 초현실파란 사람들도 거개가 원숭이 같은 손장난만 하다가 말았다. 우리 나라에서는 「기상도氣象圖」가 대담한 실패를 한 예다.

화호불성畵虎不成에 반류구자격反類狗子格인 실패 없이 이상이 일약 현대 시론을 극복한 독특한 자기 예술을 완성한 원인은 무엇일까. 그 원인은 엄숙한 불행과 비극에서 싹텄다. 이상의 비극과 불행이 어째서 우리의 문제가 되며 오늘날 허다한 공감을 불러일으킬까. 그 비극과 불행은 이상만의 불행과 비극이 아니었다. 대표적으로 불안, 반항, 분열, 자조, 공포, 방탕, 위기, 집요, 빈곤, 갈등, 오만, 위장이 오늘날에 와서는 우리의 것이요, 세계의 기정 사실이 되었다. 그는 한갓 실험용으로 희생된 예언자인가. 그의 작품은 그런 잔인한 동정을 받을 수 없다. 그의 고민은 지상의 본질이며 '레몽'의 형성 과정이며 인간 본연의 사명이었다. 이상의 시는 난해를 위한 난해도 괴상怪常을 위한 괴상도 아니었다. 견딜 수 없는 공포와 시련에서 '레몽'은 성숙하였으며 반대로 '레몽'과 현실은 건널 수 없는 단애斷崖를 심화하였다. 그의 예술의 난해성은 〈貞操는 禁制가 아니요 良心이다. 이 境遇의 良心이란 道德性에서 우러나오는 것을 가르치지 않고 '絶對의 愛情' 그것이라〉고 한 '금제禁制가 아닌' '양심' 즉 '절대의 애정'이 기저를 이루고 있다. 〈禁制가 아닌〉 〈良心〉, 즉 〈絶對의 愛情〉을 찾는 절규가 현대에서는 난해로 나타나지 않을 수가 없었다. 진실에의 갈구가 괴상한 몸부림을 친다. 군상群衆들은 그에게 〈미친놈의 잠꼬대냐〉 〈무슨 개수작이냐〉니 욕설을 퍼부었다.

최재서崔載瑞는 상의 풍모를 다음과 같이 말한다. "처음 보는 상의 보헤미안 타입의 풍모와 시니컬한 웃음과 기지환발機智喚潑한 스피치에 나는 또 다시 한 번 놀라지 않을 수 없었습니다." 이것은 이상의 표면적 모습이다. 의족義足에다 군용화를 신긴 것과 같은 그의 위장僞裝인 것이다. 〈사람들은 나를 보고 짐짓 奇異하기도 해서 그러는지 驚天動地의 육중한 經綸을 품은 사람인가 보다고들 속는다. 그러니까 그렇게 하는 것이 내 시시한 姿勢나마 維持시킬 수 있는 唯一無二의 秘訣이었다〉 〈나는 말하자면 내 偶然한 終生을 감쪽스럽도록 찬란하게 虛飾하기 위하여 내 薄氷을 밟는 듯한 포즈를 아차 실수로 무너뜨리거나 해서는 절대로 안 된다는 것을 굳게굳게 銘心하고 있는 까닭이다〉 그의 고백으로 해서 우리는 그 위장의 진리를 알 수 있다. 필자가 서정주로부터 들은 바에 의하면 이상 같은 미남자는 못 보았다고 한다. 세수란 것을 모르는 사람이지만 창백한 옥돌처럼 매력이 있었다고 한다. 여러 사람과 함께 가도 여급들은 상에게로 몰려들었다. 그의 화술은 대단해서 어디서나 독무대였다. 이런 재질이 썩으면서 비료가 되면서 '레몽' 은 자라났다. 세상에 살아 있으면서 자기 묘비명을 쓰는 데 거짓없이 위장할 수 있는 힘을 가진 사람이 몇이나 될까. 〈墓碑銘이라 一世의 鬼才 李箱은 그 通生의 大作 「終生記」 一篇을 남기고 西曆元後一千九百三十七年 丁丑 三月三日 未時 여기 白日 아래서 그 波瀾萬丈(?)의 生涯를 끝막고 문득 卒하다. 享年 滿二十五歲와 十一個月. 嗚呼라! 傷心커다. 虛脫이야 殘存하는 또 하나의 李箱 九天을 우러러 號哭하고 이 寒山 一片石을 세우노라. 愛人 貞姬는 그대의

沒後 數三人의 秘妾된 바 있고 오히려 長壽하니 地下의 李箱, 아! 바라건대 瞑目하라〉 유사 이래 방약무인한 오만과 쇄락한 힘은, 그의 '레몽' 생성을 위해서 불가결한 요소였다.

사死와의 대결

산다는 것은 죽음에의 접근 과정이다. 창조는 사람에게 그 점을 크게 인식 못하도록 하고 있다. 이것이 창조의 비밀이기도 하다. 역사 이래 소위 '위대' 하다는 이름으로 불려진 사람들은 생전에 이런 창조의 비밀을 간파하였다. 창조는, 생과 사라는 자체의 비밀이 폭로되는 것을 마땅치 않게 여긴다. 창조는 자기 비밀을 투시한 사람에게 기꺼이 형벌을 내린다. 선출된 인간은 그 형벌을 당하면서 스스로 창조가 되는 것이다. 이상의 첫 발표 작품인「이상한 가역 반응」, 동同 1931년 작인「삼차각 설계도三次角設計圖」, 일문日文으로 된「오감도烏瞰圖」를 자세히 읽어보면 이상 세 제목에도 암시되어 있는 바와 같이 그는 약관 22세로서 창조의 비밀을 간파하였다. 이미 위에서 그를 괴테와 엘리어트와 비교하여 인용한 구절도 있지만 닥치는 대로 하나만 더 골라보면 〈算式は光と光よりも迅く逃げる人とに依り運算せらること〉〈人は星—天體—星のために犧牲を惜むことは無意味である, 星と星との引力圈と引力圈との相殺に依る加速度函數の調査を先づ作ること〉 같은 것이 바로 그런 것이다. 그가 자기 글 속에서 곧잘 자기를 '귀재' 로서 자인한 것도 형안炯眼을 자부한 때문이다. 이때부터 (22세 또는 그 이전일지도 모르나) 창조는 자기 비밀에 도전하는 상에게 유쾌한 형벌을 내리기 시작하였다. 창조는 먹히면서 새로운 창조를 완성시키고야 만다. 〈俺ハ彼等ノ軋轢ノ發熱ノ眞中デ昏睡スル退屈ナ歳月ガ流レテ俺ハ目ヲ開イテ見レバ屍體モ蒸發シタ後ノ靜カナ月夜ヲ俺ハ想像スル〉(1931. 6. 5) 〈何時迄モ俺屍ハ體デアラントシテ屍體ナラスコトデアラウ〉(1931. 6. 5) 그는 또 〈俺に如何なる孤獨は訪れ來樣とも俺は××しないことだらう〉(1931. 6. 1) 그는 이렇게 창조에게 불복함을 선언한다. 아니 감연히 도전하였다. 창조는 대노하였다. 만물을 생사生死시키는 자기 내막을 투시한 천재에게 질투하였다.

그것은 전신이 산채로 해골骸骨화하는 폐질肺疾로 나타났다. 그런 고통 없이 새로운 창조는 나타나지 않는 법인가. 그는 피형자被形者가 되면서 '레몽' 을 잉태하였다. 갑자기 그의 〈입안엔짠맛이〉 돌고 〈血管으로淋漓한墨痕이몰려들어〉왔다. 〈記憶을맡아보는器官이炎天에생선처럼傷해들어가기始作〉하였다. 그는 말한다. 〈근심이나를除한世上보다큽니다〉 그는 〈거울속의〉 그에게 〈自殺을勸誘〉하였다. '레몽' 이 그렇게 간단히 결실되는 것은 아니었다. 〈웃을수있는時間가진標本頭蓋骨에筋肉이 없는데〉까지 그를 끌고 가야만 했다. 그는 그의 〈自敍傳에 自筆의 訃告를 插入하였다〉 이러한 산송장은 이상만의 것일까. 식민지 전체가 〈부질없는 세상이 스스로와서 霜雪 같은 威嚴을 갖춘 몸으로 寒心한 不遇의 日月을 맞고 보내지 않으면 안 되〉었다. 「오감도」 시 제1호에 나오는 13인의 아해는 미친놈의 개수작이 아니라 오늘날에 와서야 '최후의 만찬회' 에 합석한 기독교 13인으로 풀이된 것이다.[14] 서구의 불길한 수를[15] 들어서 분석한 것, 또 좁은 뜻으로는 조선 13도로 풀이 할 수 있다. 이유 없이 사형 선고를 받고 「오감도」 속에 수금囚禁되어 다가오는 집행 날을 바라보는 천재는 나날

이 자기를 '역단易斷' 하였으나 그 점괘는 이상하게도 현대의 〈위독〉과 일치하였다.[16] 그는 피 한 방울 흘리지 않고 토기土器처럼 산산조각 깨어지거나 동작 없는 화석이라도 될 수 있었던가. 그도 어디까지나 사람이었다. 즉 우주처럼 무엇으로도 정의할 수 없는 사람이었다. 인간인 그는 죽음과 대결하면서 인간으로서의 사명에 충실하였다. 그는 죽음으로 '레몽' 으로 접근하였다. 마침내 '레몽' 의 핵심이 되었다. 어떻게 죽음과 싸웠던가. 그는 말한다. 〈誰ガ俺ヲ指シニ孤獨デアルト云ウカ, コノ群雄割據ヲ見ヨ コノ戰爭ヲ見ヨ〉 정신과 육신의 전쟁은 치열하였다. 주체와 객체, 내부와 대상이 각각 군웅으로 할거하였다. 처절한 현대인의 의식 분열이었다. 분열한 의식들은 연합이란 말을 모른다. 자기가 세상인지 세상이 자기인지 누가 자기인지 자기가 누구인지 누가 누구인지 갈피를 못 잡았다. 〈一時에 氣盡하다. 脈은 탁 풀리고는 앞이 아찔하는 것이 이러다가 까무라치려나 보다고 極力 단장을 의지〉한다. 그러면서도 그는 〈一時刻을 虛送하지 않았다〉 그는 〈없는 智慧를 끊지지 않고 쥐어〉 짰다. 그는 〈剽悍無雙의 瘠軀〉로서 〈陰地에 蒼白한 꽃이〉되어 〈救世主의 最後然히〉 속삭인다. 이는 〈難攻不落의 關門의 壞滅〉이라고 하였다. 〈한 다리를 절름거리는 女人―이 한 사람이 언제든지 돌아선 姿勢로〉 그에게 〈肉迫〉해왔다. 그럴 때마다 그는 〈異常한 鬼氣가 내 骨髓에 浸入하여 들어오는가 싶다〉고 독백한다. 〈박제의 천재〉는 〈날개야 다시 돋아라. 날자 날자. 한 번만 더 날자꾸나. 한 번만 더 날아보자꾸나〉하고 세상과 죽음에 항거하였다. 이야말로 현대의 몸짓이었다.

A. 이율배반

현대의 양상을 주시할 필요가 있다. 당면 문제이기 때문이다. 바로 과거의 붕괴, 기존의 부정, 기성의 파괴였다. 폐병 환자 이상도 현대고現代苦를 망각하려 음주飮酒하거나 여색女色하였다. 식민지 사회고와 멸망하는 자신의 정점에 일체의 과거와 생활과 문학과 사상과 관념을 우롱하였다. 파멸을 의식한 견딜 수 없는 반항이었다. 견딜 수 없는 발작, 즉 파멸 접근에서 '레몽'은 충분히 과액果液을 자양自釀하였다.

이러한 이율배반은 그가 남긴 소설들에 잘 나타나 있다. 부부란 낙원에서 시작된 것이다. 그러나 현대는 이런 근본적인 것부터 파괴하였다. 〈아내는 아침이면 外出한다〉〈順序야 바뀌어도 하루에 한 男子以上은 待遇하지 않는다고 아내는 말한다〉 현대는 이런 말에 놀라지 않는다. 즉 〈'콩크리트' 田園에는 草木根皮도 없다. 物體의 陰影에 生理가 없다〉 문명은 반면 상상도 못한 부작용을 일으켰다. 〈不義는 貴人답고 참 즐겁다. 간음한 處女—이는 不義中에도 가장 즐겁지 않을 수 없는 永遠의 密林이다〉 그런데 왜 〈貞姬의 立像은 帝政露西亞적 郵便 딱지처럼 적잖이 슬프〉기만 한가. 역사는 인간 상실을 실로 묘하게 초래하였다. 아내도 거미였고 남편도 거미였고 돈도 거미였고 거미들은 거미들끼리 서로 피를 빨아먹는다.[17] 그러면서도 서로는 더욱 외로웠다. 더욱 구원은 없었다. 〈아내의 살에서 허다한 指紋의 내음새를 맡는〉다. 〈아내에게 내객이 있나 없나를 걱정하면서 미닫이 앞에서〉 기침을 하는 사나이는 〈아내에게 돈을 주고 안방에서 자보는〉 사나이는 〈왜 아내의 내객들이 아내에게 돈을 놓고 가나 하는 것이 풀 수 없는 疑問인 것처럼 왜 아내는 나에게 돈을 놓고 가나 하는 것도 역시 나에겐 똑같이 풀 수 없는 의문이〉었다.

아내는 바로 이상의 분신이요 이런 분신들이 바로 세상이었다. 그는 그의 여인 금홍錦紅이를 친구들에게 권하기도 하고 친구들은 금홍이와 동침도 한다. 여인과 이상과 사회는 서로 상반하기는커녕 홀연히 삼위일체를 이룬다. 이런 짓을 하며 이런 속에서 그는 대소大笑한다. 그 웃음을 타고 눈물이 흐른다. 벗어나려 별 짓을 다 해보아도 역시 벗어나지 못하는 의지가 번쩍인다. 〈꿈―꿈―꿈을 짓밟는 虛妄한 勞役―이 世紀의 困憊와 殺氣가 바둑판처럼 널려 깔렸다. 먹어야 사는 입술이 惡意로 꾸긴 진창 위에서 슬며시 食事 흉내를〉 내는 것이다. 상은 한 개 종자種子처럼 밑바닥의 밑바닥으로 전락하였다. 찬란한 '레몽' 이 공간에 달리는 것도 밑바닥의 밑바닥의 뿌리에서 시작하였다. 〈우리 부부는 숙명적으로 발이 맞지 않는 절름바리인 것이다〉 〈아내는 하루에 두 번 세수를 한다. 나는 하루 한 번도 세수를 하지 않는다〉 뿌리와 가지, 공간과 지하, 생과 사, 도시와 자아, 이런 상반, 양극에서 '레몽' 은 이상 앞에 나타나기 시작한다.

B. 역설

〈反射運動과 反射運動 틈 싸구니에 끼여서〉 역설의 몸부림을 친다. 그럴 때마다 집결한 광점光點에서 연기가 솟았다. 동시에 그의 역설은 '창조' 의 폐부肺腑를 찔렀다. '창조' 는 자기를 당혹케 하는, 자기에게 변명할 여지조차 주지 않는, 자기를 무안하게 하는 역설을 사랑하였다. 즉 만난萬難을 무릅쓰고 본질로 접근해오는 인간을 그 '과오' 를 그 '고통' 을 찬송하였다. 〈天使는 아무데도 없다. '파라다이스' 는 빈터〉였다. 그는 계속 갈파한다. 〈天使는 왜 그렇게 地獄을 좋아하는지 모르겠다〉 그는 신을 향하여 연발 연사連發連射한다. 천사들은 다 결혼하였다는 것이다. 〈나는 속고 또 속고 또 또 속고 또 또 또 속았다〉 그는 연민과 동정을 일축한다. 〈'내 十錢 줄게 다시는 거지 노릇을 하지 말라' 한 婦人이 있다니 抱腹할 일이다〉 〈목숨이 끊어지지 않을 만큼 먹여 살려서는 그런 것이 歷然히 地上에 있다는 것을 事實로 指摘해서는 제 人生生活의 價値와 '레에종데틀' 을 驕慢하게 肯定하자는 企劃일 것이다〉 〈나는 틀림없이 어떤 점잖은 분들의 虛榮心과 生活原動力을 提供하기 위하여 꾸멀꾸멀하는 '거지적 存在' 구나. 나의 불이 번쩍 나지 않을 수 없었다〉 그는 또 신의 사랑을 거절한다. 죄수들이 〈남의 어떤 눈도 싫어하는 까닭은 말하자면 對等의 地位를 떠난 憐悔 侮蔑 同情 忌恣, 이런 것을 嫌惡하는 人情本然의 發露가 아니고 다름없는 것이 아닐까 한다〉 그는 신을 고발한다. 그리고 신과 대등한 지위를 요한다. 그는 〈사람이 秘密이 없다는 것은 財産 없는 것보다도 더 가난하외다〉 하고 인간 자격을 강조한다. 그의 역설은 이걸로 끝나지 않는다. 다시 놀라운 비약을 한다. 〈빌어먹을 거一世上이 귀찮구려! 不安이 아니면 하루도 살 수 없는 그런 人間에게 행복이 오면 큰일이오. 아마 卽死할 것이오. 狹心症으로— '一切誓우나' '一切오 信지나이또誓에' 의 두 마디 말이 發揮하는 多彩한 파라독스를 弄絡하면서 혼자 微苦笑을 하여보오〉 〈아— '哲學노限리나끼無요' 그랬소〉 그는 이에 이르러 인간과 신을 대립시키거나 다투지 않는다. 신과 인간을 다 뒤집어 보이며 미고소微苦笑한다. 〈人生의 諸行이 싱거워서 견딜 수가 없소〉 〈산다는 것은 내게 따는 必要以上의 '揶揄' 에 지나지 않는다〉며 쉽게 한 손으로 대립과 존재 가치를 쓸어 뭉개버린다. 〈그대 自身을 僞造하는 것도 할 만한 짓이오〉 그는 법칙, 인과, 선악을 일소一笑하였다. 지향하는 절대의 자유가 산울림처럼 소멸하면서 허무에다 닻을 내렸다. 〈계집의 얼굴이란 다마네기다. 암만 베껴보려무나. 마지막에 아주 없어질지언정 正體는 안 내놓느니〉 그는 이유 없는 형벌, 해골화하는 자기 육신에서 분노하고 호곡號哭하다가도 이렇게 모든 걸 투시하였다. '레몽' 은 스스로 감미로운 자양을 분비하였다. 〈마지막에 아주 없어질지언정 正體는 안 내놓〉는다고 설파하였다. 아주 없어질지언정 정체는 안 내놓는다는 것은 아주 없어진 곳에서 정체는 나타난다는 것과의 표리인 것이다. 그는 일찍부터 지감知感하였던 '레몽' 이 멀지 않은 곳에 실지로 있음을 감지하고 있었다. 그 거리는 날마다 멀어지는 것으로도 가까워지는 것으로도 되어 있지 않았다. 정신 세계의 거리는 무한과 일각一刻이 제로[零] 속에서 왕래하였다. '레몽' 을 완숙하기까지, 그의 썩어가는 몸부림이 시간 과정을 요하였을 따름이다.

C. 권태

'레몽' 으로 접근하는 도중에 그에게서 수시로 명멸하는 권태의 반점을 볼 수 있다. 권태는 병리상病理上으로나 정신상으로나 많은 진전이 있은 후의 현상이다. 이 진전이란 말에 유의하여주기 바란다. 그럼 진전이란 어떤 무엇일까. 진전이란 발효란 뜻으로도 바꿀 수 있다. 〈戀愛라도 할까? 싱거워서? 심심해서? 스스로워서?〉 말끝마다 붙는 ? 는 넓은 내포를 의미한다. 즉 〈지는[負]것도 倦怠어늘 이기는 것이 어찌 倦怠 아닐 수 있으랴?〉 이것은 자포자기가 아니다. 〈나는 내가 행복하다고 생각할 필요가 없었고 그렇다고 불행하다고도 생각할 필요가 없었다〉 이러한 달관은 그의 겨드랑이에 날개를 돋게 하였다. 그가 소설 「날개」에서 말한 바 기사회생의 날개가 아니라 '레몽' 으로 좀더 빨리 날아갈 수 있는 속도이다. 고름이 질질 흐르는 발을 앞으로 괴로이 내어 딛지 않아도 되었다. 몸은 자동적으로 간다. 〈그냥 그날그날을 그저 까닭 없이 펀둥펀둥 게으르고만 있으면 만사는 그만이었던 것이다〉〈나는 가장 게으른 동물처럼 게으른 것이 좋았다. 될 수만 있으면 이 무의미한 인간의 탈을 벗어버리고도 싶었다〉 날개는 아주 쉽게 날았다. 순조로운 날개의 속도는 때로는 놀랄 정도였다. 〈대체어디얼마나기껏게으를수있나좀해보자—게으르자그저한없이게으르자(중략) 하루가한시간도없는것이라기로서니무슨성화가생기나〉 그러나 '레몽' 에의 속도는 자동적인 속도 이상이라도 탈이며 이하라도 탈이었다. 저절로 이루어져야만 '레몽' 은 곱게 익는다. 성급히 굴면 '레몽' 은 몇 배나 먼 거리로 물러간다. 가다 도피하려들면, 무서운 고민을 진군시켜, 탈주자를 기식氣息이 엄엄奄奄하도록 짓밟아놓는다.

또 갑자기 한풍우寒風雨가 '레몽' 으로 순조로이 날아가는 이상을 후려친다. 괴상한 힘줄 같은 번개가 날개를 끊는다. 언제나 일기日氣는 예측할 수가 없었다. 그의 〈倦怠는 感情의 忙殺〉이었던 것이다. 그는 〈내게 남아 있는 이 치사스러운 人間利慾이 다시없이 밉다〉고 생각한 때문이었다. 기후氣候는 그의 이러한 반발 의지에 대해서 신경질이었다. 그를 떨어뜨려도 죽지 않을 정도의 심연 위로 높이 끌어가는 것이었다. 그러면 또 이상은 허공에 매달려 발 아래 까마득한 심연을 굽어보며 마지막 공포 때문에 발버둥친다. 폭풍우의 난타亂打 속에서 '레몽' 이 그래도 떨어지지 않으려고 죽을 힘을 다 내어 몸부림친다. 그것은 상에게 언제나 난관이었다. 멀지 않은 완숙을 위한 악천후였다. 비색秘色 속에서 운학雲鶴이 날아오르는 순간을 위해 마지막 가열加熱을 받는 청자靑磁라고나 할까. 폭풍우는 화염처럼 전신을 후

려갈긴다. 그의 고통은 폭발 직전의 침묵을 호흡하였다. 그는 〈몹시 疲困하다. 阿房宮을 준대도 움직이기 싫다〉고 말한다.

결어結語

그것은 '레몽' 의 태동胎動이었다. 급격하는 고통이 모체를 엄습하였다. 그는 부르짖는다. 〈果然 지금 나로서는 내 命을 끊을 만한 自信이 없습니다. 修養이 못 되었습니다. 그러나 힘써 얻어보오리다〉「오감도」,「공포의 기록」,「역단易斷」,「동해童骸」,「종생기綜生記」를 지나『조선일보』에 그의 시「위독危篤」이 연재 중이었다. 〈천구백 삼십육 년 스물일곱이 되는 해 가을 찬비 나리는 밤에 이상은 권태와 자조와 술과 계집에서 몸을 건져 서울에서 탈출을 하고야 말았다〉[18] '레몽' 은 그에게로 접근해왔다. 결국 '레몽' 을 해산하기 위한 것이었다. 동시에 1935년에 발표한 성천 기행成川紀行 때부터 아니 그 이전 1933년 백천白川 온천으로 떠날 때부터 〈훌훌 떠난다〉는 것은 그의 속에서 자라난 꿈이기도 하였다. 아니 그 이전부터였다. 〈나 亦 집을 나가야겠다. 열두 해 前 中學을 나오던 열여섯 살 때부터 오늘날까지 이 虛妄한 欲心은 變함이 없다〉고 한 그것이었다.

〈어느 날이고 밤 깊이 너이들이 잠든 틈을 타서 살짝 亡하리라. 우리 어머니 아버지께는 告하지 않고 우리 친구들께는 電話 걸지 않고 一棄兒하듯이 亡하렵니다〉 예언자는 자기가 지난날 예언한 바를 성취시키기 위해서 떠났다.

〈그런데 우리들의 레우오지카—愛稱 톨스토이—는 괴나리봇짐을 짊어지고 나선 데까지 기껏 그럴 상싶게 꾸며 가지고 마지막 五分

에 가서 그만 잡았다. 자자레한 遺言 나부랭이로 말미암아 七十年 공든 塔을 무너뜨렸고 허울 좋은 一生에 가실 수 없는 흠집을 하나 내어 놓고 말았다. 나는 一個狡猾한 옵써버어의 자격으로 그런 愚昧한 聖人들의 生涯를 傍聽하여 있으니, 내가 그런 따위 실수를 알고도 再犯할 理 없는 것이다〉 이처럼 지난날 우매한 성인聖人에서 깨달은 그는 우매하지 않은 성인이 되려고 마지막 유언 ‘레몽’을 찾았다. 조국을 떠나갔다. 그는 〈師表, 視野, 아니 眼界, 拘束, 어째 適當한 語彙가 發見되지 않는다〉는 그 〈컨디슌〉을 찾아 그를 〈매질할 貧苦가 있을 뿐인 것을 너무 잘 알면서〉도 동경에 갔던 것이다. ‘레몽’은 그에게 〈컨디슌으로 나타났다. 〈여지껏 家族들에 대한 恩愛의 情을 참아 떼이기 어려워 집을 나가지 못하였다〉는 그는 마침내 그 〈컨디슌〉을 위해 은애恩愛를 끊었다. 그는 〈飄然할 수 있기〉 위해 〈膏肓에 든 이 文學病을, 溺愛의 이 陶醉의 굴레를〉 〈벗었다〉

동경에 이르렀으나 상은 〈自進한 愚昧 沒覺이 참 어렵다〉 〈自進하는 以上 그것은 到達할 수 없는 저 언덕이다〉, 이런 지난날의 말을 되풀이해야만 했다.

창조 태동은 간헐적으로 그에게 더욱 고통을 주었다. ‘레몽’을 찾는데 일생이 걸린 것이다. 이상은 스스로 마련한 창조를 낳기 위해 쩔쩔매어야 했다. 이를 옥물어야 했다. 이역異域의 그는 우선 〈貧窮하고 孤獨〉하였다. 오만한 천재는 비로소 고독이란 말을 쓴다. 〈그러나 저러나 東京 오기는 왔는데 나는 지금 누워 있소 그려, 每日 午後면 똑 起動 못할 程度로 熱이 나서 성가셔서 죽겠소그려〉 〈小生 東京 와서 神經衰弱이 極度에 이르렀소〉 그는 〈極度의 不眠症으로 苦生〉하였다. 〈가끔 血痰을〉 토하였다. 〈二三日씩 이불을 쓰고 門外不出하는 수도〉

있었다. 그는 부르짖는다. 〈이러다간 정말 自殺할 것 같소!〉 〈나는 지금 쩔쩔매는 중이오〉 그는 생각한다. 〈보아서 來달 中에 서울로 도로 갈까 하오〉 그러나 그는 〈한 篇의 作品을 못 쓰는 限이 있더라도 말라 비뚜러져서 餓死하는 限이 있더라도 저는 지금의 姿勢를 抛棄하지 않겠습니다〉 하고 생각을 돌렸다. 그는 싫건 좋건 창조의 자세를 버릴 수는 없었다. 〈私は毎日虛僞な電報を發信する　アスアサツクと〉 그러나 〈算盤の高低は旅費と一致しない〉, 즉 〈친구 家庭 燒酒 그리고 치사스러운 義理 때문에 서울로 돌아가지〉 않았다. 치사스러운 의리 때문에 돌아갈 수 없다는 것은 창조를 맞이한 각오였다. 그는 자기의 죽음을 확연히 알고 있었다. 그것은 동시에 〈살아야겠어서 다시 살아야겠어서 저는 여기를 왔습니다〉를 반영하였다. 그는 남에게 '레몽'의 해산을, 자기의 죽음을, 아무에게도 보이기가 싫었다.

그가 신음한 곳, 〈東京이란 데는〉 그에겐 〈치사스런 데〉였다. 〈예다 대면 京城이란 얼마나 人心 좋고 살기 좋은 '閑寂한 農村' 인지 모르겠습니다〉 그에게 있어 동경은 〈구역질 날 일이〉었고 〈卑俗〉하고 〈속빈 강정 그것이〉었다. 〈한 개 虛榮讀本〉이었다. 〈낮의 銀座는 밤의 銀座를 위한 骸骨〉이었다. 〈'마루노우찌' 라는 '뻴딩' 洞里에는 '뻴딩' 外에 住民이〉 없었다. 갈수록 이맛살을 찌푸리게 하는 괴물이었다.

그는 준비가 다 되어 있었다. 그와 '레몽' 은 동시 성숙이었다. 이젠 시간 문제였다. 돌이켜보면 그는 오랫동안 가난과 병고와 현대 침략이라는 기막힌 바위 속에서 빛났던 보석 광맥이었다. 객혈을 하며 20세기에 짓밟히며 지울 수 없는 망국민의 가난한 채찍 흔적을 몸에 감고서 자기 내부에만 있는 태초의 결광체結光體를 꾸준히 캐온 것이다. 그 준비는 일조一朝에 이루어진 것이 아니었다. 완숙하기까지의 조금씩 분비한 자양소滋養素를 여기서 잠시 회고할 필요가 있다.

그는 부모와 형제에게 어떤 사람이었던가는 「육친肉親의 장章」, 「매상妹像」에 잘 나타나 있다. 〈어느 사이에 都會에 남겨두고 온 가난한 食口들을 꿈에 봅니다. 그들은 捕虜들의 寫眞처럼 나란히 늘어섭니다〉 그는 목로집에서 술 파는 소복素服한 아주먼네를 보고 〈싸늘한 聖母를 느꼈〉던 사람이다. 〈血族이 저무도록 내 아픈 데 가닿아서〉 하며 동포를 읊은 음성이었다. 「이 아이들에게 장난감을 주어라コノ子ラニ玩具ヲ與ヘヨ」에는 미워할 수 없는 조국이 드러나 있다. 그는 〈斷指한 處女의〉 지극한 일편단심에 머리를 숙이면서도 가련한 무지와 가증할 전통을 설파한 사람이었다. 그는 자기 작품에 대해서 〈冷汗三斛의 劣作〉이니 그것으로 〈李箱을 忖度하지 말아주시기 바란〉다고 하였다. 〈나는 몇 篇의 小說과 몇 줄의 詩를 써서 내 衰亡해가는 心身 위에 恥辱을 倍加하였다〉며 냉엄히 말했다. 현대에 짓눌린 이상의 기묘한 표면을 제외하고도, 결핵균이 파먹어 들어간 그 내부의 질質은 원래부터 병들기 쉬웠던 순수선純粹善이었다. 〈하루 鐘路를 오르내리는 동안에 세 번 積善을 베푼 일이 있다. "네놈 덕에 내가 사람 노릇을 하는 것이다. 알기나 하니?" 하고 甚히 窮한 虛榮心에서 苦笑하였다. 自身 亦 地上에 살 資格이 그리 없다는 것을 가끔 느끼는 까닭이다〉 이러한 매연과 싸운 선善의 조각조각들이 모여서 '레몽' 으로 '창조' 로 '결말' 로 '구극究極' 으로 성화聖化하였다.

그는 말한다. 〈罪を捨て樣, 罪を捨て樣〉 그는 고요히 심신心身에게 말한다. 동시에 그 소리는 인류의 말이었다. 국경을 벗어난 모든 산천초목은 그 말을 들었다. '레몽' 의 말을 '레몽' 도 들었다. 〈過去를 돌아보니 悔恨뿐입니다. 저는 제 自身을 속여왔나 봅니다. 正直하게 살

아왔거니 하던 제 生活이 지금 와보니 卑怯한 回避의 生活이었나 봅니다. 正直하게 살겠습니다. 孤獨과 싸우면서 오직 그것만을 생각하며 있습니다〉

〈正直하게 살아왔〉던 것이 어째서 〈卑怯한 回避〉였단 말인가. 그럼 다시 〈孤獨과 싸우면서〉 〈正直하게 살겠〉다는 그 〈正直〉이란 무엇인가. 그는 말한다. 〈자꾸 자신을 잃으면서도 良心 良心 이렇게 부르짖어도 보오〉 이때 20세기는 〈良心 良心〉하면서 이상의 말을 합창했다. 〈빈자떡 수정과 약주 너비아니, 이 모든 飢渴의 鄕愁〉가 그를 〈못살게〉 굴었다. 그러나 그는 말한다. 〈罪を捨て樣 罪を捨て樣〉 20세기는 그 말을 따라서 복창한다. 〈罪を捨て樣 罪を捨て樣〉 그의 모습은 거룩한 예술이었다. 창조자였다. 〈眞짜 藝術家들이 더러 있는 모양인데 이 生活去勢氏들은 당장에 도로네즈미가 되어서 한 二·三年 만에 老死하는 모양〉이었다. 그는 거진 '레몽' 을 창조해가는 28세의 〈老翁〉이었다. 성자聖者였다. 도로네즈미였다. 〈계집은 街頭에다 放賣하고 父母로 하여금 飢餓케 하고 있으니〉 〈足히 사람 노릇을 못하는〉 성자였다. 시간은 흘렀다. 그는 일찍부터 과거, 현재, 미래를 안 사람이었다. 그는 1934년 「오감도」에서 자기의 앞날을 예언한 그 예언을 밟고 '레몽' 으로 조용히 손을 내민다. 〈久遠謫居의 地〉 〈四月의 花草〉 〈落魄하는 滿月〉은 〈滿身瘡痍 謫居의 地를 貫流하는 一封家信〉을 〈僅僅히 遮載〉한다. 〈一年四月의 空洞, 發散顚倒하는 星座와 星座의 千裂〉 〈光彩淋漓한 亡骸〉를 〈天亮이 올 때까지〉였다. 4월 17일 상오上午 4시 〈天亮이 올 때〉는 멀지 않았다. 〈星座와 星座의 千裂〉에서 '레몽' 의 탄생은 갑자기 왔다. 약간의 손짓만 하면 창조는 완성할 단계였다. 그는 그 단계 밑에서 과거의 사람들처럼 수속을 밟았다.

1937년 2월 8일에 쓴 최후의 서신이 그것이다. 〈(전략) 네가 就職되었다는 消息 듣고 어찌 반가웠는지 모르겠다. 이곳에 와서 하루도 마음이 편한 날이 없이 집안 걱정을 하여왔다. (중략) 그러나 이제는 마음을 놓겠다. 不憫한 兄이다. 人子의 道理를 못 밟는 이 兄이다. 그러나 나에겐 家庭보다도 하여야 할 일이 있다. 아무쪼록 늙으신 어머님 아버님을 너의 정성으로 위로하여드려라. 내 자세한 글, 너에게만 부디 들려주고 싶은 자세한 말은 二, 三日 內로 다시 쓰겠다〉 가정보다도 하여야 할 일은 무엇인가. 너에게만 들려주고 싶은 자세한 말은 무엇인가. 먼 옛날부터 지감知感하였던 것, 백주白晝에도 꿈꾸었던 것, 즉 '우주'를 '자체自體'를 '창조'를 '전무全無'를 '레몽'을 눈앞에서 보았다. '레몽'을 따고 자기 전부를 해결하는 것보다도 더 중요한 일은 없었다. 그는 수속란手續欄에 기입을 하였다.

최후最後

〈林檎一個が墜ちた 地球は壞れる程 痛んだ 最後

最早如何なる精神モ發芽しない〉

'레몽'은 가지에서 떨어졌다. 완숙을 고하였다. 이 신생新生은 소리 없는 울음을 터뜨렸다. 그 해산은 지구가 깨어질 듯이 아팠다. 최후는 최초와 연결하였다. 동시에 최초도 최후도 없었다. 여하한 정신도 발아하지 않는 불멸이 되었다. 이것은 1937년 2월 15일의 개작改作이다. 그의 최후 작품이요 절필絶筆인지도 모른다. 모든 수속을 마친 그는 '레몽'이 놓인 상좌上座로 올라가기만 하면 되었다. 갑자기 그가 사상 혐의로 일본 경찰에 붙들려 사신전四神田 경찰서에 구금된 것은 바로 수일 뒤였을 것이다. 그가 수금囚禁되어 있던 동안을, 계단으로 올라가는 그를 말할 만한 재료는 없다. 그는 가까이 올라가면서 '성좌星座' 의 '레몽' 을 응시하였다. 물론 '성좌' 의 '레몽' 을 첨으로 대한 것은 아니었다. 오랫동안 들어왔고 생각해왔던 바로 그것이었음을 알았을 것이다. 그는 '성좌' 의 '레몽' 을 그 이전에 이미 기록해두었었다. 〈T군은 은근히 내 손에 한 자루 서슬 퍼런 칼을 쥐어준다. (중략) 다음 순간 내 손에 무엇인가 뭉클 뜨듯한 덩어리가 쥐어졌다. 그것은 서먹서먹한 表情의 나쓰미깡. 어느 틈에 T군은 이것을 제 주머니에다 넣고 왔든구. 입에 침이 쫘르륵 돌기 전에 내 눈에는 식은 컵에 어리는 이슬처럼 방울지지 않는 눈물이 핑 돌기 시작하였다〉

그가 조국에서 썼던 「동해童骸」의 일절이다. 그는 마지막 단계에 올라섰다. 그가 앉기까지는 약간의 여유가 필요하였다. 그는 마지막 예언을 성취시키기 위하여 병보석으로 출감, 동경 제대 부속 병원에 입원되었다. 〈허허벌판에 쓰러져 가마귀 밥이 될지언정 理想에 살고 싶구나〉 동경이란 허허벌판에서 일본 경찰이란 까마귀 밥이 된 그는 비로소 이상理想으로 한발 더 내디뎠다.

4월 17일 상오上午 4시경 그는 만26세 7개월의 나이로서 성좌星座에 앉았다. 그리고 레몽을 들었다. 이리하여 레몽과 성좌는 일치하였다. 그는 예수보다 젊은 나이에 십자가에서 내려졌다.

그가 '레몽' 에 도달하기까지의 유적에서 남긴 지상의 말을 몇 개만 주워본다.

〈나는 오늘 大悟한 바 있어 美文을 避하고 絶勝의 風光을 隔하여 蕭條하게 往生하는 것이며 宿命의 슬픈 透視癖은 깨끗이 벗어놓고 溫雅慫慂, 외로우나마 따뜻한 그늘 안에서 失命하는 것이다〉

〈自進한 愚昧沒覺이 참 어렵다. 自進하는 以上 그것은 到達할 수 없는 저 언덕이다. 보아라, 이 自得하는 絶技를〉

〈懺悔로벗어놓은내구긴皮膚는白紙로도로오고붓지나간자리에피가아롱져맺혔다〉

〈그것은 읽을 수 없는 學問이다〉

〈여기는 도무지 어느 나라인지 分間할 수 없다〉

〈'피라미드'와 코가 있다. 그 구녕으로 悠久한 것이 드나들고 있다. 空氣는 褪色되지 않는다〉

〈그것은 先祖가 或은 내 前身이 呼吸하던 바로 그것이다〉

〈아아 꽃이 또 香기롭다. 보이지도 않는 꽃이 보이지도 않는 꽃이〉

〈나는 달에 對한 일은 모두 잊어버려야 한다.—새로운 달을 發見하기 위해〉

〈宏壯한 무엇을 分明히 創作(?) 하였는데 그것이 무슨 모양인지 무엇인지 等은 도무지 記憶할 길이 없는 것은 當然한 일이다〉

〈生死의 岐路에서 莞爾而笑〉

〈村ノ上ニ幸アレヨカシ〉

그의 '레몽'은 〈무슨 모양인지〉 〈무엇인지〉 등으로 따질 수 없다. 붕괴하는 20세기에서, 인간 파멸에서 그는 '레몽'을 창조하였다. 스스로의 초극超克이었다.

그가 '레몽'에 도달한 그 길의 거리距離는 물 속에서 비쳐진 '레몽'을 본 사람이 머리를 들어 실지로 가지에서 빛나는 '레몽'을 바라보는 것과 같은 그만 정도의 사이인 것이다. 그러나 아무도 그 사이를 척도로써 잴 수는 없다. 상이 22세 때 이미 말한 걸 인용한다.[19]

〈人は永劫である永劫を生き得ることは生命は生でもなく命でも

なく光であることである〉

그는 무덤도 잃었다. 완전히 승천한 것이다.

미발표 유고遺稿

4293년에 이상의 미발표 유고가 발견되었다. 『현대 문학』 제6권 11호를 보면 미발표 유고에 관한 조연현趙演鉉의 글이 있다. 씨의 글에 의하면 백 면 내외의 노트가 휴지로 사용된 후여서 십분지 일쯤 남아 있었다는 것이다.

필자도 씨의 호의에 의해서 그 노트를 빌려보았다.

목차를 만들어 소개한다.

( ) 안의 제목은 필자가 그 시의 첫 구에서 따서 붙인 것이다.

「 」 안의 제목은 원시原詩에 있는 제목을 그대로 기입한 것이다.

작품 연대와 월일月日 중에서 ( ) 안의 것은 필자의 추측이며 [ ] 안의 것은 작가가 밝힌 것이다.

「夜色」	(?)
「第一ノ放浪」	[28일]
「車窓」	[28, 29일]
(寢水ニ)	[8월 31일]
「コノ子ラニ玩具ヲ與ヘヨ」	[8.31]
「暮色」	[9.3]
(初秋, 陽ザシハ)	[9.3]
(每日ノ様ニ)	[9.5]
(豚小舍ダ)	[9.6]

「哀夜」 (?)

이상 10편은 잉크 빛이 같았다.

(荒城ハ雪ヲ踏ンテ) [2월 27일]
(沒員ノ齎スラ第三報) [1932년 11월 15일]
(室內ノ照明ガ) (1933?)
(指ノ樣ナ女ガ) [1933. 1. 10]
[喀血ノ朝] (1933?)「1. 13」
(肺の中のパンキ塗リの) (1933?)
(ネオンサインハ) [1933. 1. 20]

필자가 이상에서 3편을 1933년이라 한 것은 페이지의 순서로 보아서 추단推斷한 것이다.

(トアル冬天ノ日中) [1933. 2. 5]
(全テ枝ヲ) [1933. 1. 10]
(夜明方) [27]
(壽ト福トヲ) [27]
(女ノ手ハ白イ) [27]
(フリゥトノ音ハキレイダ) [2. 27]
(私ハ每朝含嗽スル) [3. 1]
(私ノ生活ノ) [3. 1]
(夢ハ私ヲ逮捕セヨト云フ) (?)

「一九三一年」作品 第一番	(?)
「猫ノ記」作品 第二番	[1931. 11. 3 명명命名]
(故王ノ汗)	[1931. 11. 3]
[習作ショウウィンドウ數點]	[1931. 11. 14 밤]
「作品第三番」	(1931)
(繪入レカレンダーノ)	[3. 20]
「海恨ノ章」	(?)
(私ノ路ノ前方ニ)	[3. 23]
「不幸ナル繼承」	[1935. 7. 10]
「少シバカリノ辯解」	(?)
「靴」	[1935. 7. 23]
「恐怖の記錄」序章	[1935. 8. 2]
「恐怖の城砦」	[1935. 8. 3]

이상 39편 외에 타인의 글을 필사한 것이 두 편 있었다.

이 39편은 이상 전집에 수록된 작품과 비교하면 연대를 밝힐 만한 것도 더러 있을 것이다.

누구인가가 정확한 연대를 언제고 밝혀주리라 믿는다.

주註

1) 이봉구李鳳九, 『이상李箱』

2) 김춘수金春洙, 『이상』

3) 1931, 「이상한 가역 반응異常ノ可逆反應」

4) 조용만趙容萬, 『구인회의 기억』

5) 백철白鐵『조선 신문학 사조사朝鮮新文學思潮史』
조연현趙演鉉,『한국 현대 문학사韓國現代文學史』
6) '구인회' 기관지, 1935년 4월에 이상李箱 편집으로 단 한 번 나왔다.
7) 편석촌片石村,『쥬피타 추방』
8) 이어령李御寧,『나르시스의 학살虐殺』
9) 조연현,『근대 정신의 해체』
10) 고석규高錫珪,『시인의 역설逆說』
11) 김춘수,『한국 현대 시 형태론韓國現代詩形態論』
12) 김우종金宇鍾,『이상론李箱論』
13) 김상일金相一,『한국의 현대 시』
14) 임종국林鍾國,『이상 연구』
15) 김우종,『이상론』
16) 1936년 현해탄을 건너기 직전 작품.
17)「지주회시鼅鼄會豕」
18) 이봉구,『이상』
19)『삼차각 설계도三次角設計圖』중「선에 관한 각서線ニ關スル覺書」, 1931 작

1962

서정주론徐廷柱論 서설序說

서정주론 서설

시인이 남긴 저서 이상으로, 그 시인을 이해하는 길은 있을 것이다. 저서의 대부분이 회고담이거나 내적 고백일 경우에 독자는 작품을 받아들이는 데 여러 가지로 방해를 당하는 수도 있다. 어떤 제시나 지식이 피차의 순수 능력을 저해한다는 뜻이다. 그러기에 알기 위한 문제보다도 생각할 수 있는 공간이 필요한 것이다. 정리와 결론이 범하기 쉬운 잘못을 피하기 위해서는 작품을 보호하려는 적극성을 무엇으로 올바르게 밝힐 수 있느냐가 앞선다. 그러나 솔직한 혼잡성 없이 정확을 기하기란 어렵다. 알고 보면 간단한 가치일 때에도 영향은 단순하지가 않다. 남의 작품에서 차질을 확인하는 일이 바로 자기 자신의 길을 발견한다는 사례부터가 미묘하다. 이런 착잡한 관계는 잘만 하면 서로의 가치를 인정하기에 이른다. 그러기에 이해 깊은 시인론은 어떤 속화屬化에서 벗어나는 일이다. 한때는 전통을 배제하는 추구가 문학 방법이었듯이 말이다. 이런 지양止揚은 여러 가지로 어려운 명제와 부딪치며 늘 되풀이하게끔 되어 있다. 더구나 현대 시의 경우에 안이한 찬사나 위험한 멸시는 아무런 효과가 없었던 어떤 걸작 관념을 비호하기에 앞서 보다 다양한 특질과 당면하기에 이른 것이다. 그러므로 시인에 대한 연구가 한 시인의 원작原作일 수는 없듯이, 의문 반응의 측정은 가리워진 근본에 접근할 수 있다. 그러나 연속 반응의 혼미가 한 섭리라고는 잘라 말할 수 없다. 희망은 배신하면서도 미래를 작용하는 것과 마찬가지이다.

미당未堂은 현역 시인이기 때문에 우리의 문학사적 위치와 현재 성찰을 위해서는 좋은 대상이다. 우리의 문학사적 체험을 그대로 답습하라거나 권할 용기는 아무에게도 없기 때문이다. 특히 한 인간의 현실적 체험과 정신적 행위는 중요한 뜻을 띠고 있다. 이런 중요성은 한계로 말미암아 회의를 유발할 때 더욱 그러하였다. 시 정신에 따르는 부작용은 참된 명제임을 유의해야 한다. 한 제시가 가치인 줄로 착각하는 습성을 위해서는 더구나 그러하였다. 그러므로 작품이 아니라, 작품과의 거리에서 각기 길은 나타난다. 요는 도입구가 출발이었지만 그 과정은 전통과 접맥한 변모로서, 그 진폭振幅에 따라 시와 시대를 지나 보이지 않는 곳으로 뻗어간다. 그러므로 현대 시의 배면적背面的 가능성을 살피기란 어려운 일이다. 이런 징조는 시 정신 구명究明에 불가피한 현황이 되고 말았다. 즉 반성과 갈망이 교착해버린 한 폐쇄 상태를 가정하지 않을 수 없기 때문이다. 이런 가정이 성립한다면, 한 실태를 보여준 미당의 문학 영역은 주목을 끌기에 충분하다. 그의 시력詩歷은 오랜 연륜을 쌓았으며 보여준 시야는 깊어만 갔다. 그의 문학이 후세의 고전으로서 지목받을 유력한 윤곽을 드러내었을 때 당연성에 대한 서술 동기는 시작된 것이다. 그러나 생존 시인은 업적이 드러났을지라도, 독자들은 방황하며 동조하기를 주저한다. 직접된 과제가 동시 진행일지라도 독자들은 제각기 다르며 변하기 때문이다. 따라서 반문을 불러일으킬 만한 가치는 기대를 건다는 정도였다. 한 문학 전망이 지닌 일반과의 밀접한 관계는 흔히 말하는 전승과 단절의 양상을 살피는 데 있었다. 따라서 작품론은 한 모색 과정이며 한 태도에 이르는 수가 있다. 요는 대상으로 잡은 시인에게서 얻게 되는 자신의 질문에 우선 충실하는 일이다.

과거가 일생을 통한 작품 전반에 밑거름이 된 예는 많다. 시의 형성에 기억은 거슬러 흐르지만, 미당의 경우 그 신축은 집요한 편이었다. 이런 상황을 시대적 토착성과 한 기질로 나눌 수는 없는 노릇이다. 그의 초기 작품만 하더라도 아직 수신기受信機는 아니지만 벌써 동물적인 촉각을 수시로 내밀고 있다. 불행과 미신은 인간의 취약도를 잴 수 있으나 가난과 서러움과 적막과 무서움이 작품에서는 계열을 이루지 않는다는 사실을 증명할 수 있을 것이다. 시가 탄생하기 전날 밤의 이상한 과민이 그 시대에서는 불가피한 징후였을 경우에도 역시 그러하였다. 결정적 고독과 공포증이라는 공통점에서 몸부림쳤을 때도 마찬가지였다. 그것은 열병보다도 열이 높은 재래 토종이며 시인의 편이었다. 잠복기를 말하는 데 지나지 않지만 발병은 세월을 요하며 같은 여건에서도 시인에 따라 각기 다른 변화를 보였다. 말하자면 같은 풍토에서도 선비의 인색과 친자연파親自然派의 자위와 무지한 풍류는 각기 다르지만 한 시인은 집념과 유연과 심미가 다름 아닌 자기 자신임을 입증하였다. 그러나 그 추이는 느린 편이며, 정오正午의 맹점盲點은 분열하게 마련이었다. 그런 현상은 침체한 어둠이며 위험한 불이기도 하였다. 한 증명이 자체 반발을 일으키는 일은 요행한 문일 수도 있듯이, 조그만 폭발도 바람이 되어 일단 빠져는 나오지만 곧 방황하기 시작하였다. 시 문학의 경우에도 심미 의식이란 잠재 성욕과 결부되는 수가 허다하다. 고독은 애욕으로 공포는 바람으로 탈바꿈하나 목적이 좁혀진 것은 아니다. 시의 경도硬度는 수평선이었으며, 주목할 갈구는 육체의 신화로 나타났다. 강요당한 남색男色, 그리고 해일

海溢이 지닌 비밀 등은 그리스 신화를 통과하는 동안에 미당에 의해서 생명화하였다. 앓는 배암, 비수匕首빛 능금 냄새는 바로 그런 반사였다. 작품은 일찍부터 압축과 단절로써 빛을 뿜었다. 정서의 촉기는 찬양하는 반면에 형용사를 멸시한 태도가 농도濃度 방식을 밝힌 일면이었다.

1920년대에야 모조품 상징주의가 이 땅의 전위前衛였던 것이, 미당에 의해서 소화된 새 형질은 문학사에서도 특기할 일이거니와, 그 비밀은 실감나는 토착 정신에 의해서 이루어졌다. 양반 세도 형성이 다수의 가능성을 억눌렀던 과거를 그는 풍류 체질로써 반증한 것이다. 다수의 무지는 애정과 멋(풍류)이 되어 흐르는 수밖에 없었지만, 그러나 원초적인 인간성을 지속해왔기 때문에, 그는 이런 좋은 점들을 이어받은 대표자였다. 그러므로 예술이 창조에 보탬이 되지 못할 경우에, 그 정신은 논란할 만한 기초마저 없는 것이다. 초인超人에의 동경과 박애博愛의 자위自慰와 성병적性病的인 생명욕은 자기 자신에의 반발로서 한 폭풍이었다. 그는 나라 없는 백성이었으며, 시는 인간 회복에의 피나는 춤이었다. 미당의 '정오正午'를 설명하기 위해서 한 '오후午後'의 시인을 끌어댈 필요는 없을 것이다. 애잔哀殘한 미학美學도 신을 꿰뚫어본 자조의 고발도 아니며, 그는 굶주림을 어느 정도로 자족하는지조차 분명치 않은 그런 상태의 웃음이었다. 작품에서는 수시로 불같은 생리生理가 이글거렸으며, 불행이 투신하는 다정다감은 젊기만 하였다. 천한 멋쟁이는 선비의 덕을 깔보며, 이치보다는 정이 사람다움을 믿었다. 이러한 경황에 선적仙的인 자연관이 어느 정도로 해열제가 되었는지는 지적할 수 없으나, 자신을 버티어가는 한 구실을 한 것은 분명하였다.

서울은 가난한 탕아蕩兒의 동경이었으며, 상호 우정은 당시의 젊은 기류를 형성하였다. 그들은 숙명적 대결이거나 옥사한 지사志士의 아들이거나 아니면 회한에 그늘진 퇴폐였다. 선배들보다도 앞서려는 약한 재사才士들이었다. 언제나 그러하듯이 뒤에 오는 문학은 사명감과 시대 의식에 투철한 편이다. 미당이 관심을 가진 선배로는 아름다운 정감과 지적인 분열이 있는데, 실은 어느 모로나 상반된 두 존재였다. 두 상반이 서로 통한 점이 미당 문학임을 유의해야 할 것이다. 이례적인 영향으로는 사찰寺刹의 석학碩學이거나 총명한 기인이거나 거문고의 앙칼진 한이었다. 이러한 영향권에서 핵심적인 요인은 일찍부터 싹이 터서, 나중에 불교 연기설緣起說로 정착하였듯이. 시 정신은 시종 여러 갈래의 연관으로 이루어져 그 깊은 종합은 장관을 이루었다. 만해萬海의 함축을 지나 영랑永郎의 정감을 통과 이상의 분열을 경유 미당의 신음으로 다난한 시 문학이 걸어온 계보가 출발하였다. 이러한 현대 시에 대한 관심은 대조에서 벗어나 자체 확대를 요하였다. 그 예로는 여성과 공포를 들 수 있는데, 그의 여성들은 표면상 광범위하지만, 공포는 직결된 속력이었다. 속력은 내부의 초점에 박혀 들어가면서 혼잡하는 간격을 열었다. 이런 표면상의 은폐된 두 가지 작용이 시에서는 우연에 가까우리만큼 하나의 힘이 되었다. 그러므로 출생지의 여러 가지 기적에서도 정착하지 못하고 방황해야만 했다. 방랑은 역정으로 조립되는 기대에 지나지 않는가 하면, 그의 시 정신으로서는 결과적으로 불가피한 필요였다. 즉 방황은 무신론자가 될 수 없었던 시인의 신화였다. 초기에 있어, 그에게 신이란 무속巫俗의 물신物神들과 그리스 제신諸神이 혼합한 상태였다. 나누어지지 않는 어떤 총체를 무리하게 분석하면 시는 없어지게 마련이었다. 현실에서 초력

超力과 정서가 어떻게 공서共棲할 수 있는가는, 시에 있어서 어려운 문제가 아니다. 우리는 작품이 거느리는 그림자의 중량에도 이끌리게 되어 있다. 차라리 정리되지 않은 상태로 쫓기는 목숨, 부모의 기대도 저버린 바람둥이, 나라 없는 시인의 애욕, 이런 혼란은 비교적 정확한 것이었다. 동병상련은 쉬운 편이며, 시는 어디까지나 자기 자신이었다. 자기 자신을 감당하는 한도가 자기 자신에 반발하는 바람이란 엄밀한 만큼, 젊음은 불을 끄며 연신 불을 질렀다. 그의 내부는 바람 부는 불이었다.

재[灰]가 점화하는 거리는 비교적 가까운 편이었다. 나이에 비해서 일생을 결정적으로 지배하는 문제는 생각보다 빨리 찾아오게 마련이었다. 자고로 우리 나라 문학은 표면상으로도 이해하기 힘든 여러 가지가 있지만, 더구나 시에서는 심각하였다. 고전 문학과 현대 문학의 차질은 전통이 하루아침에 이루어진 것도 없어지지도 않는 데서 가늠해야만 했다. 그 변화가 중요하다면, 변화에 대한 수용 태도는 더 중요하였다. 그러므로 전통은 변모에서 드러나는 편이었다. 특히 미당 문학의 진도는 최고운崔孤雲에서 신라로 거슬러 들어가는 느낌이다. 소급遡及의 역사성이란 말이 성립한다면, 정신에서 시제時制란 하나의 오류며, 언제나 등시성等時性으로서 시정되어야 할 것이다. 여기에서 최고운을 기점으로 설정한 것은 미당이 신라로 들어가는 관문으로서의 전통이 아니라, 현대와 신라 정신의 거리를 재는 데 필요한 척도가 되기 때문이다. 미당의 경우에 그 측정은 공포로써 가능하였다. 공포 관념은 옛날로 올라갈수록 양상이 다르지만, 조선은 엄격한 유학 때문에, 반면 노老·장莊적인 것이 체념과 자위 비슷한 저류底流를 이루면서 끈질긴 시 문학사를 펼쳤다. 쉬운 예로서 은거하는 이퇴계李

退溪의 건전한 시와 현실 투쟁에서 실패한 윤고산尹孤山의 초연한 시조와 실의를 도식塗飾하는 강호 문학의 일면 등을 들 수 있다. 그들은 고독과 공포의 고백 아닌 회피로 특색을 이루었으며, 그런 소외에서 시는 태어났다. 시가 현실이 아니며, 현실이 시일 수 없다는 입문入門을 떠나서라도, 시 정신과 체험이 분리될 수 있느냐고 묻는다면, 누구나 확답을 않을 것이다. 미당의 경우라고 예외일 수는 없다. 시 문학의 열쇠는 숨은 것을 보게끔 간혹 역설을 요하였다. 옛 시의 도피성을 배경한 가혹과 현대 예술의 창조성을 배경으로 하는 방황은 획기적인 것이다. 공포를 말하는 짓은 치명적인 비겁자며 처세處世에 있어 망신이라 믿었던 도덕율이 끝나고, 무서움을 한 절대치로서 제시하기는 「오감도」에 이르러서였다. 고독이 산수승지山水勝地를 벗했던 옛날에서 돌아오기는 「빼앗긴 들에도 봄은 오는가」였지만, 본격적인 여성 예찬으로 전환하기는 미당의 생명욕에서였다. 변용에 비해서 근본 명제는 대부분이 그대로 남아 있음을, 오늘날 시의 상당수가 증명하고 있다. 앞에서 최고운을 언급한 것도 미당의 행방을 추구했을 경우를 생각한 때문이다. 최고운의 그림자가 우리 나라 문학 전반에 걸쳐 어느 정도로 전통이 되었느냐에 대한 반문이다. 착한 만큼 행복하지 못했으며 사랑한 만큼 희생당해온 문학이란 별개의 것일 수 없다. 식민지 백성이었던 미당의 시도 역시 바람의 불이었다. 그 발화점을 살피기에는 기억이 생생하였다. 도살장에서 죽는 소를 지켜보고 백정에게 쓴 경어敬語는 추억이 아니라, 일생을 두고 변주變奏해야 할 주제였다. 전율과 비겁은 목숨의 순수 의식을 확인하였다. 이런 양면성은 정상인을 뒤쫓으며 쫓기며 말려들었다. 태동은 앞으로의 과정을 전제하며 경위로써 이해에 이르지만 이는 인간적인 허약이 인식한 개안開眼

이며 사고思考 이전의 본능이었다. 본능은 어떤 표현을 빌리건 간에 하나의 근본이기도 하였다. 미당은 금기된 계승자로서 영광을 차지하는 데 그만한 대가를 지불하였다.

공포는 정직하기 때문에 누구에게나 있었다. 그것이 자살을 방지하는 데 도움이 된 것은 두말할 나위도 없다. 36년간의 현대 시 중에서 자살을 감행한 이는 한 사람밖에 없었던 것으로 안다. 소월素月이 스스로 목숨을 끊은 것이 사실이라면 불행보다도 비애에 말려든 때문일 것이다. 자살을 생활고로 풀이하는 수도 있지만 아사 직전이 아니듯이, 비애는 시의 단명이었다. 그 외는 붓대를 꺾었으나 산문으로 달아났거나 아니면 옥사했거나 병에 쓰러졌다. 불행으로만 따질 때, 일본 문단에 자살자가 많았던 사실을 보면, 넉넉한 생활의 허무가 새삼 거론될 법도 하다. 한 시인이 많은 난관을 용하게 겪으면서 대성한 힘은 무엇인가를 살피는 것이 중요하다. 그가 시를 쓴 길은 첫째로 허약과 그 방위防衛였다. 허약이란 여성 예찬에서 드러나지만, 그 여성관이 의지로 승화하는 경로를 보여준다. 「정오의 절정」에서 비애를 거부하고 방황하면서 고독과 대결하는 열熱은 남성적이었다. 모순하는 연쇄반응에서 시인의 실체와 생성을 파악하기는 어렵지 않다. 수치감은 분노에 가까운 의지였다. 초기작은 자살을 벗어나는 목숨의 장관이기도 하였다. 위기 모면이 이면의 여건들과 더불어 주목할 만한 천재로 충만하여 있다. 집념은 위험을 헤치는 동안에 면역이 되었고, 질긴 상처들을 남겨갔다. 과다한 정한은 바람의 피로써 단명短命과 좌절을 거부하며 산산조각이 나도 연신 합쳐 출렁이었다. 여성들에 대한 원시성은 술로도 방랑으로도 달래지 못했고, 다음날의 연기설緣起說적 밑거름이 되었다. 그러므로 『채털리 부인의 연인戀人』의 계열에서 찾기 전에 먼저 신화 쪽에서 바라보는 편이 그를 이해하는 데 수월할 것이다. 주체할 수 없도록 육신이 앞섰던 시발점에서, 이와는 반대로 피안彼岸은 그도 모르는 중에 약속되어 있었던 것이다. 공포에 민감한 시는 여성으로 하여금 신을 낳게 했던 것이다. 이런 신명이 작품에서는 야릇한 매력으로 번쩍인다. 그런가 하면 흥망성쇠의 그늘 아래서 유희는 토착 신앙처럼 짐승다웠다. 하지만 「벙어리 삼룡」의 방화나 영화 「아리랑」 같은 죄의식?보다도 시의 숨결은 이성異性으로 광맥鑛脈을 뻗었다. 그 빛은 현대적이라기보다도 생명소로서 슬기로웠다. 그는 『악의 꽃』이 될 수 없는 이 땅의 친구였던 것이다. 그의 여성관은 어느새 자유 수호로 자처하고 있었기 때문이다. 말하자면 지난날의 '천지무정天地無情'의 '무정'이 '유정'으로 바뀌면서 현재가 떨어져 나갔던 것이다. 기벽은 봉발蓬髮처럼 자라나 대상을 찾아 헤매는 촉각들을 휘날렸다. 초인적 뜻을 향하여 박애를 넘어다볼 줄도 안 한 개인주의가 자살과 요사夭死를 통과하는 것이다. 물론 대외적인 위축이 내부의 슬픔과 싸운 것이다. 식민지의 젊은 두뇌들은 판가름이 나야만 할 상태에 있었다. 그들 중에 미당으로서 특기할 일은 나중에 불교와 접맥한 그 인과 관계에 있다. 『화사집花蛇集』의 맨 마지막에서나마 한 시인의 숨은 본질을 알아보았다면 누구나 우선 안심할 것이다. 「부활復活」 한 편은 그의 먼 생애를 요약한 암시였다. 애욕의 단일 대상이 정신에 있어서 다수화多數化한 경지는 육신이 파멸에서 부활하는 첫번째 시도였다. 「부활」은 미당도 몰랐던 자신에의 예언이었다. 그러나 그것이 지속되려면, 즉 부활이 영생에 이르기에는 또 다른 시련을 요하였다.

고압적 위기에서 바람과 불도 꺼지기 시작한다. 젊음은 강렬한 만큼 쓰러졌으나 반대로 총명하였다. 「부활」에서 본 하나의 다수는 해방 후에야 「밀어蜜語」로 이어지는데, 그 경로로서 시집 『귀촉도歸蜀道』는 눈을 내부로 돌리고 있다. 고열高熱은 놀란 나머지 향수로 향한 것이다. 저녁노을은 정오의 시에 비해 단순한 듯하지만 다가오는 밤으로 중량을 더 하였다. 바람과 불이 식은 데에는 여러 가지 이유가 있겠으나, 일제 말기 때문이었든지, 패배의 귀향이었든지 간에 그런 저조低調란 절대적인 것이었다. 젊은 자부심 대신에 한 많은 향토 문학으로, 자연관으로, 자수율字數律의 가락조로 돌아온다. 그의 작품의 일부 요소인 담시譚詩 형식도 구체화되어갔다. 의욕에 반해 그에게도 좌절만 안겨줬듯이, 그런 조건은 갖추어져 있었다. 나라 없는 시단詩壇도 세계와 함께할 앞길이, 총독 정치에 의해서 문자 그대로 차단되어 있었다. 조상들처럼 낙향할 곳마저 없던 한 선배는 일본에서 자폭하다시피 세상을 떠났는가 하면, 뒤에 오는 후배들 중에는 신고전주의적 경향이 나오는 판국이었다. 일제 말기가 가까워질수록 시의 도피는 깊어만 갔고, 능력은 숨어서 떨었다. 불과 바람은 행위를 잃었지만 중요한 전변轉變을 초래했다. 어떤 기회를 앞당길 만한 계기가 될지라도 기다림이란 무한하였다. 저미低迷는 심화, 확산의 기간이었다. 사라지는 바람은 하늘을 드러내곤 하였다. 식은 불은 햇볕이 되어 간혹 상처에 와닿았다. 이리하여 고요한 듯 지친 눈은 충혈되어 있었다. 공포는 하늘을 응시하며, 고독은 햇살을 찾아 길게 쓰러져 허덕이었다. 이런 시 정신의 변모는 지난날에 비해서 침전한 것처럼 보일지 모르나 한 변동이었다. 징역 같은 고향살이에서 육신이 눈을 감을수록, 생명감은 주기적으로 발작하였다. 살아야 한다는 본능이 선불 맞은 동물성으로까지 진지하게 드러났다. 눈은 감았으나, 귀는 놀랍게도 열리어 있었다. 그는 혼자서 돌아갈 수밖에 없는 인간의 고향을 이때부터 자기 자신도 모르는 중에 모색하기 시작한 것이다. 능동적이건 피동적이건 간에 영혼에 울려 퍼지는 예언을 노래하지 않을 수 없도록 절박한 처지였다. 상상력이란 산다는 그 자체가 진저리나도록 매력 있는 풍토였다. 여성관은 시를 사수시켜준 느낌마저 들지만, 화투짝으로 결정하는 것과는 달리 고열高熱과 해학은 좋은 내분인 동시에 추진력이기도 하였다. 결혼은 「국화 옆에서」로 트이는 길만큼이나 중요한 구실을 하였다. 그가 나중에 빈사 상태에서 귀의한 불교식 말마따나 첫번째 죽음을 통과해온 셈이다. 시인은 나라 없는 어둠에서도 영생의 상징인 혈통을 얻었고 자정慈情은 또 방향을 더듬기에 이른다. 입을 잃은 기인奇人을 일단 생각해볼 필요가 있다. 그런 월급쟁이의 책임감이란 처자를 위한 의욕으로서 시에 새로이 반영하기 시작하였다. 말하자면 육욕이 정신 예찬으로 바뀌는 준비 기간이었다. 그 나라 사람만이 그 나라 문학을 형성하듯이 한 시 정신을 그 시대와 분리할 수는 없다. 같은 시대라 할지라도 더구나 나라를 잃었던 문학을 처지가 다른 뉴크리티시즘 식으로 처리할 수는 없는 노릇이다. 개성을 빼앗긴 전체가 반드시 과학이 아니듯이, 부조리란 말보다도 더한 미신은 없었다. 그런 예로서 「밤이 깊으면」 1편을 제외하고는, 그의 작품이 자아 집중自我集中인 점으로 볼 때, 자아 집중은 분명한 태도이기도 하였다. 왜냐하면 『벽령집碧靈集』의 작자인 일본 사람의 자살이 불행보다도 심한 시사示唆였다는 것은 시 정신의 단절이 무엇인가를 보여준다. 침략의 적막과 억울한 믿음의 차이가 저절로 판가름난 것이다. 따라서 악독하지 못했던 인간애가 무엇인가는 우리 문학 전반에서 얼마든지 밝혀낼 수 있다. 침략에 짓눌렸던 인간들은 진실이었다. 황야와 공동 묘지에서 아내와 아들을 생각하는 존재는 후퇴처럼 보일지 모르나, 시에서는 바람은 벼락에 찢긴 채, 불은 얼어붙은 그대로였다. 일본 사람 밑에서 천역賤役을 하며 책을 읽는 자기 자신이 바로 외국인 상대의 매음녀로 전락한 연인이었다. 그리스 신화도 성경 시편도 보들레르도 니체도 톨스토이도 장자도 불경도 토착 신앙도 일본 헌병의 구두 발길에 차여 꼼짝을 못하였다. 이제는 남의 땅인 이역異域에서 피살 직전에 살아난 그는 저항을 버려야만 했다. 도살장의 기억은 불이었으나, 개죽음 앞에서 얼어붙은 바람은 창백하였다. 겁㤼은 의지로 탈출하였고, 아픔은 여성인 출생지에서 돌아와서 쓰러졌던 것이다. 창백한 불은 바람도 잤으나 재출발을 위해서 저절로 경련하였다. 미당 문학의 특색은 위기에서 보다 높은 차원으로 옮아간 과정이라 하겠다. 아이들을 제신諸神으로 만들어 비극에서 견디어보겠다는 가치 관념도 그런 것이다. 슬픈 육욕은 다수에의 사랑으로 추이를 보여준다. 시는 이런 매장량을 수시로 드러냈지만 대전大戰은 견디기 어려운 한 기회였다. 향수의 결혼은 생활을 찾아 거듭 뛰어들어가지만, 절박한 암흑과 값싼 위안이 퇴폐의 이유를 밝히고들 있었다. 역설은 집착하면서도 행동을 잃고 멀건 눈을 끔벅이었다. 귀신 같은 할머니, 옛 선비의 오색 종이가 든 함 · 조선 자기로, 밤 이슬에 젖어 돌아온 미친 젊은 며느리가 미당에게 뿌리를 내리는 데 대해서, 어떤 예감을 느낄 수 있을 것이다. 왜냐하면 암시는 미당에게 실감나는 조목條目이었다. 시의 통로는 어떤 곤경에서도 정신의 고향을 찾고 있었다. 그러나 평가는 고향을 찾아서 찾았다는 데 있지 않았다. 일제의 단말마에서 그는 정신의 고향 아닌 출생지로 복귀하였던 것이다.

그의 출생지와 정신의 고향인 신라는 인과적이지만, 그 점을 발견하기에는 상당한 경과가 필요하였다. 나면서부터 옆에다 두고도, 만나기까지는 몇 겁劫이 걸린 셈이다. 신라 향가로서 제목만 전하는 「선운산가禪雲山歌」의 선운산禪雲山 선운사禪雲寺는 그의 출생지 근방인 선운리에 있었다. 그가 나중에 회귀한 선운산가는 새로운 신라의 증언이 된 오늘날의 육신이며 영생이었다. 이런 비논리성이 미당 시 자체를 증명하고 있는 것이다. 그 당시만 해도 그는 전생만큼이나 멀어서 알 도리가 없었다. 그것은 자기 자신을 위한 길이었으며 자기 발견에의 거리였다. 「신라초新羅抄」와 「동천冬天」은 과거세過去世와 직결되는 출발이기도 하였다. 그것은 험난할수록 가까워지는 사이였다. 결과는 도달과 출발이 동시에 부정되었는지도 모를 일이다. 다른 기회에서도 말하겠지만 애욕이 예찬으로 옮기는 고비를 수시로 엿볼 수 있다. 그런 전형을 꼬집어낼 필요는 없지만, 영 · 육이 알력하는 지옥은 상징의 완성인 고도 지성으로 통하는 통로가 있었듯이, 신라 설화를 투시하는 그도 일종의 순수화 작업을 시작하고 있었던 것이다. 한 시 정신을 구명하는 입장에서 성급한 분류는 위험한 데 가까웠다. 수식적인 지적이 자주 초점을 흐리어놓기 때문이었다. 비교적 가까이 말하자면 그 당시는 누구나 마찬가지로 정신에 있어 조국은 유형지였다. 그에게 있어서도 갈망은 향수와의 대결이었다. 도시에서나 향리鄕里에서나 문은 닫혀 있었다. 이런 봉쇄에 하늘이 예언처럼 나타나곤 했다. 즉 절망이 생명의 원동력으로 바뀌는 유례였다. 늘어진 신음은 정애情愛와 관용을 꿈꾸는 다스림이었다. 땅 위의 슬픔이 개벽하는 하늘을 발상發想하기 시작한 것은 생존을 위해 고민하는 진실을 밝히려 온 것이다. 병든 불은 자수율字數律과 담시에서 가끔 하늘을 응시하였다. 하늘은 없는 그리움으로 나타나곤 했다. 시집 『귀촉도』

의 「소곡小曲」이 시집 『동천』의 「내가 돌이 되면」으로 가는 길은 멀고도 엄숙한 것이다. 천형병자天刑病者는 꺼지고 두견새소리에 감염했듯이, 그는 자아의 내부 세계로 눈길을 돌렸다.

그 결과로 놀라운 체험을 하게 되는데, 여기서 미당의 작품 전반을 굽어본다면 중요한 열쇠를 얻을 수 있을 것이다. 누구도 환자에게 날개가 실현實現한 것을 소홀히 볼 수는 없다. 상주喪主는 대전大戰의 기아에서 하늘을 날아다니는 경험을 얻는다. 열병이 떠올리는 육신의 비행이었다. 그것은 처음이 아니며, 지난날 장티프스를 앓으면서 소년이 날아다녔던 단절의 연속이었다. 첫번째 비행과 두번째 비행의 공통점은 같은 열병이지만, 요는 극한에 이른 육신에서 나타난 유미의식唯美意識이 문제였다. 열도熱度가 육신으로 인한 잡념을 녹여버렸을 때의 정신 현상을 미당의 경우에서도 주목하지 않을 수 없다. 전자는 현기증 나는 불안이었는데, 후자는 허탈을 수반한 시원함이었다. 그 차이는 여러 가지 요인이 있겠지만, 그가 이런 비행을 앞으로도 하게 된다면, 그럴 때마다 정신 현상은 또 어떤 작용을 할 것이냐가 주목거리였다. 공포가 열의 시원함으로 바뀐 순화는 보다 심각한 균이든가 아니면 비밀이었다. 병과 단식에서 비상飛翔이 가능했다면, 그것은 현실을 외면한 것이었다. 현실의 뒷면인 병리 심상病里心狀의 작용을 해명할 수는 없지만, 그것이 시에서는 엄연한 한 사실이 되는 것이다. 이런 황홀한 사실만큼 지상의 두려움을 체험하면서, 실은 현실이란 말을 미워하기에 이른다. 그 증오는 현실에 관한 집념만큼이나 강한 것이었다. 허약이 싸늘한 저변을 이룬 데서 하늘은 열리었다. 비행은 노정路程이며, 하늘은 저절로 움직이기 시작한 것이다. 작품에도 하늘은 나타나지만, 그것이 무엇인가에 대해서는 분명하지가 않다. 현실에서 찾을 수 없는 사실에는 시간이 기다리고 있었던 것이다. 돈까지 태워버린 불은 신화를 찾아 헤매었다. 행동 없는 바람은 초점을 모으려 애썼다. 새로운 사실이 나타나지 않을 때마다 드러눕곤 했다. 육체의 현실과 시의 사실은 하나의 표리表裏란 것을 알 수 있다. 그것은 도피가 아니며, 그 양면으로서 일관되어왔다.

그가 마침내 눈여겨보게 된 것은 그리스 신화도 초인도 아닌 조선 백자라는 한 실물이었다. 조선 백자는 회귀선回歸線이며 신라에의 멀고도 가까운 출발이었다. 정신에 비친 빛깔과 곡선과 부피와 공간은 미래를 유발하여 옛날과 직접直接하는 친화력을 일으켰다. 나는 하늘이 옛 백자로 숨쉬며, 흙을 굽던 육신의 고열은 한 영상이기도 하였다. 시작詩作에 있어 어떤 전기轉機가 다가오고 있었던 것이다. 작품들은 수긍할 만한 징조를 보여주기 시작하였다. 열과 어둠에서 떠나, 선인先人들의 넋의 세계에 접촉한 문을 잡아 흔들고 있었다. 그것은 바람의 체념이며 공포를 외면하려는 타협이었다. 조상들의 마음과 육신은 합류할 듯이만 보였다. 불안은 목숨에 대한 예감 비슷한 것이었다. 따라서 주목할 일은 첫번째 변화였다. 시인은 공포가 무의식 상태로 변질하는 것을 체험한다. 공포와 무의식 상태의 통행이 중요한 까닭은, 무의식 상태가 다음에는 무엇과 접경接境하느냐가 남아 있기 때문이다. 이런 작용을 정신 이상과 연결하는 일은 상당한 다음날을 요하지만, 일제 말기 때 그 징조는 이미 나타났던 것이다. 살려는 무서움증을 계속 겪어야만 했던 그는 난경難境에서 관대寬大로 달아나야만 했다. 그것은 비겁이 아니며 일종의 순화 과정이었다. 죽음과 허무는 하늘을 보는 버릇을 길렀으며, 아무것도 생각하지 않으려는 공부에 몰두하였다. 불이 열을 분리하려는 작업에 착수하였던 것이다.

『화사집』의 마지막에 나타나는 「부활」이 해방과 더불어 「밀어」로 이어지면서 거듭 소생한 하나의 다수화多數化는 여러 가지 감회와 계시를 준다. 아무도 출발과 귀착의 역정을 세분하지는 못할 것이다. 단편들의 종합은 동시성으로서 발전하였다. 예를 들어 말하자면 시집 『귀촉도』에 수록된 해방 후 시는 『서정주 시선』으로 어느 정도 분류되지만 '시집 귀촉도 이후'의 작품 차례는 6 · 25 사변 전 · 후가 순서상으로 뒤죽박죽이 되어 있다. 「국화 옆에서」가 해방으로 인한 한 전환점이었던 기간으로 주목해야 마땅하건만, 미당은 시집에서 그 순서를 뒤섞어놓은 채 바로잡지 않았다. 『동천』에서도 마찬가지였으니, 그것은 한 시집에 다양성을 주기 위한 의도라 할지라도, 연대적 계보보다는 정신사의 차원에서 시간이 배제된 본보기로 보는 편이 옳을 것이다. 폐쇄 상태가 한때 역설을 불가피하게 했듯이, 그도 해방의 새로운 태동에서 육성肉聲을 들려준다. 그것은 공포 반응인 애욕이 아니라 수모당했던 영혼의 반향이었다. 그 소리는 칠월 칠석처럼 안타까운 것으로 나타난다. 두려움을 벗어난 해방에서 개결介潔은, 불굴의 아취雅趣는 행방 불명이 되었고, 친구는 좌익이 앗아가 버렸다. 혼란은 시작되었던 것이다. 그는 현장에서 국화처럼 눈을 떴을 뿐, 몸부림도 치지 못하며 스스로 빠져드는 수렁처럼 눈물겨웠다. '내가 죽고서 네가 산다면, 네가 죽고서 내가 산다면' ?와 !로 아물거리면서 맴돌았다. 방황의 고독에서 모처럼 트인 눈, 그 아량은 다시 꺾이어서, 고식枯息이 본 것은 막연한 예시며 지침이었다. 「석굴암 관세음의 노래」는 만년을 위한 입문인 듯한 느낌마저 준다. 지난날의 작품들 중에 본인도 몰랐던 그의 미래가 간혹 번쩍이었다는 사실을, 슬기로운 시인들에서 흔히 보는 바지만, 더구나 비정非情의 노정에서는 엄숙한 것이다. 그가 자기 자신에 이르기까지는 험한 시간이 기다리고 있었다. 성장이 끝나면 어떤 형태가 정해질지라도, 자신의 중량을 벗어나기란 쉬운 풍토가 아니었다. 「천지유정天地有情」이 아직도 「천지무정天地無情」이었던 것이 저간의 소식을 전해주고 있다. 의지와 대립의 혼란에서 '설고도 어지러운 사랑' 이 잔잔한 아지랑이로 피어 오르며 '신라 가시내의 숨결 같은' 번득임과 함께 '춘향의 말' 이 포개어진다. 이런 향토적인 침잠과 더불어 '도솔천의 하늘을 구름으로 날으는' 충동이 잿더미의 광명처럼 싹트기 시작한다. 동면冬眠이 끝난 향토에서 원천적인 전통 모색은 주목을 끌 만하다. 이런 답답증에 대한 해열제는 미처 효과도 보기 전에 추락하였다. 답답증은 너무나도 많이 겪은 선험先驗이기 때문에 놀라운 예감 구실을 하였다. 체험을 거듭한 허약성은 언제까지나 지속될 수는 없었듯이, 어떤 시기를 몰아왔다. 미당도 자신이 다시 빛을 발해야만 할 위기가 닥쳐온 것을 몰랐을 것이다. 죽지 않는 두려움의 기적과 견딜 수 없는 파국에서의 생명질生命質은 언제나 연구 대상이었다.

출세의 기회도 왔지만 그가 타고난 별은 시인이었다. 그러기에 출세보다는 인종忍從의 방향이 정해져 있었다. 일제의 탄압으로 인한 낙후성은 해방의 외세 혼란을 극복하지 못했다. 더구나 미당의 과중한 정감은 도시가 적성이 아니었다. 그는 인촌仁村과는 숙연宿緣간이며 한때는 경교장京橋莊에도 드나들었고 돈암장敦岩莊에서 구술을 받아쓰는 전기傳記에도 착수하였다. 그러나 그는 허다한 기회를 출세로 살리지 못한 시신묘詩神廟의 사당지기였었다. 시신詩神의 총애는 그를 끝내 놓아주지 않았다. 구약舊約의 『욥기』를 생각하리만큼 시련은 끝이 없는 듯하였다. 그의 작품은 가난과 번민에서 여성의 아름다운 동양 수繡를 결정적으로 발견하고야만 한 시인이었다. 해방, 자결自決, 반민反民 재판, 반공 투쟁 중에서 일본 헌책을 사다가 팔기도 하고, 얻어 입은 네플류도프 공작용公爵用의 외투에 이불 짐을 멘 대학 교수는 희화적戱畵的이면서도 얼룩진 진실의 압축이었다. 그가 터득한 양한養閑의 멋은 역설적으로 풀이할 수 있다. 그것은 언제 폭발할지 모르는 자신에 대한 회유책으로서 초기 증세를 짐작하기에 충분하다. 그 유연한 몸짓과 짜증기 어린 눈과 야릇한 웃음에서 어떤 가연可燃 물질을 볼 것이다. 양한은 공포에 대한 외면이며 욕망에 대한 자위며 분노를 달래는 슬기였다. 유연성에는 신경질을 다스리는 초조가 번쩍이며, 웃음은 때로 괴상하기조차 하였다. 그에게는 여성 예찬도 양한이 지닌 갈등처럼 승화에의 시도였다. 시 정신은 양극에서 균형을 유지하려는 모험으로 일관하기에 이른다. 그는 균형을 잃었을 경우에 자신의 파멸을 잘 짐작하고 있었다. 너그러운 성장은 위기의 도래를 뜻하면서, 누그러지지 않을 때 꺾이는 절박감이었다. 이런 체득에는 그만한 경로가 있었다. 지사志士들의 전기 집필을 하는 동안에 민족 정신의 차원을 가늠하였고, 음악 대학 강사료에 비해 시의 청신清新한 영양을 섭취하였고, 생계를 위한 미군 상대의 동양 수에서 여성의 아름다움을 재확인하였던 것이다. 가난할수록 게으를 수 있는 힘, 걱정이 많을수록 누워서 뒹구는 힘을 익히었다. 이런 방법으로 기를 폈다면 그것은 닥쳐올 절망에 대한 거리 유지요, 살아야 한다는 급신호며, 그 운행은 시의 진로를 위해 불가피한 길이었을지도 모른다. 창피감과 존경심을 동시에 곧잘 느끼는 그는 여러 방면에 드나들었으나, 그러므로 끝내 시에서 벗어나지 못하였다. 그는 어떤 기회에서도 낙오되어 시인일 수밖에 없었다. 조상들의 대다수가 그러했듯이, 그의 세대에서도 부러움은 되찾은 조국의 관리가 되는 길이었다. 자고로 개성 발전이 막혔던 일반은 권위를 존중하는 데 익숙해 있었다. 더구나 해방된 입장에서는 관리가 되는 것이 애국의 길로서 동일시되던 때였다. 출세의 기회가 와도 시를 청산하지 못한 가난뱅이가 시험을 쳐서 관리가 됐다는 것은 돈키호테 식이었다. 왜냐하면 노자의 맛도 곁들인 그가 이도吏道의 자세에서 반대로 시의 권위를 버리지 못하였던 것이다. 그런 자세가 현실과 통할 리는 더구나 없었다. 옛날과는 달리 시 정신 따위를 몰아내면서 발전하던 때였다. 비적성非適性이 소심증으로 직장염直腸炎으로 하혈下血한 것은 당연하였다. 한 사람이 시인일 수는 있어도 다수가 시인일 수는 없는 것이다. 다수와 관계하는 관리로서 시를 쓸 수 있는 시대는 아니었다. 과거는 현실에 맞아만 온 경겁자驚惕者였다. 덕분에 주제에서는 힘이 늘었지만, 그럴 때마다 현실에서는 실격이었다. 그의 시론이 현실 거부인 것으로 오해될 때가 있지만 실은 강인한 내부 생명으로 집착하는 계기가 되었다. 시의 현실성까지도 외면하고 스스로 분리해서 나오려 했던 것이다. 그러나 소강 상태였던 무서움증은 더 큰 공포를 준비 중이었다. 따라서 과거의 경험에서 상처는 새로이 비약하게 마련이었다. 피해 망상증이 공무원직에서 물러나기까지 몸과 마음이 어느 정도로 망가졌는가는 그 짧았던 재직 기간으로도 알 수 있다. 이런 비현실이 작품 세계의 가능을 초래하였던 것이다.

동란動亂은 미당 문학의 분수령을 이루며 정점을 양면으로 드러내었다. 한 절대적인 변모를 불가피하게 하였다. 겨울 잎처럼 봄을 약속하기에 앞서 우선 결정적이었다. 지금까지의 개인적 무서움증은 단번에 천지天地의 공포가 되었다. 포소리, 도주, 거지꼴로 모두가 가속화하였다. 어느 시대보다도 동족이 무서웠던 위기였다. 시의 허약은 공포 측정이며 집중하는 생명 반응이었다. 시시각각은 도피하는 길이 아니라 죽음과 맞서는 한계였다. 어느새 시는 벙어리가 된 지 오래였다. 영험하였던 여성관도 끼어들 틈이 없었다. 광고曠古의 수난에서도 시가 쓰러지지 않았을 뿐 세기의 대결에서 시인들은 무능하였다. 더구나 그들의 온상溫床은 예부터 영양 부족으로 소박하고 단순하였다. 피란 문학은 지성의 역정歷程도 상실의 분석도 무능의 고백도 반사하는 꿈도 제대로 남기지 못하였다. 막연한 의욕에 비해 능력이 없었던 것은 당연하였다. 식민지 정책은 한 나라 문학 발전을 퇴폐적 비애로, 회고적 멋으로, 불구적 분노로 몰아넣었던 것이다. 저항에겐 도피를 마련해주었고, 탐구 정신엔 기회를 빼앗고, 발전기상에는 체념의 미학을 주입시켰던 것이다. 이것은 일본이 자랑할 만한 업적이었다. 조선 당쟁과 사대적事大的 세력 형성이 말끔히 시정되기도 전에 피지배 민족으로서 문학 역시 원시 감정의 농도, 분석 정신의 결핍에 따라 위축을 초래하였다. 나라 없는 민족에 있어서는 천재가 전반에 도움이 될 수 없었으며 고독한 걸작 의식과 불행한 위대성이 가치 기준을 약화시키기도 하였다. 그러므로 미당 역시 그의 문학에 결정적인 계기를 준 동란은 있었으나, 당시의 작품을 찾아보기는 어려운 편이다. 문학만이 아니라 모두가 취약성을 드러내며 무너졌다. 전쟁 중에 우수한 전쟁 문학은 나올 수 없다는 변명을 결국 실증하고야 만 셈이다. 그 대신 '집단 자살안' 은 한 절정을 이루었다. 청산가리만 믿고 사는 이유는 죽음에의 위로이기도 하였다. 한 시인이 맞는 것을 보고서 미당이 돌았다는 누군가의 말을 들은 적도 있다. 생명을 위한 자살, 공포에 반항하는 자살은 결산일 수 있을 것이다. 그러나 극한이 그렇게 결산되지 않은 미당의 시 정신은 찬탄할 만한 것이다.

종말이 정신 이상을 초래한 것은 변해야 할 여유였다. 시련이었다. 그것은 공포를 일단 구명한 공포였다. '저승 곁을 날으는 한 마리 학鶴' 을 보게 되는 것이다. 군용 무료 병원에서 시 정신의 고장은 드러나고야 말았다. 아무도 못 듣는 소리를 듣는 것은 그를 부르는 죽음의 손이었다. 강박 관념이 환호성과 도착倒錯하는 증세는 흔히 있는 일이다. 자살이 아름답기만 한 다면성의 예각화銳角化는 일렁이었다. 짜증기 어린 귀안鬼眼은 섬광閃光을 감추며, 자조自嘲의 수치를 전체에 대한 연민으로 폈을 것이다. 자기 자신의 죽음을 확인하는 데서 정신병의 미美는 작품과 통하였다. 그가 간 길은 '공격과 협박을 퍼부어 오는 정체 불명의 공중의 소리' 였다. 소용돌이로 떨어지는 종언終焉이었다. 겪어온 개인 공포가 세기적 공포에 휩쓸려들면서 살아나는 악머구리였다. 그는 증거도 없이 살인자, 오열, 흉악범, 장모 강간자로 몰리었다. 아무도 못 듣는 소리가 고발하여, 그는 이교도처럼 소형燒刑당하고 식민지 백성으로 총살당하고 소년 때 본 소처럼 도륙당하면서 계속 죽었다. 죽을 때마다 살아나는 고독을 벗어날 수는 없었다. 공기 속의 협박에 떨며 신무기에 떨며 기억에 쫓기며 내뺐다. 옛 비명횡사와 훼절毁節을 아슬아슬 비켜가면서 뛰었다. 열차 속에서 겁먹은 중기 증세와의 만남도 피한다. 불신, 모함, 위기, 협박, 공포와 집중 충돌을 하였다. 그는 거듭거듭 죽어 자빠졌다. 암만 죽어도 정신 이상은 살아 있었다. 죽지 않는 것은 지옥에서 기어 나오는 광기였다. 피해 망상, 애걸 환상은 망나니가 데리러 오기를 기다렸다. 자살할 계제에 버림당한 발광發狂은 사형을 감사하기도 하였다. 미당은 당시의 정신 피해에 대해서는 눈을 가리는 표현을 한다. 공중의 소리에 당했던 상처가 생생하기 때문이다. 증상은 그의 시를 이해하는 데 도움이 되는 수가 있다. 정신병과 시를 떼어놓았을 때 드러나는 모순성에 주의해야 한다. 인간의 순수 고향으로 찾은 신라는 동란의 반사점反射點이었다. 시에서 허약은 진실한 것이었다. 독한 병을 치른 싹은 새로움이었다. 아주 천천히 움트기 시작했으나, 마지막 껍질이 벗어지면서 쏟아질 황금빛 술과 광명은 어둠에 잠겨 있었다. 고백 그대로 겁보며 편집광이며 회의자懷疑者였다. 이런 말을 뒤집어보면 집념의 양식良識이 치러야 할 형벌이었다. 패배자는 공연한 너털웃음과 야릇한 해학으로 보호색을 삼았다. 그것이 미당 작품에서는 슬기며 재능인 동시에 신경 안정제 노릇을 하는 때가 있다. 마침내 공중의 소리와도 맞서서 야유하기에 이른다. 약자는 공중의 소리가 명령하는 대로 사형 집행장을 찾아다니기에 진력이 났던 것이다. 그런 이상異狀은 해방 후의 혼란 누적에서도 인화引火한 것이다. 어려서부터 겁에 질렸던 고독이 호기심으로, 애욕으로, 여성 예찬으로 삶을 유지해왔던 것이다.

동란은 그의 여성관을 몰수했으며, 전락하는 그를 받아서 보호한 것은 우정들이었다. 청마靑馬와 미당의 체질을 비교할 때 각자의 특성은 분명하지만, 서로간에 이루어진 장면은 시의 영역에서도 발견된다. 그것은 다르기 때문에 공통하는 시의 생리生理였다. 20대의 자호自號인 궁발窮髮은 한 줌의 재가 되었으나 이상 변화의 과정은 유의할 만한 일이다. 그는 칙사勅使 대접을 받는 벙어리였다. 그것은 시가 언어를 잃은 종점에서 직면한 것이었다. 실어증에 대한 협박은 폭발이었다. 날조 범인의 변명도 용납되지 않는 시간은 실어의 지속이었다. 그가 우정에 힘입어 항의하는 용기를 시인의 심미審美 심리라고 해명하게 된 것을 특기해야 한다. 옛 사람들의 전통을 들추어낼 것도 없이 지난날 석전石顚, 범부凡父, 미사眉史 등이 그에게 끼쳤던 영향도 작용하였을 것이다. 미당은 '잘 다스려서' 라는 말을 즐겨 쓰지만, 그 말에서 '위기를 잘 다스려서 어려운 고비마다 용하게 통과한' 한 증인을 보는 듯한 느낌이 들고는 한다. 비교적 거리가 멀었던 예수의 환영을 보기에 이르는데, 수난 의식이 갑자기 접근시킨 느낌마저 들지만, 실은 분노의 좌절로 풀이해야 할 것이다. 폐인을 다량 생산하면서, 죽지도 않는 천품天品이 겪은 가혹성은 고전 문학처럼 미당의 작품에서도 구체적으로 반영되어 있지 않다. 그런 배리성背理性을 작품화하려면 거기에 부합하는 표현 방법에서만 가능하기 때문이다. 그러므로 그가 기사회생시킨 시 문학은 실정과는 반대로 기묘하게도 단순하였다. 그것은 막혔던 정감이 터지면서 단번에 솟아오른 것으로 시작한다. 실어증이 터뜨린 울음은 새 생명의 탄생이었으나 벙어리가 된 시가 언어를 회복하기란 그 원인만큼이나 시일을 요하였다. 피동체被動體는 떨면서 감정의 열도熱度를 발사하기 시작한다. 그것은 회복이 아니며 재생의 징후였다. 그것은 딴 세상으로의 환생이며 다른 시 세계에 눈뜨기 전의 밤과 방불하였다. 시인은 보이지 않는 대화만을 알았고, 입이 없는 시는 사형 언도만을 들었다. 시련은 끈질기기만 하였다. 사형 선고만을 일삼던 목소리가 멎으면서, 여인의 아름다운 목소리가 먼 바다 산속에서 노래를 불러 보내기 시작하였던 것이다. 전에도 말했듯이 여인은 고독과 맞서온 그의 목숨이었다. 이리하여 환생한 곳이 보이기 시작하였던 것이다. 새로운 시의 나라를 불러들이었다. 「산하일지초山河日誌抄」에서 부활이 산의 노래의 처녀임을 알 수 있을 것이다. 그가 여러 전생前生부터 가꾸어온 신화며 따라서 밀어蜜語에의 회귀임을 짐작할 수 있다. 산과 구름이 애무하는 찬미

讚美는 영생의 길로만 트이었다. 잊을 수 없는 소리는 늙지 않는 소리였다. 영원히 살아 있는 자아를 확인하려고 애썼다. 영원한 존재인 남녀의 사랑, 그 허약한 신열身熱은 하나의 환원이었다. 말하자면, '포돗빛 구름' 이라든가, '나를 보고 길가에 눕는 여자' 등은 시의 새로운 개안開眼과 병리학적 정신 상태를 구명하는 데 좋은 자료가 될 것이다. 시는 벙어리의 울음으로 시작되었고, 두통은 놀랍게도 청신淸新한 정에 의해서 불멸의 세계로 끌려 들어간다. 그러면서도 그가 죽음에서 재생할 수 있었던 작용에는 여러 가지 상승 조절이 있었지만, 그 발상법에서도 추출되는 '치기稚氣의 살 맛' 이란 그냥 보아 넘길 일이 아니다. 피해자의 비굴한 멋을 단적으로 표현한 어릿광대며, 똑똑하다는 것과는 다른 좌절의 미학이었다. 그런 미학은 적과 또는 모략이 언제라도 나를 없애버릴 것이라는 피해 강박 망상을 입증하였다. 불신과 회의와 불안과 체념에 밀폐된 시인은 겁에 사로잡혀 육친에 대한 애정마저 한때 마비되리만큼 보이지 않는 고발이 끈질기게 괴롭혔던 것이다. 그의 발병은 모든 비정이 원인이었던 만큼 극대화한 착란에서 회복되기란 그의 힘만으로는 어려웠다. 그러기에 외부의 변화가 병자를 구출하는 선행 조건이었던 만큼, 부활하기까지의 기한을 살펴보면, 대체로 환경과 더불어 기복이 현저하다. 그는 의식적으로 현실을 무시하지만 그런 간단한 단정은 시의 생성과 반대인 혐오임을 알 수 있다. 그러므로 적나라한 신경 반응을 극복한 정신 소산은 그가 겪은 현실과는 반대의 가능이었다. 소위 세기적 전쟁 문명에 소박성素朴性은 견뎌내지를 못해서 망가졌고, 그 정신 회복은 유리遊離한 별로서 찬연히 빛나는 시가 된 것이다. 이런 점에서도 미당 문학의 특색은 찾아져야 할 것 같다. 특이한 현실 피해자이면서도 정신 하나만으로 시가 재생한 실례는 원인을 도외시한 때문이었다. 우리는 작품을 통해서 그 비밀을 엿볼 수가 있다. 즉 탄환은 미약한 짐승 하나도 살려내지 못하지만 많은 목숨을 앗아간다. 시인은 그 위력에 떠는 영감을 잡고 늘어졌던 것이다. 그 일념이 시에의 초극이었다. 그의 작품들이란 피해의 심도로는 믿어지지 않을 만큼 다른 음색을 펴고 있다. 기계가 공중에다 소리로 표출해놓은 위협 아래서 인식은 불사不死하려는 집념을 보여준다. 사력을 다하여 무참無慘을 뒤집으면서 제시한 시 세계의 전망이었다. 탈출을 기도한 종신형은 정감으로 뿌리를 내리며 신목神木으로 자라 오른다. 그러나 그에게도 수복收復은 잠시 동안이었다. 시신詩神이 몰아치는 눈바람에 그의 시련은 무한한 듯한 느낌마저 든다. 다시 아우성치는 무고, 해악 분자, 고문, 형벌의 환상으로 후퇴해야만 했다. 그러나 시는 체념만도 아닌 먼 달관을 어느 정도로 예감하고 있었다. 어느 정도가 바로 미당의 재생에 있어서는 언제나 생맥生脈이었다. 피동체로서 끌려갔던 몰아沒我가 바로 그 정도를 제시해준다고 보면 무방할 것이다. 약간의 안정을 되찾았을 때 허탈은 다시 동양의 성현과 우리의 옛 역사를 마음먹고 읽기에 이르렀다. 자기 힘으론 벗어날 수 없자 오랜 암중모색이 어떤 계기가 되었던 것이다.

그의 생장 과정으로 보거나 가출의 경력으로 보아 조선에 관한 언급은 그의 전집에서도 쉽사리 알아낼 수 있다. 신라에 관한 그 나름대로의 해석이야말로 누겁연분屢劫緣分에 도달한 입문이었으며, 탈출점이었음은 설명할 나위도 없다. 미당 자신을 버리고는 신라 정신이 성립되지 않기 때문이다. 그는 옛 문헌에서 자기 자신의 신화를, 고향을, 박애博愛를, 인간 본질을, 고독을, 종교를 보았고 서서히 영생과 접맥하면서 황홀하였다. 그 황홀의 소지素地는 원초적인 순수 의식이었다. 현대 화랑花郞의 가야금 음향, 개운사開雲寺의 불경소리, 경주 사람의 음성, 마하연摩訶衍에서의 스님의 발음을 미당에게서 한꺼번에 생각해낼 수 있다. 일찍이 서구 문학에 심취했으나 직접 몸담아 살아온 곳은 동양이며 조국이었다. 영향을 준 것도 체험한 것도 동시대였다. 피가 아름다운 고향으로 눈을 뜬 정신은 이상할 것이 없으며, 그로서는 마땅한 귀결이었다. 놀라운 일은 서구 문학에 의한 교양이 미당에 의해서 신라로 소화消化된 사실이다. 살육殺戮 판에서 지혜는 천사를 터득하였고, 공격 모함의 소리가 성인 군자로 의식을 바꿔놓은 것이다. 여성의 소리는 그의 저변 공간이었다. 공포는 목숨을 불러일으키면서 절대絶對가 눈을 뜬 것이다. 고발은 안정에의 모색이었다. 그러나 안간힘은 도취하기도 하고 때로는 위반이기도 하였다. 그의 전율戰慄은 이상하게도 언제나 사지死地에서는 죽지 않았다. 사자死者의 영역에 비해 시 세계의 느린 전개는 그만큼 확실하였다. 말하자면 멀고도 불가피한 것이었다. 부정을 긍정케 한 점에서 미당의 업적은 평가되어야 마땅하다. 거듭하는 전통에의 재인식은 풍류로부터 귀중한 인정人情을 되찾기도 한다. 과거는 회귀에의 연습이었던 것이다. 노매老梅, 서화書畵, 가야금 거문고 줄을 거쳐 여성에의 예찬은 그의 소생이었다. 백자 필통의 매화 꽃술, 진사辰砂의 타는 매력이 미의 초점으로서 윤곽을 열었다. 전통미에의 열띤 소급은 어떤 문학이론보다도 그에게는 절실한 것이었으며, 신라 정신에의 접근 과정은 흥미있이 나다난다. 의처증이란 애정 호소녀 애원에 불과하였다. 공포의 해빙이며 피해 강박 관념이 분노로 탈바꿈하는 해토解土 현상이었다. 복합적인 체험과 정서 이념의 증세는 미당의 시가 신뢰를 획득한 밑거름이 되었다. 막다른 골목이 회복에의 반환점이었던 것이다. 열병의 되풀이에서 자신이 없어져버리기를 바라기도 하지만, 허약성이 튼튼한 방파제 구실을 한 것이다. 자살 미수는 그가 기사회생한 분기점이었다. 젊었을 때의 여독餘毒에다가 겹친 기억 상실과 쇠약은 조선 풍류마저 견뎌내지 못하면서부터 신라로 비약한다. 즉 햇볕 간절도懇切度를 더하게 했으며 천진한 어린이들의 눈을 좀더 유심히 보기에 이른다. 재[灰]가 빛을 밝히기 시작한 것이다. 고대 문헌을 탐구하는 동안에 불사조가 된 것이다. 작품들은 이런 의지를 쉽사리 보여준다. 공포는 죽음을 거부하는 공포와 한없이 사랑하는 공포가 뒤엉킨 그물이었던 것이다. 거기에서 벗어나는 힘은 매우 조용한 물질이었다. 그 힘을 설명하자면 무등無等이란 문자 그대로 비교를 끊는 데서 직접 얻는 편이 확실할 것이다. 이백李白, 도연명陶淵明, 장자莊子, 노자老子의 경지를 난생 처음 잘 이해했다는 고백처럼, 그의 신라는 동양에의 인식일 뿐 아니라 그의 세계관으로 떠올랐다. 조선의 사조思潮가 대의 명분의 파쟁派爭 변천이면서도 시가詩歌를 대자연으로 몰아갔던 경로에서 볼 때, 더구나 서민인 미당의 전통 추구는 신라에서 인간 본질을 찾을 수밖에 없었다. 어려운 고비마다 불가피한 전신轉身이었다. 손으로 이루어놓은 업적이 아니며 외로운 극복과 왕성한 고민에서 승화한 것임을 알 수 있다.

신라 향가가 깃들였던 선운산 선운사 근방에서 출생하여 일찍이 공포와 고독에 눈떴던 지귀志鬼(미당)가 집을 떠나 오랜 방황을 했던 것은 누구나 아는 일이다. 그는 병사病死와 피살被殺을 무사히 겪었으나, 정신 착란증과 자살 미수를 지나서 수억 년 만에 고향 신라로 돌아온 것이다. 그러나 신라가 제대로 잘 잡혀지지 않아서 눈앞에 두고도

면 난관에 부딪치고는 했다. 삭발 속한削髮俗漢으로서 단식을 감행, 자기 정화를 시도한 병약病弱은 그의 생애에 있어 두번째 단식이었다. 몸부림칠수록 마지막 수렁은 발목을 잡아당기며 전처럼 놓아주지를 않았다. 다시 생사를 건 단식이 제2의 황홀(전에 언급한 첫번째 단식과 비교했을 때)이었음은 신라 정신에의 변화 수련이었다. 육신 회복과 더불어 깨어난 성욕은 인간에의 기구祈求였다. 단식과 자연의 연분은 단속적이나마 고향에의 줄달음질이었다. 금욕과 그리움으로 살아난 미당은 신라를 재형성하고 있었다. 현실 거부에서 샘솟는 식욕의 황홀은 성덕여왕 앞에 엎드린 그를 발견으로 변모시키기도 하였다. 환상의 여인과의 대화는 한없는 생명이며, 늙은 무당의 땀내 나는 진동이었다. 단식과 성욕은 재생에의 충격이었으면서도 역시 먼 길이었다. 방향을 확정했을 무렵, 지금까지 상처가 그대로 광명이었음은 사실이나 일정하지가 않았다. 그의 신라는 현실 체험의 반응 거리였기 때문이었다. 정신 진행은 답답한 느낌을 주는가 하면, 새로운 신라 설화를 행동하기도 하고, 놀라운 주석註釋을 건립하기도 하고, 때로는 야릇한 웃음을 날리었다. 그의 시작詩作은 이제와 옛날과의 양극에서 영원하려는 그 전역이었다. 그의 시 정신이 존재하기 위한 하나의 전개였다. 이런 근본 문제에서 발생한 병증은 상상을 절絶한 능력을 발휘하였다. 공포와 기쁨, 신라와 현대, 이승과 저승, 욕망과 초속超俗 등의 상호 반영, 교류 몰입은 천재의 능력을 개발하는 데 큰 역할을 하였다. 정신병적 고역苦役에서 독심술讀心術을 개안하기에 이른 그는 신라를 현세現世하며 옛 문헌을 시정하면서 삼라만상에 새로운 설화를 부여하였다. 즉 다가오는 구제救濟와 사라져가는 공포를 헤엄쳐가고 있었다. 진동하는 기계에서 무당의 넋두리 같은 박자를 지나

신목神木으로서 타심통他心通에 이르러, 온 시계視界가 평가를 받게 되었다. 한 시인에게 그처럼 상처를 준 시대가, 한 시인을 그처럼 괴롭힌 문학이 이루어놓은 시 세계를 다시는 침범하지 말아야 한다. 강박관념에 대항한 초인적 예술에 대해서 더 이상 과오를 범하지 말아야 할 것이다. 그 대가代價가 아무리 고고孤高할지라도 누구나 되풀이해서는 안 되기 때문에 존경해야만 마땅하다.

1975

한시——염화미소

계룡상봉鷄龍上峰

상상봉에서
계룡은 끝나니
산 이름을
다시 어디서 찾나.
사월 풀 냄새는
온 세계인데,
글자 없는 옛 비석에서
태양이 중천中天.

등운암騰雲庵

—정대붕丁大鵬 스님 운韻을 따라서

석계石鷄는

연화대蓮花臺를 삼켜

죽은 용龍이

한 번 외쳐

동천洞天은 생겨

바람이 지날 적마다

늙은 소나무 곡조

보여요,

하늘 끝에

오는 구름이.

신원사新元寺 소림원에서 일박一泊

소림원少林院에 왔으나
달마達磨는 어디로 갔나.
푸른 꽃이 향연을 뿜어
조각달은 높아 높아.

영산靈山에서 꽃을 드시다

번쩍 하기 전에
어느새 산은 뚫려
잔잔한 물소리
초당草堂이 비었소.

소나무에
달은 왔네.

집으로 돌아가면서
석인石人이 놓을 거니
목녀木女는 낯을 붉혀요.

선고면례先考緬禮

—두斗 형 운을 따라서

용은

구름을 뚫어

내려왔네.

굳이 복福받을 바라랴.

조각난 벼들을 보았소.

원만히 깨달은

집으로

우리 함께 듭시다.

정혜사定慧寺 승수좌님이 청하기로 써주다

시작하기도 전에

이미 이루어

또한 이제

설로雪爐에

봄 차를 달이오.

형님들과 셋이서

—두 형 운을 따라

동네 아이들은

새해라, 떠드네.

나는 낮잠이나 잘까.

구름이 두루루 말리면서

못 보던 산봉우리가

솟아올라요.

은진恩津 불명산佛明山 쌍계사에서 일박

쌍계雙溪는 한 샘에서 흘러
부처님 광명光明은
어디서나 마찬가지네요.
퇴락한 누樓에서
마을 아이들이 뛰노오.
대웅전大雄殿 낡은 단청丹靑은
밤에만 밝아요.

고운사孤雲寺에서 일박

외로운 구름은

훌쩍 떠나

옛 절에는

달이 남았소.

산봉우리마다

감기는 물소리.

진산珍山 태고사太古寺에서 일박

암자에서 누가
옥퉁소를 부나,
달빛은
천지에 가득한데.

형님들과 함께 과원果園에서

—두 형 운을 따라

바람이 부오.

나뭇가지에 구름이 생기네.

어깨를 툭 치며

먼산바라기,

셋이서 함께 웃으니

강물은 그제사 흘러요.

이인정李仁貞 노장님께 써서 드리다

인因이 시작하기 전이 정定이지요.
연緣이 일어나기 전이 혜慧네요.

정혜定慧는 어디서 왔으며
인연因緣은 어디서 왔나

달은 산에 있어
물은 저절로 흘러
새소리에
나그네 근심이 깊소.

정혜도 인연도
아니라면 뭘까요.

한 말씀 들어보세요.
벌목정정伐木丁丁.

청우聽雨

—나성오羅星悟 스님 운을 따라서

산은
을유년 오월
이슬비에
대웅전 등불
산방은
바로 태고
비 젖는 소리를
스스로 알아.

비는 내려
안개에 숨어
물소리 높아
머나먼 광명
스님은 창에 기대어
서로가 말이 없는데
눈감으면
시퍼런 산봉우리.

박지현朴智玄 승수좌님에게 써서 드리다

달이 밝아
매화 그림자는
창에 기대오.
향로에 향기는 솔솔
사람은 어디에 있나.
동학은 날아서
이미 남매탑을 지났소.

묵默 형에게

몇 번이나 형님을
여기까지 전송했었나.
집에 가서는
두루 안부나 전해주오.
먼 마을은 저녁노을
갈가마귀 떼들의 울음소리.
한 지팡이가 다시
산속으로 돌아와요.

제수씨 신행 잔칫날

—이재복李在福 교수 운을 따라서

꽃은 붉어

풀은 푸르러

서로 아름다워요.

산속 사람도 정이 많소.

아우의 손을 덥석 잡아 서로 웃는다.

원앙새는 날아 날아

모래톱에는 물소리

살랑살랑.

대혜선사大慧禪師 '서장書狀' 책 면지에 쓰다

황금 뱀이

안개를 토하며

높은 천길을 오르니

싸늘한 담潭에서

목어木魚는

밝은 달을 등에

업었네.

큰아버님 환갑에

1

물고기가 뛰는

물소리,

촛불과 마주 대하니

학발鶴髮이 새로우시네요.

누가 알랴,

겨울 연당蓮塘을.

그림 안의 신선神仙은

아니십니다.

2

철벽鐵壁에

국화가 피었소.

학은 마른 나무에서 자오.

낙엽이 날아오르오.

큰아버님 덕을 따지지 말자.

물에 해가 내려와서

천지天地는 유유.

3

한 자루 칼로

구름을 쓸어버리다.

물은 흘러흘러

산은 옛 그대로일세.

황매黃梅의 향기는

때를 어기지 않아요.

4

추사 선생 글씨 병풍 앞에

맑은 몸 편안하사

세상을 보니

불과 몇 대의 업적은 사라져가네.

산은 구름 밖에 솟아

강물에도 비껴 있소.

옛 등나무에 부는구나

밝은 달 바람.

5

세상에 이바지 못할 바에야

뜻에나 충실하리.

아무에게도 도움이 못 되니

저는 슬픕니다.

큰아버님 수복壽福을 빌면서

무능을 탄식합니다.

염화미소拈花微笑

—임종권林鍾權 거사居士 운을 따라서

큰 도道는 항상 새로워

빈 법당法堂에는 시들지 않는

꽃이 한 송이.

목각룡木刻龍이

여의주를 머금어

종소리 듣소.

옛 향로에서

연기는 오르는데

아무도 없어요.

구름은

일日·월月에 날아

각기 빛나오.

비는 천지天地에 멎어

다 참 모습이네요.

우습네요,

영산靈山 미소에 숙은

사람아,

미米를 천舛하여

심心에 연憐을 만들다니요.

정초 거사淨超居士에게

갈지 않은 칼로
일체를 끊어
발 한 번 움직이지 않고서
보타산에 들어섰구려.
이 땅에 거사림居士林을
세우기가 원이어서
늘 관세음보살님만
우러러뵈옵나요.
용은 해를 움켜잡아
바다에서 나오오.
봉鳳은 달을 희롱하며
하늘에서 춤추오.
대자대비께서 미소하사
머리를 만져주시니
삼천대천세계三千大千世界•가
육종六種으로 진동하네요.

편집자 주 1*

* 편집자 주 1은 독자들의 이해를 돕기 위해 편집자가 임의로 가려 뽑고 정리한 것임을 밝혀둔다.

【ㄱ】

- 가람 이병기 —— (1892~1968) 시조 시인. 국문학자. 호는 가람. '현대 시조의 아버지' 라 일컬어진다. 구태를 벗어나지 못한 우리 시조의 형태 속에 현대적인 서정을 담아 서정 시조의 길을 열었으며, 육당 최남선이나 김영진 등과 함께 시조 부흥을 위한 이론적 근거를 마련하는 데도 애를 썼다. 또한 후진의 발굴, 육성에 심혈을 기울여 그가 발굴해낸 김상욱, 이호우, 이영도 등이 한국 현대 시조의 새 길을 개척하는 주인공들이 되었다. 시조집에 『가람 시조집』, 저서에 『국문학 개론』, 『국문학 전사』(공저), 『가람 문선』 등이 있다.
- 간송 전형필 —— (1906~1962) 교육 사업가, 문화재 수집가. 오세창의 지도로 문화재를 수집하기 시작, 한남서림을 후원하여 문화재가 일본으로 넘어가는 것을 막았다. 일인들 몰래 구입한 『훈민정음』 원본을 비롯하여 각종 고서적, 서화, 석조물, 자기 등 수집품 중 10여 점 이상이 국보로 지정되어 있다. 보성중학교 교장, 문화재 보존위원을 지냈으며, 교육 공로자 표창을 받았다.
- 강감찬 —— (948~1031) 고려 때의 명장. 거란이 침입하자 조신들은 항복을 주장했으나 이에 반대, 하공진河拱辰으로 하여금 적을 설득하여 물러가게 했다. 이후 거란의 소배압이 10만 대군을 이끌고 다시 침입하자 스스로 군사를 이끌고 이를 물리쳤으며 패주하는 적을 귀주에서 크게 격파하였다.
- 강세황 —— (1712~1791) 조선 서화가, 문신. 서화에 뛰어나 중국에서도 그의 그림을 구하고자 하는 사람들이 많았다. 글씨는 왕희지, 왕헌지, 미불 등의 서체를 본받았으며 전서, 예서를 비롯한 각 체에 모두 신묘했고, 특히 산수, 사군자 등에 뛰어났다. 시는 남송南宋의 시인 육유陸遊를 본받았으나 독자적인 풍격을 가지고 있었다.
- 강소천 —— (1915~1963) 아동 문학가. 『아이 생활』, 『신소년』에 동요 「버드나무 열매」 등을 발표하고, 조선일보 신춘 문예에 「민들레와 울아기」가 뽑히면

서 본격적으로 작품 활동을 시작했다. 마해송 등과 함께 '어린이 헌장'을 기초하여 널리 알렸으며 어린이 독서와 글짓기를 가르쳐 문학 교육에도 이바지했다. 시집으로 『호박꽃 초롱』, 동화집으로 『꿈을 찍는 사진관』, 『어머니의 초상화』 등이 있으며, 장편에는 『달 돋는 나라』, 『꽃들의 합창』 등이 있다.

- 강신항 —— (1930~) 국문학자. 저서로는 『국어학사』, 『사성통해 연구四聲通解硏究』, 『훈민정음 연구』 등이 있다.
- 강추금 —— (1820~1884) 조선 말 시인 강위姜瑋. 추금은 호. 가난한 선비 집안에서 태어났으나 각 방면의 학문을 닦았으며 추사 김정희를 찾아가 많은 감화를 받았다. 당대의 대시인으로 전국을 방랑하며 시주詩酒로 세월을 보내기도 했으며, 우리 나라 최초의 신문인 『한성순보』를 간행, 국한문 혼용의 기틀을 세웠다. 김택영, 황현과 함께 한말韓末 3대 시인으로 불렸으며 비분 강개 어린 격조 높은 율시를 잘 썼다.
- 강희맹 —— (1424~1483) 조선 문신. 희안의 동생. 세조의 총애를 받아 세자빈객賓客이 되었으며 남이의 옥사를 다스려 공신이 되기도 했다. 신숙주 등과 『세조 실록』 편찬에 참여하였다. 문장이 당대의 으뜸이어서 그가 죽은 다음 성종은 서거정을 시켜 그의 문집을 편집하여 올리게 했으며, 서화에도 뛰어난 재능을 보였다.
- 강희안 —— (1417~1464) 조선 문신. 단종 복위 운동에 관련된 혐의로 신문을 받았으나 성삼문의 변호로 화를 면했다. 시, 서, 화에 모두 능하여 삼절三絶이라 일컬어졌으며, 정인지 등과 함께 세종이 지은 정음正音 28자에 대한 해석을 상세히 덧붙였고, 『용비어천가』의 주석을 붙일 때에도 참여했다.
- 개스코인 —— (1916~?) David Gascoyne. 영국의 시인, 16세 때 처녀 시집을 발표하였다. 프랑스에서 초현실주의의 영향을 받고 평론 「쉬르레알리즘에 대하여」와 시집 『인간의 생명과 육신』을 썼으며 프랑스의 시인 엘뤼아르를 소개했다. 이 밖에 시집으로 『시집 1937~42』와 『밤의 생각』이 있다.
- 계용묵 —— (1904~1961) 소설가. 『조선 문단』 현상 문예에 시 「봄이 왔네」와 「상환相換」이 당선되어 등단했다. 단편 「최서방」을 『조선 문단』에, 「인두지주」를 『조선지광』에 발표하면서 본격적으로 활동하기 시작하였고, 「백치 아다다」를 발표하여 주목을 끌었다. 「연애 삽화」, 「병풍에 그린 닭이」, 「심원」, 「제비를

그리는 마음」, 「장벽」 등의 작품과 수필집 『상아탑』이 있다.

• 고경명 —— (1533~1592) 조선 문인, 의병장. 호는 제봉霽峰. 당파에 밀려 낙향해 있다가 임진왜란 때 의병을 모집, 왜군과 싸우다 전사했다. 시, 글씨, 그림에도 뛰어나 이름을 떨쳤다.

• 고득종 —— (생몰 연도 미상) 조선 문신. 효행이 지극해 직장直長으로 천거되었고, 이듬해 문과에 급제하여 여러 벼슬을 지냈다. 문장과 서예에 뛰어났다.

• 공초 오상순 —— (1893~1963) 시인. 1920년 『폐허』 동인으로 문단에 나와 초창기 시단의 선구자가 되었다. 「허무혼虛無魂의 선언」, 「아시아의 마지막 밤」 등 장시를 발표, 당시의 신시新詩에 사상성을 불어넣었다. 방랑과 참선, 애연愛煙으로 독신 생활을 하였고, '청동문집青銅文集' 이란 서명첩署名帖을 195권이나 남겼다.

• 곽예 —— (1232~1286) 고려 문신. 초명은 왕부王府. 일본에 가서 왜구의 침범 중지와 잡혀간 고려인의 송환을 요구하기도 했으며, 성절사聖節使가 되어 원나라에 다녀오던 길에 병사하였다. 문장과 글씨에 뛰어났다.

• 곽재우 —— (1552~1617) 조선 의병장. 임진왜란 당시 의령에서 의병을 일으켜 많은 왜적을 물리쳤다. 자신의 뜻을 펴기 위해 벼슬길에도 나섰으나 조야가 혼탁하고 기강이 문란함을 개탄, 다시 은둔 생활을 했다. 필체가 웅건하고 활달했으며 시문에도 능했다.

• 구양순 —— (557~641) 중국 당나라 초기의 서예가. 아버지가 반역자로 처형된데다가 키가 작고 못생겨서 업신여김을 받으며 자랐다. 그러나 유난히 총명하려 널리 경사經史를 익혔으며, 왕희지 부자의 글씨를 배웠다고 하는데, 현존하는 글씨를 보면 오히려 북위파北魏派의 골격을 지니고 있다. 그의 글씨는 예로부터 많은 사람들이 해법楷法의 극치라 하여 칭송하고 있다.

• 구족달 —— (생몰 연도 미상) 고려 때 서가書家. 벼슬은 사찬홍문감경沙粲興文監卿을 지냈다.

• 국지유방 —— (1870~1947) 기쿠치 유호菊池幽芳. 일본 소설가. 『무언의 맹세』를 발표하면서 신문 소설가로 알려졌다. 가정 소설로 주목받은 『자기의 죄』 외에 다수의 작품이 있다.

• 굴원 —— (BC 343?~277?) 중국 전국 시대의 정치가이자 비극 시인. 충간忠諫

하다가 모함을 받아 추방된 후 투신 자살하였다. 중상모략으로 왕의 곁에서 멀어졌을 때의 억울함을 노래한 「이소離騷」와 추방되었을 때 쓴 「어부사」가 전한다. 그의 작품은 문학사에서뿐만 아니라 오늘날에도 높이 평가받고 있다.

- 권근 —— (1352~1409) 고려, 조선조의 문신, 학자. 왕명으로 『동국사략』을 찬했다. 문장에 뛰어났으며 경학에 밝아 사서오경의 구결을 정했다. 또한 그의 『입학도설入學圖說』은 후에 이황, 장현광張顯光 등에게 큰 영향을 끼쳤다. 성리학자이면서도 문학을 존중하여 시부사장詩賦詞章의 학문을 실용면에서 중시하고 이를 장려, 경학과 문학의 양면을 조화시켰다.
- 권돈인 —— (1783~1859) 조선 문신. 호는 이재彛齋. 서화에 능하여 일생을 절친하게 지냈던 김정희에게 뜻과 생각이 뛰어나다는 평을 들었다. 필법筆法이 김정희에게 거의 근접하였다고 하며, 특히 예서隷書를 잘 써서 신합神合의 경지라 일컬어졌다. 유작으로 「세한도歲寒圖」가 전한다.
- 권상하 —— (1641~1721) 조선 학자. 송시열의 수제자이다. 송시열이 유배되고 남인들이 득세하자 벼슬을 버리고 학문과 제자양성에 힘썼다. 송시열의 뒤를 이은 기호학파의 지도자였으며 글씨에도 뛰어났다.
- 권주 —— (?~1394) 고려 때 문신, 서예가. 성품이 바르고 성실하였으며 일찍이 벼슬길에 올라 백성들을 잘 다스려 칭송을 받았다. 여주 신륵사의 '신륵사장각기神勒寺藏閣記' 등 여러 점의 유필이 전한다.
- 권중화 —— (1322~1408) 고려, 조선 때 학자, 문신. 권력에 아부하지 않는 꼿꼿한 성정을 지녔다고 한다. 고사故事, 의학, 지리, 복서卜筮에도 통달하였으며, 특히 전서篆書를 잘 썼다.
- 균여 —— (923~973) 고려 승려. 『보현십종원생가』라는 11수의 향가를 지어 노래 속에 불교의 교리를 쉽게 풀어넣음으로써 불교의 대중화에 기여했다. 불교계의 종파 통합에도 힘을 기울였다.
- 그라크 —— (1910~) Julien Gracq. 프랑스의 작가. 낭만주의 문학이나 암흑 소설을 비롯 초현실주의의 영향을 받은 첫 작품 『아르골의 성에서』로 주목을 받았다. 『시트르의 해변』으로 공쿠르 상 수상자로 결정되었으나 문학상에 대한 불신으로 거부하였다. 그 밖에 소설 『숲의 발코니』, 산문시집 『커다란 자유』, 평론 「앙드레 브르통」, 「애호」, 희곡 「어부왕」 등의 작품이 있다.

• 그레이브즈 —— (1895~?) Robert Graves. 영국의 시인, 소설가. 1차 대전에 참전, 대표적인 전쟁 시인으로 일컬어지며, 전쟁의 체험을 바탕으로 하여 낡은 영국적 전통을 통렬하게 비판한 자서전 『깨끗한 작별』은 큰 충격을 주었다. 시집으로는 『하얀 여신』, 『초고의 특권』 등이 있으며 평이하면서도 박력 있는 문체의 소설로 『짐朕 클로디오스』, 『램 상사의 미국』, 평론 『취업 · 작가』가 있다.

• 기대승 —— (1527~1572) 조선 성리학자. 고봉은 호다. 어려서부터 재주가 특출하여 문학에 이름을 떨쳤으며, 독학으로 고금古今에 통달하였다. 이황의 문인으로 선학들이 생각지 못한 학설을 제시한 바가 많았다. 이황과 '사단칠정四端七情' 논쟁이 유명하다. 서예에도 능했다.

• 기홍수 —— (1148~1209) 고려 무신. 어려서부터 시서에 능했으며, 명종, 신종, 희종 3대에 걸쳐 무관으로 이름이 높았다.

• 김거실 —— (?~1170) 고려 문신. 정중부의 난 때 행궁 별감으로 있다가 살해되었다. 『이상국집』 「동국제현 서결평론東國諸賢書訣評論」에 나오는 소성후 김거실과 동일한지는 확실하지 않다.

• 김광주 —— (1910~1973) 소설가. 필명 김평. 단편 「밤이 깊어갈 때」를 『신동아』에 발표하면서 소설을 쓰기 시작. 창작 활동을 계속하면서 중국 문학을 소개하였다. 광복 후 『문화 시보』, 『예술 조선』을 창간하였고, 장편 『석방인』 외 많은 장편과 단편을 썼다. 번역 소설에 『삼국지』 등이 있다.

• 김굉필 —— (1454~1504) 조선 학자. 대경大經 연구에 전심하여 성리학에 통달했고, 그 문하에서 조광조, 이장곤, 김안국 등의 학자가 나왔다.

• 김구 —— (1488~1534) 조선 문신, 서예가. 김굉필의 문인門人이다. 기묘 사화 때 조광조 등과 함께 투옥, 유배되었다. 글씨에 뛰어나 조선 초기 4대 서예가의 한 사람으로 꼽히며 서울 인수방仁壽坊에 살았다 하여 그의 서체를 인수체라고 한다.

• 김내성 —— (1909~1957) 소설가. 『조선일보』에 『마인魔人』을 발표하면서 등단하였다. 『백가면』, 『태풍』, 『진주탑』, 『비밀의 문』 등 외국 탐정 소설을 번안한 일련의 탐정 소설을 발표하여 우리 나라 유일의 탐정 소설가가 되었다. 대표작 『청춘 극장』과 『인생 화보』는 그 대중성으로 인해 당시 많은 독자를 끌었다.

• 김동리 —— (1913~1995) 소설가, 시인. 순수 문학과 신인간주의의 문학 사상

으로 일관하였다. 『무녀도』, 『황토기』, 『귀환장정』, 『사반의 십자가』, 『등신불』 등의 소설과 평론집 『문학과 인간』, 수필집 『자연과 인간』 외 많은 작품이 있다.

• 김동인 —— (1900~1951) 소설가. 1919년 우리 나라 최초의 문학 동인지 『창조』 발간. 「배따라기」, 「감자」, 「발가락이 닮았다」 등 단편 소설을 통해 간결하고 현대적인 문체로 문장 혁신에 공헌했다. 이광수의 계몽주의에 맞서 사실주의를 주장했고, 프로 문학에 반대하여 예술지상주의를 표방 순수 문학 운동을 벌였다. 『광화사』, 『젊은 그들』, 『광염 소나타』, 『운현궁의 봄』 등의 작품이 있으며 6 · 25 사변 중 숙환으로 죽었다. 평론에도 일가견이 있어 『춘원 연구』를 남겼다.

• 김만중 —— (1637~1692) 조선 문신, 소설가. 호는 서포西浦. 『구운몽』 집필. 효성이 지극하여 귀양갈 때 외에는 노모 곁을 떠난 적이 없었으며 『구운몽』도 어머니를 위로하기 위하여 지은 것으로 알려져 있다. 전문이 국문으로 되어 있다. 김만중은 숙종 당시 소설 문학의 선구자였으며 한글로 쓴 문학이라야 진정한 국문학이라는 문학관을 피력하였다.

• 김말봉 —— (1901~1962) 소설가. 『찔레꽃』 등 신문 연재 통속 소설 작가로 인기를 끌었다. 대부분 작품에서 애욕의 문제를 다루었으나 해방 후에는 사회성을 띤 작품을 썼다. 대표작으로는 『생명』을 꼽는다.

• 김범부 —— (1897~1966) 동양 철학자이자 한학자. 본명은 김정설金鼎卨. 소설가 김동리의 형. 일본에서 동양 철학을 전공하고 동서양 철학을 비교 연구하였다. 귀국한 후 광복까지 사사에서 불교 철학 연구에 몰두하였으며 제2대 국회의원에 당선되기도 했다. 계림대학, 동방사상연구소를 세워 동양 철학, 한학 등을 강의하였다. 시주詩酒를 즐기고 청백淸白했다.

• 김부식 —— (1075~1151) 고려 때 문신, 학자. 현존하는 최초의 정사 『삼국사기』 50권을 편찬했으며, 문장과 고금의 음악에 통달하여 송나라에도 그 이름이 알려졌다. 문집 20여 권이 있으나 전해지지 않는다.

• 김상용 —— (1581~1637) 조선 문신. 글씨에 뛰어났고, 서체는 이왕체二王體를 본뜨고 전篆은 중체衆體를 겸했다. 유고로 시조 「오륜가五倫歌」 5편, 「훈계자손가」 9편이 있으며 『가곡원류歌曲源流』에도 여러 편의 시조가 남아 있다.

• 김상헌 —— (1570~1652) 조선 문신. 숭명파崇明派로 절의가 있어 신망을 받

았다. 글씨는 동기창체董其昌體를 잘 썼다.

• 김석준 —— (1831~1915) 서도가. 북조풍의 예서에 뛰어났으며, 지두서指頭書에 능했다.

• 김성일 —— (1538~1593) 이황의 문인門人. 일본의 침략을 경고한 서인西人 황윤길의 보고를 반대하였다. 임진왜란이 일어나자 처벌이 논의되었으나 화를 모면하고 싸움에 나섰으며 진주에서 병사했다. 성리학에 조예가 깊었다.

• 김수영 —— (1921~1968) 시인. 1950년대 모더니즘 경향을 이끌었다. 4·19를 기점으로 치열한 현실 의식을 시에 반영하여 1960년대 참여시 운동의 선구자 역할을 하였다. 시집으로 『달나라의 장난』, 『거대한 뿌리』 등과 평론집으로 『시여 침을 뱉어라』 등이 있다.

• 김수증 —— (1624~1701) 조선 시대 문신. 호는 곡운谷雲. 당쟁에 휩쓸려 동생과 형이 유배되었다가 배소에서 죽자 관직을 버리고 은거하였다.

• 김수항 —— (1629~1689) 조선 문신. 호는 문곡文谷. 서인의 중심 인물로 활약했으며, 이후 남인에 대한 온건, 강경 노선으로 서인西人이 분열되자 송시열을 중심으로 한 노론에 소속되어 온건파인 소론의 영수 윤증의 죄를 엄히 다스렸다. 기사 환국으로 남인이 재집권하자 유배되어 사사賜死되었다. 전서를 잘 썼다.

• 김안국 —— (1478~1543) 조선 문신, 학자. 각 향교에 『소학』을 권하고 농서, 잠서蠶書의 언해와 『벽온방辟瘟方』, 『창진방瘡疹方』 등을 간인刊印하여 보급하였다. 또한 병조 판서로서 천문, 역법, 병법에 관한 서적 구입을 상소하고, 물이끼와 닥[楮]을 혼합한 태지苔紙를 만들어 왕에게 바치고 이를 권장했다. 조광조와 함께 지치주의至治主義를 주장했으나 급격한 개혁에는 반대했다. 성리학뿐만 아니라 천문, 농사, 주역, 국문학 등에도 조예가 깊었다.

• 김안서 —— (1893~?) 시인 김억金億. 민요조의 가락을 바탕으로 인생의 애상과 한을 주로 노래하였으며 김소월을 문단에 소개하였다. 한국 최초의 근대 시집 『해파리의 노래』를 비롯 『불의 노래』, 『안서시초』 등의 시집이 있다. 우리 나라 최초의 현대 번역 시집 『오뇌懊惱의 무도舞蹈』를 발간하였으며 그 외에도 『기탄자리』, 『잃어버린 진주』 등의 번역 시집이 있다. 또한 요절한 제자를 위하여 『소월시초』를 엮어내기도 했다. 우리 나라에서는 처음으로 에스페란토 어를

연구하였으며 6 · 25 때 납북되었다.

- 김언경 —— (생몰 연도 미상) 신라 때 서예가. 글씨를 잘 써서 당대의 명필로 이름이 났고, 특히 행서에 능했다. 보림사 보조선사 창성탑비의 7행 선禪 자 이하를 행서로 썼다.
- 김여물 —— (1548~1592) 조선 충신. 서인으로 몰려 파직, 투옥되었으나 임진왜란이 일어나자 왕의 명으로 신립과 함께 충주 방어에 나섰다. 새재[鳥嶺]의 지세를 이용하여 방어할 것을 건의했으나 이 의견은 수렴되지 않았고, 배수진을 쳤다가 적을 막지 못하고 탄금대 아래서 신립과 함께 투신, 자결했다.
- 김원 —— (생몰 연도 미상) 신라 때의 서예가. 특히 해서를 잘 썼다.
- 김유정 —— (1908~1937) 소설가. 「소낙비」가 조선일보 신춘 문예에, 「노다지」가 중앙일보 신춘 문예에 당선되면서 등단하였다. 후기 구인회九人會의 일원으로 이상, 김문집 등과 교류하며 창작 활동을 하였다. 2년 남짓한 작가 생활을 통해 「금 따는 콩밭」, 「봄봄」, 「동백꽃」, 「땡볕」 등 30여 편의 단편과 1편의 미완성 장편, 번역 소설 1편을 남겼다.
- 김육진 —— (생몰 연도 미상) 신라의 명신. 애장왕 때 대아찬大阿飡이 되고 사은사謝恩使로 당나라에 다녀오기도 했다. 경주 무장사의 아미타여래상 사적비를 썼다고 하나 확실하지 않다.
- 김윤성 —— (1926~) 시인. 작품으로는 「예감」, 「깨어나지 않는 꿈」 등이 있다.
- 김이석 —— (1914~1964) 소설가. 동아일보 신춘 문예에 「부어腐漁」의 입선으로 등단했다. 『단층』 동인. 소박하고 선의에 찬 인간상을 통하여 휴머니즘적 작품 세계를 구축하였다. 「실비명」, 「뻐꾸기」, 「청포도」, 「허민 선생」 외 다수의 작품이 있다.
- 김인경 —— (?~1235) 고려의 문신. 고종 초 거란을 토벌할 때 큰 공을 세웠으나, 동진東眞의 침입 때는 패하여 좌천되기도 하였다. 시에 능했으며, 서書 중에는 특히 예서에 뛰어났다.
- 김인후 —— (1510~1560) 조선 문신, 유학자. 김안국의 제자로, 이황과 함께 학문을 닦았다. 을사 사화 이후 고향으로 돌아가 성리학 연구에 전념하였으며 성경誠敬의 실천을 학문의 목표로 삼았다. 천문, 지리, 의학, 산수 등에도 정통

했다.

• 김일엽 —— (1898~1971) 소설가. 법명은 하엽荷葉. 당시 독자들 사이에 큰 화제가 되었던 『청춘을 불사르고』를 내고 입산하여 수덕사에 기거하다 열반했다.

• 김장생 —— (1548~1631) 조선 학자. 송익필의 문하에서 예학을 전수받고, 후에 이이李珥의 문하에서 성리학을 배웠다. 예론禮論을 깊이 연구, 아들 김집에게 계승시켜 조선 예학의 태두로 예학파의 주류를 형성했다. 문하에 송시열, 송준길 등의 유학자를 배출, 서인을 중심으로 한 기호학파를 이룩하여 조선 유학계에 영남학파와 함께 쌍벽을 이루었다.

• 김정 —— (1486~1521) 조선 문신, 유학자. 조광조와 함께 지치주의의 실현을 위해 미신 타파, 향촌의 상호 부조를 위한 향약의 전국적 시행 등 많은 업적을 남겼다. 기묘 사화 때 사사되었다. 시문은 물론 그림에도 능하여 새, 짐승을 잘 그렸다.

• 김종서 —— (1390~1453) 조선 문신. 6진을 설치하여 두만강을 경계로 국경선을 확정했으며 『고려사』 개찬, 『세종 실록』의 총재관을 거쳐 『고려사절요』의 편찬을 감수, 간행하였으며, 문종의 유시를 받들어 어린 단종을 보위하던 중 수양대군에 의해 격살되었다.

• 김종직 —— (1431~1492) 조선 성리학자. 학문과 문장이 뛰어나 영남학파의 종조宗祖가 되었고, 선종의 특별한 총애를 받아 문인들을 많이 등용시켰다. 『동국여지승람』 55권을 증수했으며, 그가 쓴 『조의제문弔義帝文』은 그의 사후에 무오 사화의 원인이 되기도 하였다. 서화에 뛰어났다.

• 김좌명 —— (1616~1671) 조선 문신. 여러 벼슬을 두루 거쳤으며 병조 판서 겸 수어사守禦使가 되어 병기, 군량을 충실히하고, 군사 훈련을 엄격히 실시했다. 글씨에도 능했다.

• 김집 —— (1574~1656) 조선 문신, 학자. 광해군 당시에 벼슬길에 나섰으나 정치의 문란함을 보고 물러났다. 인조 반정 후 등용되었다가 효종이 즉위하자 함께 북벌 계획을 논의하였으며, 김자점의 밀고로 정국이 어수선해지자 사임하였다. 아버지 김장생의 학문을 계승하여 더욱 깊이 연구하고, 예학의 체제를 세웠다.

• 김창집 —— (1648~1722) 조선 문신. 노론의 4대신의 한 사람. 김수항의 아들.

아버지가 유배지에서 사사되자 영평의 산중에 들어가 나오지 않았다. 후에 벼슬이 영의정까지 이르렀으나 소론과의 대립으로 사사되었다.

- 김춘수 —— (1922~) 시인. 1946년 『해방 1주년 기념 사화집』에 시 「애가哀歌」를 발표하면서 등단했다. 시집으로 『구름과 장미』, 『부다페스트에서의 소녀의 죽음』, 『처용處容』 등이 있다.
- 김효원 —— (1532~1590) 조선 문신. 남명 조식의 문인門人. 동인과 서인으로 나뉘어 대립하게 된 원인을 제공하였으나 훗날에는 이에 대해 책임을 느껴 시사時事에 관하여 전혀 입을 열지 않고 자숙하였다. 학문에 뛰어났다.
- 김효인 —— (?~1253) 고려 문신. 글씨를 잘 썼고, 문과에 급제하여 병부 상서 · 한림 학사에 이르렀다.

〖ㄴ〗

- 나옹 —— (1320~1376) 고려 승려 혜근惠勤의 호. 고려 말 선종의 고승으로 조선 불교에 크게 영향을 끼쳤으며, 서예와 그림에 뛰어났다.
- 나이두 —— (1879~1949) Sarojini Naidu. 인도의 여류 시인. 선천적인 소질을 타고났으나 시대의 요청에 따라 정치에 투신하여 독립 투쟁에 중요한 역할을 하였고, 인도 국민회의파의 최초 여성 총재로 당선되었다. 첫 시집 『황금문』으로 시인으로서 명성을 얻었으며, 그 밖에 『시대의 새』, 『부러진 날개』, 『연꽃에 앉은 석가모니』, 『브린다반의 피리 부는 사람』 등의 시집이 있다.
- 남구만 —— (1629~1711) 조선 문신. 송준길의 문하에서 수학했으며 벼슬길에 올라서는 서인으로서 남인을 탄압하여 유배를 가기도 했다. 서인이 노 · 소론으로 분열되자 소론의 영수가 되었다. 문사文詞와 서화에도 뛰어났으며 시조 「동창이 밝았느냐」가 『청구영언』에 전한다.
- 남명 —— (1501~1572) 조선 학자 조식의 호. 지리산에 은거하며 성리학을 연구, 독특한 학문을 이룩했으며 유학계의 대학자로 추앙되었다.
- 노과 —— 추사 김정희가 사용한 호 중 하나이다.
- 노산 이은상 —— (1903~1982). 시인. 문학 박사. 『조선 문단』을 통하여 등단하였다. 조선어학회 수난으로 옥고를 치렀으며, 사상범 예비 검속으로 수감되었다가 광복으로 풀려났다. 저서로 『묘향산 유기』, 『노산 시조집』, 『이충무공

일대기』, 『민족의 맥박』, 『조국 강산』, 『이충무공 전서』. 『피 어린 육백 리』, 『성웅 이순신』 등이 있다.

- 노수신 —— (1515~1590) 조선 문신, 학자. 문장과 서예에 능했고 양명학을 깊이 연구했다. 휴정 등과 교제가 있어 학문에 불교 영향을 받기도 했다.
- 노작 홍사용 —— (1900~1947) 시인. 나도향, 현진건 등과 동인지 『백조』를 창간, 「백조는 흐르는데」, 「별 하나 나 하나」, 「나는 왕이로소이다」 등 감상적이고 향토적인 서정시를 발표했다. 토월회의 동인으로서 신극운동에도 참여, 희곡을 썼으나 『백조』 간행과 극단 운영으로 가산을 탕진하고 병사했다.
- 노천명 —— (1912~1957) 시인. 「밤의 찬미」를 『신동아』에 발표하여 등단하였다. 조선문학가동맹에 관여한 혐의로 9 · 28 수복 후 투옥되었다가 이듬해 석방되었다. 시집으로 『산호림珊瑚林』, 『창변窓邊』, 『별을 쳐다보며』와 수필집 『산딸기』, 『나의 생활백서』 등이 있다.
- 농암 이현보 —— (1467~1555) 조선 문신. 관직에 있으면서 선정을 베풀어 왕의 표리表裏를 하사받기도 했다. 자연을 노래한 많은 시조를 남겼으며, 10장으로 전하던 「어부사」를 5장으로 고쳐 지은 것이 전한다.

【 ㄷ 】

- 대원군 —— (1820~1898) 조선 말기의 정치가이자 서화가였던 흥선 대원군 이하응李昰應을 말한다. 서화는 스승인 추사의 필풍筆風에 버금가는 실력을 보였으며, 특히 난蘭을 전사專寫하여 석파란石坡蘭으로 이름을 날렸다. 서書는 예서隸書에 뛰어나 난과 더불어 쌍미雙美하다고 알려져 있다.
- 데스노스 —— (1900~1945) Robert Desnos. 프랑스 시인. 당시 다다이스트들의 영향으로 장난기 어린 시를 썼으며, 초현실주의의 새 문학 운동에 열성적으로 가담하여 선구자이자 실천가로 활약했다. 그러나 차츰 서정과 애수, 환상과 유머를 담은 정적이며 평이한 시를 썼다. 후에는 방송계에 들어가 '라디오 시' 라는 새로운 시를 시도하기도 하고 영화 시나리오 작가로 일하기도 했다. 2차 세계 대전 때 독일군의 포로가 되었다가 석방되었으며 독일군 점령하의 파리에서 레지스탕스 운동에 가담했다. 나치 비밀 경찰에 체포되어 여러 수용소를 전전하다가 사망했다. 주요 시집으로는 『상喪을 위한 상』, 『재산』, 자서전적

인 소설 『일반적 영역』이 있으며, 어린이들을 위한 작품 『이야기 노래와 꽃 노래』도 있다.

- 도선 국사 —— (827~898) 신라 말의 승려이며 풍수설의 대사. 15세에 출가하여 월유산 화엄사華嚴寺에서 승려가 되었다. 유명한 사찰을 다니면서 수행하다가, 곡성 동리산桐裏山의 혜철惠徹에게서 무설설無說說 무법법無法法의 법문을 듣고 오묘한 이치를 깨달았다. 전라남도 광양 백계산 옥룡사玉龍寺에 자리를 잡고 후학들을 지도하였는데, 언제나 수백 명의 제자들이 모여들었다고 한다.
- 동기창 —— (1555~1636) 중국 명나라 말기의 문인, 화가, 서예가. 관리로서 명성이 높았으며 문명文名도 높았으며 명말 제일의 인물로 당시 화단에 큰 영향을 끼쳤다.
- 등완백 —— (1742~1805) 중국 청나라 제일의 서가書家. 필법이 웅대하고 장쾌하여 그 기상이 하늘을 찔렀고 또한 너그럽고 활달하여 거리낄 것이 없는 필봉으로 천하에 이름을 떨쳤다. 해서, 행서, 예서, 전서, 초서 모두 능하였지만 특히 전서를 크게 부흥시켜 진한秦韓의 예술 정신을 높이 고취시켰다. 또 북비北碑를 배워 심취하다가 북비파의 대가가 되었다.

【ㄹ】

- 랭보 —— (1854~1891) Arthur Rimbaud. 프랑스 시인. 부르주아 문명을 조롱하고, 기독교 문명을 저주하는 등 일상적이고 상투적인 사물에의 접근에서 벗어나 프랑스 시에 새로움과 놀라움을 선사했으며, 문명과 중산 계급에 대한 비웃음을 담은 작품들을 썼다. 주요 작품으로 「지옥에서 보낸 한 철」, 「감각」, 「모음」, 「미셸과 크리스틴」 등이 있다.
- 로렌스 —— (1885~1930) David Herbert Richards Lawrence. 영국의 작가. 서구 물질 문명의 불모성과 반생명성을 비판하는 작품 경향으로 다양한 평가와 관심의 대상이 되었으며, 문학이 다룰 수 있는 성적 표현의 범위가 어디까지인지 논란을 불러일으키곤 했다. 장편 『채털리 부인의 사랑』, 『아들과 연인』, 『무지개』, 『연애하는 여인들』 외 여러 편의 단편들과 시집, 평론들이 있다.

【ㅁ】

• 만 —— (1875~1956) Thomas Mann. 독일의 소설가이며 평론가. 독일 소설 예술을 세계적 수준으로 끌어올리는 데 부족함이 없다는 평가를 얻은 『마의 산』을 썼다. 히틀러가 정권을 잡자 스위스에서 망명 생활을 했으며, 반파시즘 기관지 『척도와 가치』를 발행하고, 2차 대전 중에는 독일 국민에게 히틀러 타도를 호소하는 정기 방송을 계속하였다.

• 만우 —— (1357~?) 고려, 조선 때 승려. 혼수混脩의 제자. 어려서 경전에 통달했으며, 시를 잘 하여 이색, 이숭인 등과 시로 사귀었고, 집현전 학사들과도 교유가 있었다.

• 만화 —— (1694~1758) 조선 승려 원오圓悟의 호. 모든 경의經義에 통달하고, 화엄보살, 생불이라는 칭호를 얻었다. 만년에는 선오禪悟로써 궁극의 법을 삼았다. 건봉사乾鳳寺를 중홍重興했다.

• 매월당 김시습 —— (1435~1493) 조선조 생육신의 한 사람. 신동으로 이름이 높았으나 세조 즉위 소식을 듣자 승려가 되어 방랑하며 『탕유관서록후지宕遊關西錄後志』, 『산거백영山居百永』 많은 저술을 남겼다. 후에 환속하였으나 불교·유교 경전을 아우르는 사상과 탁월한 문장으로 일세를 풍미했다.

• 매처학자 —— 풍류 생활의 형용. 매화를 아내 삼고, 학을 자식 삼아 풍류를 즐겼다는 송나라 임포林逋의 고사에서 온 말.

• 맹사성 —— (1360~1438) 고려, 조선 때의 명상名相. 호는 고불. 황희와 함께 조선 초기 문화를 이룩하는 데 크게 기여했으며, 청렴하기로 이름이 높았다. 시문에 능하고 음률에도 밝아 향악을 정리하고 스스로 악기를 제작했다.

• 문공유 —— (생몰 연도 미상) 고려 문신. 이자겸의 모함으로 형 문공인文公仁과 함께 유배되었다가 뒤에 복직되었으며 금나라에 사신으로 다녀왔다. 묘청의 도참설에 현혹된 현종에게 충고를 하다가 좌천되기도 하였으며, 글씨를 잘 썼다.

• 문극겸 —— (1122~1189) 고려 때의 문신. 환자宦者 백선연白善淵을 탄핵하다 좌천된 일로 정중부의 난이 일어났을 때 화를 면하였고, 이후 많은 문신을 화에서 구했으며 무신들에게는 고사故事의 자문을 받았다. 문신이면서 후에 상장군까지 겸하여 문무 겸직의 시초가 되었다. 글씨에도 뛰어났다.

• 문징명 —— (1470~1559) 명나라 화가. 그림뿐 아니라 서예가로서도 중국 역사상 손꼽히는 인물이다. 이름은 벽璧이나 자字 징명으로 널리 불렸다.

• 미불 —— (1051~1107) 중국 북송의 서예가 화가. 수묵화뿐만 아니라 서書 · 시詩 · 고미술에 대한 조예도 깊었고, 채양蔡襄 · 소식蘇軾 · 황정견黃庭堅과 함께 송의 4대가로 불린다. 왕희지의 서풍書風을 이었다.

• 미암 유희춘 —— (1513~1577) 조선 문신. 경사經史에 밝고 성리학에 조예가 깊었다. 저서 『미암 일기』에 기록한 1568~1577년의 공사公私 경력은 귀중한 사료史料가 되고 있다.

• 민사평 —— (1295~1359) 고려 문신, 학자. 시서詩書를 즐기고 학문에 뛰어났으며, 이제현, 정자후 등과 함께 문명文名이 높았다.

• 민세 안재홍 —— (1891~1965) 정치가, 독립 운동가. 해방 후 미 군정청 민정장관을 역임했으며 제2대 국회 의원에 당선되었으나 6 · 25 때 납북되어 평양에서 죽었다.

【ㅂ】

• 박노수 —— (1927~) 호는 남정. 서울대학교 미술대학 회화과 졸업. 독자적인 채색과 여백의 미를 화면에 구현해 제4회 국전에서 대통령상을 수상하였다. 북화적인 큰 스케일과 남화적인 정신 세계가 잘 어울려 새로운 한국화를 만들어냈다는 평가를 받았다.

• 박문수 —— (1691~1756) 조선 문신. 영남 암행 어사로 부정한 관리들을 적발했고, 이인좌의 난 때 종사관으로 출전, 공을 세웠다. 또한 호서 어사로서 기민들의 구제에 힘썼으며, 함경도 진휼사로 경상도의 곡식을 실어와 기민을 구한 공로로 송덕비가 세워졌다. 특히 군정과 세정에 밝았고, 암행 어사 때의 많은 일화가 전한다.

• 박세채 —— (1631~1695) 조선 문신, 유학자. 당쟁에는 가담했으나 황극탕평설皇極蕩平說을 주장, 당쟁의 근절을 위해 노력했다. 당대 유종儒宗으로서 예학에 밝았다. 70여 권의 문집, 논어 · 맹자의 찬요纂要, 시에 관한 요의要義, 신라 · 고려 · 조선에 이르는 유현儒賢들의 사우연원師友淵源을 수록한 책 등 후진들에게 귀중한 문헌을 남겼다. 글씨를 잘 썼다.

• 박순 —— (1523~1589) 조선 문신, 학자. 호는 사암思菴. 시 · 문 · 서에 뛰어났으며 송설체松雪體를 잘 썼다. 저서에 『사암집』이 있다.
• 박윤묵 —— (1771~1849) 조선 문신. 시문에 뛰어났고, 서예는 왕희지, 조맹부체의 필법을 이어 맡았다.
• 박인환 —— (1926~1956) 『국제신보』에 시 「거리」를 발표하여 등단하였다. 김수영, 김경린, 양병식, 임호권과 함께 공동 시집 『새로운 도시와 시민들의 합창』을 발간하였다. 시집으로 『박인환 시선집』, 유고집으로 『목마와 숙녀』가 있다.
• 박재삼 —— (1933~1997) 시인. 『문예』에 시조 「강물에서」가 추천, 『현대 문학』에 시 「정적靜寂」, 시조 「섭리」가 추천되어 등단했다. 시집으로는 『춘향이 마음』, 『햇빛 속에서』, 『천년의 바람』, 『어린것들 옆에서』 등이 있다.
• 박제가 —— (1750~?) 조선 실학자. 박지원 문하에서 실학을 연구하였고, 이덕무, 유득공, 이서구 등의 실학자와 교류하여 합작 시집 『건연집巾衍集』을 내어 우리 나라의 시문時文 4대가로 그 이름이 중국에까지 알려졌다. 실사구시의 사상을 토대로 한 『북학의北學議』를 저술했다.
• 박제상 —— (생몰 연도 미상) 신라 때의 충신. 『삼국유사』에는 김제상으로 되어 있다. 눌지왕의 부탁을 받고 지략과 계교로 고구려에 볼모로 가 있는 왕제王弟 복호를 데려왔으며, 일본에 가 있는 왕자 미사흔을 신라로 탈출케 하고 일본군에게 체포, 유배되었다가 살해되었다. 그의 부인은 그를 기다리다가 망부석이 되었다는 이야기가 전한다.
• 박종화 —— (1901~1981) 시인이자 소설가. 호는 월탄. 『장미촌』에 「오뇌의 청춘」을 발표하며 등단하였다. 『백조』를 창간하여 한국 문단에 새로운 흐름을 만들었다. 시집 『청자부』, 『월탄 시집』, 장편 소설 『금삼의 피』, 『세종대왕』 『다정불심』 등이 있다.
• 박지원 —— (1737~1805) 조선 실학자, 소설가. 북학파의 영수로 청나라의 문물을 받아들일 것을 주장했다. 그의 『열하 일기』는 당시 보수 세력에게 비난을 받았으나 정치 · 경제 · 천문 · 문학 등 각 방면에 걸쳐 청나라 문물을 소개한 대표작이다.
• 박태보 —— (1654~1689) 조선 문신. 기사 환국 때 서인으로서 인현왕후의 폐위를 강력히 반대하다가 심한 고문을 받고 유배를 가는 도중 죽었다. 학문과 문

장에 능하고 글씨에도 뛰어났다.

- 박효원 —— (생몰 연도 미상) 조선 문신. 『세조 실록』 편찬에 참여하였으며 평안도 관찰사 허종의 종사관으로 활약했다. 유자광, 임사홍이 유배될 때 그 일파로 지목되어 장류杖流되었다. 글씨를 잘 썼다.
- 배삼익 —— (1534~1588) 조선 문신. 이황의 문인. 황해도 관찰사가 되었을 때 크게 흉년이 들자 구황救荒에 힘썼으며 병을 얻고도 관내 순시를 강행하다가 객사했다. 필법이 힘찼다.
- 백광훈 —— (1537~1582) 조선 시인. 호는 옥봉玉峰. 어려서부터 시재詩才가 있었으며 벼슬에 뜻이 없어 산수를 즐기며 시서詩書에 열중했다. 최경창崔慶昌, 이달李達 등과 함께 조선에서는 처음으로 성당盛唐의 시풍에 들었다 하여 삼당三唐으로 불렸다. 명필로 유명했는데, 특히 영화체永和體에 빼어났다.
- 백파 —— (1767~1852) 조선 말기의 승려. 속세의 이름은 이긍선. 12세 때 선운사에 들어가 승려가 되었으며 귀암사에서 회정懷淨의 법통을 이어받았다. 백암산 운문암에서 당을 열자 학인學人이 100여 명에 이르렀다고 한다. 당시 불교계에서는 그를 선문禪門 중흥의 종주로 추앙하였으며, 현재 선운사에 김정희가 쓴 비가 남아 있다.
- 베를렌느 —— (1844~1896) Paul verlaine. 「토성인들의 시」를 발표하며 창작 활동을 시작하였다. 자유롭고 대담한 율동적인 시형으로, 환상적이고 암시적 독특한 시풍을 확립하였다. 시인 랭보와의 연애 끝에 권총으로 그를 쏘아 옥중 생활을 하기도 했다. 주요 시집으로 『우울함의 시집』, 『사랑의 축제』, 『고운 노래』, 『말없는 연가』, 『예지』, 『사랑』, 『평행으로』 등이 있다.
- 『벽암록』 —— 중국 송대의 불서佛書. 정확하게는 『불과환오선사벽암록佛果圜悟禪師壁巖錄』이라고 한다. 선종의 공안집公案集으로 10권으로 되어 있으며 설두중현雪竇重顯이 『전등록』 1700칙 가운데서 100칙을 골라 하나하나 게송을 달고, 또한 불과환오佛果圜悟가 각칙에 수시垂示 · 착어著語 · 평창評唱을 덧붙여 이루어졌다. 환오의 제자에 의해 편찬 간행된 뒤 중국과 우리 나라, 일본에서 여러 차례 간행되었으며, 선종에서 가장 중요한 전적典籍으로 받들어진다.
- 변계량 —— (1369~1430) 고려, 조선의 문신. 이색, 정몽주의 문인. 대제학을 20여 년간 지내면서 대부분의 외교 문서를 도맡아 지어 명문장가로 이름이 높

왔다. 『태조 실록』의 편찬과 『고려사』의 개수에 참여했으며 시에도 뛰어났다. 『청구영언』에 시조 두 수가 전한다.

• 변영로 —— (1898~1961) 시인. 호는 수주. 신문학 초창기에 『폐허』 동인으로 등단하였고, 『개벽』을 통해 해학이 넘치는 수필과 발자크 작품 번역 등을 발표했다. 「논개」, 「사벽송四壁頌」, 「조선의 마음」 등이 잘 알려져 있다. 대주호大酒豪로 유명했다.

• 보들레르 —— (1821~1867) Charles Baudelaire. 프랑스 시인. 낭만주의 시대의 한복판에서 자라나, 그 모든 투쟁의 갈피를 샅샅이 살아온 보들레르는, 사치스러운 독백을 통해 자기들의 불안을 발산시킨 낭만파 시인들과는 달리 '마음의 참회소'를 마련하고 거기서 자기의 내심의 왕국을 탐구했다. 대표작 『악의 꽃』 외에 날카로운 비평 감각을 보여준 『낭만파 예술』, 『심미적 호기심』 등의 저서가 있다.

• 봉래 양사언 —— (1517~1584) 조선 시대 문인, 서예가. 자연을 사랑하여 지방관을 자청하여 두루 역임하였으며, 금강산 만폭동에 '봉래풍악 원화동천'이 새겨진 바위가 남아 있다. 초서와 큰 글자에 능하였고, 안평대군 · 김구金絿 · 한호와 더불어 조선 전기 4대 서예가로 불렸다.

• 부르제 —— (1852~1935) Paul Bourget. 프랑스의 작가. 처음에는 시인으로 이름이 알려졌으나 『현대 심리 논총』, 『신현대 심리 논총』을 발표하면서 비평가로서 지위를 확립했다. 이후 소설을 발표하기 시작 『잔혹한 수수께끼』, 『앙드레 코르넬리스』, 『제자』, 『숙역宿驛』, 『대낮의 악마』 등의 작품을 썼다.

• 빙허 현진건 —— (1900~1943) 소설가. 치밀하고 섬세한 묘사와 반전의 기교로 김동인, 염상섭 등과 함께 사실주의 문학 확립에 기여했다. 대표작으로 「빈처」, 「B사감과 러브 레터」, 「술 권하는 사회」 등이 있다.

〖ㅅ〗

• 사명 —— (1544~1610) 유정. 조선 시대의 승병장. 송운이라는 호도 썼다. 서산 대사의 법을 이어 받았으며 임진왜란 당시 승병을 이끌고 각지에서 왜군을 격파했다. 후에 일본으로 건너가 토쿠가와 이에야스를 만나 강화를 맺었다.

• 삼마 —— 글쓴이의 유모로, 경상도식으로 싸마라고 부르곤 했다.

- 삼천대천세계 —— 불교에서 이르는 상상의 세계. 수미산須彌山을 중심으로 이루어진 한 세계의 천 배를 소천세계, 그 천 배를 중천세계, 중천세계의 천 배를 대천세계라고 한다.
- 『상설 고문진보대전』 —— 조선 시대 서당에서 고문의 연변演變과 체법體法을 익히기 위하여 교재로 쓰던 시문 선집으로 송나라 말기의 학자 황견黃堅이 찬撰한 것으로 20권 10책이다. 전국 시대부터 송나라 말기에 이르기까지의 시문을 전·후집으로 나누어 수록했다.
- 서거정 —— (1420~1488) 조선 문신, 학자. 호는 사가정四佳亭. 문장과 글씨에 능했으며 성리학을 비롯하여 천문, 지리, 의학에 이르기까지 정통하였다. 또한 시화詩話의 백미인 『동인시화』와 『동문선』 등을 통해 신라 이래 조선 초기에 이르는 시문을 선집, 한문학을 대성했다.
- 서기 —— (1523~1591) 조선 학자. 제자백가와 기술의 이론까지 통달했다. 서경덕, 이중호, 이지함 등에게 사사했으며 특히 이지함과 뜻이 맞아 그를 따라 각지를 유랑하면서 민속과 실용적 학문의 연구에 전념했다. 지리산에 들어가 제자들을 가르쳤으며 후에 계룡산의 고청봉 밑으로 자리를 옮겨 후학 양성에 힘썼다.
- 서산 —— (1520~1604) 조선 시대의 승려, 승병장. 임진왜란이 일어나자 왕명에 따라 승병을 모집, 서울 수복에 공을 세웠다. 이후 유정에게 승병을 맡기고 묘향산에서 여생을 보냈다. 유·불·선이 궁극적으로 일치한다고 주장하여 삼교 통합론의 기초를 이루었다.
- 설장수 —— (1341~1399) 고려, 조선의 문신. 본래 위구르 사람으로 아버지를 따라 귀화했다. 정몽주가 살해될 때 일당으로 몰려 유배되었으나 조선 초 태조에 의하여 등용되었다. 시와 글씨에도 능했다.
- 설총 —— (생몰 연도 미상) 신라 경덕왕 때의 학자. 원효대사의 아들이다. 신라 십현의 한 사람으로 유학과 문학을 깊이 연구하였으며, 국학國學에 들어가 유학생들을 가르쳐 유학의 발전에 기여했다. 이두를 창제했다고 하나 그가 생존하기 이전에 이두의 기록이 있는 것으로 보아 집대성한 것으로 보인다.
- 성사달 —— (?~1380) 고려 대신. 호는 역암易菴. 시와 문장에 뛰어났고 글씨를 잘 썼다.

• 성염조 —— (1398~1450) 조선 문신. 성석린成石璘의 조카이다. 글씨를 잘 썼다.

• 성임 —— (1421~1484) 조선 문신. 시문 중에 특히 율시에 뛰어났고, 글씨는 촉체蜀體에 능하여 해서, 예서, 초서에 일가를 이루었다. 『태평광기』를 본떠 고금의 이문異聞을 편집하여 『태평통재太平通載』를 저술하였다.

• 성춘복 —— (1936~) 시인. 『현대 문학』으로 등단했다. 작품으로는 「나를 떠나보내는 강가엔」, 「오지행」, 「그리운 죄 하나만으로도 나는」 등이 있다.

• 성혼 —— (1532~1589) 조선 학자. 일찍부터 이이와 친분이 두터웠으나 학설에 있어서는 이황의 이기설理氣說을 지지, 사단칠정四端七情에 관한 논쟁을 통해 이이를 논박하여 유학계에 큰 화제가 되었다. 글씨를 잘 썼다.

• 성희 —— (생몰 연도 미상) 조선 문신. 학식이 출중하였다. 사육신이 처형을 당할 때 성삼문의 친척이라 하여 극심한 국문을 받았다. 끝내 함구하여 유배되었다가 풀려났으나 공주에서 죽었다.

• 소세양 —— (1486~1562) 조선 문신. 단종의 어머니인 현덕왕후의 복위를 건의하여 현릉에 이장토록 하였으며, 영접사의 종사관으로 명나라 사신을 맞아 문명을 떨치기도 했다. 율시律詩에 뛰어났으며 글씨는 송설체를 잘 썼다.

• 손병희 —— (1861~1922) 독립 운동가, 천도교 교주. 일생을 천도교 교세 확장과 자주적이고 진보적인 국민성 확립에 애썼다. 민족 대표 33인의 대표로 3 · 1 운동에 참여하였다가 붙잡혔으나 이듬해 병 보석으로 출감, 치료 중 죽었다.

• 손소희 —— (1917~1986) 소설가. 초기 작품들은 애정 문제와 일제 치하의 민족 의식 등을 주로 다루었다. 창작집으로는 『이라기』, 『창포 필 무렵』, 장편 『태양의 계곡』, 『태양의 시』 등이 있다. 임옥인林玉仁, 최정희崔貞熙와 함께 여성 수난의 주제를 심화시킨 주요한 작가로 자리매김하고 있다. 작가 김동리의 부인이다.

• 송민고 —— (1592~?) 조선 서화가. 호는 난곡蘭谷. 광해군 때 진사에 합격했으나 정치가 문란하여지자 과거를 포기, 일생을 은거했다. 글씨, 그림, 문장에 뛰어나 삼절三絶로 불렸다.

• 송시열 —— (1607~1689) 조선 학자. 호는 우암尤庵. 노론老論의 영수. 일생을 주자학 연구에 몰두했으며 이이의 학통을 계승, 기호학파의 주류를 이루었다.

뛰어난 학식으로 많은 학자를 길러냈다.

- 송익필 —— (1534~1599) 조선 학자. 서출로 벼슬은 하지 못했으나 이이, 성혼 등과 교제하며 성리학을 논하여 통달했고, 예학禮學에도 뛰어났다. 문장에도 능하여 당시 8문장가의 한 사람으로 손꼽혔으며, 시와 글씨에도 일가를 이루었다. 뛰어난 학자들을 많이 배출했으며 특히 김장생은 그의 예학을 이어 대가가 되었다.
- 송인 —— (1516~1584) 조선 학자, 명필. 시문에 능했으며 이황, 이이, 조신, 성혼 등 당대의 석학들과 교유했다. 오흥吳興의 필법을 받아 해서를 잘 썼다. 산릉의 지誌와 궁전의 액額으로부터 사대부의 비갈碑碣에 이르기까지 많은 글을 짓고 썼다.
- 송준길 —— (1606~1672) 조선 문신, 학자. 예학에 밝았고, 이이의 학설을 지지했다. 문장과 글씨에도 능했다.
- 스펜더 —— (1909~) Stephen Spender. 영국의 시인, 비평가. T. S. 엘리어트의 '황무지' 의식에 대항해 적극적인 반파시즘 운동을 벌였다. 장시「빈」, 시극「재판관의 심문」, 비평「파괴적 요소」등으로 현대의 비극적 상황을 분석함과 동시에 변혁의 필요성을 역설했다. 이후 인도주의적 자유주의의 입장에서 『조용한 중심』등 시집과「창조적 요소」,「근대의 투쟁」등의 평론을 발표했다.
- 시트웰 —— (1887~1964) Edith Sitwell. 영국 여류 시인. 2차 세계 대전과 전후 생활을 읊으면서 현대 시의 정점을 이루었다.「전원 희극」,「잠자는 미녀」,「황금 해안의 관습」,「거리의 노래」,「장미의 찬가」,「정원사와 천문학자」,「추방자」등의 작품과 시평「시인의 비망록」,「셰익스피어의 비망록」등이 있다.
- 신덕린 —— (생몰 연도 미상) 고려 서예가. 이색, 정몽주 등과 친교가 있었고, 고려가 망한 뒤에는 벼슬길에 나서지 않았다. 서예에 능했고, 특히 팔분체八分體를 잘 써 덕린체라고 일컬어질 만큼 당대에 이름이 높았다.
- 신동문 —— (1927~1993) 시인. 조선일보 신춘 문예에「풍선기風船期」가 당선되어 등단했다. 주로 현실 참여적 경향의 작품을 창작, '앙가주망engagement' 시인으로 일컬어졌다. 1960년대 중반 절필을 선언하고 단양군에 있는 농장에 정착, 침술을 무료 시술하여 10만 치유자에게 '신바이처' 로 불렸다.
- 신석정 —— (1907~1974) 시인. 『조선일보』에 시「기우는 해」를, 『시 문학』에

시 「선물」을 발표한 이후 『시 문학』 동인으로 본격적인 작품 활동을 시작했다. 시집으로 『촛불』, 『슬픈 목가』, 『빙하』 등이 있다.

• 신위 —— (1769~1847) 조선의 문신, 시인, 서화가. 호는 자하紫霞. 애국 애족적인 작품을 많이 썼으며, 국산품 애용, 양반 배척, 서얼의 차별 대우 철폐, 당쟁 배격 등이 그의 작품 면면에 흐르고 있다. 서화에도 능하여 시, 서, 화의 삼절로 일컬어졌다.

• 신익전 —— (1605~1660) 조선 문신. 병자호란 후 볼모로 청나라에 갔다가 돌아왔으며 『인조 실록』 편찬에 참여했다. 역학에 통달하고, 글씨와 문장에 뛰어났다.

• 신장 —— (?~1433) 조선 문신, 학자. 『남산지곡南山之曲』을 지었으며, 유학에 조예가 깊었다. 서예에도 능하여 초서와 예서를 잘 썼다.

• 신종호 —— (1456~1497) 조선 문신. 진사시, 식년문과式年文科, 문과중시文科重試에 모두 장원, 칭송을 받았다. 『여지승람』을 찬하였으며, 병을 무릅쓰고 정조사正朝使로 명나라가 갔다가 돌아오는 도중 죽었다. 문장, 시, 글씨에 능했다.

• 신헌 —— (1810~1888) 조선 무신. 초명은 관호觀浩. 글씨에 뛰어나 예서를 잘 썼으며, 문장에 뛰어났다. 묵란墨蘭을 잘 그렸다.

• 신흠 —— (1566~1628) 조선 학자, 문신. 정주학자程朱學者로 문명이 높았고, 장유, 이식과 함께 조선 중기 한문학의 태두로 일컬어진다. 글씨를 잘 썼다.

• 심약 —— (441~513) 중국 남조 시대의 문인. 빈곤 속에서도 면학에 힘써, 시문으로 당대에 이름을 떨쳤다. 세밀한 염정艷情을 노래하는 시를 지었으며, 불교에 능통하고 음율에도 밝았다. 『사성보四聲譜』, 『진서晉書』, 『송서』 등 저술이 많으나 『송서』만이 전한다. 은隱이라는 시호를 받은 덕에 심은후라고도 불린다.

【ㅇ】

• 아미엘 —— (1821~1881) Henri Frédéric Amiel. 스위스의 철학자, 시인. 생전에는 제네바 아카데미의 철학 교수로 일각에서만 알려진 학자였으나 그의 사후에 발표된 『일기』로 세계적인 명성을 얻었다.

• 아폴리네르 —— (1880~1918) Guillaume Apollinaire. 금세기 초의 정신적

풍토를 의미하는 당대의 산업적, 도시적 문명의 낙관주의를 노래했는가 하면, 이러한 문명에 반하는 이국적 정서를 민요적 색조와 가락으로 읊조리기도 했다. 주요 시집으로 『알코올』, 『칼리그람』이 있다.

• 안맹담 —— (1415~1462) 조선 서예가. 세종의 딸인 정의 공주와 결혼하였으며, 초서를 잘 쓰고 사어射御를 잘 했다. 음률, 약물에도 통달했다.

• 안숭선 —— (1392~1452) 조선 문신. 호는 옹재雍齋. 『고려사』 수찬에 관여하기도 했으며, 『근재집謹齋集』에 유고가 실려 있다. 글씨를 잘 썼다.

• 안유 —— (1243~1306) 고려 때 명신이자 학자. 안향安珦으로 더 잘 알려져 있다. 우리 나라에 유학이 크게 떨치게 된 계기를 만들었으며, 우리 나라 최초의 주자학자로 지칭된다.

• 안진경 —— (709~784) 중국 당나라 때 서예의 대가. 남성적 박력 속에 균제미均齊美를 발휘한 글씨로 당대 이후 중국 서도書道를 지배했다.

• 안치민 —— (생몰 연도 미상) 고려의 문인. 이인로, 이규보 등과 함께 문명이 높았고, 그림에 능하여 묵죽墨竹을 잘 그렸다.

• 안침 —— (1444~1515) 조선 문신. 『성종 실록』 편찬에 참여했다. 필법은 송설체로 해서에 능했다.

• 안평대군 —— (1418~1453) 조선조 세종의 3남. 서예가. 시문에 뛰어난 당대 명필로 그림과 가야금에도 일가를 이루었다.

• 야스퍼스 —— (1883 ~1969) Karl Jaspers. 독일의 철학자. 20세기 서구 사회의 가치 전환적 사상의 위기에 대한 깊은 성찰을 통하여 실존 철학을 체계적으로 전개하였다. 『철학』을 비롯 『정신병리학 총론』, 『세계관의 심리학』, 『현대의 정신적 상황』, 『철학적 논리학』, 『전쟁 죄책론』 등의 저서가 있다.

• 어효선 —— (1925~) 아동 문학가. 호는 난정蘭丁. 작품으로는 「어린이 노래」, 「봄 오는 소리」, 「우리들이 모여서」, 「인형의 눈물」, 「조그만 꽃씨」, 「파란 마음 하얀 마음」 등이 있다.

• 엘뤼아르 —— (1895~1952) Paul Eluard. 프랑스의 시인. 1차 대전 중에 처녀 시집 『의무와 불안』을 냈으며, 이후 다다이즘 운동에 참여했다가 쉬르레알리즘 운동을 제창하였다. 파시즘에 대한 노동자 국민의 투쟁에 깊은 관심을 보였으며 『공중의 장미』, 『사랑 곧 시』, 『불사조』, 『멈추지 않는 노래』 등의 시집을 남

졌다.

- 엠마뉘엘 —— (1916~) Pierre Emmanuel. 프랑스의 시인. 중후한 서사시풍의 문체로 신의 부재, 사랑이 결여된 세계를 그렸으며, 성서나 신화를 주제로 시대의 증인으로서의 탄식과 채찍질을 게을리하지 않았다. 「오르페의 무덤」, 「소돔」, 「바벨」 등의 작품이 있다. 짧은 서정시에 뛰어난 재주를 보였다.
- 연담 —— (1720~1799) 조선 승려 유일. 동문同門의 상언尙彦과 함께 선교禪敎의 대장大匠이다.
- 염상섭 —— (1897~1963) 소설가. 호는 횡보橫步. 『폐허』 동인으로 문단 활동을 시작했다. 식민지 지식인의 정신적 고뇌를 그린 「표본실의 청개구리」 등 서울 중류층, 지식인, 예술가들의 생활을 다룬 작품이 다수를 이루며 특히 『삼대』는 당시 사회 현실의 문제와 지적 분위기를 정면으로 묘사한 대표작이다.
- 오경석 —— (1831~1879) 조선의 역관譯官이자 서화가. 민족 대표 33인 한 사람인 오세창의 아들. 청나라에 왕래하면서 신학문에 눈을 뜨고 김옥균, 박영효, 홍영식 등의 소장 정치인들에게 개화 사상을 고취했다. 쇄국 정책에 반대하고 문호의 개방과 선진 문명의 수입을 주장했다. 글씨는 특히 전자篆字를 잘 썼으며 그림에도 일가를 이뤘다.
- 오억령 —— (1552~1618) 조선 문신. 임진왜란이 일어나기 전 왜병이 대거 침입해올 것을 예언하였다. 문장이 뛰어났고, 초서, 예서, 전서에 뛰어났다.
- 오영수 —— (1914~1980) 소설가. 호는 월주月洲. 『백민』, 『신천지』에 시와 소설을 발표하였고, 1950년 『서울신문』에 단편 「머루」가 당선되면서 본격적으로 활동을 시작했다. 서민층 생활의 애환을 애정을 가지고 다루었으며 인간성 회복과 따사로운 인정을 강조하였다. 창작집 『갯마을』, 『메아리』 등을 비롯 다수의 작품이 있다.
- 오준 —— (1587~1666) 조선 문신, 서예가. 호는 죽남竹南. 삼전도비三田渡碑의 비문을 썼으며, 문장에 능하고 글씨를 잘 써 여러 차례 서사관書寫官을 지냈다.
- 오창석 —— (1844~1927) 청대 말기부터 민국에 걸쳐서 중국의 서화 전각계에서 제1인자로 존중되고 나아가서 한국에도 많은 신봉자를 갖고 있는 작가. 전각은 독학으로 익혔으며, 서삼경, 오양지 등의 선인들을 모방했다. 또한 고인古

印, 봉니封泥, 금문金文 등을 비롯해서 모든 자료를 찾아다니며 수학하였다.

- 와일드 —— (1854~1900) Oscar Wilde. 영국의 시인, 소설가. 유미주의, 예술지상주의를 부르짖고 이를 실행하였다. 해바라기 꽃을 가슴에 달고 런던 거리를 활보한 일화는 유명하다. 『윈더미어 부인의 부채』, 『보잘것없는 여성』, 『이상적인 남편』, 『거짓말에서 나온 진실』 등의 희극은 기지에 넘치는 회화와 경구, 역설 등과 교묘한 구성으로 대호평을 받았다. 남색男色 사건으로 투옥되었을 때 쓴 『옥중기』와 「레딩 감옥의 노래」가 그의 작품 중에서도 뛰어난 것으로 평가받는다. 그 외에도 동화집 『행복한 왕자』, 시론 『의도意圖』 등이 있다.
- 완화초당 —— 중국 사천성에 있는 계곡 완화계에 두보杜甫가 세운 초당.
- 왕세정 —— (1526~1589) 중국 명나라의 문학자. 젊었을 때부터 문명이 높아 가정칠재자嘉靖七才子의 한 사람으로 꼽혔으며 학식은 그 중에서도 으뜸으로 여겨졌다. 명대 후기 고문사古文辭의 지도자였으며 만년에는 백거이, 한유, 유종원, 소동파 등의 작품에 심취하였다. 『엄산당별집嚴山堂別集』 등 많은 역사 관계 논문을 남겼으며 중국 4대 기서의 하나인 『금병매』가 그의 작품이라는 설도 있다. 희곡으로 「명봉기鳴鳳記」가 유명하다.
- 외솔 —— (1894~1970) 주시경 선생의 뜻을 이어받은 교육자, 한글학자 최현배의 호. 『동아일보』에 「조선 민족 갱생의 도」를 연재하며 조선 민족이 살아갈 길을 제시했으며, 조선어학회 사건으로 복역하기도 했다. 연세대학교 부총장 자리에 있을 때 승용차를 거절하고 걸어다니며 나라를 걱정한 일화가 유명하다. 저서로는 『우리말본』, 『글자의 혁명』, 『한글갈』, 『나라 사랑의 길』 등이 있다.
- 우봉 조희룡 —— (1797~1859) 조선 서화가. 시문에 뛰어났으며 박태성 등 41인의 전기를 수록한 『호산외사壺山外史』를 편찬했다. 김정희의 추사체에 능했다. 추사의 필법을 배워 서와 난은 흡사하나 매죽梅竹과 산수는 뛰어난 자기 세계를 개척하였다.
- 우성전 —— (1542~1593) 조선 문신, 의병장. 이황의 문인. 남인의 거두로 정철이 물러날 때 관직을 삭탈당했다가 이듬해 임진왜란이 일어나자 수천 명의 의병을 모집, 도처에서 공을 세웠으며 퇴각하는 왜군을 추격하다가 병을 얻어 돌아오던 도중 죽었다.
- 우세남 —— (558~638) 중국 당나라의 서예가. 왕희지의 서법을 익혀 구양순,

저수량과 함께 당나라 초기의 3대가로 일컬어지며, 특히 해서의 일인자로 알려져 있다. 또 시에서도 궁정 시단의 중심을 이루고 있었으며, 시문집 『우비감집虞祕監集』을 남겼다.

• 워트킨즈 —— (1906~) Veron Phillip Watkins. 영국의 시인. 1940년대의 신묵시파新默示派의 한 사람. 첫 시집 『메리 루이드의 노래』를 35세에 발표하였으며 음과 색채가 약동하는 웅변으로 알려진 노련한 기교가로 평가받는다. 이다. 그 외에 『일각수를 거느린 귀부인』, 『임종의 종鐘』 등의 시집이 있다.

• 원천석 —— (생몰 연도 미상) 고려 때 은사隱士. 호는 운곡耘谷. 고려 말 정계가 문란함을 보고 치악산에 들어가 농사를 지으며 부모를 봉양하는 한편, 이색 등과 교제하면서 시사時事를 한탄했다. 일찍이 이방원을 가르친 일이 있어 조선 건국 이후 태종이 즉위하자 자주 등용되었으나 응하지 않았다. 망국 고려를 회고한 시조 1수가 전하며, 야사野史 6권을 집필했으나 증손 때 국사와 저촉되는 점이 많아 화를 입을까 두려워 불살랐다고 한다.

• 위당 정인보 —— (1892~?) 동양학자. 일제 치하에서 독립 운동과 동포들의 계몽 운동에 힘썼다. 국문학사, 한문학, 국사학 등 국학 전반에 걸쳐 광범위한 연구를 쌓았으며, 시조, 한시에도 일가를 이루었다.

• 유공권 —— (1132~1196) 고려 문신. 문장에도 능하고 글씨에도 뛰어났는데, 특히 초서, 예서를 잘 썼다.

• 유성룡 —— (1542~1607) 조선 문신, 학자. 임진왜란 당시 군무를 총괄하여, 이순신, 권율 등을 등용했으며, 군대 양성을 역설하여 훈련도감을 설치, 운용하기도 했다. 도학, 문장, 덕행, 글씨로 이름을 떨쳤다.

• 유성원 —— (?~1456) 사육신의 한 사람. 집현전 학사로 세종의 총애를 받았다. 수양대군의 협박에 못 이겨 정난靖難 공신을 녹훈錄勳하는 교서를 썼으나 후에 성삼문, 박팽년 등과 단종 복위를 꾀하다가 실패하자 자결했다. 시조 1수가 『가곡원류』에 전한다.

• 유신 —— (?~1104) 고려 문신, 서예가. 행서와 초서를 잘 써서 신라의 김생, 고려의 탄연, 최우에 이어 넷째 가는 명필로 꼽혔다.

• 유치환 —— (1908~1967) 시인. 호는 청마靑馬. 시 「정적」을 『문예 월간』에 발표하면서 등단했다. 문예 동인지 『생리生理』를 발행했으며, 시집으로 『청마시

초』, 『생명의 서』, 『울릉도』, 『유치환 시선』, 『뜨거운 노래는 땅에 묻는다』, 『미루나무와 남풍』 등이 있다.

- 유한지 —— (1760~?) 조선 서예가. 전서와 예서에 능하여 이름을 떨쳤다.
- 유호인 —— (1445~1494) 조선 문신, 시인. 『동국여지승람』 편찬에 참여하였으며, 『유호인 시고兪好仁詩藁』를 편찬하여 왕에게 표리表裏를 하사받았다. 시, 문, 글씨에 뛰어나 당대의 삼절로 불렸고, 특히 성종의 총애가 지극하여 노모를 봉양하기 위하여 외관직으로 나가려 할 때 성종이 만류하다 못해 술잔을 권하며 시조로 석별의 정을 표했다는 일화가 유명하다.
- 육당 최남선 —— (1890~1957) 국학자. 육당이라는 호 외에도 대몽최大夢崔, 공륙公六, 일람각주인一覽閣主人, 한샘 등의 호를 썼다. 종합 월간지 『소년』, 『청춘』을 창간하였으며, 3 · 1 운동 때 '독립 선언서' 를 기초했다. 해방 후 친일 반민족 행위로 기소, 수감되기도 했다. 저서로는 『백팔번뇌』, 『단군론』, 『조선 역사』, 『조선 독립 운동사』 등 다수가 있다.
- 윤고산 —— (1587~1671) 조선 시인, 문신 윤선도. 고산은 호. 치열한 당쟁으로 일생을 거의 벽지 유배지에서 보냈으며, 그의 작품은 『고산 유고』에 기록되어 있다. 「어부사시사」 등 우리말의 새로운 뜻을 창조해 활용한 서정적 작품을 썼으며, 정철의 가사와 더불어 조선 시가에 쌍벽을 이루고 있다.
- 윤관 —— (?~1111) 고려 때의 명장. 별무반을 창설하여 군대를 양성, 여진 정벌에 나서서 9지구에 성을 쌓아 여진을 평정하고 개선했다. 그러나 여진이 계속 북변을 침범하며 9성 반환을 요구하자, 조정은 이를 지키기 어렵다 하여 9성을 돌려주고 강화하였으며, 윤관은 모함을 받아 패군의 책임을 지고 회군하는 도중 삭직되었다. 이후 벼슬을 되찾았으나 우울한 나날을 보내다가 죽었다.
- 윤근수 —— (1537~1616) 조선 문신, 학자. 호는 월정月汀, 외암畏菴. 이황의 문인. 성리학에 밝아 이황과 조식을 찾아 주자와 육구연陸九淵의 학문을 토론했고, 성혼, 이이와 막역한 사이였다. 문장과 글씨에 뛰어나 당대의 거장으로 일컬어졌으며 특히 그의 글씨는 영화체永和體라 하여 격찬을 받았다.
- 윤두서 —— (1668~?) 조선 문인, 화가. 호는 공재恭齋. 시문에 능했고, 동식물과 인물 등을 잘 그렸다. 현재玄齋, 겸재謙齋와 함께 조선의 삼재三齋로 불린다.
- 윤두수 —— (1533~1602) 조선 문신. 임진왜란 당시 왕을 의주까지 피신시키

는 등 많은 활약을 하였다. 문장에 뛰어났고, 글씨에도 문징명체文徵明體를 따라 일가를 이루었다.

- 윤병로 —— (1936~) 평론가. 『현대 문학』을 통하여 등단했다. 저서로는 『한국 근현대 문학사』, 『한국 근대 작가 작품 연구』 등이 있다.
- 윤순 —— (1680~1741) 조선 서예가, 문신. 당대 이름난 서예가로 송나라 미남궁체米南宮體를 완전히 터득했다.
- 윤순거 —— (1596~1668) 조선 지사志士. 성문준에게서 학문을, 강항에게서 시를, 김장생에게서 예를 배웠다. 병자호란 때 아버지가 척화죄로 귀양가고, 숙부가 강화도에서 순절하자 고향에서 학문에 정진하였으며, 후에 여러 벼슬을 거쳤다. 문장에 능하고 글씨에 뛰어났다.
- 윤증 —— (1629~1714) 조선 학자. 송시열의 문하에서 예론에 정통한 학자로 이름이 났으나 후에 서인이 강 · 온건파로 나뉘자 강경파인 송시열의 노론에 맞서 온건파 소론의 영수로 치열한 당쟁을 벌였다.
- 윤징고 —— (?~1021) 고려 문신. 해서에 능했다.
- 이강 —— (1333~1368) 고려 문신. 15세로 문과에 급제, 충정왕 때 시독侍讀에 뽑히고, 후에 집현전 대제학에 이르렀다. 서예도 뛰어났다.
- 이경석 —— (1595~1671) 조선 문신. 남인南人으로 여러 번 서인들의 배격을 받았으나 왕의 총애로 유임되었다. 문장과 글씨에 뛰어났다.
- 이곡 —— (1298~1351) 고려 때 학자. 목은 이색의 아버지. 원나라 제과制科에 급제하였으며 문장에 능하여 중국 사람들도 그를 외국 사람으로 보지 않았다. 이제현과 함께 『편년강목編年綱目』을 증수하였으며, 가전체假傳體 작품 「죽부인전」이 『동문선』에 전한다. 백이정, 우탁, 정몽주 등과 함께 경학의 대가로 꼽힌다.
- 이군해 —— (1297~1364) 고려 말의 일류 서가 겸 일류 화가로 이름이 높았다. 송설체를 잘 썼으며 문수원비의 전액은 명품으로 찬사받고 있다.
- 이규보 —— (1168~1241) 고려 문신, 문인. 걸출한 시호詩豪로서 호탕한 시풍으로 당대를 풍미했으며, 특히 벼슬에 임명될 때마다 그 감상을 읊은 즉흥시로 유명했다. 처음에는 도연명의 영향을 받았으나 개성을 살려 독자적인 시격을 이룩했고, 몽고군의 침입을 진정표陳情表로 격퇴한 명문장가였다. 시, 술, 거문

고를 즐겨 삼혹호三酷好 선생이라 불렸다고 한다. 만년에 불교에 귀의했다.

- 이동백 —— (1867~1950) 명창名唱. 김정근, 김세종에게 사사, 고종 황제의 어전에서 판소리를 불러 통정대부通政大夫가 되었다. 김창환, 송만갑 등과 원각사에서 공연하였고, 연흥사, 협률사, 광무대, 조선성악연구회에서 중진으로 활약했다. 「춘향가」, 「적벽가」에 뛰어났고 특히 「새타령」에 독보적인 존재였다.
- 이명한 —— (1595~1645) 조선 문신. 성리학에 조예가 깊었고, 시와 글씨에 뛰어났다. 병자호란 때 척화파로 심양까지 잡혀갔을 때의 의분을 노래한 시조 6수가 전한다.
- 이무영 —— (1908~1960) 소설가. 극예술연구회 동인으로 참가하였으며 이효석, 정지용, 유치진 등과 구인회 동인이었다. 본격적인 농촌 소설 『제일과 제일장』, 『흙의 노예』와 동학 혁명을 배경으로 토호들에게 수탈당한 농민들이 동학군의 힘을 빌어 항거하는 내용인 『농민』 등의 작품이 있다.
- 이산해 —— (1538~1609) 조선 문신. 서화에 능하여 대자大字와 산수묵도에 뛰어났고, 특히 문장에 능하여 선조조宣祖朝 문장 팔가八家 중의 한 사람으로 일컬어졌다.
- 이삼만 —— (생몰 연도 미상) 조선 시대의 서예가. 어려서부터 글씨 쓰기에 몰두해 벼루를 세 개나 구멍 냈다고 하며 글쓰기를 배우러 오는 사람에게 한 자 한 획을 가르치는 데 한 달이나 걸렸다. 원래 이름이 알려지지 않았으나 한 상인이 그의 글씨를 얻어 감정을 의뢰함으로써 영 · 정조 때 명성을 떨쳤다.
- 이상 —— (1910~1937) 시인, 소설가. 본명은 김해경金海卿. 『조선』에 「12월 12일」을 발표하여 등단했다. 조선 미전에 「자화상」이 입선하기도 했으며, '구인회' 회원이었다. 『조선중앙일보』에 난해시 「오감도」를 발표하여 당시 문단에 충격을 던졌다. 「건축무한육면각체의 비밀」, 「지주회시」 등의 시와 단편 「날개」, 「종생기」 등의 작품이 있다.
- 이상적 —— (1804~1865) 조선 시인. 역관譯官을 지낸 집안의 서얼 출신으로, 스스로도 역관이 되어 수차례 중국을 왕래, 오숭량 ,유희해, 옹방강 등 중국 문인들과 교우를 맺고, 중국에서 시문집까지 간행했다. 그의 시는 서곤체시西崑體詩에 능하여 섬세하고 화려했으며, 특히 헌종도 애송했으므로 그의 문집을 『은송당집恩誦堂集』이라고 이름했다. 이 밖에도 고완古玩, 묵적墨滴, 금석金石에도

조예가 깊었다.

- 이석형 —— (1415~1477) 조선 문신. 『고려사』의 편찬에 참여했으며, 세조의 총애를 받아 여러 벼슬을 지냈다. 문장, 글씨에 능했다.
- 이숭인 —— (1349~1392) 고려, 조선 때의 문신, 학자. 호는 도은陶隱. 성리학에 조예가 깊었고, 특히 시문에 이름이 높았다. 원나라, 명나라 사이의 복잡한 국제 관계의 외교 문서를 맡아 썼으며, 그의 문장은 명 태조를 탄복시켰다. 정몽주가 살해된 후 그 일당으로 몰려 유배되었으며, 조선 개국 후 정도전이 보낸 그의 심복 황거정에게 살해되었다.
- 이원교 —— (1705~1777) 조선 시대 서예가, 양명학자 이광사李匡師. 원교는 호. 수북壽北이라는 호도 썼다. 진, 초, 전, 예에 모두 능했고 원교체圓嶠體라는 특유의 필체를 이룩했다. 여러 저술들을 통해 후진들을 위한 귀중한 자료를 남겼으며 조선 서예 중흥에 크게 공헌했다. 산수, 인물화에도 정통하였다.
- 이원부 —— (생몰 연도 미상) 고려 명필. 우세남虞世男의 서법을 계승했고, 해서에 능했다. 예종 때 가야산의 반야사 원경왕사비元景王師碑를 쓰고, 인종 때 시흥 삼성산 안양사 칠층탑비를 썼다.
- 이원익 —— (1547~1634) 조선 문신. 문장에 뛰어났으며, 성품이 원만하여 정적들에게도 호감을 샀다. 서민적인 성품을 지녀 존경을 받았으며 오리 대감이라는 이름으로 많은 일화가 전한다.
- 이의건 —— (1533~1621) 조선 문인. 당시 시명詩名이 높았으며 글씨에도 뛰어났다.
- 이인로 —— (1152~1220) 고려 학자, 문인. 관직에 있는 동안 혼잡한 현실에 싫증을 느끼고 오세재, 임춘, 함순, 이담 등과 망년우忘年友를 맺어 시와 술을 즐기며 중국의 강좌칠현江左七賢을 본받아 해좌칠현海左七賢을 자처했다. 고려의 대표적 문인의 한 사람으로 문장이 뛰어나 한유韓愈의 고문古文을 따랐고, 시에는 소식蘇軾을 사숙했다. 글씨에도 능했는데, 초서, 예서가 특출했다.
- 이인상 —— (1710~1760) 조선 서화가. 벼슬길에 나섰으나 곧 사직, 단양에 정자를 짓고 여생을 보냈다. 시문, 그림, 글씨에 모두 뛰어나 삼절이라 일컬어졌으며, 특히 그림에는 산수, 글씨에는 전서, 주서籀書에 빼어났다.
- 이자림 —— (?~1034) 고려의 문신 왕가도王可道. 본성이 이李, 초명이 자림이

었다. 무신 정권이 들어서자 스스로 계책을 세워 무신들을 참살하고 무신 정권의 폐를 없앴다. 개경의 나성을 쌓았으며, 후에 수충창궐공신輸忠創闕功臣이 되어 왕의 성인 왕王 씨를 하사받았다. 덕종의 비인 현비의 아버지이다. 해서를 잘 썼다.

- 이정귀 —— (1564~1635) 조선 문신, 학자. 명나라에서 『경서經書』를 강의하여 학자로서 존경을 받았으며 관반館伴으로서 중국 사신을 접대하고 명나라에 갔을 때 백여 장의 기행문을 모은 『조천朝天 기행록』을 간행했다. 한문학의 대가로 글씨에도 뛰어났으며, 신흠, 이식, 장유와 함께 조선 중기 4대 문장가로 일컬어진다.
- 이정영 —— (1616~1686) 조선 문신. 글씨에 뛰어났고, 특히 전서와 주서에 뛰어났다.
- 이제신 —— (1536~1584) 조선 문신. 호는 청강淸江. 『명종 실록』 편찬에 참여했다. 시문에 능했고 글씨는 행서, 초서, 예서, 전서에 두루 능했다.
- 이제현 —— (1287~1367) 고려 때 문신이자 학자, 시인. 호는 익재益齋. 당대의 명문장가로 외교 문서에 뛰어났고, 정주학의 기초를 확립했으며, 원나라 조맹부의 서체를 고려에 도입하여 널리 유행시켰다. 『익재난고益齋亂藁』에 17수의 고려 민간 가요를 한시 칠언절구로 번역하여 오늘날 고려 가요 연구의 귀중한 자료가 되고 있다.
- 이조년 —— (1269~1343) 고려 문신. 충렬왕 부자를 이간하려는 무리에 가담하지 않았으나 이에 연루되어 유배되기도 했으며 왕을 호위하고 여러 차례 원나라를 왕래했다. 충혜왕 때 왕의 방탕함을 여러 차례 간하였으나 받아들이지 않자 사직하였다. 시문에 뛰어났으며 시조 「이화에 월백하고」 한 수가 전한다.
- 이종덕 —— (생몰 연도 미상) 고려 문신. 호는 삼당三堂. 목은 이색의 아들. 효성이 지극하고 글씨를 잘 썼다.
- 이주 —— (1202~1278) 고려 문신. 문장, 글씨에 능하고 청렴 결백했다.
- 이첨 —— (1345~1405) 고려, 조선조의 문신, 문장가. 권신을 탄핵했다가 오랜 유배 생활을 겪었다. 조선 개국 후 정헌대부가 되어 하륜 등과 『삼국사략三國史略』을 찬수했다. 문장과 글씨에 뛰어났으며, 소설 『저생전楮生傳』을 지었다.

• 이춘원 —— (1571~1634) 조선 문신. 정유재란 때 광양 현감으로 싸움에 참여했으며, 광해군 때는 폐모론廢母論에 반대하여 파직되기도 했다. 이후 벼슬을 되찾았으나 대북파 일당들이 인목대비를 서궁에 유폐시키려 하자 이에 반대하다가 파직되었으며 이후 벼슬에 나서지 않다가 인조 반정 후 다시 기용되었으나 고사하고 은퇴하였다.

• 이항복 —— (1556~1618) 조선 문신. 임진왜란 중 난의 뒷수습을 하는 데 힘쓴 명신으로 당쟁 속에서도 붕당朋黨에 가담하지 않고 그 조정에 힘썼다.

• 이항추 —— (생몰 연도 미상) 고려 때 서예가. 일명 환상奐相. 글씨는 해서에 뛰어났고, 구양순체를 터득했다.

• 이해 —— (1496~1550) 조선 문신. 대사헌으로 인종 때 권신 이기를 탄핵하여 파면케 했다. 명종 즉위 후 이기의 심복인 사간 이무강의 탄핵으로 갑산으로 귀양가던 도중에 죽었다. 예서에 뛰어났다.

• 이형기 —— (1933~) 시인. 중학생 시절 『문예』 지의 추천으로 시단에 등단했다. 시집 『적막 강산』, 『꿈꾸는 한발旱魃』, 『보물섬의 지도』, 『그해 겨울의 눈』과 비평집 『감성의 논리』, 『한국 문학의 반성』, 『시와 언어』 등 10여 권의 저서를 냈다.

• 이호민 —— (1553~1634) 조선 문신. 임진왜란 때 명나라의 지원을 요청, 이여송의 군대를 끌어들이는 데 공헌했다. 광해군 당시 김직재의 무옥에 연루되어 문외출송門外出送 당했다가 인조 반정으로 풀려났으나 이후 시주詩酒로 소일했다.

• 이화중선 —— (1898~1943) 여류 명창. 5명창의 한 사람인 송만갑에게서 판소리를 공부하여 여류로서 일가를 완성하였다. 1923년 전국 판소리 대회에서 당대의 명창 배설희를 능가하며 일약 스타로 떠올랐다. 특장은 「적벽가」, 「춘향가」이며, 1943년 일본에 끌려간 한국인 노무자를 위한 일본 공연을 떠났다가, 큐슈에서 배가 난파되는 바람에 죽었다.

• 이효석 —— (1907~1942) 소설가. 『조선지광』에 단편 「도시와 유령」을 발표하면서 등단하였다. '동반자 작가' 로 활동했으며 구인회九人會 회원으로 참가하였다. 초기작으로는 주로 도시 빈민층의 비참한 삶을 다루며 사회 모순을 비판한 「도시와 유령」, 「행진곡」 등이 있고, 후기에는 경향성에서 벗어나 자연과

심미의 세계로 몰입한 「돈豚」, 「메밀꽃 필 무렵」, 「산」, 「들」, 「화분」 등을 썼다.

• 임강빈 —— (1931~) 시인. 『현대 문학』을 통하여 등단하였다. 작품으로는 「조금은 쓸쓸하고 싶다」, 「등나무 아래서」, 「매듭을 풀며」, 「당신의 손」 등이 있다.

• 임사홍 —— (1445~1506) 조선의 권신. 두 아들이 각각 예종과 성종의 사위가 된 후 차츰 권력을 장악하게 되었다. 유자광 등과 파당을 만들어 횡포를 자행하고 탐욕을 부려 조정의 기강을 흐리게 하였으며 연산군 때는 성종의 중신들을 제거하고자 폐비 윤씨의 일을 연산군에게 밀고하여 갑자 사화가 일어나게 된 계기를 제공했다. 여러 번 대간의 탄핵을 받고 극형을 받게 되었으나 왕명으로 유배나 장형으로 그쳤으며, 계속 권세를 잡아 횡포를 부리다가 중종 반정 때 주살되었다. 글씨는 촉체를 잘 썼으며 특히 해서에 뛰어났다.

【ㅈ】

• 장단열 —— (생몰 연도 미상) 고려 문신, 서예가. 서예에 능하여 구양순 필체로 이름을 떨쳤다. 이항추, 구족달, 김거웅, 안민후 등과 함께 당대의 명필로 꼽혔다.

• 장만영 —— (1914~1975) 시인. 1930년 모더니즘의 영향을 받은 「봄 노래」가 김억에 의해 『동광』에 추천되어 등단하였으며 『시 건설』 창간호에 아름다운 달밤의 서정을 감각적으로 그린 「달 포도 잎사귀」를 발표하였다. 광복 후 『신천지』를 주재했다. 시집으로 『양』, 『축제』, 『장만영 시선집』 등이 있다.

• 장자목 —— (생몰 연도 미상) 고려 문신. 시와 서예에 뛰어났으며 은퇴한 후 최당, 현덕수 등과 함께 기로회耆老會를 만들어 유유자적했다.

• 전영택 —— (1894~1967) 소설가, 종교인. 아호는 늘봄. 김동인, 주요한 등과 함께 『창조』를 발간하여 신문학 운동의 기수 역할을 하였다. 『창조』에 「천치냐 천재냐」 등 발표하였고, 이어서 「화수분」, 「생명의 봄」, 「운명」 등을 썼다. 그 밖에 「소」, 「하늘을 바라보는 여인」, 「새 봄의 노래」 등의 작품이 있다.

• 전원발 —— (생몰 연도 미상) 고려, 조선조의 문신. 고려 말엽 명나라에 가서 문과에 장원, 병부상서 · 집현전 대학사가 되어 귀국했다. 조선 태조 때 축산부원군에 봉해졌다. 글씨에 뛰어났다.

• 정구 —— (1543~1620) 조선 문신, 학자. 호는 한강寒岡. 향리에 백매원白梅園을 세워 유생들을 가르쳤으며, 경학을 비롯, 산수, 병진兵陣, 의약, 풍수에 정통했고, 특히 예학에 뛰어나 많은 저술을 남겼다. 많은 제자를 배출했으며 당대의 명문장가로 글씨를 잘 썼다.
• 정구창 —— (1926~) 소설가. 『현대 문학』을 통하여 등단했다. 작품으로는 『떠 있는 산판』, 『그대들의 솔밭』, 『개의 웃음』, 『고모님』, 『화침』 등이 있다.
• 정난종 —— (1433~1489) 조선 문신. 훈구파의 중신으로 성리학에 밝았으며, 서예에 일가를 이루어, 초서, 예서를 특히 잘 썼고, 촉체에도 뛰어났다.
• 정유길 —— (1515~1588) 조선 문신. 명종 때의 권신 윤원형의 두터운 신임을 받았으며 벼슬은 우의정에 이르렀다. 문장, 시에 모두 능했고, 글씨는 송설체로 이름이 있었다.
• 정인지 —— (1396~1478) 조선 문신, 학자. 조선 초기의 대표적인 학자의 한 사람으로 천문, 역법, 아악 등에 관한 많은 책을 편찬했고, 세종을 도와 성삼문, 신숙주 등과 훈민정음 창제에 공이 컸다. 권제, 안지 등과 「용비어천가」를 짓기도 했다.
• 정정렬 —— (1876~1938) 구한말의 판소리 명창. 정창업丁昌業, 이날치李捺致에게 배웠으며, 송만갑, 이동백, 김창룡 등과 함께 조선성악연구회를 조직하고 판소리 발전에 공헌했다. 「춘향가」와 「적벽가」를 잘 불렀다.
• 정지용 —— (1903~?) 시인. 휘문고보 재학 중 박팔양 등과 함께 동인지 『요람』을 발간했으며, 『시 문학』 동인이다. 문학 친목 단체 '구인회'를 결성했으며 『문장』지 추천 위원으로서 조지훈, 박두진, 박목월, 김종한, 이한직, 박남수 들을 추천하기도 했다. 1950년 납북되었다. 시집으로 『정지용 시집』. 『백록담』, 『지용 시선』과 『정지용 전집』이 있다.
• 정창손 —— (1402~1487) 조선 문신. 한글 제정, 왕실의 불교 숭상을 반대하였다. 후에 『고려사』, 『세종 실록』, 『치평요람』 편찬에 참여했으며, 세조 때에는 단종 복위 모의를 고변告變하기도 했다. 문장과 서예에 뛰어났다.
• 정철 —— (1536~1593) 조선 문신, 시인. 최초의 가사歌辭 「관동별곡關東別曲」을 비롯 「훈민가訓民歌」, 「사미인곡思美人曲」, 「속미인곡續美人曲」, 「성산별곡星山別曲」 등 수많은 가사와 단가를 지었다. 당대 가사 문학의 대가로서 시

조의 고산 윤선도와 더불어 한국 시가사상 쌍벽으로 일컬어진다.

- 정학교 —— (1832~1914) 조선 서화가. 글씨는 전서, 예서, 해서, 초서가 모두 신묘한 경지에 이르렀으며, 그림은 괴석과 난죽蘭竹을 잘 그렸다.
- 『조광』 —— 1935년 11월 1일 조선일보사에서 창간한 종합잡지. 시사, 사회, 경제 문제 등을 다루며 문화면에 역점을 두어 많은 작품을 발표. 일제 탄압이 가중되면서 훼절했으며 1944년 종간되었다. 해방 후 속간되었으나 곧 다시 종간되었다. 『월간 조선』의 전신.
- 조광진 —— (1772~1840) 조선 시대의 서예가. 이광사의 글씨를 배우고 만년에는 안진경의 서체를 터득했다. 행서와 초서는 청나라의 유용劉墉을 따르고, 예서는 장도악張道渥을 따랐다. 당시의 명필 신위, 김정희 등과 교분이 두터웠다.
- 조말생 —— (1370~1447) 조선 문신. 태종의 특별한 총애를 받아 항상 측근에서 보좌했다. 글씨에 뛰어났다.
- 조문수 —— (1590~1647) 조선 문신, 호는 설정雪汀. 벼슬은 호조 참판에 이르렀으며 강원도 관찰사로 부임하여 임지에서 죽었다. 시와 해서에 능했다.
- 조연현 —— (1920~1981) 문학 평론가. 『문예』, 『현대 문학』 주간을 역임했으며, 『월간 문학』을 발행했다. 저서로는 『한국 현대 문학사』, 『한국 현대 작가론』, 『문학과 생활』 등이 있다.
- 조위 —— (1454~1503) 조선 문신, 학자. 성리학의 대가로 당시 사람 사이에 대학자로 추앙되었으며, 김종직과 더불어 신진사류의 지도자였다. 글씨를 잘 썼다.
- 조윤형 —— (1725~1799) 조선 문신. 학행學行으로 천거되어 벼슬길에 나섰으며 벼슬은 지돈령부사에 이르렀다. 초서와 예서를 잘 썼고, 그림은 풀, 돌, 대나무를 잘 그렸다.
- 조준 —— (1346~1405) 고려, 조선의 문신. 호는 우재吁齋. 토지 제도에 대한 해박한 학자로 『경제육전』을 편찬했으며 시문에도 탁월했다.
- 조지겸 —— (1829~1884) 중국 청나라 말기의 문인, 서예가, 화가. 예재藝才가 뛰어나 서화 외에, 시, 고문사古文辭, 전각篆刻에도 솜씨를 보였다. 그림은 화훼와 목석을 잘 그렸으며 묵색이 농후한 인상주의적 화법을 구사하였다. 글씨는 처음에는 안진경, 후에는 북조비문을 익히고, 예서는 등석여鄧石如를 사숙하였다. 전각은 청나라 시대 굴지의 명인으로 일컬어진다.

• 조지훈 —— (1920~1968) 시인. 정지용의 추천으로 『문장』에 「고풍 의상」, 「승무」, 「봉황수鳳凰愁」를 발표하여 등단했다. 시집으로 『청록집』, 『풀잎 단장斷章』, 『역사 앞에서』, 『여운餘韻』 등이 있다. 그의 사후에 『조지훈 전집』이 발간되었다.

• 조태억 —— (1675~1728) 조선 문신. 신임 사화辛壬士禍를 일으켜 노론을 제거하고 정권을 잡았다. 후에 노론의 논척으로 삭직되었다가 정미 환국丁未換局으로 복직하였으며 병으로 사직한 후에 영돈령부사에 전임했다. 초서, 예서를 잘 썼으며, 영모翎毛를 잘 그렸다.

• 조헌 —— (1544~1592) 조선 문신, 의병장. 임진왜란이 일어나자 의병을 일으켜 청주를 수복했으나, 그들의 전공을 시기하는 관군의 방해로 겨우 7백여 명의 의병만 남아 금산에서 적을 만나 응전하다가 함께 전사했다. 이이의 문인 중 가장 뛰어난 학자로 이이의 학문을 계승, 발전시켰다.

• 주세붕 —— (1495~1554) 조선 문신, 학자. 우리 나라 최초의 서원인 백운동서원(소수 서원)을 세웠다. 청백리로 인정받았으며 「태평곡太平曲」 등의 장가長歌와 「군자가君子歌」 등의 단가 8수가 전해진다.

• 주요섭 —— (1902~1972) 영문학자. 소설가. 1921년 「추운 밤」, 1925년 「인력거꾼」 등을 발표하며 등단하였다. 초기에는 주로 하층 계급의 생활을 다루었으며 신경향파에 속했다. 「눈은 눈으로」, 「대학 교수와 모리배」, 「아네모네 마담」, 「사랑 손님과 어머니」 등의 작품이 있다.

• 주지번 —— (1610 전후) 중국 명나라 때의 문인. 조선에 사신으로 온 적도 있다. 『조선고朝鮮稿』, 『기승시紀勝詩』, 『남환잡저南還雜著』 등의 저서가 전한다.

• 즈네 —— (1910~) Jean Genet. 프랑스의 작가. 사생아로 출생, 어머니에게도 버림을 받고 빈민 구제국 관리 밑에서 자랐다. 어릴 때부터 도둑질과 동냥, 남창男娼 등을 하며 유럽 각지를 방랑, 여러 형무소를 전전했다. 형무소 안에서 첫 시집 『사형수』를 쓰고, 이어 소설 『꽃의 노트르담』, 『장미의 기적』, 『장례』, 『브레스트의 크렐르』, 희곡 「엄중 감시」, 「하녀들」을 발표했는데 대부분 비밀출판으로 명성을 얻었다. 다시 유죄 판결을 받고 종신형을 언도받을 위험에 처했을 때 콕토, 사르트르 등 저명 문화인의 구명 운동으로 특사를 받았다. 자전적인 성찰록 『도둑 일기』는 진짜 도둑이 엮는 악의 찬가이며 온갖 범죄와 특히 남

색의 세계가 농도 짙게 그려져 있다. 이 외에도 희곡 「발코니」, 「검둥이들」, 발레 대본 「아담 미르와르」와 몇 개의 시편, 『자코메티론』 등이 있다.

• 진태하 —— (1929~) 국문학 박사(문자학). 대만 국립정치대 부교수를 역임했다. 저서로는 『중국어 독본』(공저), 『대학 중국어』, 『생활 한자』 외 다수가 있다.

• 『징비록』 —— 조선 영조 때 영의정을 지낸 사애 유성룡이 쓴 임진왜란 야사. 임진왜란의 원인, 전황을 기록한 책으로 전란이 끝나고 저자가 벼슬에서 물러나 한가로운 때 저술한 것이다. 이는 임진왜란의 중요한 사료로서, 저자의 능란한 문장에 힘입어 널리 읽히고 있다.

〖 ㅊ 〗

• 차천로 —— (1556~1615) 조선 문신, 문인. 문장이 뛰어나 명나라로 보내는 외교 문서를 담당, 이름을 얻었다. 한시에 뛰어나 한호의 글씨, 최입崔岦의 문장과 함께 송도 삼절이라 일컬어졌으며, 가사歌辭에 조예가 깊었고 글씨에도 뛰어났다.

• 채양 —— (1012~1067) 중국 송대의 문인, 서가. 풍류객으로도 유명하다. 인종, 영종조의 명신으로 이름이 높았으며 문학적 재능이 뛰어나 송대 능서能書의 필두로 거론되었다. 소식, 황정견, 미불과 더불어 송나라 4대가로 꼽힌다. 처음에는 왕희지풍의 글씨를 잘 하였으나 후에는 안진경의 서를 배워 골력骨力 있는 독자적인 서풍을 이루었다. 진眞, 행, 초, 예, 각 체와 비백체飛白體에 이르기까지 교묘한 솜씨를 발휘하였다.

• 천상병 —— (1930~1993) 시인. 『문예』에 시 「강물」, 「갈매기」가 추천되어 등단했다. 『현대 문학』에 평론 「나는 거부하고 저항할 것이다」가 추천되었다. 시집으로 『새』, 『주막酒幕에서』, 『저승 가는 데도 여비가 든다면』 등이 있다.

• 청송 —— (1493~1564) 조선 학자 성수침의 호. 글씨를 잘 써 이름이 높았으며 문하에서 많은 석학이 배출되었다.

• 청천 김진섭 —— (1906~?) 수필가, 독문학자. 해외문학연구회를 조직하여 국내에 해외 문학을 소개하는 데 공헌했다. 서구 수필의 영향을 받았으며 삶에 대한 깊은 사색적 비판과 애착을 보여 우리 나라 수필 문학의 수준을 향상시켰으

나 6 · 25 때 납북되었다. 『인생 예찬』, 『생활인의 철학』, 『교양의 문학』 등의 수필집과 유작들을 수록한 『청천 수필 평론집』이 있다.

• 초의 —— (1786~1866) 조선 승려. 범자梵字와 신상神像을 잘 했고 정약용에게 유학과 시문을 배웠다. 신위, 김정희 등과 친교, 두륜산에 일지암一枝庵을 짓고 40년간 지관止觀을 닦았다.

• 초정 김상옥 —— (1920~) 시조 시인. 『문장』에 「백자부」, 「봉선화」가 실리면서 등단했다. 동아일보 신춘 문예에 「낙엽」이 당선되었다. 전통 율격과 제재로 현대 시조의 새로운 경지를 개척했다. 시조집 『초적』 외에 「고원의 복」, 「시와 도자」, 「삼행시」, 「향기 남은 가을」 등의 작품이 있다.

• 최명길 —— (1586~1647) 조선 문신. 조익, 장유, 이시백 등과 교유하며 그 당시 이단시되던 양명학 연구에 힘썼다. 문장이 뛰어나고 동기창체를 잘 썼다.

• 최선 —— (?~1209) 고려 문신. 태후의 동생, 승려 충희가 궁중에서 궁녀들과 음란한 행위를 한다고 규탄하다가 삭출되기도 했다. 『속자치통감』을 교정하고 『태평어람』을 교정, 간행하였다. 문장과 글씨에 능했다.

• 최성지 —— (1265~1330) 고려 문신. 충선왕과 함께 원나라 무종이 내란을 평정하는 데 도움을 주었으며, 충선왕의 총애를 받았다. 일부 고려인들이 고려를 원나라의 한 성省으로 하자고 책동할 때 김이, 이제현 등과 더불어 원나라에 그 득실을 진정하여 논의를 중단시켰다. 그가 원나라에서 배워온 역수易數의 학문은 고려의 학계에 큰 공헌을 했다.

• 최우 —— (?~1249) 고려의 권신權臣. 뒤에 이怡로 개명하였다. 처음에 집권하였을 때는 모아둔 금은 보화를 왕에게 바치고 아버지 최충헌이 탈취한 공사의 전민田民을 주인에게 돌려주었으며 아버지에게 아부하며 백성을 괴롭히던 관리들을 유배, 파면하였다. 북변의 여러 성을 개축하여 몽고의 침입에 대비하였으며, 강화 천도를 단행하기도 했다. 또한 강화에서 사재를 들여 대장경판 제조를 완성시켰다. 이후 차츰 전횡이 심해져서 백성의 원성이 높아졌다. 해서, 행서, 초서에 모두 능했다.

• 최치원 —— (857~?) 신라의 대학자. 호는 고운孤雲, 해운海雲. 학문이 깊고 문장이 뛰어나 당시의 격문, 표장表狀, 서계書啓는 모두 그의 손으로 지어졌으며 특히 「토황소격문討黃巢檄文」은 명문으로 알려져 있다. 여러 벼슬을 거쳤으

나 만년에는 난세를 비관하며 각지를 유랑하다가 생을 마쳤다. 글씨를 잘 썼으며 그가 쓴 「난랑비서문鸞郎碑序文」은 신라 시대의 화랑도를 설명하는 귀중한 자료이다.

• 추강 남효온 —— (1454~1492) 조선 생육신의 한 사람. 김종직의 문인이며, 김굉필, 정여창, 김시습과 친교가 있었다. 세조에 의해 물가에 이장된 현덕왕후의 소릉을 복위하자고 주장했으나 이루어지지 않자 세상사에 흥미를 잃고 유랑생활로 일생을 마쳤다. 갑자 사화 때 김종직의 문인이었다는 것과 소릉 복위를 주장했다는 이유로 부관참시되었으나 중종 때 소릉이 복원되면서 신원伸寃되었다. 만년에 저술한 『육신전六臣傳』이 숙종 때 간행되었다.

• 추사 김정희 —— (1786~1856) 조선 시대 서화가이자 문인, 금석학자金石學者. 추사秋史라는 호가 널리 알려져 있으나 그 외에 완당, 예당禮堂, 시암詩庵, 과파果坡, 노과老果 등의 호도 있다. 중국의 석학 옹방강, 완원 등과 교유하여 북학파의 고증학을 집대성하였다. 학문에서는 실사구시를 주장하였으며, 서예에서는 독특한 추사체를 대성하였다.

• 축윤명 —— (1460~1526) 중국 명대의 문인, 서예가. 일찍부터 문명을 떨쳤으며, 같은 고향의 서정경, 당인, 문징명 등과 함께 오중사재자吳中四才子로 일컬어졌다. 특히 서도에서는 당시 명대 제일이라는 칭호를 들었으며, 격조 높은 해서 서풍을 자랑하였고, 단정한 초서와 광초狂草를 잘 썼다. 작품으로 「출사표」와 「적벽부」를 남겼다.

【ㅋ】

• 카로사 —— (1878~1956) Hans Carossa. 독일의 시인, 소설가. 자전적 색채가 농후한 소설과 시를 남겼다. 괴테의 영향을 받아 정밀하고 종교적인 작풍이었으며, 문학적인 어떤 유파에도 속하지 않고 절도와 중용으로 서구 전통의 길을 걸었다. 『유년 시대』, 『지도指導와 종복』, 『젊은 의사 시절』 등의 작품을 남겼다.

• 클로델 —— (1868~1955) Paul Claudel. 프랑스의 시인, 극작가. 외교관으로 일하면서 문학사에 남을 많은 시, 연극, 평론 등을 써냈다. 우주적인 깊은 뜻과 신비주의적인 사상, 독창적인 시법을 지닌 시단의 거성이었으며 현대의 저명한

몇 시인들에게 지대한 영향을 끼치고 있다. 작품으로는 「황금의 머리」, 「5대 송가」, 「두 편의 이름 시」, 「3성 칸타타」, 「묵시록」 등이 있으며, 극 작품 『인질』, 『마리아에게 주어진 계시』, 『굳은 빵』 등이 출간되고 상연되었다.

【 ㅌ 】

• 탁연 —— (생몰 연도 미상) 고려 승려. 재상의 아들로, 명필로 이름을 떨쳤다. 백련사白蓮寺의 액서額書를 썼다.
• 탄연 —— (1070~1159) 고려 승려. 왕사王師와 국사國師를 지낼 정도로 학문과 덕이 높은 고승으로, 그를 찾는 많은 불도佛徒들로 우리 나라 선교禪敎가 중흥되었다. 서예에도 뛰어나 김생에 버금가는 명필로 알려져 있으며 시문에도 격조 높은 작품을 남겼다. 글씨로 문수원비가 탁본으로 전한다.
• 토머스 —— (1914~1953) Dylan Marlais Thomas. 영국의 시인. 젊어서부터 시인으로서 재능을 발휘, 1930년대 로맨틱한 시풍으로 주목받았다. 외부의 자연에 생생하게 접하여, 종교적 체험과도 같은 엄숙한 시적 체험을 실현코자 했다. 시집 『사랑의 지도』, 『죽음의 도취』 등과 산문 「강아지 같은 예술가」, 「밀크의 숲에서」 등을 남겼다.

【 ㅍ 】

• 파운드 —— (1885~1972) Ezra Pound. 미국의 시인. 비범한 언어학적 재능과 개성으로 20세기 영미 신문학 운동의 일익을 담당, 고전과 현대 영어를 결합시킨 신선한 시풍을 낳고 동서의 고적을 유려한 문장으로 번역, 1차 대전 후의 젊은 문학자에게 많은 영향을 끼쳤다. 무명 시절의 조이스를 누구보다 먼저 인정했으며, 엘리어트의 『황무지』를 재단하거나 헤밍웨이의 시작試作에 첨삭을 가하기도 했다. 또한 실험적 작품의 무명 시인, 작가를 발굴하는 데 크게 기여했다. 시 작품으로 「사라진 빛을 향하여」, 「가면」, 「환희」, 「위장」, 「퀴아 파우파 아미비」 등이 있으며, 1차 대전의 경험을 쓴 시적 다큐멘터리 「휴 셀윈 모바리」, 인각 희극이라는 정평을 얻은 「캔토스」 등의 작품이 있다. 또한 놀라운 언어 능력으로 『시경』, 공자 등을 번역하였다.
• 퐁주 —— (1899~) Francis Ponge. 프랑스의 시인. 1920년대에는 사회주의

자로 활동하였으며 1930년대에는 초현실주의 문학 운동에 참여하고 프랑스가 독일에 점령당했던 1940년대 초반에는 항독 투쟁에 가담하였다. 시집으로 『사물의 편』, 『솔밭 수첩』, 『찬가』, 『표현의 광란』 등이 있다.

• 프랑스 —— (1844~1924) Anatole France. 프랑스의 소설가, 비평가. 「실베스트르 보나르의 죄」, 「페도크 여왕의 불고기집」과 「제롬 쿠아냐르의 의견」 등을 발표하며 고대에 대한 해박한 지식과 관능적인 유혹, 아기자기한 심리 묘사로 인기를 얻었다. 「놀이터의 느릅나무」, 「버드나무 허수아비」, 「파리의 베르주락 씨」, 「크랭크빌 사건」, 「팽귄 섬」, 「천사들의 반항」 등 정의와 인도주의가 지배하는 사회 질서를 확립하기 위해 싸우는 투사의 모습을 그려냈다.

【 ㅎ 】

• 하연 —— (1376~1453) 조선 문신. 정몽주의 문인이었으며 벼슬은 후에 영의정에 이르렀다.

• 하우프트만 —— (1862~1946) Gerhart Hauptmann. 독일의 극작가, 소설가. 초기에는 졸라의 자연주의를 바탕으로 작품을 썼으며, 후기로 가면서 낭만주의적, 상징주의적 분위기가 농후한 희곡 「심종沈鍾」, 「그리고 피파는 춤춘다」 등과 소설 『그리스도 광』, 서사시 「텔 오일렌슈피겔」 등 여러 장르에 걸쳐 정력적으로 창작했다. 1912년에 노벨 상을 수상했으며 2차 대전 중에는 숙명론적인 염세주의를 담은 대작 『아틀레우스 일족』 4부작을 발표하였다.

• 한구 —— (1636~?) 조선 문신. 시에 능했고 특히 글씨에 뛰어나, 정조 때는 왕명으로 평안도 관찰사 서호수가 그의 글씨를 자본字本으로 하여 평양에서 8만여 자를 활자로 주조, '한구자韓構字' 라 이름 붙여 내각에 소장했다. 이 활자로 간행된 책으로 『잠곡집潛谷集』, 『낙당집樂堂集』, 『동강집東江集』 등이 있다.

• 한성기 —— (1923~ 1984) 시인. 『현대 문학』에 시 「꽃병」이 추천되어 등단했다. 시집으로 『산에서』, 『낙향 이후』, 『실향』, 『실험실』 등이 있다.

• 한수 —— (1333~1384) 고려 명필. 초서, 예서에 뛰어났으며 충정왕이 손위遜位하고 강화도로 쫓겨날 때 왕을 시종하여 사람들의 칭송을 받았다. 신돈이 집권했을 때는 그가 바른 사람이 아니므로 난을 일으킬까 두렵다고 밀계密啓하기도 했다. 글씨에 뛰어났으며 깊은 학식과 행의行誼로 유명했다.

• 한용운 —— (1879~1944) 독립 운동가. 시인. 퇴폐적 서정성을 배격하고 불교적 '님' 을 자연으로 형상화, 고도의 은유법을 구사하여 일제에 저항하는 민족정신과 불교에 대한 중생 제도를 노래했다. 시집으로 『님의 침묵』이 있다.

• 함허 —— 조선 선조 때의 승병장 기허騎虛. 임진왜란 때 수백의 승병을 거느리고 청주에서 왜적과 싸웠다. 의병장 조헌과 함께 금산에서 왜적을 맞아 싸우다 전사했다.

• 허목 —— (1592~1682) 조선 시대 문신. 학자. 호는 미수. 50여 세가 되도록 세상에 나오지 않고 경서 연구에 전심하여 예학에 일가를 이루었다. 전篆서에 능하여 동방의 일인자라는 찬사를 받았으며, 그림과 문장도 뛰어났다.

• 허연 —— (1809~1892) 조선 서화가 허유許維. 후에 연鍊으로 개명하였다. 호는 소치小癡. 글, 그림, 글씨를 모두 잘 하여 삼절이라 지칭되었다. 완당을 사사하고 원법元法을 비롯한 전대 명인들의 진적眞蹟을 익혔으며 산수, 화훼, 석죽 등 다양한 소재를 그렸다.

• 허종 —— (1434~1494) 조선 문신. 궁마弓馬에 뛰어났고 문명이 높아 문무를 겸비한 명신으로 여러 차례 북변에 파견되어 야인의 침입을 무찔렀다. 서거정, 노사신 등과 『향약집성방』을 국역했으며, 철저한 배불론을 주장, 세조의 불교 신봉을 반대했다. 성종 때 청백리에 녹선되었다.

• 현채 —— (1856~1925) 학자, 서예가. 호는 백당白堂. 1906년 국민교육회에 가입하여 계몽 운동을 벌였고, 1910년에는 장지연 등과 함께 광문회光文會 편집원으로 고전을 간행, 우리 문화 보급에 힘썼다. 안진경체를 잘 썼으며 국사國史에도 조예가 깊었다.

• 호암 —— (1888~1939) 언론인, 사학자인 문일평文一平의 호. 중학교에서 교편을 잡기도 했으며, 중외일보 기자로 있다가 조선일보 편집 고문으로 취임, 7년간 논설을 집필하며 국사 연구에도 정진하여 많은 논문을 남겼다.

• 혼수 —— (1320~1392) 고려 때 승려. 여러 번 요직에 임명하려는 것을 사양하였으며, 왕에게 법요法要를 가르치기도 했다. 문장과 글씨에도 능했다.

• 홍길주 —— (1786~1841) 조선 학자. 생원, 진사시에 합격한 후 학문에 전념했고, 만년에 군읍을 다스려 선정을 베풀었으나 벼슬에 뜻이 없어 곧 사퇴했다. 문장文章에 뛰어났다.

- 홍양호 —— (1724~1802) 조선 문신. 학자. 호는 이계耳谿. 청나라 학자들과 교류, 고증학 발전에 크게 기여했다. 치산治山 · 식수植樹에 주력했으며 진晋체, 당唐체 등 글씨에도 뛰어났다.
- 화담 —— (1489~1546) 조선 학자 서경덕의 호. 이기일원론理氣一元論을 주장했으며, 성리학 · 수학 · 역학 · 도학 연구로 일생을 보냈다. 박연 폭포, 황진이와 더불어 송도 삼절로 불린다.
- 화씨가 —— 화씨지벽和氏之碧이라 하여 초나라 사람인 옥玉 감정인 변화卞和가 초산楚山에서 얻은 옥을 여왕厲王에게 바쳤으나 그 진가를 알지 못하고 임금을 속였다는 죄명으로 월형刖刑까지 받았으며, 후일 문왕에 이르러서야 그 진가가 판명되었다는 보옥의 고사가 전한다.
- 황기로 —— (생몰 연도 미상) 조선 명필. 특히 초서를 잘 써 초성草聖으로 일컬어졌다.
- 황석우(1895~1960) —— 시인, 평론가. 호 상아탑象牙塔. 서구의 상징주의 수용에 힘썼다. 『폐허』 동인으로 참여하였으며, 「애인의 인도引渡」, 「벽묘의 묘」, 「태양의 침몰」 등을 발표하며 등단하였다 『장미촌』 창간에 관여했으며 『조선시단』을 주재했다. 시집으로 『자연송自然頌』이 있다.
- 황순원 —— (1915~　) 소설가. 『동광』에 시 「나의 꿈」을 발표하며 문단에 등단하였다. 첫 시집 『방가放歌』를 내놓으며 본격적으로 작품 활동을 시작했다. 1940년 단편 소설집 『늪』을 간행하면서 소설에 전념하여 「독 짓는 늙은이」, 「곡예사」, 「학」, 등의 단편과 『별과 같이 살다』, 『카인의 후예』, 『인간 접목』 등 다수의 장편 소설을 발표하였다.
- 회재 —— (1491~1553) 조선 문신이자 학자인 이언적李彥迪의 호. 벼슬을 살다가 숙청된 후 자옥산에 들어가 성리학 연구에 전심했다. 이황의 사상에 많은 영향을 주었으며 글씨를 잘 썼다.

편집자 주 2*

* 편집자 주 2는 이 책에 인용되었거나 서술된 한시 · 한문 등 원문을 역주譯註한 것이다. 와병臥病 중인 저자를 대신하여, 한학자 조수익趙洙翼 선생님께서 소략疏略하게 번역하고 주를 달았음을 밝혀둔다.

1 —— 하늘이 장차 이 사람에게 큰 임무를 맡기려 하실 때에는 반드시 먼저 그 심지를 괴롭게 하며, 그 근골을 수고롭게 하며, 그 체부를 굶주리게 하며, 그 몸을 빈궁하게 하여 행함에 그 하는 바를 어지럽게 하나니. 이것은 마음을 분발시키고 성질을 참게 하여 그 잘하는 바를 더해주고자 해서이다.

2 —— 아버지가 살아 계시면 그 뜻을 살피고 아버지가 돌아가시면 그 행실을 보는데 삼 년 동안 아버지의 도道를 고치지 않아야 효자라고 할 수 있다.

3 —— 부모가 살아 계실 때는 멀리 놀러 가지 말고, 놀러 가면 반드시 가는 곳을 알려라.

4 —— 괴이함과 용력과 패란悖亂의 일과 귀신의 일은 말씀하지 않으셨다.

5 —— 나는 나면서부터 안 자가 아니요 옛것을 좋아하여 급급히 그것을 추구한 자이다.

6 —— 배우고 때때로 익히다.

7 —— 옛것을 잊지 않고 새것을 안다.

8 —— 군자는 의에 깨닫고 소인은 이익에 깨닫는다.

9 —— 군자는 덕을 생각하고 소인은 처하는 곳을 생각하며, 군자는 법을 생각하고 소인은 은혜를 생각한다.

10 —— 용기를 좋아하고 가난을 싫어하면 어지럽게 된다.

11 —— 나라에 도가 있을 때에 가난하고 천한 것은 부끄러운 일이며 나라에 도가 없을 때 부하고 귀한 것은 부끄러운 일이다.

12 —— 가까이 있는 자는 기뻐하며 먼 곳에 있는 자들이 오게 하여야 한다.

13 —— 오직 어진 자만이 사람을 좋아하고 사람을 미워할 수 있다.

14 —— 부자의 도道는 충서忠恕일 뿐이시다.

15 —— 어쩔 수 없구나, 나는 덕德을 좋아하기를 색色을 좋아하는 것처럼 하는 자를 보지 못하였다.

16 —— 정사政事란 바로잡는다는 뜻이니, 그대가 바름으로써 솔선하면 그 누가 바르지 않겠는가?

17 —— 그대는 어찌 정치를 함에 살인의 형벌을 쓰는가. 그대가 선을 하고자 하면 백성도 선해진다.

18 —— 정政으로 인도하고 형刑으로 가지런히 하면 백성들이 형벌은 면하지만 부끄러워할 줄을 모른다. 덕德으로써 인도하고 예로써 가지런하게 하면 부끄러워할 줄 알고 또 선하게 된다.

19 —— 그 하는 것을 보며 그 이유를 살피며 그 편안히 여김을 살펴본다면 사람들이 어떻게 자신을 숨길 수 있겠는가? 어떻게 자신을 숨길 수 있겠는가?

20 —— 부자의 도는 지극히 커서 천하라도 용납하지 못한다.

21 —— 봉황새가 오지 않고 하河에서 도圖가 나오지 않으니, 내 일은 끝장이 났다.

22 —— 부를 만일 구해서 될 수만 있다면 말 채찍을 잡는 일이라도 나는 하겠다. 만일 구하여 될 수 없는 것이라면 내가 좋아하는 바를 따르겠다.

23 —— 날씨가 추운 연후에야 송백이 뒤늦게 시드는 것을 안다.

24 —— 아침에 도를 들으면 저녁에 죽어도 좋다.

25 —— 심하구나, 나의 노쇠함이여. 오랫동안 내가 꿈에 주공周公을 보지 못했다.

26 —— 지위가 없음을 걱정하지 말고 지위에 설 것을 걱정하며 남이 알아주지 않는 것을 걱정하지 말고 알려질 만하기를 구해야 한다.

27 —— 시로써 흥기시키며 예에 서며 악에서 완성한다.

28 —— 거친 음식을 먹고 물 마시고 팔을 베고 누웠으니 즐거움이 그 가운데 있다.

29 —— 도에 뜻을 두며 덕을 굳게 지키며 인에 의지하며 예藝에 노닐어야 한다.

30 —— 몸소 육예六藝에 통한 자가 72인이다.

31 —— 나는 15세에 학문에 뜻을 두었고, 30세에 자립하였고, 40세에는 의혹하지 않았고, 50세에는 천명을 알았으며, 60세에는 귀로 들으면 그대로 이해되었고, 70세에는 하고자 하는 바를 좇아도 법도를 넘지 않았다.

32 —— 혜서에 감격하였습니다. 계룡산의 가을빛은 도심道心에 맞습니까? 저는 여러 달 동안 병세가 같아 밤낮 집에만 있으니, 왕림하신다면 어찌 환영하지

않겠습니까? 그러나 도에 대해 논하는 것은 어찌 잘하겠습니까? 석전 노사는 지난번 귀암사龜岩寺로 돌아가셨으며 운허당은 봉선사에 계시며 한암은 월정사에 머물고 있으며 만공은 정혜사에 있습니다. 형께서 이미 도에 뜻을 두셨다면 어찌 진리를 찾아 사화상四和尙이 되지 않습니까?
소화 계미년 향산행자 광光 배

33 —— 마음은 바로 불시佛時요 이 마음이 부처가 된다. 춘원

34 —— 깨끗한 책상에 거문고는 놓였고 새벽은 싸늘한데 매화는 초승달 사이에 피었구나/내 맑게 읊고자 하니 말은 없어지고/고민을 문 바깥 푸른 산에 버렸노라.

35. 아주 당인唐人의 필법과 같은 것이 있는데 명인名印을 조사해 보고서야 미남궁의 표서表書임을 알았다. 이는 평일의 본래 글씨보다 한 등급이 높아, 마땅히 청초한 모습이 공을 표상하는 보배로 삼아야 하며 다른 권축卷軸보다 뛰어나다. 철량우

36 —— 양양의 운필이 신처럼 묘한데 이 권축의 휘호는 정말 핍진하네. 당일의 미불공은 다시 모사模寫하기 어려워 사람으로 하여금 「난정첩」인가 의심하게 하네.

37 —— 매송梅頌 그 나무는 요란하면서도 길하고 그 꽃은 아름다우면서도 깨끗하며 그 향기는 멀리 퍼지면서도 오래간다. 아, 군자의 표상이요 군자의 지조요 군자의 덕이니 은은하게 날로 드러난다.

38 —— 바람 불고 달 비추는 집의 밝은 창가 조용한 책상이요 방안에 책이 가득하니 천고를 거슬러 벗삼는다.

39 —— 가을 물, 차가운 못에 오직 너희들만 활발하구나.

40 —— 때마침 친구도 있고 담근 술도 익었구나.

41 —— (을미 정월 초3일 동생 신위의 편지) 동생은 슬픈 나머지 허리와 다리가 모두 좋지 못하여 움직이기가 어려우며 스스로 돌볼 겨를도 없습니다. 단지 늙어서도 죽을 줄을 몰라서 이런 망극한 때를 보게 되었습니다.

42 —— 동군이 봉하여 모든 꽃의 왕으로 삼았고/다시 상방에서 보물을 꺼내어 하사하였네.

43 —— 소상강 한 줄기 대나무가/성주의 붓끝에서 그려졌네/산승이 심은 향기로운 나무/잎마다 가을 소리를 더하네/상산??

44 —— 만년봉 아래 만년 된 가지요/일만 년 동안 봄바람에 꽃이 피었네. 최승最勝

45 —— 백초월 화상의 묵란墨蘭은 계룡산 미타암 벽 가운데서 얻은 것이다. 불기 2971년 갑신 석월 거사

46 —— 아깝게도 이 화본은 세상에 전하는 것이 드물다. 거의 없어지고 말았으니, 참으로 한탄스럽다. 완당

47 —— 자비관으로써 불이문을 설법하니 그 복덕이 사방처럼 넓네.

48 —— 가을 바람 부는 강가에서 해마다 추억하니/구름 밖 천향天香에 인연이 맺어지네/오늘은 봉지鳳池에 붓을 적셔 글씨 쓰니/부귀하다고 남 앞에서 자랑하지 말라. 다산 베낌.

49 —— 고양의 산 푸르고 적막한데/맑은 못 한 굽이는 차가운 물을 흔드네 .

50 —— 완산 이성경 교 무술년 중동에 소자 윤묵은 공경히 씀.

51 —— 여기에 한 물건이 있는데 천지보다 앞서고 시작도 없으며, 천지보다 뒤이고 그 끝도 없다. 병술년 봄 김구 석월 거사 정지.

52 —— 푸른 바위를 향해 작은 초가 지어/백년의 심사를 산 단풍에 의탁하네.

53 —— 일찍이 무자년에 유람하면서 보았으니/그 후 임진년의 일로 이야기하지 말라.

54 —— 물외物外에 노니는 건장한 사람 누구인가?/이 노인의 이런 재미 달콤하다네.

55 —— 가을 등불 아래서 책 덮고 천고의 일 생각하니/인간 세상의 글자 아는 사람 되고 싶지 않네.

56 —— 명월을 불러 세 벗을 이루어/매화와 함께 같은 산에 머무네.

57 —— 모든 물건은 모두 취할 수가 있으니/사람에게 어느 곳인들 용납하지 않으랴.

58 —— 정강성의 계단 아래에는 서대가 많고/동중서의 책 속에는 옥배가 많네.

59 —— 화법에는 만리를 흐르는 장강이 있고/붓글씨에는 외로운 소나무 한 가지가 있네.

60 —— 상고하건대 조선 시대는 바로 한대漢代이며 낙랑군은 조선의 현이다. 여옥이 지은 공후인은 『고시기古詩記』에 그 사詞가 실려 있으니 또한 '공무도하'

라고도 한다. 또 '금조琴操' 구인九引에도 공후인이 있으니 모두 여옥에게 근본한 것이다.

61 —— 대략 '신이 점제를 도와주어 바람과 비가 순조롭고, 곡식이 풍성하게 잘되고, 백성이 오래 살고, 도둑이 일어나지 않고, 나들이를 하여도 다 무사하여 모두가 신의 혜택을 받게 해달라'는 뜻이다. 한국정신문화연구원에서 나온 『한국민족 문화 대백과 사전』에는 스무번째 글자인 無 자가 爲로 기록되어 있다.

62 —— 나라를 1천5백 년 동안 다스리고 (중략) 뒤에 아사달로 돌아가 숨어서 산신山神이 되니, 수명은 1908세이다.

63 —— 단군은 요堯임금과 같은 날 즉위하였다.

64 —— 시詩는 뜻을 말하고 가歌는 말을 길게 하는 것이며 성聲은 영에 의지하며 율은 성에 의지한다. 그런즉 시의 도도 이를 모방한 것인가.

65 —— 마음에 두는 것이 뜻이 되며 말로 나타내는 것이 시가 된다. 문으로 펴서 사실을 싣는 것이 여기에 있다고 하겠는가? (중략) 사람은 칠정을 받아 물物에 응하여 느끼고 물에 느끼어 뜻을 읊으니, 모두 자연 아님이 없다.

66 —— 영가詠歌가 일어나게 된 것은 백성들의 생할에 적합하여서이다.

67 —— 하후씨 태강이 덕을 잃으니 동이족이 비로소 배반하였다. 소강 이후 대대로 왕의 교화에 복종하여 왕의 문에 손님으로 와 그들의 무악舞樂을 바쳤다.

68 —— 이때 곰 한 마리와 호랑이 한 마리가 있어 같은 굴 속에서 살고 있었는데 항상 신인神人 환웅桓雄에게 빌었다.

69 —— 웅녀가 혼인을 할 곳이 없었기 때문에 매양 단 나무 아래에서 잉태하기를 빌었다.

70 —— 이에 기자를 조선에 봉하였는데 신하 노릇을 하지 않았다.

71 —— 기자가 주周나라에 조회朝會하러 가면서 옛 은나라의 구허舊墟를 지나게 되었다. 궁궐이 모두 폐허가 되어 벼와 기장이 나 있는 것을 보고 기자는 마음이 상해 맥수가麥秀歌를 지어 노래했다.

72 —— 보리 싹이 무성함이여/벼와 보리는 유유하네/저 교활한 아이여/나를 좋아하지 않도다.

73 —— 기자가 이미 조선에 봉함을 받자 예악으로써 백성들을 교화하여 그 더러움을 교화하니, 백성들이 사모하여 지덕가至德歌를 지어 칭송하였다.

74 —— 은정월에 하늘 제사를 지내고 나라에서 대회를 열어 날마다 술 마시고 노래하고 춤을 추니, 이름을 영고라 한다.

75 —— 길 가는 사람은 밤낮을 가리지 않으며 노래를 좋아하여 노랫소리가 끊어지지 않았다.

76 —— 주야로 길을 다니며 노소 없이 모두 노래를 불러 종일 소리가 끊어지지 않았다.

77 —— 남녀가 음란하고 부인들이 투기하면 모두 죽인다.

78 —— 홍수와 가뭄이 조화되지 않아 오곡이 익지 않으면 문득 그 허물을 왕에게로 돌려 혹 바꾸자고 하기도 하고, 혹은 마땅히 죽여야 한다고 하기도 한다.

79 —— 형벌을 씀이 엄격하여 사람을 죽인 자는 죽이고 그 집안 사람을 몰수하여 노비로 삼는다.

80 —— 토지가 오곡이 자라기에 마땅한데 오과五果는 생산되지 않는다.

81 —— 그 풍속이 양생養牲하기를 좋아한다.

82 —— 동옥저에는 읍락에 장수가 있었다. 사람들의 성질이 질박 정직하고 용맹하여 문득 창을 들고 싸움을 한다. 언어와 음식, 거처와 의복은 고구려와 비슷하다.

83 —— 대대로 읍락邑落에 살며 각각 장수가 있다.

84 —— 그 장가가고 시집가는 법은 여자는 나이 10세가 되면 이미 서로 정하여 사위 될 집에서 여자를 데려가 기르면서 아내로 삼는다. 성인이 되면 다시 여자의 집으로 돌아가는데 여자 집에서 돈을 내라고 하면, 돈을 다 낸 후에야 다시 사위가 된다.

85 —— 그곳 노인들은 스스로 말하기를 고구려와 같은 종족이라고 하였다.

86 —— 언어와 법, 풍속이 고구려와 같다.

87 —— 그곳 사람들은 우직하고 기욕嗜慾이 적으며 구걸을 하지 않는다.

88 —— 그곳 사람들의 성질은 정직하고 기욕이 적으며 염치를 안다. 그 풍속은 주옥珠玉을 보화로 여기지 않는다.

89 —— 그곳 풍속이 산천을 중히 여겨 산천마다 부계部界가 있는데 망녕되이 서로 간섭하지 않는다. 기휘忌諱하는 바가 많아 질병으로 사망하면 문득 옛집을 버리고 새집을 지어 산다.

90 —— 예에서는 호랑이를 제사하여 신神으로 삼는다.

91 —— 마포麻布와 누에를 기르며 면綿을 만든다.

92 —— 새벽에 별자리를 점쳐 미리 농사의 풍흉豊凶을 점친다.

93 —— 예에서는 항상 10월에 제천을 한다. 주야로 술을 먹고 가무하는데 이름을 무천이라 한다. 그 음악은 대개 부여와 같으며 특별히 행하는 달만 다를 뿐이다.

94 —— 성곽이 없고 꿇어앉아 절하는 법을 모른다.

95 —— 우마를 타고 다닐 줄을 모른다.

96 —— 항상 5월에는 전답의 경계에서 귀신에게 제사하고 주야로 모여 술을 마시고 무리지어 가무하니, 춤추는 사람이 수십 인이다. 서로 따르면서 땅을 밟으며 박자를 맞춘다.

97 —— 그 백성들은 토착하여 살며 씨 뿌리고 농상할 줄을 알며 면포를 만들 줄 안다.

98 —— 그 춤은 수십 명이 한꺼번에 일어나서 서로 따르면 땅을 구르며 손짓 발짓을 하면 서로 어우러져 절주하는 것이 마치 탁성과 같았다.

99 —— 10월에 농사를 마치면 또다시 그렇게 한다.

100 —— 국읍에서 각기 한 사람을 세워 천신에게 제사를 지내게 하니, 이름을 천군天君이라고 한다. 또 여러 나라에는 각기 열읍이 있으니 소도라 이름한다. 큰 나무에 방울을 달고 북을 쳐 귀신을 섬긴다.

101 —— 시집가고 장가드는 데 예禮로써 하고 행인들은 길을 서로 양보한다.

102 —— 진한의 풍속은 가무와 술을 마시고 거문고 타기를 좋아한다.

103 —— 그 사람들의 형상이 장대하고 수염이 아름답다. 그 나라는 왜倭와 가깝기 때문에 문신文身을 한 자가 아주 많다.

104 —— 변한과 진한은 법과 풍속이 서로 비슷하며 귀신에게 제사를 지낸다.

105 —— 변한에는 슬이 있어 그 모양 축과 같았고 그것을 연주하면 그 음곡이 호금과 비슷하다.

106 —— 『삼국지』 및 『통전』에 모두 진한의 금이라 쓰고 있으니 곧 가야의 슬이다.

107 —— 진실로 중中을 잡고 오직 정일精一하게 하라.

108 —— 임금의 힘이 나에게 무슨 소용이 있는가?

연보

1922. 2. 5.(음력)	경상북도 상주군尙州群 모동면牟東面 수봉리壽峰里에서 부父 김창석金昌錫, 모母 이병李炳의 6남 1녀 중 4남으로 출생.
1925	몸이 허약한 구용은 철원군 월정 역에서 멀지 않은 어느 마을에서 유모 싸마와 그 해 겨울을 보내다. 싸마는 일찍이 그의 탯줄을 잘라낸 안노인이다.
1926~1930	금강산 마하연에서 싸마와 함께 불보살님께 지심 정례至心頂禮를 드리기 시작하다.
1931	경남 대구 복명보통학교에 입학. 그 해 다시 철원군 보개산 심원사 지장암에서 병 치료를 위해 요양하다.
1932	서울 창신보통학교에 2학년으로 전학, 5학년까지 수학.
1936	수원 신풍보통학교 6학년으로 전학.
1937	서울 보성고등보통학교에 입학.
1938	금강산 마하연에서 다시 병 치료를 위해 요양.
1939	충남 공주公州 집에서 부친 세상 떠나다.
1940~1962	부친 대상大喪을 마치고 공주군 동학사東鶴寺에서 일제 시대의 징병, 징용을 피해 은둔, 독서와 습작을 계속하다. 이후 동학사에 수시로 기거하면서 경전 및 수많은 동서 고전을 섭렵하고, 시작詩作에 깊은 관심을 보였으며, 한편으론 동양 고전 번역에 관심을 갖게 되다.
1949	『신천지新天地』에 시 「산중야山中夜」, 「백탑송白塔頌」 발표. 성균관대학교 입학.
1950	6 · 25 발발, 전쟁의 와중에 비명횡사를 면하고 구사일생하였으나 천애 고아가 되다. 시인의 '부산 시절'이 시작

	되다.
1951	부산에서 『사랑의 세계』지 기자.
1952~1954	부산 상명여자중고등학교 교사.
1953	성균관대학교 국문과 졸업.
1955~1956	『현대 문학』지 기자. 육군사관학교 시간 강사. 현대 문학 신인 문학상 수상.
1956~1987	성균관대학교 문과대학 강사, 조교수, 부교수, 교수 역임.
1956~1973	서라벌예술대학교 강사.
1957~1958	건국대학교 강사.
1958~1959	숙명여자대학교 강사.
1958~1961	숙명여자중고등학교 강사.
1960	능성綾城 구具씨와 결혼.
1960~1961	성균관대학교 성대신문 주간.
1962	동학東鶴 산방山房을 떠나 책들과 짐을 서울 성북동 집으로 옮기다.
1987	성균관대학교 정년 퇴임.

저서

1969	시집 『시집詩集 · Ⅰ』 삼애사三愛社
1976	시집 『시詩』 조광출판사朝光出版社
1978	장시 『구곡九曲』 어문각語文閣
1982	연작시 『송頌 백팔百八』 정법문화사正法文化社

번역서

1955	『채근담採根譚』 정음사正音社

1957	『옥루몽玉樓夢』 정음사正音社
1974	『삼국지三國志』 일조각一潮閣
1979	『노자老子』 정음사正音社
1981	『수호전水滸傳』 삼덕문화사三德出版社
1995	『열국지列國志』 민음사民音社

김구용

1922년 생. 시인이자 한문학자.
육군사관학교 강사, 서라벌예술대학 강사, 건국대학교 강사, 숙명여대 강사를 지냈으며 1956년부터 1987년 정년 퇴임할 때까지 성균관대학교 교수로 재직했다. 저서로는 『송 백팔』(1982), 『구곡』(1978), 『시』(1976), 『시집1』(1969), 역서로는 『(동주) 열국지』(1990, 1995), 『삼국지』(1981), 『수호전』(1981), 『노자』(1979), 『(완역) 열국지』(1964), 『옥루몽』(1956, 1966), 『채근담』(1955)과 편서 『구운몽』(1962)이 있으며, 일기 형식으로 기록한 다수의 수필이 있다.

因緣

김구용 문학 전집 6——인연

1판 1쇄 2000년 6월 15일
지은이——김구용
펴낸이——임양묵
펴낸곳——솔출판사
책임 편집자——임우기
부편집자——김소원
북디자인——안지미
제작——장은성
인쇄——제형문화사
제본——성문제책사

서울시 마포구 서교동 342-8
전화 332-1526~8 팩스 332-1529
출판 등록 1990년 9월 15일 제10-420호

ISBN 89-8133-356-4 04810(세트) 89-8133-362-9 04810